1 MONTH OF
FREE
READING

at

www.ForgottenBooks.com

By purchasing this book you are eligible for one month membership to ForgottenBooks.com, giving you unlimited access to our entire collection of over 1,000,000 titles via our web site and mobile apps.

To claim your free month visit:

www.forgottenbooks.com/free669664

ISBN 978-0-332-25147-9
PIBN 10669664

Zeitschrift

für

Fleisch- und Milchhygiene.

Herausgegeben

von

Dr. med. Robert Ostertag,

Professor an der Königl. thierärztlichen Hochschule in Stuttgart.

II. Jahrgang.

BERLIN 1892.
Verlag von Th. Chr. Fr. Enslin.
(Richard Schoetz.)

Sachregister.

(Die Zahlen zeigen die Seitenzahl an.)

Autoren-Register.

Berlin, Druck von W. Büxenstein.

Zeitschrift

Fleisch- und Milchhygiene.

Zweiter Jahrgang.   **Oktober 1891.**   **Heft 1.**

Original-Abhandlungen.
(Nachdruck verboten.)

Ist Generalisation der Tuberkulose immer gleichbedeutend mit Gesundheitsschädlichkeit des Fleisches?

von
Prof. Dr. Ostertag.

In seiner „Geschichte der Tuberkulose" hat uns Johne[1]) die erste wissenschaftliche Grundlage für die sanitätspolizeiliche Beurtheilung des Fleisches tuberkulöser Thiere gegeben. Die in dieser klassischen Abhandlung aufgestellten Grundsätze sind so klarer und einleuchtender Art, dass man sich nicht zu verwundern braucht, wenn dieselben alsbald die allgemeinste Anerkennung gefunden haben. Johne stellte den Satz auf: „der Kernpunkt der Frage: Von welchem Zeitpunkt ab ist das Fleisch tuberkulöser Thiere als inficirt und daher infektiös zu betrachten, liegt also nicht, wie Gerlach will, schon in der Erkrankung der Lymphdrüsen der benachbarten Organe, sondern lediglich in dem Nachweis der generalisirten Tuberkulose. Dieser erst bildet den positiven Beweis dafür, dass Virus in den grossen Kreislauf gelangt ist und das Fleisch inficirt hat. Erst von diesem Zeitpunkte ab sind wir daher berechtigt und verpflichtet, das betreffende Schlachtstück unbedingt vom Konsum auszuschliessen."

Dieser Grundsatz bedeutet einen gewaltigen Fortschritt gegenüber den allgemeinen und wenigbesagenden Redensarten, welche früher betreffs der Beurtheilung des Fleisches tuberkulöser

Thiere gang und gäbe waren und leider heute noch in etlichen Fleischschau-Verordnungen zu finden sind.

Der Begriff der „Generalisation der Tuberkulose", welchen bekanntlich Weigert in die pathologische Anatomie eingeführt hat, ist nach Johne zum Schlagwort in der Fleischbeschau geworden. Allgemein wird jetzt die Ansicht vertreten: Bei zweifelloser lokaler Tuberkulose ist das Fleisch beim Genusse unschädlich, bei generalisirter dagegen schädlich. Die in der Mitte liegenden Fälle sind nach dem für die Sanitätspolizei geltenden Satze, in dubio das Ungünstigere anzunehmen, als der Gesundheitsschädlichkeit verdächtig anzusehen und dementsprechend zu behandeln. Punkt 1, Annahme der Unschädlichkeit des Fleisches bei zweifelloser Lokaltuberkulose wird wohl für alle Zeiten ein unverrückbares Dogma der Fleischbeschau bleiben. Nicht so aber dürfte es sich mit Punkt 2 verhalten, dass Generalisation unter allen Umständen als ein Beweis der Gesundheitsschädlichkeit des Fleisches angesehen werden müsse.

Fünf Jahre nach der angezogenen Publikation von Johne habe ich in einer kleinen Abhandlung[1]) die Begriffe der lokalen und generalisirten Tuberkulose näher zu begrenzen gesucht und glaube dadurch im Gegensatz zu der in einer Kritik meiner Arbeit von Johne[2]) ausgesprochenen Ansicht etwas Neues zu der

---

[1]) Deutsche Zeitschrift für Thiermedizin, Bd. IX. S. 1—88.

[1]) Berliner Archiv f. Thierheilkunde, XIV. Bd., S. 257—79.

[2]) Baumgarten's Jahresbericht pro 1887.

Frage beigetragen zu haben. Denn der Begriff der generalisirten Tuberkulose, welchen Johne in die Fleischbeschau einführte, war kein so allgemein geläufiger und so scharf begrenzter, wie man vielleicht annehmen mochte. Aus eigenen Erfahrungen, welche ich in verschiedenen Schlachthäusern gesammelt hatte, wusste ich, dass jener Begriff hier enger, dort weiter aufgefasst wurde. Dem einen schien Generalisation schon vorzuliegen, wo der andere nur lokale Ausbreitung sah und umgekehrt. Die Folge hiervon war nothwendig ein höchst ungleichmässiges Verfahren trotz der angeblichen Gleichmässigkeit auf Grund des Begriffes „Generalisation". Unter diesen Umständen musste doch etwas Verdienstliches in dem Versuche liegen, möglichst genau die Grenzen festzustellen, innerhalb welcher sich die lokale und generalisirte Tuberkulose bewegen.

In der citirten Abhandlung habe ich die Ansicht ausgesprochen, dass diejenigen Fälle von Tuberkulose, bei welchen eine Erkrankung des Milz- oder Nierenparenchyms vorliege, kaum zu einer Meinungsverschiedenheit Veranlassung geben dürften; denn dieselben seien zweifellos genereller Natur und dementsprechend zu beurtheilen. Hiergegen erhob Schmidt-Mülheim[1] den Einwand, eine Erkrankung des Parenchyms der Milz könne auch, ohne dass ein Tuberkelbacillus im Blute gekreist hätte, dadurch zu Stande kommen, dass von dem peritonealen Ueberzug der Milz aus der Prozess auf das Parenchym übergreife. Indessen war es ein Leichtes, die Haltlosigkeit dieser Annahme darzuthun und den Nachweis zu erbringen, dass die Erkrankung des Milzparenchyms stets als der Ausdruck einer Blutinfektion angesehen werden müsse.[2] Ebenso unbegründet, wie der Einwand Schmidts, war

die Vermuthung Hartensteins[1]), bei den Schweinen möchte das Lymphgefässsystem derart beschaffen sein, dass vom Verdauungskanal bezw. von den Mesenterialdrüsen aus eine direkte Uebertragung des Tuberkelgiftes auf die Milz vorkommen könne. Ich habe darauf hingewiesen,[2]) dass nicht blos der pathologisch-anatomische Befund, sondern auch die anatomische Einrichtung der Lymphgefässe der Milz entschieden gegen diese Vermuthung sprechen.

Wenn es demnach auch als festgestellt betrachtet werden muss, dass die Erkrankung des Milzparenchyms stets der Ausdruck generalisirter Tuberkulose ist, so haben mich andererseits meine Beobachtungen und Versuche gelehrt, dass die Konsequenz dieses Befundes im Sinne Johne's, nämlich die Annahme einer Gesundheitsschädlichkeit des Fleisches, bei dem Vorhandensein von Tuberkeln in der Milz nicht immer zutrifft.

Bekanntermassen zeigt sich die generalisirte Tuberkulose beim Rinde in den verschiedensten Formen. Eine Form aber tritt uns sehr häufig entgegen und kann als eine typische bezeichnet werden. Es ist dies die Generalisation bei jungen Thieren nach der Aufnahme des Infektionsstoffes durch den Verdauungsschlauch. Unter beiläufig 300 Fällen genereller Tuberkulose beim Rind, welche ich während meiner Thätigkeit auf dem Centralschlachthofe zu Berlin unter Notirung der genauen Sectionsbefunde gesammelt habe, nimmt die genannte Form eine bedeutende Stelle ein. Gleichzeitig sei bemerkt, dass dieselbe Form die gewöhnliche der tuberkulösen Erkrankung bei Schweinen ist.

Das anatomische Bild ist folgendes: Verkäsung oder Verkalkung einzelner Mesenterialdrüsen, mitunter auch der retropharyngealen Drüsen, seltener des Darmes. Knoten in Lunge,

---

[1]) Zeitschrift f. Fleischbeschau und Fleischprodukt., III. Bd. No. 11.

[2]) Vgl. Berliner Archiv für Thierheilkunde, d. XV, S. 281—290.

[1]) Vgl. Berliner Archiv für Thierheilkunde, Bd. XVI, S. 358—359.

[2]) Anweisung zur Untersuchung geschlachteter tuberkulöser Thiere. Berlin 1891. S. 22 ff.

Leber und Milz und den mit diesen Organen korrespondirenden Lymphdrüsen. Die Milz weist in Bezug auf die Zahl der Knoten nicht selten eine stärkere Erkrankung auf, als Lunge und Leber. Es giebt Fälle, bei welchen weder in der Lunge noch in der Leber tuberkulöse Herde nachgewiesen werden können, wobei es jedoch niemals an einer specifischen Erkrankung der Bronchial- und Portaldrüsen fehlt. Andererseits kommen Fälle zur Beobachtung, bei welchen Lunge oder Leber — je nach dem Einbruche des Tuberkelgiftes auf dem Wege des ductus thoracicus oder der Vena portarum — zahlreiche Knoten beherbergen und die Milz nur einen. Die ersteren Fälle, starke Erkrankung der Milz lediglich neben Affektion der Mesenterial-, Bronchial- und Portaldrüsen wird ziemlich häufig bei Kälbern beobachtet[1].

Da die Tuberkulose der serösen Häute für die Regel fehlt, so bedarf es kaum noch des besonderen Hinweises, dass es sich auch in den letztangeführten Fällen um den sichtbaren Ausdruck einer tuberkulösen Blutinfektion handelt. Finden wir doch bei subkutaner Verimpfung tuberkulösen Materials an junge Versuchsthiere dieselben Verhältnisse, wie wir sie bei den Kälbern geschildert haben. Nach Bollinger[2] erkranken bei künstlicher Infektion (von der Unterhaut oder dem Peritoneum aus) in erster Linie die Lymphdrüsen, dann die Milz, hierauf erst die Lunge und Leber.

Die Nieren sind in der überwiegenden Anzahl der Fälle frei von Erkrankung. Nur wenn Lunge, Leber und Milz mit Tuberkeln „übersät" sind, pflegen auch die Nieren an der Erkrankung theilzunehmen.

Wie bereits hervorgehoben worden ist, findet man die auf Lunge, Leber und Milz beschränkte Generalisation fast nur

bei jungen Thieren, bezw. lässt sich nach der Grösse und dem Grade der Verkalkung der Tuberkeln in den Parenchymen die Entstehung derselben fast immer in die erste Jugend oder in die Zeit bis zum 3. Jahre verlegen. An anderer Stelle[1] habe ich schon die überaus merkwürdige Thatsache hervorgehoben, dass im Gegensatz zur Generalisation in der Jugend die Generalisation bei älteren Thieren sich durch Erkrankung der Nieren mit Uebergehung der Milz auszeichne.

Die geschilderte Erkrankung bei Kälbern bezw. Jungrindern lässt nicht den geringsten Einfluss auf den Ernährungszustand erkennen, es sei denn, dass die Leber in sehr hohem Grade verändert wäre. Im Uebrigen sind es oft gerade die fettesten Thiere, welche Tuberkeln in Lunge, Leber und der Milz aufweisen.

Bei der Zerlegung der Cadaver beobachtet man, dass neben den Herden in Lunge, Leber und Milz spezifische Erkrankungen des Skeletts, besonders der Rückenwirbel, und der in der Muskulatur gelegenen Lymphdrüsen, namentlich der Bug-, Leisten- und Kniefaltendrüsen, vorkommen können. Es giebt aber auch Fälle, bei welchen lediglich die genannten Eingeweide erkrankt, das Skelett hingegen und die Muskulatur vollständig intakt sind. Hiervon habe ich mich durch eine ganze Serie genauer Zerlegungen von Thieren mit peinlichster Untersuchung aller im „Fleische" gelegenen Lymphdrüsen überzeugt.

Interessant ist es, dass die Grösse der tuberkulösen Herde in den einzelnen Organen, unter sich betrachtet, nahezu übereinstimmt. Im Uebrigen wechselt sie von den kaum sichtbaren Knötchen bis zu Knoten vom Umfange einer Hasel- und Wallnuss. Häufig sind die Knötchen bezw. Knoten in Lunge, Leber und Milz von ziemlich gleicher Grösse (die Milzherde, unter sich gleich, übertreffen die der anderen Organe gewöhnlich etwas

---

[1] Dieses ist auch die gewöhnliche Form der Tuberkulose bei Kälbern, welche häufiger vorkommt, als Serosentuberkulose. Zur sicheren Ermittlung der erstgenannten Fälle ist es unumgänglich nothwendig, dass bei jedem Kalbe die Milz abgetastet, und die portalen, bronchialen und Gekrösdrüsen mit dem Messer untersucht werden. Seitdem in Berlin dieses Verfahren geübt wird, stellt sich die Zahl der tuberkulösen Kälber beträchtlich höher, als früher.

[2] Münch. Med. Wochenschr. 37. Jahrgang. S. 567/70.

---

[1] Diese Zeitschr. I. Bd., S. 19.

in der Grösse). Bei primärer embolischer Lebertuberkulose (Pfortaderinfektion) dagegen können die Herde in Lunge und Milz noch ganz klein, d. h. jüngeren Datums, sein trotz umfangreicher Knoten in der Leber. Sehr selten findet man Herde in der Milz von so auffallenden Grössenunterschieden, dass man daraus auf mehrere Blutinfektionen schliessen könnte. Dabei versteht es sich von selbst, dass diejenigen Herde, welche in der unmittelbaren Nähe älterer durch lokale Dissemination zu Stande kommen, hier ausser Betracht gelassen werden müssen. Indessen sind auch diese Disseminationen in der Nachbarschaft der embolischen Herde zu Seltenheiten zu rechnen.

Die Erklärung für dieses ungemeine benigne Verhalten der embolischen Herde bei der geschilderten Form der Generalisation der Rindertuberkulose liegt darin, dass die fraglichen Herde in der Regel von trockenkäsiger oder verkalkter Beschaffenheit sind. Bekanntlich sind es aber nicht nur die bereits verkalkten Herde, sondern auch diejenigen von trocken-käsiger Konsistenz, welche nicht gerne zur Generalisation neigen. Die Eingangspforten des tuberkulösen Giftes, die Mesenterialdrüsen, sind hin und wieder völlig verkalkt. In selteneren Fällen findet man auch sämmtliche embolischen Herde in Lunge, Leber und Milz mit den dazu gehörigen Lymphdrüsen verkalkt. Hier ist eine wahre Heilung der Tuberkulose zu Stande gekommen.

Das im Vorstehenden angegebene Sektionsbild musste zum Nachdenken anregen. Es handelte sich gewöhnlich, wie die Grösse der Tuberkeln in den Parenchymen unzweideutig zeigt, um eine Generalisation der Tuberkulose, welche vor längerer Zeit, mindestens vor Wochen, häufig aber auch vor vielen Monaten zu stande gekommen sein musste. In Folge der Generalisation haben sich an den ausgesprochenen Lieblingssitzen der Tuberkulose spezifische Prozesse entwickelt, welche dem progredienten Charakter der Tuberkulose entsprechend gewachsen sind, indessen in rein lokaler Weise. Wenn nun gleichzeitig Blutinfektionen jüngeren und jüngsten Datums, wie in der Regel, nicht nachzuweisen sind, muss sich unwillkürlich die Frage aufdrängen, ist jene vor längerer Zeit erfolgte Generalisation im stande, heute noch dem Fleische die Eigenschaften eines gesundheitsschädlichen Nahrungsmittels zu verleihen? Diese Frage muss aus theoretischen Erwägungen verneint werden. Bei der Erörterung dieser Frage sehen wir aber von denjenigen Fällen ab, wo neben den Organerkrankungen sich auch Veränderungen am Skelett oder in den Fleischlymphdrüsen vorfinden. Denn solches Fleisch möchte ich den tuberkulös erkrankten Organen gleichstellen.

Wenn sich lediglich in den Bauch- und Brust-Eingeweiden, speziell in Milz und Nieren, nicht aber auch in den übrigen Theilen der Thiere grössere, d. h. ältere tuberkulöse Herde von der beschriebenen trockenen bezw. verkalkten Art zeigen, so kann eine Gesundheitschädlichkeit des „Fleisches" nicht angenommen werden. Denn nach den Versuchen von Nocard besitzt das Blut nach der Injektion von Tuberkelbacillen nur kurze Zeit virulente Eigenschaften. Es pflegte 4, 5 oder längstens 6 Tage nach der künstlichen Infektion mit Tuberkelbacillen seine ansteckende Kraft wieder einzubüssen. (Untergang der Bacillen).

Indessen konnte mit diesen theoretischen Erwägungen die Sache noch nicht erledigt sein. Denn Steinheil[1]) ist es gelungen, mit dem Muskelsaft von Phtisikerleichen bei Versuchsthieren Tuberkulose zu erzeugen, obwohl die Muskulatur selbst bezw. die dort gelegenen Lymphdrüsen spezifische Veränderungen nicht aufwiesen. Bei den Versuchen Steinheils lagen jedoch die Verhältnisse wesentlich anders als in den von mir

---

¹) I. d. ss. München 1889.

geschilderten Fällen. Zu dessen Versuchen dienten Menschen, welche Kavernen in der Lunge aufwiesen und der Krankheit erlegen waren. In unseren Fällen dagegen handelte es sich um trocken - käsige oder verkalkte Herde bei Thieren, welche im Leben die Zeichen völliger Gesundheit dargeboten hatten.[1]

Trotzdem unternahm ich mit makroskopisch gesund erscheinenden Theilen von 6 Thieren, welche mit Tuberkulose der Mesenterialdrüsen, der Lunge, Leber und Milz behaftet waren, Impfversuche bei Meerschweinchen. Zur Verimpfung, und zwar in die Bauchhöhle, gelangten Muskelstückchen aus der Vorder- oder Hinterextremität, Stückchen von in der Muskulatur gelegenen Lymphdrüsen, sowie unversehrte Theile der Milz, in angemessener Entfernung von den tuberkulösen Herden entnommen. Alle diese Theile wurden in doppelter Erbsengrösse den Versuchsthieren einverleibt. Die bakterioskopische Untersuchung der Impfobjekte ergab keine Bacillen. Muskel-, Lymphdrüsen- und Milzgewebe eines jeden der 6 Rinder wurde je an ein Versuchsthier verimpft, so dass im Ganzen 18 Versuchsthiere zur Verwendung kamen. In den beiden ersten Versuchen hatte ich statt des Muskelgewebes ausgepressten Muskelsaft benützt. Ein Thier starb hierauf innerhalb 24 Stunden an Peri-

tonitis. Alle übrigen Impfthiere aber erwiesen sich bei der Autopsie, welche nach Verlauf von 6 bezw. 8 Wochen vorgenommen wurde, vollkommen gesund.

Bei einer grösseren Anzahl von Fällen ähnlicher Art habe ich gelegentlich, wie es gerade mein Dienst erlaubte, aus den makroskopisch intact erscheinenden Bug- und Leistendrüsen Ausstrichpräparate angefertigt, aber ganz im Einklange mit den Ergebnissen der 6 genauer untersuchten Fälle niemals Tuberkelbacillen in denselben feststellen können.

_____

Diese Versuche haben die aprioristische Annahme bestätigt, dass wir es in den beregten Fällen typischer Generalisation der Tuberkulose beim Rinde thatsächlich mit einem Prozesse zu thun haben, welcher in Bezug auf die Allgemeinverbreitung der Tuberkelbacillen als abgeheilt zu betrachten ist, als dessen Residuen wir aber rein lokal weiterwuchernde Knoten in etlichen Organen finden. Das Fleisch von Thieren mit solchen Prozessen kann daher auch, wenn die genaueste Untersuchung desselben keine spezifischen Veränderungen ergiebt, ebenso behandelt werden, wie dasjenige von Thieren mit lokaler Tuberkulose.

Die geringe Anzahl von vollständigen Versuchen kann hier wohl um so weniger ein Grund gegen die Berechtigung obiger Schlussfolgerung sein, 1. weil meine Versuche mit den von Bollinger, Nocard, Galtier, Bang im Allgemeinen, ohne Rücksicht auf eine bestimmte Krankheitsform, angestellten Experimenten in ihren Ergebnissen im Wesentlichen übereinstimmen, 2. aber weil in den speciellen, zu den Versuchen ausgewählten Fällen die wissenschaftliche Erwägung sich vollkommen mit den Versuchsresultaten deckt.

Ein Zweifel über die Beurtheilung des Fleisches eines Thieres, welches mit Tuberkulose der Lunge, Leber, Milz[1]

_____

[1] Auch beim Rinde sind zweifellos diejenigen Formen der Tuberkulose in Bezug auf das Fleisch die gefährlicheren, bei welchen sich erweichte tuberkulöse Herde in den Organen vorfinden (Mischinfection von Tuberkelbacillen mit Staphylococcen und Eiterstreptococcen). Denn beim Vorhandensein umfangreicher tuberkulöser Abscesse an den Eingangspforten findet man gewöhnlich embolische Herde verschiedensten Alters in Milz bezw. Nieren und ausserdem häufig Abmagerung, als Beweis, dass entweder die Bakterien selbst oder ihre Stoffwechselprodukte ununterbrochen Gelegenheit hatten, in die Blutbahn zu gelangen. Dass für dieses verschiedene Verhalten trocken-käsiger und erweichter tuberkulöser Herde die gewebelösende Eigenschaft der Eiterbakterien verantwortlich gemacht werden muss, sei hier nur beiläufig erwähnt.

[1] Dasselbe gilt sinngemäss auch von der Erkrankung der Nieren bei älteren Thieren.

behaftet ist, könnte nur bei solchen Fällen entstehen, bei welchen die Tuberkeln in den Parenchymen sehr klein sind. Hierbei kann geltend gemacht werden, dass es bei der üblichen makroskopischen Untersuchung nicht gelingen möge, so kleine Herde in den Lymphdrüsen des Fleisches — deren Untersuchung ist aus naheliegenden Gründen die Hauptsache — nachzuweisen. Indessen ist hier zu beachten, dass in den Lymphdrüsen die Tuberkeln viel rascher wachsen und sichtbar werden als in den Organparenchymen. Bei hanfkorngrossen Herden in der Milz findet man z. B. in den Bugdrüsen — in Folge der nämlichen Blutinfection — ganz markante Knötchen, welche weit über Hanfkorngrösse betragen. Um aber ganz sicher zu gehen, ist der Ausweg angezeigt, beim Vorhandensein embolischer Knötchen in Milz oder Niere bis zur Grösse eines Hanfkorns die makroskopische Untersuchung der in der Muskulatur gelegenen Lymphdrüsen nicht für ausreichend zu erachten und das Fleisch der betreffenden Thiere in dubio als gesundheitsschädlich zu behandeln.

Vorstehende Untersuchungen wurden auf dem Centralschlachthofe zu Berlin auf Anregung und unter gütiger Förderung meines früheren Chefs, Herrn Direktor Dr. Hertwig, ausgeführt.

Ueble Gebräuche im Metzgereibetrieb.

Von
Professor E. Zschokke-Zürich.

Wohl bei jedem Gewerbe bringt der Betrieb diese oder jene unnöthigen oder gar üblen Zuthaten mit sich und wenn solche im Allgemeinen auch nicht bös gemeint und glücklicherweise meistens ohne besondere Nachtheile für die Menschheit sind, so scheint es mir doch in Bezug auf den Metzgereibetrieb angezeigt, auf einige derselben aufmerksam zu machen, da hier derartige Ungehörigkeiten denn doch nicht immer so harmlos sind.

Als eine üble Gewohnheit möchte ich vorab die Sucht bezeichnen, krankhafte Veränderungen irgendwelcher Art, und

namentlich tuberkulöse Herde, Abscesse u. dgl. einzuschneiden. Nicht dass den Metzgern etwa dadurch die Gelegenheit genommen werden soll, einem allfälligen inneren Drang folgend, das Wesen von Krankheiten erkennen zu lernen, sondern aus dem einfachen Grunde, weil hierdurch, wie das auch von anderer Seite schon betont wurde, alle möglichen Infektionsherde abgedeckt und für eine Verschleppung des Inhaltes hergerichtet werden.

Zum mindesten sollten die genaueren Untersuchungen von krankhaft veränderten Organen nicht im öffentlichen Schlachtlokal und mit den gewöhnlichen, zu anderen Zwecken gebrauchten Instrumenten vorgenommen werden. Denn gerade durch solche Instrumente, sowie dann auch durch die beschmutzten Hände, werden die Infektionsstoffe am leichtesten verbreitet. Und da das Fleisch eben immer wieder als Nährboden dient, so ist es nicht unwahrscheinlich, dass Pilze sich auf ihm, wenn nicht fortentwickeln, so doch lebensfähig bleiben und verschleppt werden. Die Gefahr der Infektion des Menschen durch Fleisch tuberkulöser Thiere, besteht vielleicht weniger im Genuss desselben, — da es doch meistens soweit erhitzt wird, dass die Bakterien darin zu Grunde gehen —, als in der Manipulation mit demselben bei der Präparation zum Genuss. Dann nämlich ist die Möglichkeit, dass Bakterien flott werden und so oder anders lebend in den menschlichen Organismus gelangen, wirklich vorhanden. Das Gleiche kann übrigens auch von der Milch tuberkulöser Kühe gesagt werden. Auch hier dürften die Geschirre, in welchen die Milch aufbewahrt wird, mindestens so infektionsgefährlich sein, als die Milch, welche faktisch zum Genuss gelangt.

Dass das nachträgliche Reinigen von Instrumenten und Händen, wie es gewöhnlich geschieht, keine Garantie gegen Infektion bietet, braucht hier wohl nicht weiter bewiesen zu werden.

Im Weiteren dürfte auch jene nicht selten zu beobachtende Gewohnheit der

Metzger, das Messer zeitweilig zwischen die Lippen oder Zähne zu nehmen, als eine nicht ganz gefahrlose bezeichnet werden. Denn dass hierbei die Möglichkeit einer Infektion den Metzgern selbst nahe gerückt wird, liegt auf der Hand. Und wenn auch ältere Schlächter hiergegen lachend einwenden werden, dass sie seit lebens diese Methode, das Messer für einige Momente aufzuheben, praktizirt haben, ohne je einmal krank geworden zu sein, so darf andererseits doch nicht vergessen werden, dass zu der Zahl der an Tuberculosis sterbenden Menschen die Metzger ein ganz beträchtliches Kontingent liefern. Vorsicht schadet nicht! Zudem dürften die Metzer durch Beobachtung und Korrektur der gerügten Punkte überhaupt, überzeugt werden, dass in dieser Art gepflegte minutiöse Sorgfalt und Reinlichkeit ihrem Berufe wesentlich Kredit zu bringen vermögen.

Als eine nicht eben glückliche Prozedur möchte ich auch die Art der Blutentleerung beim Rindvieh bezeichnen, wie sie da und dort praktizirt wird.

Bekanntlich wird nach dem Stich durch Bewegung der Gliedmassen etc. versucht das Blut möglichst komplet aus dem Körper zu pumpen. Hierbei stellt sich der betreffende Gehülfe auf den Rumpf des Kadavers und vollzieht nun mit seinen Füssen stossende Bewegungen auf Bauch und Brust desselben. Es entsteht dadurch eine Art passive Athmung, wodurch allerdings das Blut möglicherweise noch angesogen und besser entleert wird. Häufig aber werden dabei auch Futtermassen aus der Haube in den Schlund gedrängt. Diese gelangen in die Rachenhöhle und werden von dort gar nicht selten durch die künstliche Respiration in die Trachea und Bronchien aspirirt. Lungen mit Mageninhalt in den Bronchien finden sich gar nicht selten und das Schlimme dabei ist, dass dieser Inhalt nicht wieder hinausgebracht werden kann, zumal sich meistens auch kleine Bronchien vollgepfropft finden.

Wenn auch der Genuss einer derartig gespickten Lunge nicht als absolut gesundheitsschädlich bezeichnet werden kann, so sollte das Organ doch mindestens als ekelerregend taxirt und deshalb vom Verkaufe ausgeschlossen werden.

Nicht minder verwerflich ist die gewöhnliche Art der Reinigung der Lunge nach der Herausnahme.

Gewöhnlich wird dieselbe einfach in eine Gelte oder in einen Trog mit Wasser getaucht und abgespült. Dass hierbei Wasser durch die Trachea in die Bronchien gelangt, ist nicht zu umgehen. Das wäre an und für sich am Ende noch kein Unglück, sofern nur das Wasser wenigstens rein wäre. Allein meistens wird solches Wasser auch zu anderen Zwecken benutzt und ist darum in der Regel schmutzig. Da es ebenfalls nicht mehr aus den Bronchien abfliesst, so erhält der Konsument nicht nur Uebergewicht, sondern eine nicht eben appetitliche Brühe.

Das Abwaschen von Organen, wie überhaupt von Fleisch, ist bekanntlich auch aus anderen Gründen nicht gerade empfehlenswerth, namentlich aber desshalb, weil die Fäulniss rascher eintritt. Die Metzger wissen das sehr wohl, dass sich das Fleisch besser erhält, je schneller es trocken wird. Der Grund ist eben der: So wie die oberflächlichste Schicht des Fleisches trocken ist, so haften die Pilze nicht mehr daran, resp. pflanzen sich nicht darauf fort. Je länger das Fleisch dagegen feucht bleibt, desto mehr können von der Luft angetriebene Keime haften und sich fortpflanzen. Das Abreiben enthäuteter Cadaver mit trockenen Tüchern ist darum mehr zu empfehlen als mit feuchten. Beim Benetzen mit Wasser wird das Fleisch nicht nur für jede Infektion länger empfänglich gehalten, sondern es werden zudem ungleich mehr Pilze auf das Fleisch direkt übergeimpft als von der Luft aus hingelangen könnten, weil eben das Wasser selbst eine Unzahl von Keimen beherbergt.

Es ist darum auch ganz unbegreiflich, wie Schlächter, namentlich auf dem Lande, bei Nothschlachtungen, den Landwirthen gelegentlich Massnahmen empfehlen. Wird beispielsweise ein Thier in der Agonie getödtet (z. B. bei akuter Tympanitis) und das Blut fliesst nicht mehr vollständig ab, die Muskulatur ist noch dunkelroth zufolge des Blutgehaltes, so empfehlen die Metzger „um das Blut noch vollständig auszuziehen" die Fleischtheile einfach in Wasser einzulegen. Und richtig, das Fleisch wird hell, das Wasser roth, folglich geht das Blut hinaus. Dass es sich hier nur um eine Lösung und Diffussion des Haemoglobins, eines absolut unschädlichen Stoffes handelt, ist allbekannt. Dass aber solches Fleisch nachher viel rascher in Fäulniss übergeht und viel weniger leicht aufzubewahren ist — trotz der hellen Farbe —, kurz, dass sich die Leute selbst betrügen, sehen diese eben erst zu spät ein. Es mag darum angezeigt sein, dass Fleischbeschauer und Thierärzte, wo immer sie diesem irrthümlichen Verfahren begegnen, die Leute über die Werthlosigkeit desselben aufklären, damit die Selbsttäuschung nicht noch soweit geht, dass man natürlich gestorbenen, also absolut unverbluteten Thieren, das Blut und sogar „das Krankheitsgift" auf diese Art zu extrahiren versucht, um sie genussfähig zu machen.

Die Regelung der Milchversorgung mit Hinsicht auf übertragbare Krankheiten.

Vortrag, gehalten auf dem VII. internationalen Kongress für Hygiene und Demographie zu London

Von

Prof. Dr. Ostertag.

Die Regelung der Milchversorgung mit Hinsicht auf übertragbare Krankheiten lässt in den meisten Ländern noch viel zu wünschen übrig. Die Mehrzahl der Kulturstaaten glaubt in dieser Frage ihre Pflicht erfüllt zu haben, wenn sie den Konsumenten vor finanzieller Schädigung durch regelmässige Kontrole der Marktmilch auf ihren Fettgehalt zu schützen sucht. Der ungleich wichtigeren sanitären Seite des Milchverkehrs wird gemeinhin geringere Beachtung geschenkt.

Nicht, als ob diese Seite in den auf den Milchhandel bezüglichen Verordnungen gänzlich unberücksichtigt geblieben wäre. Nein, man findet regelmässig in den Milchhandelsverordnungen einen Paragraphen, welcher das Inverkehrbringen von abnormer oder von kranken Kühen stammender Milch unter Strafandrohung verbietet. Allein dieses Verbot ist nur wenig wirksam, weil es im Gegensatz zu der auf Milchverfälschung gerichteten Kontrole an Ausführungsbestimmungen fehlt, welche eine regelmässige sachverständige Kontrole des milchwirthschaftlichen Betriebes vorschreiben. An der bereits auf den Markt gebrachten Milch ist es aber erfahrungsgemäss ein Ding der Unmöglichkeit, gerade die gesundheitsschädliche Beschaffenheit, sei es in Folge irrationeller Fütterung oder von Krankheiten der Milchthiere, zu erkennen. Lediglich die sog. Milchfehler lassen sich an der Marktmilch feststellen. Diese bedingen aber just keine Gefahr für die Gesundheit des Menschen.

An einem Beispiel möge der heutige Stand der Regelung der Milchversorgung im Königreiche Preussen erläutert werden. Die deutsche Reichsregierung war im Jahre 1882 der Frage näher getreten, ob der Milchhandel nicht auf Grund des Nahrungsmittelgesetzes vom 14. Mai 1879 einheitlich zu regeln sei. Von einer einheitlichen Regelung wurde aber abgesehen, weil eine für das ganze deutsche Reich bindende Festsetzung des niedersten Grenzwerthes für den Fettgehalt der Milch — dieser wurde auch hier ungebührlich in den Vordergrund gerückt — wegen der wirthschaftlichen Verschiedenheiten in den einzelnen Distrikten nicht für angängig erachtet wurde. In Folge dessen gaben die preussischen Ministerien des Innern, des Kultus und für Landwirthschaft den Bezirksregierungen anheim, die beregte Frage für ihre Bezirke nach Maassgabe besonders bezeichneter Gesichtspunkte zu ordnen. Hierauf wurden nun in einer grossen Anzahl von Städten der Monarchie — durchaus nicht in allen —

Polizeiverordnungen, betr. den Milchverkehr, erlassen. Als Muster einer solchen Verordnung führt Kirchner (Handbuch der Milchwirthschaft) diejenige für die Stadt Celle an. Dieselbe besteht aus 5 Paragraphen. § 3 behandelt die hygienische Seite des Milchverkehrs und lautet folgendermaassen: „Vom Handelsverkehr im gesundheitspolizeilichen Interesse ausgeschlossen ist die ganze oder abgerahmte Milch, welche von kranken, insbesondere mit irgend welcher Seuche behafteten Thieren oder von Kühen innerhalb der ersten Woche nach dem Kalben abstammt; ferner jede bittere, schleimige, abnorm gefärbte oder Ekel erregende und verdorbene Milch." Ein Reglement zu dieser Polizeiverordnung befasst sich nur mit der Ausübung der Untersuchung der Marktmilch auf den Fettgehalt, gedenkt aber mit keinem Worte der Haltung der Milchthiere, der sachverständigen Ueberwachung des Betriebes und der Behandlung der Milch nach dem Melken. Da, wie schon erwähnt, gesundheitsschädliche Beschaffenheit und im Besonderen die Herkunft von kranken Thieren an der zu Markt gebrachten Milch nicht mehr nachgewiesen werden kann, so steht der angeführte Paragraph der Celler und aller ähnlichen Verordnungen lediglich auf dem Papier. Verfehlungen gegen denselben gelangen nur durch Denunziationen zur Kenntniss der Behörden. Die Zahl dieser Fälle steht aber, wie jeder mit den Verhältnissen namentlich kleinerer Milchwirthschaften Vertraute zur Genüge weiss, in keinem Verhältniss zu der Anzahl der thatsächlich vorkommenden Vergehen gegen obige Vorschrift. Aehnlich wie die angezogene Verordnung für die Stadt Celle lautet nach Kirchner das schweizerische Reglement über den Milchverkehr.

In hocherfreulichem Gegensatz zu diesen und ähnlichen Verordnungen steht das Reglement, welches im Königreich Italien unter dem 3. August 1890, betr. die sanitäre Ueberwachung der Nahrungsmittel, Getränke u. s. w., als Grundlage für die Ortsgesundheits-Reglements der Einzelbezirke erlassen worden ist. Die auf Milch, Butter und Surrogate, Käse und Milchspeisen bezüglichen Vorschriften müssen im Allgemeinen als mustergiltige bezeichnet werden.

Der Staat hat die unabweisbare Verpflichtung, dafür Sorge zu tragen, dass nur gute Milch in den freien Verkehr gelange, weil der Konsument nicht im Stande ist, sich vor den mannigfachen Gefahren zu schützen, welche mit dem Genuss von Milch, dem täglichen Nahrungsmittel, verbunden sein können. Trotz weisser Farbe und süssen Geschmacks, dieser Kriterien der Güte für den Laien, kann Milch die gesundheitsschädlichsten Eigenschaften besitzen. Solche schädliche Milch kann nur dann aus dem Verkehr wirksam verbannt werden, wenn nicht bloss der Milchhandel, sondern auch die Milchgewinnung einer sachverständigen Ueberwachung unterliegen.

(Fortsetzung folgt.)

Kühlhäuser mit Natureis-Kühlung für Schlachthöfe.

Von

C. Wittenbrink-Waldenburg (Schlesien).

K. Kreisthierarzt.

Wenn irgend etwas die Fleischer eines Ortes mit der Anlage eines öffentlichen Schlachthauses versöhnen kann, so ist es die gleichzeitige Anlage eines Kühlhauses. Aber nicht jeder kleine und mittlere Betrieb lässt aus pekuniären Gründen kostspielige Kühlhäuser mit künstlicher Kälteerzeugung zu. Für solche Betriebe sind Kühlhäuser mit Natureis-Kühlung das einzig richtige.

Die Stadt Waldenburg (Schl.) [14000 E.] ist seit 3 Jahren im Besitze eines hübschen, durchaus zweckmässigen Schlachthofes und einer Kühlanlage mit Natureis-Kühlung. Diese letztere Anlage ist von dem auf diesem Gebiete rühmlichst bekannten Brauerei - Ingenieur Adolf Knaur zu Breslau ausgeführt und hat sich in den 3 Jahren ihres Bestehens durchaus bewährt. Die Anlage verbindet mit grosser

Einfachheit eine ausserordentliche Billigkeit des Betriebes. Die Konservirung des Fleisches ist dabei eine vorzügliche, denn dasselbe hält sich mehrere Wochen lang vollständig frisch. Die Anlage besteht im wesentlichen aus 3 Räumen, dem Eisraum, dem Kühlraum und dem Vorraum. Der letztere verbindet die Aussenwelt mit dem Kühlraum; Kühlraum und Eisraum sind durch eine Scheidewand von einander getrennt, der Eisraum liegt höher als der Kühlraum. Die kalte Luft gelangt aus dem Eisraum in den Kühlraum durch Klappen, die je nach Bedürfniss geöffnet und geschlossen werden können. Die kalte Luft fällt alsbald zu Boden, entzieht dem in Manneshöhe hängenden Fleisch seine Wärme und Feuchtigkeit und steigt in die Höhe, um durch an der Decke angebrachte Schornsteine bezw. Luftzüge nach aussen zu entweichen.

Die Ventilation des Raumes ist auf diese Weise eine ausgezeichnete, die Innenfläche der Wände, sowie die Oberfläche des Fleisches ist stets trocken. Die Anlage ist täglich nur 2 mal und zwar Morgens und Abends je eine Stunde für den Verkehr geöffnet. Das Eis im Eisraum hält sich auch in den heissesten Sommern bis zum Winter. Derartige Anlagen sind meines Wissens ausser in Waldenburg neuerdings in Landeshut und Myslowitz O.S. in Betrieb gesetzt worden und sollen sich auch hier, wie ich höre, sehr gut bewähren.

Ich gebe zu, dass für grosse Betriebe mit bedeutendem Verkehr Kühlhäuser mit Kaltluftmaschinen zweckmässiger sind; für kleinere und mittlere Betriebe jedoch halte ich Natureis-Kühlhäuser für durchaus ausreichend und wegen der Billigkeit für zweckmässiger.

Referate.

Galtier, Neue Untersuchungen über die Virulenz des Fleisches tuberkulöser Thiere.

(Journ. de méd. vét. et de Zool. 1891, No. 1.)

G., welcher sich mit der Frage der Virulenz des Fleisches tuberkulöser Thiere schon viel befasst hat, kommt auf Grund neuer Experimente zu dem nämlichen Schlusse wie früher, dass der Fleischsaft tuberkulöser Thiere Tuberkelbacillen enthalten könne, dass dieses aber in der Regel nicht der Fall sei. Bei der Verimpfung des Muskelsaftes von fünfzehn verschiedenen tuberkulösen Thieren, in Mengen von 4—12 ccm, konnte Verf. nur zweimal die Krankheit auf Versuchsthiere übertragen. In einem Falle wurden an ein Versuchsthier 4 ccm ohne jegliche Reaktion verimpft, während 12 ccm Tuberkulose hervorriefen. Dieser Fall lässt nach G. vermuthen (was anderweitig bereits sicher festgestellt ist. D. R.), dass die Menge des inokulirten Virus von wesentlicher Bedeutung für das Zustandekommen einer Infektion ist.

Um die Gefahr beim Genusse rohen Fleisches kennen zu lernen, verfütterte G. Fleisch tuberkulöser Rinder an Katzen und Hunde, soviel diese fressen wollten. Allein in keinem Falle gelang es, Tuberkulose bei diesen Thieren zu erzeugen.

Verf. schliesst daraus, dass der Genuss des Fleisches tuberkulöser Rinder keine besondere Gefahr in sich berge und hält an seinem früher ausgesprochenen Grundsatze fest, dass bei leichten Tuberkulosefällen die Vernichtung der erkrankten Organe genüge, das Fleisch aber zum Konsum zugelassen werden könne.

(Leider ist auch bei diesen Versuchen unterlassen worden, die besondere Beschaffenheit und Ausbreitung der tuberkulösen Prozesse bei den Rindern mitzutheilen, deren Fleisch zu den Versuchen gedient hat. Indessen stehen die Versuche von Galtier im vollen Einklange mit denjenigen, über welche Bang auf dem internationalen Hygienekongress in London Bericht erstattete. Bang hat von zwanzig hochgradig tuberkulösen Kühen das Blut verimpft und nur zweimal positiven Erfolg erzielt. D. R.)

Morot, Ueber den Verkauf des Fleisches von tuberkulösen Thieren nach gründlicher Kochung und Verarbeitung zu Konserven oder Extrakten.

(Bullet. de la Société centr. de méd. vét. 1891).

Die bisher vorgeschlagenen und ausgeführten Massnahmen zur Nutzbarmachung des Fleisches tuberkulöser Thiere haben nach M. keine vollkommen befriedigenden Ergebnisse geliefert. Bisher waren üblich: 1. Der Verkauf auf der Freibank, wie in Deutschland, 2. Verkauf nach vorgängiger Pökelung, wie in Genua und Amsterdam (Kochsalz tödtet bekanntlich nach den Versuchen von Galtier und Forster das Tuberkulosevirus nicht), 3. Verkauf nach sorgfältigem Kochen (dieses Auskunftsmittel kann nur in grossen Spitälern oder Strafanstalten durchgeführt werden).

Morot schlägt nun vor, das Fleisch von tuberkulösen Thieren nach vorgängigem Kochen zu Konserven oder Extrakten zu verarbeiten. Dieses sei ein Verfahren, welches allgemein, leicht und mit vollkommener hygienischer Sicherheit angewendet werden könne.

Slüys und Korevaar, Tuberkulose bei einer Ziege.

(Holländ. Zeitschr. f. Thierheilkunde, Bd. 18, H. 1.)

Eine Ziege, welche zwar von einer gesunden Mutter stammte, aber mit Kuhmilch aufgezogen worden war, fing an zu husten, magerte allmählich ab und wurde im Alter von 15 Monaten geschlachtet. Bei der Schlachtung ergab sich, dass das Thier an allgemeiner Tuberkulose, ausgehend vom Verdauungstraktus, litt. Die Prozesse im Darm, in den Gekrösdrüsen und in der Leber waren augenscheinlich älteren Datums, als die in den anderen Organen. Verf. vermuthen Infektion durch die zur Ernährung in der Jugend verwendete Kuhmilch.

Ref. berichtet absichtlich über diesen einen Fall von Ziegentuberkulose, um bei dieser Gelegenheit der weit verbreiteten, aber irrigen Ansicht entgenzutreten, als erkrankten Ziegen niemals an Tuberkulose. Aus den Berichten verschiedener Schlachthäuser geht hervor, dass Ziegen bei Stallhaltung leicht Tuberkulose acquiriren können durch Kohabitation mit tuberkulösen Rindern oder Menschen. Bei Schafen hat Ref. in einer Reihe von Fällen typischer Fütterungstuberkulose (phthisischer Schäfer?) auf dem Berliner Schlachthofe durch den Bacillennachweis feststellen können, dass Tuberkulose auch bei diesen Thieren spontan vorkommt.

Polenske, Chemische Untersuchung verschiedener im Handel vorkommender Konservierungsmittel für Fleisch- und Fleischwaaren.

(Arbeiten a. d. Kais. Gesundheitsamte, Bd. VI. H. 1.)

Die Untersuchungen von P. haben ergeben, dass zur Konservirung von Fleisch und Fleischwaaren u. a. Verwendung finden: 1. Sozolith (Natriumsulfat, Natriumoxyd, schweflige Säure). 2. Berlinit a. (Borsäure, Natriumchlorid, Borax) und b. (Natriumchlorid, Kaliumnitrat, Borsäure). 3. China-Erhaltungspulver (Borsäure, Natriumchlorid, Natriumsulfat, Natriumsulfit). 4. Konservesalz Brockmann's (Natriumchlorid, Kaliumnitrat, Kaliumsulfat, Borax, Borsäure). 5. Australian Salt (Borax, Natriumchlorid). 6. Barmenit (Natriumchlorid, Borsäure). 7. Magdeburger Salz (Kaliumoxyd, Natriumchlorid, Borax, Borsäure,). 8. Heydrick's Konservesalz (Natriumchlorid, Kaliumnitrat, Borsäure). 9. Dreifaches Konservesalz (Borsäureanhydrid). 10. Australian meat preserve (Calciumoxyd, schweflige Säure, Schwefelsäure, Thonerde und Eisenoxyd).

Polenske, Ueber den Verlust, welchen das Rindfleisch an Nährwerth durch das Pökeln erleidet, sowie über die Veränderungen salpeterhaltiger Pökellaken.

(Arbeiten a. d. Kais. Gesundheitsamte, Bd. VII. H. 2/3)

Als Lake diente den Versuchen von P. eine Auflösung von 1½ kg Kochsalz, 15 g Kalisalpeter und 120 g Zucker in 6 kg Wasser, als Konservirungsgegenstand Rindfleisch, welches nach 3 wöchentlicher, 3- und 6 monatlicher Aufbewahrung untersucht wurde. P. fand, dass sich das Gewicht des Pökelfleisches durch gegenseitigen Austausch von Fleischsaft und Lake nicht unerheblich vermehrte. Das Maximum der Beschwerung hatte sich bereits nach 3 Wochen eingestellt und betrug etwa 12 pCt. des ursprünglichen Gewichts. Durch die Lake wurde aber dem Fleische entzogen:

	Stickstoff	Phosphorsäure-anhydrid
nach 3 wöch. Pök.	7,77 pCt.	34,72 pCt.
„ 6 mon. „	10,08 „	54,46 „
„ 6 „	13,78 „	54,60 „

Den Verlust an Kaliumsalzen konnte P. nicht direkt feststellen. Dagegen zeigte der hohe Phosphorsäuregehalt der Laken, dass auch die Kaliumsalze bis zu einem hohen Prozentsatze ausgelaugt worden sind.

Diese Befunde bestätigen die Minderwerthigkeit des Pökelfleisches.

In den Pökellaken wird die Salpetersäure wahrscheinlich durch Mikroorganismen zu salpetriger Säure und Ammoniak reducirt. Verf. untersuchte nun des Weiteren, ob sich diese Reduktionsprodukte in giftigen Mengen in den Laken anhäufen und fand, dass der Gehalt derselben an den fraglichen Substanzen mit zunehmendem Alter zwar steige, dass aber die gefundenen Werthe weit hinter den der Theorie entsprechenden Zahlen zurückbleiben.

Soxhlet, Ueber Milchfälschung und Milchverunreinigung.

(Münch. Med. Wochenschrift 1891, No 31.)

Milch, welche als Nahrungsmittel für Säuglinge und Kranke bestimmt ist, soll

1. von gesunden Thieren abstammen,
2. unter Verabreichung eines besonderen Futters, des sogenannten Trockenfutters, gewonnen werden und 3. unverfälscht sein.

Diese Forderungen werden gewöhnlich erhoben. Die erste Forderung, sagt S., ist selbstverständlich; bezüglich der zweiten herrscht aber noch viel Unklarheit. S. vertritt auch in vorliegender Abhandlung die Ansicht, welcher Referent jedoch nicht bedingungslos beipflichten möchte, dass man in Bezug auf Fütterungsvorschriften viel zu ängstlich sei. Ferner entspreche die Anschauung, dass die Produktion einer gehaltreichen Milch von einer reichlichen und guten Fütterung abhänge, im Allgemeinen nicht den Thatsachen. Güte und Menge des Futters sei lediglich von Einfluss auf die Quantität der Milch, nicht aber auf den Nährstoff- und Fettgehalt derselben. Die Milch aus den Milchkuranstalten — treffender ist die Bezeichnung B. Martiny's „Kurmilchanstalten" — gehöre zu der dünneren Sorte, weil letztere Anstalten darauf angewiesen seien, nur sehr milchergiebige Kühe während der günstigsten Laktationsperiode und bei reichlichster Fütterung zu halten. Uebrigens sei dieses weniger wichtig, als dass diese Anstalten eine „diätetisch hochwerthigere" Milch produziren.

In Bezug auf Verfälschungen hebt S. hervor, dass dieselben in der Regel durch Wasserzusatz, seltener durch theilweise Entrahmung und noch seltener durch Kombination beider Manipulationen geschehen. Andere Fälschungen kämen so gut wie gar nicht vor. Die verderblichste Form der Fälschung für Kindermilch sieht S. in der theilweisen Entrahmung, weil hierbei die Milch behufs Rahmbildung schon einige Zeit gestanden habe und um diesen Zeitraum der Verderbniss näher gerückt sei. In Bayern werde jedoch Milchfälschung in Folge der vorzüglichen oberpolizeilichen Vorschrift, betreffend den Verkehr mit Milch vom 15. Juli 1887 und der Anweisung zur polizeilichen Ueberwachung des Verkehrs mit Milch vom 20. Juli 1887 immer seltener.

Ein Punkt verdiene in Zukunft immer grössere Beachtung, nämlich die Verunreinigung der Milch. Kein Nahrungsmittel sei so verunreinigt wie die Milch. „Wenn man berechnen würde, wieviel Kuhexkremente ein Säugling verzehrt und wieviel ein Erwachsener mit Isarwasser Fäkalien konsumirt, so würde man wohl finden, dass der Erstere viel schlechter wegkommt." Die schädlichen Folgen der Verunreinigungen bestehen in starker bakterieller Infektion. Die Bakterien aber leiten in der Milch Zersetzungen ein (Milch- und Buttersäuregährung) und erzeugen giftige Stoffwechselprodukte (Ptomaine, Toxine), ferner labähnliche Fermente. Bei der Anwesenheit gewisser Bakterien erfolgt nach S. Zersetzung der Milch unter lebhafter Gasentwicklung, namentlich bei Körperwärme. Besonders blähend zeigt sich Milch, welche stark mit Heustaub verunreinigt ist. Blosses Aufkochen tödtet die gasentwickelnden Bakterien nicht, sondern giebt diesen, weil sie hitzebeständiger sind, Gelegenheit zum Ueberwuchern der übrigen Milchbakterien.

Zum Schlusse verlangt S. folgende Massregeln:

1. Die Anstalten, welche Milch von höherem diätetischen Werth zu produziren berufen sind, die sogenannten Milchkuranstalten, sind in einer anderen als der bisherigen Weise zu kontrolliren. Der Art der Fütterung soll ein weiterer Spielraum gelassen werden; dafür ist aber der Reinlichkeitskontrolle eine viel höhere Aufmerksamkeit zu schenken; die Milch soll regelmässig nicht nur auf den Gehalt an Trockensubstanz und Fett, sondern auch auf den Gehalt an Milchschmutz nach der Methode von Prof. Renk in Halle und ausserdem auf ihre Leichtsterilisirbarkeit nach der von mir vorgeschlagenen Methode untersucht werden.

2. Milch für Säuglinge soll immer nur im sterilisirten Zustande verabreicht werden und zwar sterilisirt in Flaschen, welche je eine Trinkportion enthalten und die Sterilerhaltung der Milch bis unmittelbar vor der Verabreichung gestatten.

Scheuerlen, Ueber die Wirkung des Centrifugirens auf Bakteriensuspensionen, besonders auf die Vertheilung der Bakterien in der Milch.

(Arbeiten a. d. Kais. Gesundheitsamte, Bd. VII, H. 2.-3.)

Bekanntlich hat Bang im Jahre 1885 festgestellt, dass beim Centrifugiren tuberkelbacillenhaltiger Milch der grösste Theil der Bacillen ausgeschleudert wird. Sie fanden sich in bedeutender Menge im Bodensatze, während in der abgerahmten Milch anfänglich gar keine, zuletzt aber doch, wie im Rahm, je ein vereinzeltes Exemplar nachgewiesen werden konnte. Ein Jahr vor Bang glaubte Poehl festgestellt zu haben, dass durch die Centrifugalkraft die Lebensfähigkeit der Mikroorganismen aufgehoben werde.

Verf. prüfte nun in einer ausgedehnten, ungemein sorgfältigen Versuchsreihe die Wirkung der Centrifuge auf Bakteriensuspensionen in der von Poehl und Bang angegebenen Richtung. Uns interessiren hauptsächlich die mit Milch gewonnenen Ergebnisse. Kurz möge aber angeführt werden, dass Verf. einen verderblichen Einfluss des Centrifugirens auf die Lebensfähigkeit oder Virulenz der Bakterien nicht konstatiren konnte. Die Untersuchung von Rahm, Magermilch und Milchschmutz aus einer Meiereicentrifuge ergab, dass von einer bakteriellen Reinigung der Milch durch das Centrifugiren nicht die Rede sein kann. Etwa ¾ der Bakterien gehen mit den Fettkügelchen in die Sahne, während ¼ in der Magermilch zurückbleibt. Die Zahl der mit dem Milchschmutze entfernten Bakterien ist verschwindend gering (18 Mill. von 2050 Mill. Keimen im Liter Vollmilch). Durch die nach oben steigenden Fetttröpfchen wird das bei den wässerigen Suspensionen gefundene Verhalten geradezu in das Gegentheil verkehrt. Ebenso wie die Milchbakterien verhalten sich Milzbrandsporen, Milzbrandbacillen, Typhusbacillen und Choleraspirillen in Milch. Die Tuberkelbacillen dagegen werden im Gegensatze zu allen übrigen in der Hauptsache ausgeschleudert und sinken beim Stehen zu Boden. Indessen ist die Ausscheidung keine vollständige; es bleibt immerhin noch eine beträchtliche Menge in Milch und Sahne zurück. Verf. erklärt dieses merkwürdige Verhalten der Tuberkelbacillen durch die Neigung derselben zum Zusammenbacken und allenfalls durch ein hohes spezifisches Gewicht.[1]

Laser, Ueber das Verhalten von Typhusbacillen, Cholerabakterien und Tuberkelbacillen in der Butter.

(Zeitschr. f. Hygiene, Bd. X, H. 3.)

Verf. kam auf Grund seiner Versuche zu dem Schlusse, dass die Keime des Typhus, der Cholera und der Tuberkulose sich in der Butter so lange (ca. 1 Woche) lebensfähig zu erhalten vermögen, dass eine Uebertragung der betreffenden Infektionskrankheiten durch die Butter als Zwischenträgerin wohl erfolgen könne. Typhusbacillen starben in Butter in 5 bis 7 Tagen, Cholerabakterien in 5—8 Tagen ab. Die Virulenz von Tuberkelbacillen war 6 Tage nach der Vermischung mit Butter bereits abgeschwächt und am 12. Tage völlig erloschen. Diese Versuchsergebnisse weichen von denjenigen ab, welche Heim (Arbeit. a. d. K. Gesundheitsamte, Bd. V) mitgetheilt hat. Im Verlaufe seiner Versuche fand L. ausserdem in 15 Butterproben konstant Oidium lactis und hält daher diesen Befund für ein differential-diagnostisches Merkmal zur Erkennung von Butter.

Karlinski, Experimenteller Beitrag zur Kenntniss der Pyoseptikämie der Neugeborenen vom Verdauungstraktus aus.

(Prag. med. Wochensch. 1890, No. 22.)

Durch eine Reihe von Thierversuchen an schwangeren Kaninchenweibchen ver-

mochte K. den Nachweis zu erbringen, dass eitererregende Mikroorganismen bei der Einspritzung in die Blutbahn sowohl wie in eine in der Involution begriffene Gebärmutter in die Milch, und zwar in verhältnissmässig kurzer Zeit, übergehen können. Ferner verfütterte K. Milch, welche mit Staphylococcus pyogenes aureus beschickt worden war, an junge Hunde, Kaninchen und Katzen und erzielte dabei unter 48 Versuchen 6 mal Allgemeininfektion (Staphylococcen im Blute), 5 mal eiterige Parotitis, 17 mal akuten Darmkatarrh mit letalem Ausgang, 8 mal Allgemeininfektion mit Bildung von miliaren Eiterherden in der Leber und in den Nieren.

(Die Nutzanwendung dieser Versuchsergebnisse für die Milchhygiene liegt auf der Hand. D. R.)

Stadelmann, Ueber den anatomischen Bau des Strongylus convolutus Ostertag.

(Aus dem zoologischen Institut der Friedrich-Wilhelms-Universität Berlin. J. D. 1891.)

Im 1. Band dieser Zeitschrift, Heft 1 und 2 findet sich die Beschreibung eines neuen Parasiten im Labmagen des Rindes, des Strongylus convolutus O. Bekanntlich wurden gegen die Neuheit dieses Fundes von einer Seite Bedenken gemacht, welche jedoch höchst nichtssagender Art waren. St. hat nun unter der Leitung des Berliner Zoologen, F. E. Schulze, den neuen Strongylus einer kritischen Prüfung unterzogen und hierbei festgestellt, das Strongylus convolutus nicht blos, was bereits in der Publikation von Ostertag erwiesen worden war, eine Novität in der Thierpathologie, sondern auch in der Zoologie vorstelle. Der Str. c. gehört nach der Schneider'schen Eintheilung zu der ersten Gruppe von Strongyliden. Von den etwa 40 Arten, welche zu dieser Gruppe gehören, unterscheidet er sich durch die glockenförmige Hautduplikatur über der Vulva.

St. hat mit grossem Fleisse und der Sachkenntniss eines Schülers von F. E. Schulze den anatomischen Bau des Str. c.

---

[1] In der referirten Arbeit theilt Sch. ein Färbeverfahren für Tuberkelbacillen in der Milch mit, welches in Folgendem besteht: Die Deckglaspräparate werden nicht durch die Flamme gezogen, sondern durch 24stündiges Einlegen in absoluten Alkohol fixirt, das Fett durch eintägiges Behandeln mit Aether entfernt und hierauf nach Ziehl gefärbt. Die so gewonnenen Präparate liessen nach S. nichts zu wünschen übrig.

untersucht. Bezüglich der Einzelheiten desselben verweise ich auf das Original. Aus den Bemerkungen aber, welche Verfasser über die Biologie der Parasiten macht, hebe ich hervor, dass seine Einwanderung Ende Oktober und November stattzufinden scheint. Im Dezember und Januar bemerkt man das zweite Larvenstadium und erst im Laufe des Februar geschlechtsreife Männchen und Weibchen. Diese werden bis zum Juli reichlich angetroffen, um im Juli und August immer seltener zu werden. Im Monat September und Oktober schliesslich waren so gut wie keine Individuen mehr zu finden.

Amtliches.

Deutsches Reich. Verordnung, betr. die Aufhebung des Verbots der Einfuhr von amerikanischen Schweinen u. s w.

Wir Wilhelm von Gottes Gnaden Deutscher Kaiser, König von Preussen verordnen im Namen des Reichs nach erfolgter Zustimmung des Bundesrathes wie folgt.

§ 1. Die Verordnung, betreffend das Verbot der Einfuhr von Schweinen, Schweinefleisch und Würsten amerikanischen Ursprungs, vom 6. März 1883 (Reichsgesetzbl. S. 31) tritt für lebende Schweine, sowie für solche Erzeugnisse ausser Kraft, welche mit einer amtlichen Bescheinigung darüber versehen sind, dass das Fleisch im Ursprungslande nach Massgabe der daselbst geltenden Vorschriften untersucht und frei von gesundheitsschädlichen Eigenschaften befunden worden ist.

§ 2. Der Reichskanzler ist ermächtigt, zur Kontrolle der Beschaffenheit des aus Amerika eingeführten Schweinefleisches geeignete Anordnungen zu treffen.

§ 3. Gegenwärtige Verordnung tritt mit dem Tage ihrer Verkündigung in Kraft. Urkundlich unter Unserer höchsteigenhändigen Unterschrift und beigedrucktem kaiserlichen Insiegel. Gegeben Schloss Schwarzenau, 3. September 1891. (L. S.) Wilhelm. v. Caprivi.

Reg.-Bez. Minden. Polizeiverordnung, betr. die Nothschlachtungen und den Verkauf des Fleisches nothgeschlachteter Thiere.

Im Reg.-Bezirk Minden wird nachstehende Polizeiverordnung in Erinnerung gebracht.*)

*) Es wäre schon ein grosser Fortschritt in der Regelung der Fleischbeschau im Königreich Preussen, wenn jeder Regierungsbezirk wenigstens eine Nothschlachtungsverordnung, wie die Mindener, besässe. D. H.

Polizei-Verordnung.

Da in einzelnen Orten unseres Verwaltungsbezirks krankes Vieh und namentlich mit der sogenannten Fäule behaftete Schafe oder auch mit dem Kalbefieber behaftete Kühe von den Viehbesitzern an ärmere Leute oder an Metzger um einen geringeren Preis zum Schlachten verkauft und das Fleisch derselben von den letzteren zum Wiederverkaufe ausgestellt wird, so verordnen wir hiermit auf Grund des § 11 des Gesetzes vom 11. März 1850, dass das Schlachten und der Verkauf von krankem Vieh zum Genuss oder Verkauf des Fleisches und dieser Verkauf selbst, sofern dasselbe nicht durch besondere Verordnung gestattet oder nicht durch das Attest eines approbirten Thierarztes die Unschädlichkeit des gen. Fleisches für die menschliche Gesundheit nachgewiesen ist, bei Vermeidung einer Strafe von 5—10 Thlr. oder verhältnissmässiger Gefängnissstrafe untersagt ist und beauftragen sämmtliche Polizeibehörden, auf die Ausführung dieser Verordnung sorgfältig zu achten.

Die Verordnungen vom 21. Mai 1857, Amtsblatt No. 24 und vom 18. Mai 1865 sind hierdurch aufgehoben.

Minden, 26. März 1868.
Der Regierungs-Präsident.

Stolp. Polizei-Verordnung, betreffend den Verkehr mit frischer Kuhmilch.

Auf Grund der §§ 5 ff. des Gesetzes vom 11. März 1850 über die Polizeiverwaltung, der §§ 143, 144 des Gesetzes vom 30. Juli 1883 über die allgemeine Landesverwaltung wird hiermit unter Zustimmung des Magistrats und mit Genehmigung des Herrn Regierungspräsidenten für den Gemeindebezirk Stolp Folgendes verordnet.

§ 1.

In Stolp darf Kuhmilch nur als Vollmilch oder als Magermilch in den Verkehr gebracht werden. Vollmilch ist solche Milch, welche nach der Gewinnung durch das Melken in keiner Weise entrahmt ist. Magermilch ist solche Milch, welche durch Mischen von voller Milch mit entsahnter Milch oder durch anderweit theilweises Entrahmen ohne künstliche Mittel gewonnen wird oder durch maschinelle Kraft z. B. durch Centrifugen entfettet ist.

Vollmilch muss einen Fettgehalt von mindestens 2,7 pCt. und ein spezifisches Gewicht von mindestens 1,028 = 14° des polizeilichen Milchprobers bei 15° C. haben.

Magermilch muss einen Fettgehalt von mindestens 0,15 pCt. und bei 15° C. Temperatur ein spezifisches Gewicht von mindestens 1,032 = 16° des polizeilichen Milchmessers zeigen.

§ 2.

Vom Verkehr ausgeschlossen ist solche Milch, welche

a) blau, roth oder gelb gefärbt, mit Schimmelpilzen besetzt, bitter, schleimig oder angesäuert ist, Blutstreifen oder Blutgerinnsel enthält;

b) bis zum fünften Tage einschliesslich nach dem Abkalben gewonnen ist;

c) von Kühen entstammt, welche an Milzbrand, Tollwuth, Perlsucht, Pocken, Gelbsucht, Rauschbrand, Ruhr, Eutererkrankungen, Pyämie, Vergiftungen, Maul- und Klauenseuche oder fauliger Gebärmutter-Entzündung leiden, überhaupt nach Ursprung und Beschaffenheit, ingleichen nach ihrer Behandlung bis zum Verkauf Gefahr für die Gesundheit der Konsumenten bergen;

d) irgendwie fremdartige Stoffe, insbesondere auch sogenannte Konservirungsmittel irgend welcher Art enthält.

§ 3.

Wer in Stolp gewerbsmässig Milch verkaufen will, hat dies der Polizeibehörde vorher anzuzeigen.

§ 4.

Gefässe, aus welchen die Milch fremdartige Stoffe aufnehmen kann, wie Gefässe aus Kupfer, Messing, Zink, Thongefässe mit schlechter oder schadhafter Glasur, eiserne Gefässe mit bleihaltigem Email sind für den Transport derselben zur Verkaufsstelle und zur Aufbewahrung an letzterer ausgeschlossen.

Auch müssen die Gefässe gehörig rein gehalten, Standgefässe mittelst fest schliessenden Deckels verschlossen, die aus geschlossenen Milchwagen leitenden kupfernen oder messingenen Krähne gut verzinnt sein und im Innern stets rein gehalten werden.

§ 5.

Sämmtliche Gefässe, in welchen die im § 1 bezeichnete Magermilch in den Verkehr gebracht wird, sind in deutlicher, nicht abnehmbarer Schrift mit der Bezeichnung „Magermilch" zu versehen. Bei geschlossenen Milchwagen ist die Aufschrift auf der Wagenwand unmittelbar über den betreffenden Krähnen anzubringen.

§ 6.

Die für den Verkehr bestimmte Milch darf nur in Räumen aufbewahrt werden, welche sorgfältig gelüftet und rein gehalten werden, auch nicht als Schlaf- oder Krankenzimmer benutzt werden oder mit solchen in unmittelbarer, nicht mindestens durch eine verschliessbare Thür getrennter Verbindung stehen.

Auch dürfen Personen, welche an ansteckenden Krankheiten leiden oder mit derartig erkrankten in Berührung kommen, sich in keiner Weise mit dem Vertriebe der Milch beschäftigen.

§ 7.

Die Bestimmungen der §§ 2 und 6 erstrecken sich auch auf den Verkehr und Handel mit Sahne, Buttermilch und Molken.

§ 8.

Die hiesigen Besitzer von Milchkühen, welche Milch in den Verkehr bringen, müssen sich jeder Zeit die Besichtigung und Untersuchung ihres Viehstandes durch den von der Polizei-Verwaltung beauftragten Thierarzt gefallen lassen.

§ 9.

Wissentliche oder fahrlässige Zuwiderhandlungen gegen die Bestimmungen dieser Verordnung werden, falls nach den Strafgesetzen nicht höhere Strafen Platz greifen, mit Geldstrafen von 3 bis 30 Mark oder entsprechender Haft bestraft. Auch kann die vorschriftswidrige Milch konfiszirt bezw. behufs eventl. Vernichtung beschlagnahmt werden.

Diejenigen, welche sich solcher Zuwiderhandlungen wiederholt schuldig machen, können öffentlich namhaft gemacht werden.

§ 10.

Wird Milch beschlagnahmt, so hat der Eigenthümer das Recht, binnen 6 Stunden, nachdem die Milch beschlagnahmt ist, bei der Polizeiverwaltung die chemische Untersuchung der Milch durch einen Sachverständigen zu verlangen. Bleibt es bei der Beschlagnahme, dann fallen die Kosten der Untersuchung dem Eigenthümer zur Last.

§ 11.

Die Verordnung tritt mit dem 1. Oktober d. J. in Kraft.[1]

Stolp, den 13. Mai 1891.

Die Polizei-Verwaltung.

Rechtsprechung.

Versuch des Feilhaltens von gesundheitsschädlichem Fleisch.

Das Reichsgericht, II. Strafsenat, stellte durch Urtheil vom 6. Mai 1890 fest, dass der Versuch des Feilhaltens gesundheitsschädlichen Fleisches schon angenommen werden müsse, wenn, wie in dem vorliegenden Falle, mit der Verarbeitung des Fleisches zu einer bereits bestellten Waare begonnen worden sei. Im vorliegenden Falle war das Fleisch behufs Herstellung von Wurst, welche ein Händler schon vorher bestellt hatte, zerkleinert auf einem Tisch im Laden des Angeklagten gefunden worden.

Bücherschau.

Monostori, Die Schweine Ungarns und ihre Züchtung, Mästung und Verwerthung. Berlin 1891. Verlag von Paul Parey.

Verfasser, welcher an der Thierärztlichen Akademie zu Budapest Thierproduktion lehrt, hebt in seinem Vorworte mit Recht hervor, dass die Kenntnisse über die ungarischen Schweine im Auslande sehr geringe seien. Als Beleg hierfür

---

[1] Die Vorzüge und Mängel dieser Verordnung sollen in dem nächsten Hefte kurz besprochen werden.

möge die Thatsache gelten, dass man in Deutschland z. B. gewöhnt ist, alle Fettschweine Ungarns als „Bakonyer" zu bezeichnen. Ziemlich weit verbreitet ist auch die Annahme, die fraglichen Thiere erreichten ihren hohen Mastzustand lediglich durch die natürliche Eichelmast in den grossen Wäldern Ungarns.

Das Erscheinen des vorliegenden Buches musste deshalb grosses Interesse wachrufen, und dasselbe enttäuscht seinen Leser nicht. Es belehrt uns in erschöpfender und anschaulicher Weise über die verschiedenen Schweinerassen Ungarns, über die eigenartigen Zucht- und Mastverhältnisse, über die in Ungarn übliche Verwerthung des Schweines und über die Handels-Usancen des Steinbrucher Borstenviehmarkts. Zum Schlusse bespricht M. noch die wichtigsten Krankheiten der Schweine und macht hierbei die Angabe, dass die rein ungarischen Schweine selten von der Finnenkrankheit ergriffen werden. Trichinen seien seines Wissens überhaupt noch nicht in ungarischen Schweinen entdeckt worden. (In Berlin wurden schon mehrmals in sog. „Bakonyern" Trichinen festgestellt. D. R.)

Auf vorzüglich ausgeführten Tafeln, welche wir vom Parey'schen Verlage nicht anders gewöhnt sind, finden wir das Bakonyer, Szalontaer, Mangalicza, das Serbische und das Rumänische Schwein abgebildet. Von den übrigen Abbildungen sind noch zu erwähnen das Bergschwein (Urrasse) und eine Schweinestallkonstruktion, welche sich unsere Züchter zum Muster nehmen könnten.

Das Buch Monostori's muss das grösste Interesse der Schweine-Züchter, -Händler und -Schlächter beanspruchen. Indessen sei dasselbe auch den mit der Kontrolle der Vieh- und Schlachthöfe betrauten Thierärzten auf das Beste empfohlen, weil die ungarischen Schweine als Schlachtthiere eine grosse Bedeutung auch für uns erlangt haben.

Kleine Mittheilungen.

— **Zur Kontrolle der Trichinenschau.** Vor kurzem haben wir berichtet, dass zu der nicht unbedeutenden Zahl von Trichinenfällen, welche alljährlich bei der Nachrevision der von ausserhalb eingeführten und am Orte der Schlachtung bereits mikroskopisch untersuchten Schweine in Berlin festgestellt werden, nun auch ein solcher Fall in Landsberg a. W. gekommen sei. Jetzt geht sogar die Nachricht — ohne Widerlegung — durch die Blätter, es sei am 9 September ein Schwein als trichinös beschlagnahmt worden, welches bereits zweimal, in Jahnsfelde und in Landsberg a. W., mit negativem Erfolg untersucht worden sei.

Die Gefahren, welche mit einer so mangelhaft arbeitenden Trichinenschau verknüpft sind,

liegen auf der Hand. Eine solche Trichinenschau ist viel schlechter, als gar keine, weil sie das Publikum in eine falsche Sicherheit wiegt. Die Mühlrädlitzer Trichinose giebt eine traurige Illustration zu dieser Thatsache. Unter solchen Umständen werden die Behörden sich der Ueberzeugung von der Nothwendigkeit einer durchgreifenden Reform der Trichinenschau nicht länger verschliessen können. Die heutigen Vorschriften der Trichinenuntersuchung leiden zumeist an folgenden Hauptmängeln:

1. Sind zu viele, zum Theil ganz unnütze Proben zur Untersuchung vorgeschrieben; eine 8jährige Erfahrung in Berlin spricht für die allgemeine Einführung der vier Proben: Zwerchfellpfeiler, Bauch-, Kehlkopfs- und Zwischenrippenmuskeln. Die Zwischenrippenmuskeln stehen jedoch als Lieblingssitz der Trichinen hinter den Zungenmuskeln zurück (vergl. Hertwig, 1. Bericht über die Fleischschau in Berlin).

2. Ist den Trichinensuchern nicht genau vorgeschrieben, wie viele und wie grosse Präparate sie aus jeder Probe zu fertigen haben und wie viel Zeit sie im ganzen auf die Durchmusterung der Präparate mindestens verwenden müssen (Hertwig).

Kreisphysikus Dr. Klose in Oppeln hat aus Anlass der Mühlrädlitzer Trichinose die Trichinenschauer seines Bezirks einer Nachprüfung unterzogen und soll dabei ein geradezu klägliches Resultat erhalten haben. Die Mikroskope waren zum Theil ganz unbrauchbar und fast alle Trichinensucher mussten zu einer Nachprüfung nach Ablauf von 4 Wochen bestellt werden. Einige derselben sollen aber im richtigen Gefühl ihrer Unfähigkeit sich entschlossen haben, ihr verantwortungsvolles Amt niederzulegen. Wie ist aber ein solches Ergebniss möglich?!

Es ist unumgänglich nothwendig, dass die Prüfungen strenger und die Kontrollen häufiger stattfinden, ferner dass nur Leute mit voller Gewähr für Zuverlässigkeit — auf den Dörfern am besten Lehrer und Apotheker — als Trichinensucher angestellt werden. Mit vollkommener Sicherheit wird aber der kostspielige Apparat der Trichinenschau erst dann arbeiten, wenn ausserdem jedes Schwein von zwei verschiedenen Beschauern untersucht wird, d h. wenn die doppelte Trichinenschau überall obligatorisch zur Einführung gelangt.

— **Gesundheitsschädliche Krebse.** Durch den Genuss in Zersetzung begriffener Krebse sind in Berlin kürzlich mehrere Personen, zum Theil lebensgefährlich, erkrankt. Das Königl. Polizeipräsidium bringt dieses unter dem 17. August mit dem Bemerken zur öffentlichen Kenntniss, dass bei gekochten Krebsen, Krabben und anderen Krustenthieren nach längerem Stehen, und zwar bereits vor dem Auftreten eines Fäulnissgeruchs, gesundheitsschädliche Stoffe sich entwickeln können, zumal wenn die Thiere erst nach erfolgtem Absterben gekocht worden sind. Bei derartigen Krebsen pflegt die Schwanzflosse nicht unter den gekrümmten Hinterleib gezogen zu sein. Vor dem Ankaufe gekochter Krebse wie sonstiger Krustenthiere bei unbekannten Personen, z. B. herumziehenden Händlern, wird gewarnt.

— **Bakteriologisch - chemische Untersuchungen der Wurst** führte Seraphini unter der Leitung von Emmerich in München aus. Er fand fast in allen Würsten neben anderen Bakterien den Kartoffelbacillus, Bacillus mesentericus Flügge. Derselbe ist bekanntlich nicht pathogen, fördert aber die Zersetzung der Würste. Zur Vorbeuge empfiehlt S. Reinigung der Därme mit Hilfe antiseptischer Mittel. Für die Haltbarkeit der Würste sei das Austrocknen bis zu einem Wassergehalt von 35—30 pCt. am zweckmässigsten, während Salpeter, Borsäure und Salicylsäure keine wesentliche Wirkung erkennen liessen.   (Pharmac. Centralhalle.)

— **Lebenszähigkeit der Tuberkelbacillen.** Stone (Boston) stellte fest, dass die Tuberkelbacillen in drei Jahre alten Sputis ihr specifisches Färbevermögen vollkommen, ihre Virulenz dagegen in etwas abgeschwächtem Grade aufwiesen.

— **Standesangelegenheit.** (Weiterbezug der Pension früherer Militärthierärzte beim Eintritt in städtischen Dienst.) Mehrfache Anfragen aus dem Leserkreise über den Weiterbezug der Pension früherer Militärthierärzte beim Eintritt in städtischen Dienst, beantworten wir auf Grund eingezogener Informationen wie folgt:

1. Frühere Rossärzte beziehen ihre Pension nur dann weiter, wenn sie von den Magistraten nicht als pensionsberechtigte Beamte im Sinne des Gesetzes, sondern als technische Organe angestellt werden (wie dieses z. B. in Berlin der Fall ist).

2. Frühere Oberrossärzte erhalten bei allen Magistratsanstellungen ihre Pension unverkürzt weiter. Nur die in den Königlichen bezw. in den Reichsdienst übertretenden früheren Oberrossärzte gehen derselben verlustig.

Tagesgeschichte.

— **Zweite Gründung eines Vereines von Schlachthaustierärzten.** Dem Beispiele der Schlesischen Kollegen folgend, haben sich die Schlachthausthierärzte des Reg.-Bezirks Arnsberg (Westfalen) am 30. August zu einem Vereine zusammengethan. Zum Vorstand wurden die Herren Albert-Iserlohn, Kredewahn-Bochum und Koch-Hagen gewählt. Vivant sequentes!

— **Oeffentliche Schlachthäuser.** Geplant ist die Errichtung eines öffentlichen Schlachthofes in Lobsens und in Ingolstadt (Kostenanschlag

300 000 M.); beschlossen wurde der Bau in Schubin, Schwetz und Stargard. In Zwickau ist mit dem Bau des Schlachthauses begonnen worden. Eröffnet wurden die Schlachthäuser in Eisleben und Nürnberg. Die Eröffnung steht bevor (1. Nov.) in Freiburg i. Schl., Marggrabowa und Schweidnitz.

— **Freibänke.** Die Errichtung einer Freibank ist in Aussicht genommen für die öffentlichen Schlachthäuser in Demmin und Schweidnitz. In Gotha hat das Staatsministerium die Errichtung einer Freibank genehmigt. Eingeführt wurde eine Freibank in Grünberg i. Schl.

— **Ortspolizeiliche Verfügungen.** Der Oberpräsident der Provinz Posen hat unter dem 4. Juli 1891 eine Polizeiverordnung, betr. das Schlachten von Pferden, Eseln und Maulthieren zum Verkauf des Fleisches erlassen. — In Husum wurde die Einführung der obligatorischen Fleischbeschau endgiltig beschlossen.

— **Die Kontrolle der Schlachthäuser betreffend.** Der Präsident des Reg.-Bezirks Posen hat durch Verfügung vom 1. Juli 1891 sämmtliche Kreisthierärzte beauftragt, die in ihren Kreisen liegenden Schlachthäuser gelegentlich anderer Dienstreisen, mindestens aber einmal im Vierteljahr einer eingehenden Besichtigung zu unterziehen Ausserdem erfolgt noch, mindestens einmal im Jahre, eine Besichtigung durch den Departementsthierarzt. Der Wortlaut obiger Verfügung stimmt im Allgemeinen mit demjenigen der Bromberger überein (vgl. diese Zeitschrift Bd. 1. S. 179).

— **Verfügung betr. die Sachverständigen an Schlachthäusern im Reg.-Bezirk Bromberg.** Der Präsident genannten Regierungsbezirkes hat verfügt, dass als Sachverständige an den Schlachthausgesetzes in der Regel nur approbirte Thierärzte anzusehen seien. Erscheint es aber bei öffentlichen Schlachthäusern kleiner Städte aus Kostenersparniss oder sonstigen Gründen nothwendig, einen Nichtthierarzt anzustellen, so habe dieser zuvor eine genauer vorgeschriebene Prüfung vor dem Departementsthierarzte abzulegen. Der Regierungspräsident bemerkt, dass es für den Bewerber von Vortheil sein dürfte, vor Ablegung der Prüfung einen praktischen Kursus an einem unter thierärztlicher Leitung stehenden Schlachthause zu absolviren.

— **Im Herzogthum Gotha** wird in Kürze die Einführung der allgemeinen obligatorischen Fleischbeschau erfolgen.

— **Gesundheitspolizeiliche Schliessung einer Molkerei.** In Affinghausen, Kreis Hoya, ist nach der „Deutschen Molkerei-Zeitung" eine typhusartige Epidemie aufgetreten, welche den Landrath bewogen hat, aus denjenigen Gehöften, in welchen Erkrankungen vorgekommen sind, die Milchlieferung an die Molkerei zu untersagen.

— **Die Trichinosis in Mühlrädlitz** bei Lüben, über welche bereits in Heft 12 des 1. Jahrg. d. Z. berichtet worden ist, hat einen sehr bedauerlichen Verlauf genommen. Dass es sich thatsächlich um Trichinosis handelt, ist nicht durch den Befund massenhafter Trichinen in den noch vorhandenen Salamiwürsten, sondern durch den Nachweis wandernder Trichinen in exstirpirten Muskelstückchen von Patienten sichergestellt. Erkrankt, und zwar durchweg schwer, sind über 50 Personen; gestorben sind 8 Personen, darunter der Arzt des Ortes und der Fleischermeister, welcher das trichinöse Schwein geschlachtet hatte. Ob der Fleischermeister das fragliche Schwein thatsächlich, wie er vor seinem Tode aussagte, hatte untersuchen lassen und somit die Schuld einzig und allein den Fleischbeschauer von M. trifft, ist noch nicht entschieden. Jedenfalls ist der letztere vorläufig seines Amtes enthoben und in Haft genommen.

— **Schlachtviehverkehr.** Nunmehr ist die Einfuhr [amerikanischer Schweine u. s. w. wieder gestattet worden. Inwieweit eine Nachuntersuchung der ausgeschlachteten Schweine in Deutschland stattfinden wird, steht noch nicht fest. Dänemark hat sich dem Vorgehen Deutschlands angeschlossen und die über das amerikanische Schwein verhängte Sperre ebenfalls aufgehoben. — Amerikanische Rinder werden dauernd nach Hamburg eingeführt. Indessen erreicht deren Zahl keine nennenswerthe Höhe (mehrere Hundert im Monat). Nach England gelangen monatlich etwa 40 000 Stück. Neulich gelangte sogar ein Transport südamerikanischer Ochsen nach 57 tägiger Fahrt nach Bremen. 13 Stück hiervon durften, was als eine weitere Erleichterung für die Einfuhr amerikanischer Rinder angesehen werden muss, im Verschlusswagen nach Berlin transportirt werden. — Aus Dänemark gelangten in den letzten Wochen je ca. 150 Stück Rinder und 2500 Schweine nach Kiel. — Aus Oesterreich dürfen neuerdings auch Schweine vom Borstenviehmarkte Wiener Neustadt eingeführt werden (neben Bielitz-Biala und Steinbruch).

— **Trichinen- und Finnenschau im Königreich Preussen während der Jahre 1886—1889.**

Jahr	Zahl der untersucht. Schweine	Zahl der trichinösen Schweine	Zahl der finnigen Schweine	Zahl der Trichinenschauer
1886	4 834 898½	2114	10 126	22 939
1887	5 486 416½	2776	11 068	23 297
1888	6 051 249½	3111	10 031	23 836
1889	5 500 678½	3026	8 373	24 080

Erkrankungen an Trichinose bei Menschen wurden mehrfach beobachtet.

Vom 7. bis 13. März 1886 kamen in Wandsbeck 12 Erkrankungen durch trichinöses Fleisch zur Anzeige; ihnen folgten 2 auf Hamburger Gebiet und 2 sehr leichte, zweifelhafte Fälle in Wandsbeck; 1 Fall verlief tödtlich, sämmtliche übrigen verliefen leicht. — In Halle a. S. erkrankten gegen Mitte August nach Genuss trichinenhaltigen Schweinefleisches etwa 10 nahe bei einander wohnende Personen, insbesondere Tischgäste eines Restaurateurs, im Ganzen sehr leicht. Verschuldung unaufgeklärt. Im Jahre 1887 erkrankten im Kreise Gerdauen zu Anfang März 2 Personen, Heilsberg im Januar und Februar 12 (1 †), in Folge Genusses von rohem Fleisch, Mohrungen Ende März 8, Ortelsburg im Mai 4 (1 †), Wehlau im Februar 10 in Folge Genusses ungenügend geräucherter Würste. In keinem Falle war das genossene Fleisch vorher auf Trichinen untersucht. Ferner in Berlin Ende 1887 5 (1 † 1888) durch nicht untersuchtes hierher verschenktes Schweinefleisch, und in der Stadt Mühlhausen im Dezember 12 Personen. Im Jahre 1888 im Kreise Fischhausen vom 31. Dezember 1887 und Januar 1888 6 Personen (2 †), Memel im Januar 8, Mohrungen zu Anfang Februar in 6 Ortschaften 15. Alle Erkrankten hatten Fleisch von nicht untersuchten Schweinen gegessen. Ferner in der Stadt Mansfeld im Februar 6, (das Fleisch war sehr spärlich mit Trichinen durchsetzt, der Fleischbeschauer konnte einer Fahrlässigkeit nicht beschuldigt werden), im Kreise Pinneberg im Dezember 3 (rohes Wurstgut oder unvollständig gebratenes Fleisch, ausser dem bekam 1 Kind nur starken Brechdurchfall.) Im Jahre 1889 im Kreise Heilsberg im Januar 8 Personen nach Genuss rohen Schweinefleisches oder von Räucherwurst (2 †). Das Fleisch war nicht auf Trichinen untersucht worden; Allenstein im Januar 6 (1 †); Burgwenden bei Eckartsberga im Februar 5, das geschlachtete Schwein stammte aus dem Stalle eines Landwirths, das Fleisch war fortgesetzt 3 Wochen lang gegessen worden; Personen, welche nur einmal am Schlachttage von dem Fleisch genossen hatten, blieben gesund; Fischhausen im Februar 7 (1 †) durch Räucherwurst, das Fleisch war nicht untersucht. Eisleben Anfang September etwa 20, Wimmelburg 12, in Ahlsdorf, Hergisdorf und einzelnen anderen Orten der Umgegend ungefähr 18, zusammen etwa 50. Die Ursache blieb unaufgeklärt. Opalenitza, Kreis, Grätz im September 8; grobe Pflichtwidrigkeit eines Fleischbeschauers. Halle a. S. im Herbst 14 in 7 Haushaltungen. (Veröff. d. Kais. Gesundheits-A.)

Personalien.

Thierarzt Hintzen in Goch wurde zum Schlachthaus-Verwalter in Kleve, Grenzthierarzt-Assistent Allemeier in Stallupönen zum Schlachthof-Direktor in Tilsit und Thierarzt Simon von Garz (Rügen) zum Schlachthaus-Inspektor in Rathenow, Oberrossarzt a. D. Jerke zum Schlachthof-Inspektor in Lüben, Thierarzt Füllbier aus Tschirmkau zum Schlachthof-Inspektor in Freiburg i. Schl. ernannt.

Besetzt: Schlachthaus-Thierarzt-Stellen in Kleve, Tilsit, Rathenow und Lüben.

Vakanzen.

Ibbenbüren: Schlachthof-Verwalter zum 1. Oktober (½jährliche Kündigung, Privatpraxis. Kaution von 600 Mark verlangt). Bewerbungen an den Amtmann.

Römhild: Thierarzt, dem Trichinenschau übertragen wird (Fixum 1000 Mark). Auskunft durch Schlachthaus-Verwalter Möller, Hildburghausen.

Lübeck: Schlachthaus-Inspektor zum 1. Januar 1892 (Einkommen 2700, steigend bis 3600 Mark und freie Wohnung; 1500 Mark Kaution und ½jähriger Probedienst verlangt). Bewerbungen an die Verwaltungsbehörde.

Düsseldorf: 2. Schlachthaus-Thierarzt (Gehalt 2700 Mark und freie Wohnung). Meldungen an den Oberbürgermeister.

Marienwerder (Westpr.): Inspektor zum 1. Oktober (Gehalt 2100 Mark, freie Wohnung und Heizung). Bewerbungen an den Magistrat.

Karlsruhe (Baden): Schlacht- und Viehhof-Verwalter.

Ludwigslust: Inspektor für am 1. November 1891 zu eröffnendes Schlachthaus (1800 Mark Gehalt, freie Wohnung und Feuerung). Bewerbungen an den Magistrat.

Sorau (Niederlausitz): Schlachthof-Vorsteher zum 1. Januar 1892 (Gehalt 2000 Mark, steigend von 4 zu 4 Jahren um 100 bis zu 2800 Mark, freie Wohnung und Feuerung. Keine Privatpraxis, 1000 Mark Kaution). Bewerbungen bis 1. Oktober an den Magistrat.

Tarnowitz: Schlachthaus-Thierarzt (Jahresbesoldung 2100 Mark, steigend von 3 zu 8 Jahren um 100 bis 3000 Mark, freie Wohnung und Heizung). Bewerbungen an den Magistrat.

Bremen: Hilfsthierarzt am Schlachthofe (2000 Mark Gehalt; vierteljährliche Kündigung; Antritt 1. Oktober). Bewerb. an die Verwaltung des Schlachthofes. (Nicht zu empfehlen. D. H.)

Bockenheim: Schlachthaus-Thierarzt (3600 Mark Gehalt). Bewerbungen an das Bürgermeisteramt.

Weissenfels; Schlachthaus-Inspektor zum 1. Januar 1892 (2400 Mark Gehalt, freie Wohnung und Heizung). Bewerbungen bis 1. Oktober an den Magistrat.

Aschaffenburg: Schlachthaus-Thierarzt, Anfangsgehalt 1500 Mk. nebst freier Dienstwohnung. Meldungen bis zum 30. September an den Magistrat.

An die Herren Abonnenten.

Die „Zeitschrift für Fleisch- und Milchhygiene" beginnt mit der vorliegenden Nummer ihren zweiten Jahrgang. Die Ziele, welche der Herausgeber verfolgt, sind im 1. Hefte dieser Zeitschrift niedergelegt. Dieselben werden auch in Zukunft massgebend sein. Es wird auch ferner die Aufgabe der „Zeitschrift für Fleisch- und Milchhygiene" sein, an dem wissenschaftlichen Ausbau der Fleischbeschau und der Regelung des Milchverkehrs das Ihrige beizutragen und alle Fragen zu behandeln, welche für die Praxis dieser Disziplinen von Werth und Interesse sind.

Der Umfang der Zeitschrift war anfänglich auf 16 Seiten für das Heft festgesetzt. Allein derselbe musste bald nicht unerheblich vermehrt werden, um die Fülle des sich anhäufenden Materials unterbringen zu können. Ausserdem sind kostspielige Abbildungen bei der Behandlung mehrerer wichtiger Gegenstände nöthig geworden.

Da nun weder in Bezug auf den Umfang eine Verminderung noch hinsichtlich der äusseren Ausstattung überhaupt eine Veränderung eintreten soll, so sieht sich die Verlagshandlung genöthigt, eine kleine Erhöhung des Abonnementspreises eintreten zu lassen, und zwar auf M. 10,— für den Jahrgang.

Ausserdem soll die „Zeitschrift für Fleisch- und Milchhygiene" vom 1. Oktober ab nicht nur in kompletten Jahrgängen, sondern auch, wie die Berliner Thierärztliche Wochenschrift, quartalsweise à M. 2,50 geliefert werden, und es erlaubt sich die Verlagshandlung zu bemerken, dass der Abonnementspreis nunmehr für beide Zeitschriften pro Quartal M. 6,— beträgt.

Verantwortlicher Redakteur (excl. Inseratentheil): Dr. Ostertag. — Verlag und Eigenthum von Richard Schoetz in Berlin. Druck von W. Büxenstein, Berlin.

Zeitschrift

für

Fleisch- und Milchhygiene.

| Zweiter Jahrgang. | November 1891. | Heft 2. |

Original-Abhandlungen.

(Nachdruck verboten.)

Dampf-Kochversuche mit dem Rohrbeck-schen Desinfektor auf dem Berliner Central-Schlachthofe.

Von

H. C. J. Duncker-Berlin.

Auf der im vorigen Jahre stattge-habten Ausstellung des X. internationalen währen würde. Da dieser Apparat die Aufmerksamkeit des Direktors der städtischen Fleischschau in Berlin, Herrn Dr. Hertwig, erregte, wurde der-selbe auf Veranlassung des Letzteren und mit Genehmigung der vorgesetzten Be-hörde im Februar d. J. auf dem hiesigen

medicinischen Kongresses hatte Herr Dr. Herm. Rohrbeck einen neuen Desinfektor aufgestellt, welcher, wie der Erfinder behauptete, sich nament-lich auch als Dampfkochapparat be- Centralschlachthofe aufgestellt, um hier einer eingehenden Prüfung unterworfen zu werden.

Dieser Desinfektor besteht aus einem eisernen Doppelcylinder von 2,62 m Länge und 1,68 m Durchmesser, dessen offene Endseiten durch eiserne Thüren luftdicht verschlossen werden können. In dem Kessel befinden sich, etagenweise über einander, hervorziehbare eiserne Roste, auf welche die Fleischtheile etc. neben einander gelegt werden. Unter den Rosten liegen dachförmig nach beiden Enden des Apparates abfallende Zinkbleche, welche die abträufelnde Brühe auffangen und in entsprechend grosse, auf dem Boden des Kessels stehende Zinktröge überführen. Der Apparat wurde an die Dampfleitung des Schlachthofes, in deren Kessel in der Regel eine Dampfspannung von 2 bis 2,5 Atmosphären Ueberdruck vorhanden ist, angeschlossen. In dem Desinfektor selber ist ein Ueberdruck von einer Atmosphäre zulässig, doch wurde bei den Versuchen niemals so weit gegangen, sondern in der Regel mit einer halben, und andernfalls stets nur kurze Zeit mit dreiviertel Atmosphären gearbeitet.

Der Dampf tritt von oben ein und kann, je nach Bedarf, direkt aus dem Kessel, oder aber zunächst in die Doppelwandung (den Mantel) und von hier aus in's Freie geleitet werden. Ein besonderes Ventil gestattet es den Dampf nur durch den Mantel zu leiten, wodurch der Apparat, nach beendeter Dämpfung, als Trockenkammer wirkt. Der Dampfaustritt geschieht am Boden des Kessels durch mehrere Oeffnungen, welche in das verschliessbare Dampfableitungsrohr führen.

Dem Rohrbeck'schen Apparat eigenthümlich ist eine Kühlvorrichtung, welche, wenn sie durch Einführung von kaltem Wasser in Thätigkeit gesetzt wird, eine Kondensation des Dampfes und einen dementsprechenden, am Manometer ablesbaren negativen Druck in dem Dampfraum veranlasst. Der Zweck dieser Kondensation ist zunächst der, einen absolut gesättigten Dampf zu erzielen. Ausserdem wirken aber, wie die hier angestellten Versuche ergeben haben, die durch wiederholte und nicht zu weit getriebene Kondensation des Dampfes erfolgenden Druckdifferenzen fördernd auf den raschen

und sicheren Verlauf der Kochung ein. Die Handhabung des Apparates ist eine in hohem Grade einfache.

Da kleine Versuchsobjekte naturgemäss kein zuverlässiges Bild über die Leistungsfähigkeit des Apparates zu geben vermochten, so wurden auf Veranlassung des Direktors Dr. Hertwig für jeden Versuch ein halbes Rind, sowie einige Zentner Leber, Lungen etc. reservirt.

Vor dem Einbringen auf die Roste wurde das Fleisch von einem Schlächter handwerksgemäss in ca. 12 bis 15 cm. starke und ca. 3 bis 6 Kilo schwere Stücke zerlegt. Die, bei den Versuchen No. 5 bis 8 erwähnten Fleischwürfel konnten selbstverständlich nur durch ein besonderes Herauslösen derselben aus den Keulen grösserer Rinder gewonnen werden. Die Lungen, Lebern etc. wurden hin und wieder, aber nur dann eingekerbt, wenn sie durch pathologische Prozesse stark vergrössert und verdickt waren.

Nachdem das Fleisch auf die Roste gelegt worden war, wurde, unter strengster Beobachtung der nothwendigen Vorsichtsmassregeln, je ein geprüftes Maximalthermometer bis in die Mitte einzelner, besonders ausgewählter Fleischstücke eingeführt. Ausserdem wurden in die Mitte mehrerer der voraussichtlich am schwierigsten zu durchdämpfenden Stücke je ein, eigens für diese Versuche konstruirter Kontakt - Wärmemesser gelegt, welcher, wenn eine Temperatur von 100 Grad C. erreicht ist, eine ausserhalb des Kessels befindliche Signalglocke in Thätigkeit setzt. Die an den Wärmemessern befestigten Leitungsdrähte wurden mit Kabeldräthen verbunden, welche durch die Kesselwandungen hindurchgeführt waren und mit einer elektrischen Batterie und den nummerirten Signalglocken in Verbindung standen.

Auf diese Weise konnte also augenblicklich festgestellt werden, wann in der Mitte bestimmter Fleischstücke eine Temperatur von 100 Grad C. vorhanden war. Damit die höchsterreichte Temperatur in dem Dampfraum kontrollirt werden konnte, wurde hier noch ein geprüftes Maximalthermometer aufgehängt.

Die in dieser Weise vorbereiteten Versuche über das Eindringen der Hitze in das Fleisch, ergaben höchst interessante Resultate, über welche ich in Kürze einige Mittheilungen zu machen in der Lage bin.

Wie aus der beifolgenden, auszugsweise aus den Versuchslisten hergestellten Tabelle ersichtlich ist, wurde zu den Versuchen weit geringere Zeit um genügend durchgedämpft zu werden.

Bei genauer Durchsicht der Tabelle wird man vielleicht finden, dass bezüglich der Zeit bis zum Durchgekochtsein der einzelnen Stücke einige Widersprüche vorhanden zu sein scheinen. Dies ist aber nicht von Belang, weil hier Versuche im Grossen vorliegen, welche nicht nur von den schwankenden Dampf- und anderen Verhältnissen eines grossen Betriebes, sondern auch von der jeweiligen

Nummer des Versuchs	Dauer des Versuchs		Fleischstück	Qualität	Stärke	Gewicht	Signal (100 °C.) nach		Maximalthermometer frei im Apparat	Maximalthermometer im Fleischstück	Verlust	Gewonnene Fleischbrühe
	Std.	Min.			cm	Kilo	Std.	Min.	°C.	°C.	Kilo	Kilo
1.	2	15	Bratenstück	mager	15	3,00	—		117	104	1,125	—
"	"		Lendenstück	fett	15	2,750	—		"	102½	1,125	—
"	"		do.	durchwachsen	12	3,250	—		"	110	1,250	—
"	"		Schulterstück	do.	12	3,250	—		"	106	1,250	—
2.	2	15	do.	do.	15	4,750	—		117¼	109½	1,500	—
"	"		Rippenstück	fett	nicht notirt	3,250	—		"	107	1,250	—
"	"		Schulterstück	durchwachsen	12	5,00	—		"	113½	1 500	—
"	"		do.	do.	12	5,00	2	9	—		1,500	—
3.	2	26	Bratenstück	mager	15	5,500	2	10	118	110	2,250	—
"	"		do.	do.	15	3,250	2	13	"	110	1,250	—
4.	2	12	do.	durchwachsen	15	2,750	—		118	104	1,375	—
"	"		Schwanzstück	do.	12	2,500	1	52	"	—	1,250	—
"	"		Bratenstück	do.	15	3,750	2		"	—	1,500	—
"	"		do.	do.	12	2,625	1	33	"	—	1,250	—
"	"		do.	do.	15	4,125	—		"	108	2,00	—
5.	2		Schieres Fleisch		10×11×15	1,625	2		nicht notirt	100	0,750	—
6.	2	30	do.	do.	11×13×20	3,00	2	25	115	101	1,875	—
7.	2	45	do.	do.	15×15×15	3,250	2	35	118	103	1,250	1,250
8.	3		do.	do.	12×12×15	2,750	2	35	118	105	1,250	1,800
"	"		do.	do.	10×15×15	2,500	2	35	"	104½	1,00	—

Rindfleisch aus allen Körpertheilen und von verschiedener Qualität benutzt, und es ergab sich dabei, dass ganz gleichmässiges mageres Fleisch am schwierigsten zu durchkochen ist. Freilich dürfen Fleischstücke, wie sie u. a. bei den Versuchen No. 5 bis 8 benutzt wurden, kaum je als Kochobjekte vorkommen, weil sie besonders gewonnen werden müssen; aber selbst in diesen Stücken war bereits nach Verlauf von ca. 2½ Stunden eine Temperatur von 100 Grad C. im Innern vorhanden. Dahingegen bedürfen Fleischstücke, wie sie gewöhnlich im Handel vorkommen, eine

Beschaffenheit der gelieferten Rinderviertel etc. beeinflusst wurden.

Das in dem Rohrbeck'schen Apparat gekochte Fleisch, war, wie dies u. a. auch von den Herren Geh. Medizinalrath Dr. Pistor, Departementsthierarzt Wolf und vielen anderen hervorragenden Sachverständigen, welche einzelnen Versuchen beiwohnten, anerkannt wurde, vollständig gar und sehr saftreich. Das Fleisch hatte ein sehr gutes Aussehen und einen angenehmeren Geschmack und Geruch als in Wasser gekochtes Fleisch. Auch die in den Auffangschalen vorhandene, sehr concentrirte Brühe liess nichts zu wünschen übrig.

Wie die Fleischstücke, so waren auch die gleichzeitig mitgedämpften Lungen, Lebern etc. vollständig durchgekocht, so dass sie, in noch warmem Zustande in die Hand genommen, zerfielen.

Diese Resultate waren denn auch Veranlassung, dass der Königl. Stabsarzt Herr Dr. Wernicke, welcher, wenn ich nicht irre, im Auftrage des Herrn Geheimrath Professor Dr. R. Koch einem der Versuche beiwohnte, um ev. bakteriologische Versuche mit gedämpftem tuberkulösem Fleische vorzunehmen, diese als unnöthig unterliess. Auf dem Schlachthofe angestellte Impfungen an Meerschweinchen mit gedämpftem tuberkulösem Material, blieben ohne Erfolg, während andere, mit demselben, aber rohen Material geimpfte Meerschweinchen bei der Section als stark tuberkulös befunden wurden.

Aus diesem Allen ergiebt sich also, dass der Rohrbeck'sche Desinfektor namentlich für Schlachthöfe von grosser Bedeutung werden kann und zwar:

1. als Kochapparat für solches Fleisch, welches wohl noch für Nahrungszwecke Verwendung finden könnte, aber in rohem Zustande nicht in den Verkehr gebracht werden darf und also verworfen werden müsste, weil das in den Haushaltungen übliche Kochen nicht genügt, um die in dem Fleische vorhandenen Parasiten etc. zuverlässig zu vernichten.*)

2. als Vernichtungsapparat für zu Nahrungszwecken absolut nicht zu verwerthende thierische Substanzen. Für diesen Fall ist die Einrichtung eine etwas andere, als die vorher beschriebene, da es sich dann event. um die Gewinnung von Leim, Fett u. s. w. handelt.

Die obenerwähnten Versuche sind von dem Direktor Dr. Hertwig in der Absicht unternommen worden, das Kochverfahren in

---

*) Der Preis eines für den Gebrauch auf kleineren und mittleren Schlachthöfen berechneten Desinfektors beträgt, je nach der Grösse des letzteren, ca. 2—4000 Mk.

Berlin zunächst an Stelle der Freibänke zu setzen, welche letztere, aus wiederholt angegebenen Gründen, für grössere Städte nicht zweckmässig sind.

Die Regelung der Milchversorgung mit Hinsicht auf übertragbare Krankheiten.

Vortrag, gehalten auf dem VII. internationalen Kongress für Hygiene und Demographie zu London.

Von
Prof. Dr. Ostertag.

(Fortsetzung.)

Im freien Verkehr darf nur gute, d. h. mit der grössten Sauberkeit von gesunden Thieren unter rationellen Fütterungsverhältnissen gewonnene Milch geduldet werden, welche normale physikalische Eigenschaften und eine gewisse Haltbarkeit besitzt. Vom Verkehr dagegen muss ausgeschlossen werden:

1. Milch, welche, ohne gesundheitsschädlich zu sein, Abweichungen in Farbe, Geschmack oder Consistenz zeigt (verdorbene Milch);

2. alle Milch, welche gesundheitsschädlich ist oder bezüglich welcher der begründete Verdacht besteht, dass sie gesundheitsschädlich sei.*)

---

*) Ueber gesundheitsschädliche Milch sind in jüngster Zeit eine Anzahl zum Theil recht gründlicher Arbeiten erschienen, welche ein beredtes Zeugniss von dem gesteigerten Interesse an dieser Frage ablegen. Von diesen Arbeiten nenne ich besonders Schmidt-Mülheim: Ueber die Aufgaben der Veterinärmedicin auf dem Gebiete der Milchhygiene (Archiv für animalische Nahrungsmittelkunde, Bd. I); ferner Marx: Die gesundheitspolizeiliche Ueberwachung des Verkehrs mit Milch (Deutsche Vierteljahresschrift für öffentliche Gesundheitspflege, XXII. Bd.); Petersen: Ueber die Verbreitung ansteckender Krankheiten durch Milchgenuss (Thiermedizinische Vorträge, II. Bd.); Sonnenberger: Die Entstehung und Verbreitung von Krankheiten durch gesundheitsschädliche Milch (Deutsche Medicin. Wochenschrift 1890); Würzburg: Ueber Infektionen durch Milch (Therapeutische Monatshefte 1891); Fröhner: Ueber die Bedeutung der Milchmittel (Monatshefte f. prakt. Thierheilkunde, Bd. II, Heft 9). Auf diesen Hinweis auf diese Arbeiten, welche sorgfältige Litteraturstudien enthalten, kann ich es mir hier versagen, bei der Erörterung der Einzelfragen der Gesundheitsschädlichkeit der Milch genauere Litteraturangaben zu machen.

Zu der Gruppe 1 gehört die Colostralmilch, die blutige, blaue, rothe, gelbe Milch, ferner die schleimige, fadenziehende, bittere, salzige, sowie abnorm riechende und die mit Schmutz oder anderen Stoffen verunreinigte Milch. Diese ganze Gruppe kann hier unerörtert bleiben, da trotz gegentheiliger Angaben in der Litteratur angenommen werden muss, dass die zu derselben zählenden Milchabnormitäten keine Gesundheitsgefährlichkeit für den Menschen besitzen.

Gesundheitsschädliche Beschaffenheit kann die Milch annehmen bei irrationeller Haltung und zwar 1. bei Benutzung von Heu bezw. von Weiden, welche reichliche Mengen von Giftpflanzen aufweisen, 2. bei der Verfütterung gewisser gewerblicher Rückstände. Nach den Angaben in der Litteratur wurden ruhrartige Durchfälle beobachtet nach dem Genuss der Milch einer Ziege, welche Euphorbiumarten gefressen hatte. Die Milch von Kühen, welche faulige Rübenblätter erhalten hatten, erzeugte Brechdurchfall bei Kindern. Nach dem Genusse von Schlempemilch sah man Wundsein und Nässen in den Hautfalten der Säuglinge. Indessen wird von dieser Milch unter Umständen eine weit schädlichere Wirkung angenommen, weil die thierärztliche Erfahrung lehrt, dass Kälber, welche mit Schlempemilch gefüttert werden, daran zu Grunde gehen. Aehnliche Beobachtungen bei Kälbern liegen für die Verfütterung der Rübenpresslinge und der Melasse vor. Schmidt-Mülheim giebt unter Betonung des hohen Kaliumgehaltes der Melasse (10 %) an, dass schon Mengen von 2 bis 3 Pfund täglich genügten, die Milch so ungesund zu machen, dass auch nicht ein einziges Kalb mehr aufgezogen werden konnte. Derart gewonnene Milch darf auch nicht im Verkehre als Nahrungsmittel für Menschen geduldet werden. Aber nicht nur die Verfütterung unverhältnismässiger Mengen von Schlempe und Melasse giebt der Milch eine giftige Beschaffenheit. Dieselbe wird auch beobachtet bei der Verwendung der Rückstände bei der Oelfabrikation als Futter für Milchkühe. Nach Erdnusskuchen ist, wie Schmidt-Mülheim angiebt, zuweilen eine abführende Wirkung der Milch bei Kindern eingetreten; für noch viel gefährlicher wegen ihres Gehaltes an Ackersenf hält derselbe Autor die Raps- und Rübsenkuchen. Wenigstens seien nach der Verfütterung der letztangeführten Kuchen bei den Kühen heftige Entzündungen des Verdauungs- und Harnapparates festgestellt worden, während nach dem Genusse der Milch schon Kälber an tödtlichen Durchfällen erkrankt seien. Bollinger berichtet über die Schädlichkeit der Milch nach der Verfütterung von Ricinuskuchen.

Die Vorbeuge gegen die angeführten Milchschädlichkeiten ergiebt sich von selbst. Es muss für Beseitigung der Giftpflanzen auf den Wiesen gesorgt, die Verfütterung absolut nachtheiliger technischer Rückstände (z. B. der Melasse, Raps- und Rübsen-, ferner Ricinuskuchen) sowie der verdorbenen Rückstände an Milchkühe ganz verboten, die Verfütterung der übrigen aber nur in richtigem Verhältniss mit Heufütterung erlaubt werden. Denn ganz auf die Verwerthung technischer Rückstände bei der Milchgewinnung Verzicht zu leisten, erscheint aus wirthschaftlichen Gründen nicht angängig.

Derselben Beurtheilung, wie die Milch von Kühen, welche mit giftig wirkenden Futterstoffen ernährt werden, unterliegt die Milch mit scharf wirkenden Medikamenten behandelter Thiere. Für eine ganze Reihe von Arzneistoffen ist der Uebergang in die Milch festgestellt. Kampfer, Terpentinöl und Kamillen machen sich rasch in der Milch bemerkbar. Der Uebergang von Arsen in die Milch, ebenso wie von Blei, und zwar zum Theil in giftigen Mengen ist durch mehrfache Beobachtungen sichergestellt. Erwiesen ist ferner der Uebergang von organischen Giften, ausserdem von Jod, Eisen, Zink, Wismuth, Antimon, von Brechweinstein, Kupfer und Quecksilber. Nach der Verabreichung von Aloë erhielt die

Milch nicht nur einen bitteren Geschmack, sondern wirkte auch bei Kindern schädlich. Ausserdem wurden Erkrankungen nach dem Genuss kupfer- und quecksilberhaltiger Milch beobachtet. Ueber die Milch medikamentös behandelter oder vergifteter Thiere sagt Fröhner, welcher in Verbindung mit Knudsen die Unschädlichkeit des Fleisches vergifteter Thiere festgestellt hat, im Allgemeinen, dass die Milch im Gegensatz zum Fleische nach Einverleibung von Arzneimitteln unter Umständen gesundheitsschädlich werden könne.

Diese Thatsachen rechtfertigen den Ausschluss aller Milch von Thieren, welche mit toxisch wirkenden Medikamenten behandelt werden.

Eine dritte Ursache für gesundheitsschädliche Beschaffenheit der Milch geben Erkrankungen der Milchthiere ab. Hierbei kommen hauptsächlich in Betracht septische Allgemeinerkrankungen, die Aphthenseuche und Tuberkulose. Kurze Erwähnung verdienen die Wuth, die Pocken und der Milzbrand.

Die Wuth und die Pocken der Kühe gehören zu den grossen Seltenheiten. Eine Uebertragung dieser Krankheiten durch Milchgenuss ist nicht mit Sicherheit festgestellt. Bei dem Milzbrand kann die Milch virulente Eigenschaften besitzen. Ueber Milzbrandinfektion beim Menschen, welche auf diese Weise zu Stande gekommen wäre, ist jedoch nichts bekannt. Indessen sei daran erinnert, dass sehr häufig auch das Fleisch milzbrandiger Thiere (trotz seines massenhaften Bakteriengehaltes) ohne jeglichen Nachtheil von Menschen verzehrt worden ist. Im Uebrigen spielt der Milzbrand in unserer Frage eine nur ganz untergeordnete Rolle, weil das Versiegen der Milch zu den ersten Symptomen dieser Krankheit gehört. Von der Lungenseuche des Rindviehs ist behauptet worden, dass dieselbe durch Milchgenuss auf den Menschen, speziell auf Kinder übertragen werden könne. Diese Behauptung wird jetzt allgemein als nicht zutreffend angesehen und wohl mit gutem

Rechte. Denn sonst müssten in den Lungenseuchedistrikten, in welchen — vor amtlicher Feststellung der Seuche — jahraus jahrein grosse Mengen von Milch lungenseuchekranker Thiere genossen werden, diese Erkrankungen häufiger zur Beobachtung kommen. Beim Starrkrampf der Kühe ist anzunehmen, dass die toxischen Stoffe des Tetanusbacillus auch in die Milch übergehen. Nach den Versuchen Sormani's aber dürfte gleichwohl eine schädliche Wirkung solcher Milch nicht eintreten, da per os eine zehntausendmal grössere Menge von tetanogenem Virus eingeführt werden kann, als diejenige, welche bei der Einführung unter die Haut den Tod bedingt.

Trotzdem nun bei Wuth, den Pocken, dem Milzbrand, der Lungenseuche und dem Starrkrampf eine gesundheitsschädliche Beschaffenheit noch nicht beobachtet wurde und die Möglichkeit einer solchen zum Theil als ausgeschlossen, zum andern Theil als eine sehr geringe betrachtet werden muss, ist der Verkauf der Milch bei diesen Krankheiten durchweg zu verbieten, weil dieselbe in Folge ihrer Abstammung von schwer kranken Thieren jedenfalls als ein verdorbenes Nahrungsmittel anzusehen ist. Der wirthschaftliche Verlust, welchen der Ausschluss dieser Milch bedeutet, ist dazu ein ganz untergeordneter, weil die beregten Infektionskrankheiten — von der Lungenseuche und dem Milzbrande abgesehen — nur selten vorkommen und die Milchproduktion dieser Thiere stets verringert, wenn nicht ganz aufgehoben ist.

Als hygienisch wichtiger zu betrachten sind gewisse septische Erkrankungen der Kühe, über deren Wesen noch ein grosses Dunkel herrscht. Die bekannten Fleischvergiftungen, welche leider nicht allzuselten zur Beobachtung gelangen, liefern den Beweis, dass bei den Rindern septische Erkrankungen vorkommen, welche durch Genuss des von diesen Thieren stammenden Fleisches auf den Menschen übertragbar sind. Ich erinnere nur an die in letzter Zeit beobachteten

Vergiftungen in Frankenhausen, in Cotta, Löbtau, in Kirchlinde und Frohlinde. Alle diese Fleischvergiftungen, welche zur Erkrankung selbst Hunderter von Personen führten, erfolgten nach dem Genusse des Fleisches von schwer erkrankten Kühen. In einem Falle (Cotta) war der Ausgangspunkt der Allgemeinerkrankung eine Entzündung des Euters. Obwohl nun keine ausdrücklich vermerkte Beobachtung die Annahme erhärtet, dass auch die Milch ebenso wie das Fleisch der fraglichen Thiere gesundheitsschädlich gewirkt habe, so ist die Wahrscheinlichkeit hierfür doch sehr gross, namentlich bei denjenigen Fleischvergiftungen, bei welchen nicht nur eine schädliche Wirkung durch Uebertragung spezifischer Bakterien, sondern auch durch Aufnahme chemischer Stoffwechselprodukte festgestellt worden ist. Denn letztere werden sicherlich durch das Euter ausgeschieden. Genauere Untersuchungen liegen nur über die Fleischvergiftungen in Frankenhausen (Gärtner) und in Cotta (Johne) vor. In beiden Fällen wurde als Ursache der Vergiftung der Bacillus enteritidis Gärtner gefunden. Im Allgemeinen scheinen die zu Fleischvergiftungen führenden Erkrankungen der Rinder unter den verschiedensten Krankheitsbildern auftreten zu können. Sie dürften aber nach den vorliegenden Mittheilungen, soweit dieselben auf Zuverlässigkeit Anspruch erheben können, das Gemeinsame des hohen konsumirenden, mit Prostration der Kräfte einhergehenden Fiebers besitzen. Weil somit einzelne Krankheitsformen, welche hier in Betracht zu ziehen sind, nicht besonders namhaft gemacht werden können, muss das allgemeine Verbot des Verkaufs der Milch fieberhaft erkrankter Thiere wegen Verdachts der Gesundheitsschädlichkeit angeordnet werden. Auch hier ist der nationalökonomische Schaden nicht erheblich, weil fieberhaft erkrankte Thiere erfahrungsgemäss nur wenig Milch produciren. Das Verkaufsverbot ist durch die Anzeigepflicht bei vorkommenden Krankheiten unter dem

Milchvieh zu unterstützen, wie dieses in dem italienischen Milch-Reglement vorgeschrieben ist. Denn selbst die wenige, von kranken Thieren produzirte Milch wird in der Regel von den Milchwirthen aus freien Stücken nicht weggegossen.

Die Aphthenseuche spielt wegen der Häufigkeit ihres Auftretens und der grossen Anzahl von Thieren, welche bei jeder Epizootie befallen werden (bis zu 10 pCt. des ganzen Rindviehbestandes eines Landes und darüber) eine wichtige Rolle in der Milchhygiene. Durch Versuche und Beobachtungen ist der sichere Beweis erbracht worden, dass nach dem Genuss roher Milch eine der Aphthenseuche entsprechende Krankheit übertragen werden kann. Namentlich haftet die Krankheit leicht bei Kindern; indessen können auch Erwachsene inficirt werden. Bei Kindern werden sogar Todesfälle auf den Genuss der Milch von maul- und klauenseuchekranken Thieren zurückgeführt, und es klingt bei der zeitweise enormen Verbreitung der Krankheit ganz glaubhaft, wenn Wyss angiebt, er habe förmliche Epidemieen der Aphthenkrankheit unter Kindern beobachtet. Indessen ist erwiesenermassen nur rohe Milch schädlich. Einfaches Kochen zerstört das spezifische Gift. Wegen dieser geringen Resistenz des Aphtenseuchevirus gegen Kochen ist eine völlige Ausschliessung der Milch aphthenseuchekranker Thiere, wie sie z. B. Sonnenberger will und das Berliner Polizei-Präsidium ganz im Gegensatz zu der Bestimmung des Deutschen Reichsviehseuchengesetzes anordnet, nicht nothwendig. Dass die Milch von aphthenseuchekranken Thieren im gekochten Zustande völlig unschädlich ist, zeigt nicht nur die landläufige Erfahrung, sondern auch eine genaue Untersuchung, welche Cnyrim anlässlich der im Jahre 1884 in der Milchkuranstalt zu Frankfurt a. M. ausgebrochenen Maul- und Klauenseuche angestellt hat. Er stellte fest, dass bei den Kindern, welche die Milch aus der verseuchten Anstalt in gekochtem Zustande weiter genossen, weder eine spezifische Erkrankung noch irgend ein anderer Nachtheil eintrat. Dasselbe kann ich selbst auf Grund einer im Jahre 1889 in einer Berliner Milchkuranstalt beobachteten Seuche vollauf bestätigen.

Mithin braucht bei der Aphthenseuche des Rindviehs nur der Verkauf der rohen Milch verboten zu werden. Das Inverkehrbringen der gekochten oder sterilisirten Milch dagegen ist zu gestatten. (Schluss folgt.)

Ueber eine Massen-Erkrankung infolge Genusses kranker Hummern.

Von
Simon-Rathenow,
Schlachthof-Inspector.

Auf einer in Stralsund von ungefähr 85 Gästen besuchten Hochzeitsgesellschaft wurden am 21. Juli d. J. gegen Ende der Mahlzeit Hummern herumgereicht, welchen infolge ihres ausgezeichneten Aussehens und Wohlgeschmacks besonders tapfer zugesprochen wurde.

Am nächsten Tage waren ungefähr 75 Hochzeitsgäste mehr oder weniger schwer erkrankt. Ich selbst litt mehrere Tage hindurch an profuser Diarrhoe, welche den landläufigen Stypticis hartnäckig Trotz bot.

Bei der überwiegenden Mehrzahl der Erkrankten bestand wüster Kopfschmerz, heftige Kolik, Uebelkeit, Erbrechen und Schwere in den Gliedern.

Bei einigen, besonders schwer erkrankten Gästen glaubte man das Bild der Cholera vor sich zu haben: das Antlitz des Kranken war bläulich verfärbt, die Kräfte lagen ganz darnieder und es traten häufig Ohnmachtsanfälle auf; ferner bestand heftigste Kolik, wozu sich Wadenkrämpfe hinzugesellten. Der Puls war unfühlbar (und zwar bei der am schwersten erkrankten Person drei Tage hindurch). Sämmtliche Fälle gelangten jedoch in längerer oder kürzerer Frist zur Heilung.

Am Tage nach der Hochzeitsfeier gab ein Herr in Stralsund mehreren Gästen ein Frühstück, welches lediglich aus Rehbraten und Hummern bestand. Letztere waren demselben Geschäft entnommen wie die „Hochzeits-Hummern". Als kurz darauf der Gastgeber nebst seinen Gästen an Symptomen einer Vergiftung erkrankte, lenkte sich der Verdacht auf die Hummern, welche nunmehr von Sachverständigen untersucht wurden. Hierbei stellte es sich heraus, dass die Hummern an einer akuten, infektiösen Darmentzündung litten.

Näheres über das Wesen der Krankheit ist leider nicht ermittelt worden. Herr Sanitätsrath Dr. Grünberg hatte beantragt, die verdächtigen Hummern dem Reichsgesundheitsamte oder Herrn Professor Brieger in Berlin einzusenden. Diesem voll und ganz berechtigtem Antrage wurde jedoch keine Folge gegeben. Man begnügte sich damit, dem ortsansässigen Apotheker (!) einige Exemplare zur Untersuchung zu übergeben, welche aber — wie wohl zu erwarten stand — kein Resultat ergeben hat.

Referate.

Klinger und Bujard, Nachweis von Cochenillepräparaten in gefärbten Dauerwürsten.

(Ztschr. f. angew. Chemie. 1891, S. 515.)

Verf. empfehlen zu diesem Nachweise eine sehr einfache Methode, indem sie zum Ausziehen der Cochenillepräparate aus Würsten Glycerin als Lösungsmittel verwenden.

„20 g der feingeschnittenen Wurst werden mit einer Mischung von gleichen Theilen Wasser und Glycerin im Wasserbad ausgekocht, wobei man, wenn ein Cochenillefarbstoff vorhanden ist, schon nach kurzer Zeit eine deutlich roth gefärbte Lösung erhält. Bei Abwesenheit dieser Farbe wird das Glycerin gar nicht oder höchstens gelblich gefärbt. Nach dem Erkalten wird abfiltrirt und wenn nur geringe Mengen Farbstoff gelöst sind, das Verfahren mit weiteren 20 g Wurst mit dem erhaltenen Filtrat wiederholt.

Die vollkommen klare und, was ganz besonders von Werth ist, fettfreie, mehr oder weniger stark roth gefärbte Glycerinlösung kann nun meistens direkt spektroskopisch untersucht werden, wobei die für Karminpräparate charakteristischen Absorptionsbänder in allen Fällen deutlich zu erkennen sind, oder es kann aus dieser Lösung in bekannter Weise der Karminlack gefällt werden. Dieser wird dann auf einem Filterchen gesammelt und in wenig Weinsäure gelöst. Man erhält so eine ganz koncentrirte Lösung des Farbstoffes, mit welcher die üblichen Reaktionen vorgenommen werden können."

Pauthier, Schädlichkeit der Kuhmilch nach der Verfütterung von Artischockenblättern.

(Rec de méd. vét. 1891, No. 13)

Die Blätter der Artischoke enthalten ein Alkaloid, das sogenannte „Cinarin". Von diesem nimmt P. an, dass es bei Kindern Diarrhöe und Erbrechen hervorrufe. Denn in allen Fällen sei der Genuss von Milch, welche nach Verfütterung von Artischockenblättern gewonnen wurde, beinahe unmittelbar von den geschilderten Zufällen gefolgt gewesen, welche sich verschlimmerten, wenn jene Milch weitergereicht wurde.

(In Deutschland wird die Artischocke viel seltener gepflanzt, als in Frankreich. Immerhin verdient die Mittheilung von P. auch bei uns Interesse, weil wenigstens in Gärtnereien auch bei uns die Gelegenheit zur Verfütterung von Artischockenblättern gegeben ist. D. R.).

Die 17. Versammlung des Deutschen Vereins für öffentliche Gesundheitspflege in Leipzig.

Bericht über die Vorträge
'der Herren Prof. Soxhlet und Hofmann
von
Hengst - Leipzig,
Director des Schlacht- und Viehhofes.

I. Soxhlet. Ueber die Anforderungen der Gesundheitspflege an die Beschaffenheit der Milch. S. behandelte den Gegenstand wie folgt: Bei der Milch muss einestheils deren Nährwerth, welcher durch die verschiedentlichsten Umstände, als Haltung, Fütterung und Rasse der Thiere, beeinflusst wird, anderntheils deren diätetischer Werth berücksichtigt werden. Als Verkaufsmilch soll nur Mischmilch — die Milch eines ganzen Gemelkes — genommen werden; zu Kinder-

milch niemals die Milch nur eines Thieres. Durch Wasserzusatz zur Vollmilch wird das Verhältniss der einzelnen Nährstoffe zu einander nicht verändert, hingegen wird dies Verhältniss durch Abrahmen zerstört. Eine unverfälschte, aber fettarme Milch darf mit abgerahmter Milch von demselben Fettgehalte nicht verglichen werden. Der diätetische Werth der Milch hängt von den beigemengten Verunreinigungen ab. Die Verunreinigung der Milch kann veranlasst werden durch das Melkgeschäft selbst, durch Futterstoffe, Excremente, Staub, Stallgase etc., wodurch je nach der Grösse der Verunreinigung der Geschmack der Milch leiden kann und dann solche Milch in der Regel von Säuglingen ungern aufgenommen wird. Durch Verunreinigung der Milch kann die Haltbarkeit der Milch wesentlich beeinträchtigt werden.

Die in der verunreinigten Milch sich entwickelnden Bakterien können entweder ungünstig auf die Verdauung wirken oder durch Ausscheiden von giftig wirkenden Stoffen dem Organismus nachtheilig werden. Ferner kann durch Bakterien die Milch wesentlich verändert werden und können durch Zersetzung der Milch Gase sich entwickeln. Milch, welche pathogene Bakterien enthält, verliert durch Kochen ihre Infektiosität.

Ein völlige Reinhaltung der Milch ist unter den gewöhnlichen Verhältnissen nicht möglich, es sollte aber angestrebt werden, dass allzugrosse Verunreinigung der Milch vermieden werde.

Durch die Centrifuge lassen sich die in der Milch befindlichen und dieselbe verunreinigenden Stoffe entfernen.

Alle Milch sollte nach dem Melken sofort abgekühlt werden, weil dadurch die Haltbarkeit der Milch erhöht wird. Die Zeit von der Abkühlung bis zur beginnenden Umsetzung bezeichnet S. mit Inkubationsperiode. In dieser Inkubationsperiode, welche bei einer Abkühlung auf $+ 17,5^{\circ}$ C. 83 Stunden, und auf $+ 10^{\circ}$ C. 70 Stunden beträgt, sollte die Milch zu Markte gebracht werden.

Durch die Sterilisirung der Milch und Aufbewahrung in gut verschlossenen Flaschen wird die Zersetzung der Milch verhindert. Zur Sterilisirung eignet sich nur nach dem Melken abgekühlte und mit der Centrifuge behandelte Milch; stark verunreinigte erschwert das Sterilisirungsgeschäft ganz wesentlich, macht es unter Umständen unmöglich.

Als Säuglingsmilch sollte nur sterilisirte Milch verwendet werden; jedoch anzustreben, dass nur sterilisirte Milch in den Handel kommen soll, ist nicht als gerechtfertigt zu erachten; es soll vielmehr Jedem selbst überlassen bleiben, sich vor den Nachtheilen, welche durch verunreinigte Milch entstehen können, zu schützen. Zur Beschaffung guter keimfreier Kindermilch können von Gemeinden oder Wohlthätigkeitsvereinen Sterilisirungsanstalten errichtet werden, woselbst Kindermilch für Arme kostenfrei und für Unbemittelte zu den Selbstkostenpreisen verabreicht wird.

Bei der Versorgung grosser Städte mit guter Milch sind die Zersetzungsbedingungen der Milch zu berücksichtigen, wodurch, wenn dies stattfindet, ein Verderben der Milch während des Transportes verhindert werden kann. Leider lässt aber die Rein- und Kühlerhaltung der Milch gegenwärtig viel zu wünschen übrig.

Allgemeine Grundsätze: 1. ist die in den Handel gebrachte Milch, wegen etwaiger in derselben sich befindlichen pathogenen Mikroorganismen vor dem Genusse zu kochen; 2. kann die Milch täglich frisch geliefert werden, so ist sterilisirte Milch nicht unbedingt erforderlich; 3. sterilisirte Milch für Erwachsene zu verwenden, ist nicht nothwendig, hingegen sollen Säuglinge und Kranke nur sterilisirte Milch erhalten, und 4. hat sterilisirte Milch ausser Bakterienfreiheit keine weiteren hygienischen Eigenschaften.

Zum Schluss besprach S. noch die Futterarten welche entweder den Geschmack oder die Zusammensetzung der Milch verändern können und empfahl an Stelle einer Futterkontrolle in den Viehhaltungen eine Kontrolle des Produktes.

Bezirksarzt Dr. Hesse-Dresden hielt die Sterilisation aller Milch ebenfalls nicht für unbedingt nothwendig und empfahl für Städte die Centralisation des Milchverkaufes. Die Milchkühe sollten nur trocken gefüttert, die Milch nach dem Melken sofort abgekühlt, darnach mit der Centrifuge gereinigt und in gut verschlossene Flaschen gebracht werden. Darnach besprach H. die Sterilisation der Milch, wie sie in Dresden stattfindet.

Professor Dr. Lehmann-Würzburg: Die Marktmilch ist sehr reich an Bakterien, wie durch Untersuchungen festgestellt worden ist. Die Verunreinigung der Milch durch Bakterien ist jedoch nicht auf das Futter, den Staub etc. allein zurückzuführen, sondern auf die Verunreinigung der Strichkanäle, was schon daraus hervorgehe, dass die zuerst abgemolkene Milch reicher an Bakterien gefunden wurde als später gemolkene.

Professor Dr. Fraenkel-Königsberg: Von den in der Milch vorkommenden pathogenen Bakterien sind besonders die Tuberkelbacillen wegen der grossen Verbreitung der Tuberkulose unter den Rindern von Wichtigkeit. Ferner können durch Wasserzusatz zur Milch Cholera- und Typhusbacillen der Milch zugeführt werden, wie schon beobachtet worden ist. F. empfiehlt deshalb, dass alle in den Handel gebrachte Milch sterilisirt werden möchte, da die Sterilisation der Milch nicht den Einzelnen überlassen werden könnte, sondern in besonderen Anstalten vorgenommen werden müsste.

Professor Dr. Hofmann, Geh. Medizinalrath-Leipzig: Alle Milch zu sterilisiren, ist nicht nothwendig und auch nicht durchführbar. Es sollte aber angestrebt werden, dass die Landwirthe die Milch sorgfältiger behandeln als es grösstentheils geschieht. Die Sterilisation der Milch für Kinder und Kranke soll je nach den örtlichen Verhältnissen entweder in Sterilisationsanstalten vorgenommen oder den Einzelnen überlassen werden. Die Hauptbedingung sei reine gute Milch zu beschaffen, diese liesse sich auch am leichtesten sterilisiren.

Zum Schluss besprach noch der Chemiker Siebold-Leipzig die wirthschaftliche Seite der Sterilisationsanstalten.

II. Hofmann-Leipzig, Kühlräume für Fleisch und andere Nahrungsmittel. H. brachte zuerst einen allgemeinen Ueberblick über die Volksernährung und die gegenwärtig bestehende Theuerung der nothwendigsten Lebensmittel, wobei er hervorhob, dass die nach den grösseren Städten geschafften Lebensmittel den mannigfachsten Unbillen ausgesetzt würden, ehe sie zu dem Konsumenten gelangten, sie müssten sich sozusagen vom Produzenten bis zum Konsumenten durchkämpfen. Dass durch diesen Kampf verschiedentliche Verluste veranlasst würden, liesse sich zwar nicht ziffernmässig nachweisen, es wäre aber gewiss nicht zu hoch gegriffen, wenn man annehme, dass 10 pCt. von den leicht verderblichen Nahrungsmitteln durch den Transport, die Lagerung auf ungeeigneten Plätzen und in ungeeigneten Räumen, verderben und deshalb nicht zum Genusse gelangten, wodurch unerhebliche Werthe verloren giengen. Diese Verluste könnten mindestens auf die Hälfte herabgedrückt werden, wenn eine geeignete Lebensmittelpflege stattfände. Zu letzterer wären Markthallen und Fleischhallen erforderlich. Bei Errichtung derartiger Anlagen müssten berücksichtigt werden 1. leichte Zuführungsverhältnisse und geschützte Abladeplätze; 2. leicht zu reinigende Fussböden, grösste Reinlichkeit und 3. ausreichender, den ganzen Raum treffender Luftwechsel. Durch Erfüllung dieser Bedingungen würde eine Verminderung der in der Luft befindlichen Keime eintreten und auch gleichzeitig die von den Waaren ausgehenden Ausdünstungen entfernt, die Ansammlung feuchter und dumpfiger Luft verhindert. Selbst in den besteingerichteten Markt- und Fleischhallen enthält die Luft noch Zersetzungskeime, welche theilweise durch die Lebensmittel mit zugeführt werden, weshalb für empfindliche Nahrungsmittel noch weitere Massnahmen sich nothwendig machen.

Die Konservirung des Fleisches kann erfolgen durch Pökeln, Räuchern, Einsalzen. Durch diese Methoden verliert aber das Fleisch, es wird dabei ausgetrocknet, und wird dazu ungeeignetes Fleisch genommen, so kann solches Fleisch selbst genuss-unfähig werden. Fleischkonserven sind für den allgemeinen Gebrauch als Luxus zu betrachten und nur für Feldzüge etc. vortheilhaft.

Kälte ist das einzige Mittel, um das Fleisch dauernd zu erhalten. Eine Kühlung durch Eis in Eisschränken, Eiskellern ist für das Fleisch deshalb nicht zu empfehlen, weil in den Eis-schränken die Temperatur Schwankungen unter-worfen ist und durch die vorhandene Feuchtig-keit die Entwickelung von Keimen nur zum Theil beeinträchtigt wird.

Um die Kälte in brauchbarer Form zur Kon-servirung des Fleisches und anderer Nahrungs-mittel zu verwenden, kann nur solche durch Kältemaschinen erzeugte benutzt werden. Zwar tödtet auch diese nicht die Keime, aber es kann dieselbe unter Bedingungen zur Anwendung kommen, welche die weitere Entwickelung der-selben aufhalten. Diese Bedingungen sind ge-ringerer Feuchtigkeitsgehalt der Luft und Zu-führung reiner Luft.

Bei derartigen Anlagen kommt es weniger auf das System als auf die Zweckmässigkeit der zu kühlenden Räume und der Kältezuführung an. Die Kälte kann den Kühlräumen entweder direkt als kalte Luft oder durch circulirende Salzwasser-lösung zugeführt werden. Die erstere Art ist nicht so geeignet für die Lebensmittelkühlung als die letzte, weil vermittels derselben Tempe-raturschwankungen kaum vermieden werden können und auch die Luftvertheilung eine schwierigere ist. Nur zu Fleischtransporten auf Schiffen ist die Kaltluftkühlung geeignet, wo-selbst die Luft auf − 10—16° abgekühlt wird und das Fleisch gefriert. Das Gefrierenlassen des Fleisches eignet sich aber nicht für den Betrieb des geschäftlichen Lebens, weil das Fleisch nach dem Aufthauen durch den Niederschlag des Wasserdampfes und mit diesem der Zer-setzungskeime aus der umgebenden Luft leicht in Zersetzung übergeht.

Am geeignetsten ist, um das Fleisch längere Zeit frisch zu erhalten, eine einige Grad über den Nullpunkt gehaltene Temperatur.

Bei dieser Temperatur ist aber noch zu be-rücksichtigen, dass die Entwickelung der Keime nur eine verzögerte ist.

Die Vortheile der cirkulirenden Salzwasser-lösung vor der Kaltluftzuführung sind: 1. durch die sich bewegende Salzwasserlösung wird stets ein Kältevorrath gegeben, die Temperaturschwan-kungen werden kleiner, 2. die Kältevertheilung ist erleichtert, 3. Einrichtungen, um die Luft von Staub und Keimen zu befreien, sind nicht er-forderlich, weil 4. der Staub sowie die Keime sich mit der Luftfeuchtigkeit an die Salzwasser-rohre niederschlagen.

Durch die Salzwasserrohre wird die Luft gekühlt, gereinigt und getrocknet.

Kälte mit trockener Luft sind aber die besten Massregeln, um die Entwickelung der Keime zu beeinträchtigen.

Für Fleisch ist noch von Vortheil, wenn es baldigst nach dem Schlachten in den Kühlraum gebracht wird, weil dadurch weniger Keime dem Fleische anhaften, als wenn es längere Zeit mit der Aussenluft in Berührung gewesen ist. Hier-auf besprach H. die Einrichtungen des Leipziger Kühlhauses, welches mittels Salzwasserkühluug und Zuführung kalter Luft gekühlt wird und in welchem nach den gemachten Versuchen e i n e T e m p e r a t u r von 3—5° C. und ein F e u c h t i g-k e i t s g e h a l t von 75 pCt. als am geeignetsten für die Fleischkühlung befunden worden ist.

Für andere Lebensmittel des Marktverkehres sind je nach ihrer Beschaffenheit verschiedene Temperaturen erforderlich, weshalb sich auch verschiedene Räume nothwendig machen. Auch für andere Lebensmittel als Fleisch sei die Salz-wasserkühlung einer Luftkühlung vorzuziehen.

Obst und Gemüse z. B. verlangen eine höhere Temperatur als Fleisch, nicht allein, weil dessen Oberfläche ein schlechterer Nährboden für die Keime ist, sondern weil, vorzüglich bei dem Obste, ein Nachreifen während der Lagerung noch eintreten soll. Die niedrigste Temperatur, 2—3° unter Null, verlangen die Seefische. Kann diese in Markthallen etc. erreicht werden, so wäre die Möglichkeit gegeben, dass auch im Binnenlande die Seefische ein billiges Volks-nahrungsmittel würden.

Zum Schluss bemerkte der Vortragende, dass durch geeignete Kühlanlagen viele Nahrungs-mittel vor dem Verderben geschützt werden könnten und deshalb derartigen Anlagen eine v o l k s w i r t h s c h a f t l i c h e B e d e u t u n g beige-messen werden müsste.

Der mit grossem Beifall aufgenommene Vor-trag gab keine Veranlassung zur Debatte.

Anschliessend seien die in der Tagesordnung niedergelegten Schlusssätze aufgeführt:

1. Zahlreiche Nahrungsmittel des Grosshandels unterliegen wegen ihrer Zusammensetzung einem raschen und frühzeitigen Verderben

   Die Folgen dieser leichten Zersetzlich-keit machen sich geltend:

   a) in einer Verminderung des Genuss-werthes, rasch ansteigend bis zur Un-geniessbarkeit, somit in erheblichen finanziellen Verlusten für den Geschäfts-mann bezw. Preissteigerungen für den Konsumenten;

   b) in sanitären Nachtheilen, die entweder lokal im Darmkanale oder allgemein im Körper auftreten als Folge der Bil-dung und Resorption schädlicher Stoffe.

2. Die zweckmässigste und billigste Konser-virungsmethode liegt für diese Fälle in der

Anwendung der Kälte, erzeugt durch geeignete Kältemaschinen.

3. Die verschiedenen Arten von Lebensmitteln bedürfen verschiedener Kältegrade und Feuchtigkeitszustände der gekühlten Luft, um in praktischer Weise die Kältewirkung dem Grosshandel wie dem Detailbetriebe möglichst nutzbar zu machen.

Amtliches.

Ausschreiben des Herz. Meiningen'schen Staatsministeriums, betr. das Verfahren beim Schlachten.

Mit Höchster Genehmigung Seiner Hoheit des Herzogs wird über das Verfahren beim Schlachten Folgendes bestimmt:

§. 1.

Das Schlachten sämmtlichen Viehs mit Ausnahme des Federviehs darf nur nach vorhergegangener Betäubung durch Kopfschlag oder geeignete Betäubungswerkzeuge stattfinden. Bei dem Schlachten von Grossvieh müssen mindestens zwei erwachsene kräftige männliche Personen in der Weise thätig sein, dass die eine den Kopf des Thieres mittelst geeigneter Vorrichtungen festhält, die andere die Betäubung und Tödtung herbeiführt.

Auf das Schlachten nach israelitischem Gebrauche (Schächten) finden vorstehende Bestimmungen keine Anwendung (s. §. 5).

§. 2.

Das Aufhängen des sämmtlichen Schlachtviehs einschliesslich der Schafe und Kälber, sowie das Rupfen des Federviehs vor eingetretenem Tode ist verboten.

§. 3.

Das Schlachten sämmtlichen Viehs — einschliesslich des Federviehs — hat in geschlossenen, dem Publikum nicht zugänglichen Räumen stattzufinden. Nur wo solche nicht in geeigneter Weise zur Verfügung stehen, darf das nicht gewerbsmässige Schlachten im Freien geschehen; das Schlachten hat auch dann derart zu geschehen, dass es nicht von öffentlichen Strassen, Wegen oder Plätzen aus zu sehen ist.

§. 4.

Die Anwesenheit von Kindern unter 14 Jahren, die aus der Schule noch nicht entlassen sind, darf beim gewerbsmässigen Schlachten nicht geduldet werden.

§. 5.

Für das Schlachten nach israelitischem Gebrauche (Schächten) gelten ausser den vorstehend in §§ 2—4 getroffenen folgende besondere Bestimmungen:

1. Das Niederlegen von Grossvieh darf nur durch Winden oder ähnliche Vorrichtungen bewirkt werden. Die Winden, sowie die dabei gebrauchten Seile müssen haltbar bezw. fest und geschmeidig sein.

2. Während des Niederlegens muss der Kopf des Thieres unter Anwendung geeigneter Vorrichtungen gehörig unterstützt und so geführt werden, dass ein Aufschlagen desselben auf den Fussboden und ein Bruch der Hörner vermieden wird.

3. Bei dem Niederlegen des Thieres muss der Schächter bereits zugegen sein und unmittelbar darauf das Schächten vornehmen; dasselbe muss schnell und sicher ausgeführt werden.

4. Nicht nur während der Schächtungshandlung, sondern auch für die ganze Dauer der nach dem Halsschnitte eintretenden Muskelkrämpfe bis zum Eintritte des Todes muss der Kopf des Thieres festgelegt werden.

5. Das Schächten darf nur durch vom Herzogl. Landrabbiner geprüfte Schächter ausgeführt werden.

§. 6.

Für die Befolgung der Vorschriften dieses Ausschreibens ist sowohl der Eigenthümer des zu schlachtenden Viehs, wenn er zugegen ist, als auch derjenige verantwortlich, welcher die Schlachthandlung vornimmt oder leitet.

§. 7.

Zuwiderhandlungen werden mit Geld bis zu 60 M. oder mit Haft bis zu 14 Tagen bestraft.

§. 8.

Dieses Ausschreiben tritt am 1. Juli d. J. in Kraft.

Meiningen, den 29. Mai 1891.

Fleischschau-Berichte.

Würzburg. Fleischkonsum und Fleischbeschau pro 1890. Geschlachtet wurden a) im städt. Schlachthause:

1. Bullen	550	Stück
2. Ochsen	5 270	„
3. Stiere	465	„
4. Kühe und Kalben	2 350	„
5. Raupen	1	„
6. Kälber	14 858	„
7. Schafe	2 044	„
8. Ziegen	73	„
	Summa 25 611	Stück
9. Schweine	19 098	Stück
10. Ferkel	142	„
	Summa 19 240	Stück
11. Pferde	303	Stück

Gesammtsumme d. geschl. Thiere 45 154 Thiere b) ausserhalb des Schlachthofes von Privaten: 207 Thiere, darunter 184 Schweine.

Bemerkt wird, dass die ausserhalb des Schlachthofes geschlachteten Ferkel, Lämmer und Zicklein nicht angegeben werden können, weil hierüber Erhebungen fehlen.

Das Durchschnittsgewicht beträgt:

1. Bei einem Ochsen oder Bullen 600 Pfund
2. „ „ Stier . . . . . 880 „
3. „ einer Kuh oder Kalbin . 375 „
4. „ einem Raupen . . . . 150 „
5. „ „ Kalbe . . . . . . 55 „
6. „ „ Schafe . . . . 40 „
7. „ „ Schweine . . . 100 „
8. „ „ Pferde . . . . 600 „
(Ziegen, Ferkel bleiben, weil unbedeutend, ausser Ansatz.)
Demnach wurden konsumirt:
1. Bullen u. Ochsen 5821 St. à 600 Pfd. = 3 492 600 Pfd.
2. Stiere . . . . 465 „ à 380 „ = 176 700 „
3. Kühe u. Kalben 2368 „ à 375 „ = 888 000 „
4. Raupen . . . 1 „ à 150 „ = 150 „
5. Kälber . . . 14 862 „ à 55 „ = 817 410 „
6. Schafe . . . 2044 „ à 40 „ = 81 760 „
7. Schweine . . 19 262 „ à 100 „ = 1 928 200 „
8. Pferde . . . 303 „ à 600 „ = 181 800 „

Summa 7 566 620 Pfd.

Bei einer Seelenzahl von 61 083 treffen somit auf den Kopf: 123 65 Pfund.
1. Ochsenfleisch . . . . . . 57,23 Pfund
2. Stierfleisch . . . . 2,89 „
3. Kuhfleisch . . . . 12,91 „
4. Raupenfleisch . . . . . . — „
5. Kalbfleisch . . . . 13,89 „
6. Schaffleisch . . . . . . 1,36 „
7. Schweinefleisch . . . . . 31,59 „
8. Pferdefleisch . . . . . 2,96 „

Summa 123,65 Pfund

Fleischimport. Der Fleischimport beträgt: 619,649 Pfund, d. h. auf den Kopf: 10,2 Pfund.
Wildpret wurde konsumirt:
1. Hochwild 77 Stck. à 150 Pfd. = 11 550 Pfd.
2. Markassin 89 „ à 20 „ = 1 780 „

166 Stck. mit 13 330 Pfd.

3. Rehböcke 1 043 Stck. à 25 Pfd. = 26 057 Pfd.
4. Rehkitze 291 „ à 20 „ = 5 820 „
5. Hasen 24 262 „ à 6 „ = 145 572 „

Summa 25 762 Stck. mit 190 797 Pfund.

Hiervon treffen per Jahr auf den Kopf 3,13 Pfd.
Der Gesammtkonsum beträgt somit im Jahre: A. 7 566 620 Pfund
B. 619 649 „
C. 190 797 „

Gesammtsumme 8 377 066 Pfund

Dieses macht pro Jahr auf den Kopf 137,25 Pfd.
Beanstandungen von Thieren und Fleischtheilen.
Von den im Schlachthofe geschlachteten Thieren wurden vorläufig beanstandet:
1. Ochsen . . . . 124 Stück
2. Kühe . . . . 149 „
3. Kälber . . . . 12 „
4. Schafe . . . . 20 „
5. Schweine . . . . 34 „

Summa 339 Stück

Von den vorläufig beanstandeten Thieren wurden bedingungsweise freigegeben und zum Bankverkaufe zugelassen 146 und zur Verwerthung auf die Freibank 172 Thiere.

Die Gründe zur Verweisung auf die Freibank waren hauptsächlich: Tuberculosis, Peritonitis, Pneumonie, Abscesse (durch Fremdkörper hervorgerufen), Flug, Nothschlachtungen verschiedener Art.

Zum Privatgebrauche wurde eine Kuh freigegeben = 500 Pfund.

Mit Tuberculosis behaftet waren:
Bullen . . . . 6 Stück
Ochsen . . . . 40 „
Stiere . . . . 6 „
Kühe . . . . 72 „
Schweine . . . . . . 3 „

Summa 127 Stück oder 1,47 pCt. der Gesammtschlachtungen.

Von den tuberkulösen Thieren waren erkrankt:
Die Lunge . . . . in 127 Fällen
„ Leber . . . . . . „ 48 „
„ Milz . . . . „ 44 „
„ Nieren . . . . . . „ 9 „
„ Lungenpleura . . . . „ 104 „
„ Rippenpleura . . . . „ 98 „
Das Peritoneum . . . „ 52 „
Die Lymphdrüsen der Brust „ 119 „
„ übrigen Lymphdrüsen . „ 32 „
Muskulatur . . . . „ 6 „

Als vollständig ungeniessbar erklärt und dem Wasenmeister theils zum Vergraben, theils als Hundefutter überwiesen, wurden 17 Thiere.

Von dem importirten Fleische wurde das von 152 Thieren vorläufig beanstandet; hiervon wurden jedoch nur 17 Stück ganz ausgeschlossen, während der Rest zum Hausgebrauche oder für die Freibank freigegeben worden ist.

Pferdeschlachtungen. Der Konsum an Pferdefleisch hat im verflossenen Jahre ganz bedeutend zugenommen. Der Grund ist theils in der Arbeitslosigkeit vieler Arbeiter während der strengen Wintermonate zu suchen, hauptsächlich aber in den sich immer mehr steigernden Fleischpreisen, so dass Viele das nöthige Geld nicht aufbringen konnten, um Rindfleisch zu kaufen und das Pferdefleisch, von welchem das Pfund um 20 Pfennig verkauft wurde, vorzogen. Die geschlachteten Pferde waren mit allen möglichen Gebrechen und Fehlern behaftet. Jedoch war der Ernährungszustand durchschnittlich ein guter, theilweise sogar ausgezeichneter, und zwar desshalb, weil von meiner Seite absolut jedes Pferd von der Schlachtung zurückgewiesen wurde, welches abgemagert war und voraussichtlich schlechtes, ungeniessbares Fleisch geliefert hätte. Letztere wurden dann

an Schäfer etc. als Hundefutter weiter verkauft.
— Die Fleischpreise. Die Preise für das
Fleisch erhöhten sich im verflossenen Jahre
ganz bedeutend. Von der Erlaubniss der Vieheinfuhr nach Aufhebung der Grenzsperre wurde
nur wenig Gebrauch gemacht, so dass eine Einwirkung auf die Fleischpreise nicht zu bemerken
war. Im Ganzen wurden 240 Schweine in 7
Transporten eingeführt und zwar 6 aus Oesterreich, einer aus Italien. Die Hauptursache der
Vertheuerung des Schweinefleischpreises ist darin
zu finden, dass die in der Umgebung von Würzburg gezüchteten Schweine grösstentheils von
auswärtigen, Nürnberger, Frankfurter etc. Händlern zu hohen Preisen weggekauft werden.

Die Fleischpreise im Jahre 1890 waren:

Für Ochsenfleisch	65	Pfennige
„ Bullenfleisch	54	„
„ Stierfleisch	54	„
„ Kuhfleisch	50	„
„ Kalbfleisch	62	„
„ Schaffleisch	60	„
„ Schweinefleisch	68	„

**— Jahres-Bericht der städt. Schlachthaus-Ver-
waltung zu Insterburg.** Im Laufe des Jahres —
vom 1. Oktober 1890 bis 1. Oktober 1891 — wurden
in dem städt. Schlachthause zu Insterburg geschlachtet:

1542 Stück Grossvieh, 2726 Kälber,
5714 Schafe u. Ziegen u. 7147 Schweine.
Von auswärtigen Fleischern wurden zur Fleischschau eingeführt:

182 Rinder, 251 Kälber, 1305 Schafe und
719½ Schweine.
Wegen gesundheitsschädlicher Beschaffenheit
des Fleisches wurden insgesammt 39 Schlachtthiere — durch Verbrennen in der städt.
Gas-Anstalt — vernichtet, und zwar:

8 Rinder (wegen genereller Tuberkulose),
3 „ (toxische Magendarmentzündung),
1 Rind (paralyt. Kalbefieber),
1 „ (Sephthämie in Folge von Endocarditis ulceros),
1 Rinder-Hälfte — eingeführt — (hochgradige
Lungen- u. Brustfell-Tuberkulose),
1 Rinder-Hälfte — eingeführt — (hochgradige
Tuberkulose der Hinterleibs-Organe),
1 Rinder-Hälfte — eingeführt — (hämorrhag.
Beschaffenheit des Fleisches in Folge
Verletzungen),
1 Fettkalb (univers. Ikterus),
2 Schafe (generelle Tuberkulose),
1 Ziege (Kachexie in Folge von Miliartuber-
kulose der Lunge mit gleichzeitiger Leberdegeneration u. Ascites),
14 Schweine (Trichinose),
1 „ (Finnen in grosser Anzahl),
1 „ (Schweineseuche).
3 „ (brandiger Rothlauf).

Als nicht bankwürdig wurden beanstandet bz.
zum Minderwerths-Verkauf auf die „Freibank"
verwiesen in Summa 187 Schlachtthiere, und zwar:

17 Rinder (geringgrad. generelle Tuberkulose
bei gleichzeit. recht guter bz. kern-
fetter Qualität des Fleisches)
24 Rinder-Hälften (geringgrad. lokale Tuberkulose der Brust- bz. Baucheingeweide),
6 Rinder (chron. Herz- u. Herzbeutelentzündung m. gleichz. Körper-Atrophie),
4 „ (traumat. Perikarditis),
3 „ (Alters-Atrophie),
3 „ (Puerperalfieber),
2 „ (geringgr. Ikterus univers.),
2 „ (hämorrhag. Beschaffenheit des
Fleisches in Folge fehlerhaften
Schlachtens),
2 „ Nothschlachtungen in Folge von
Schwergeburten),
2 „ (akute Metritis),
1 Rind (malign. Katarrhalfieber im Initialstadium),
1 „ (akute Magen-Darmentzündung),
1 „ (Bauchwassersucht),
1 „ (desgl. in Folge von Blasenruptur),
1 Rinder-Hälfte — eingeführt — (chronische
Nieren- u. Blasenentzündung),
2 Rinder-Hälften — eingeführt — (Verletzungen),
2 Rinder-Hälften (multiple paranephritische
Abscesse),
2 Kälber (unvorschriftsmässig — in aufge-
blasenem Zustande eingeführt),
47 „ (Unreife, und zwar zu geringes Alter,
bz. Körpergewicht; bz. Atrophie in
Folge von Nabelvenenentzündung,
Dysenterie etc.),
1 Kalb (hämorrhag. Darmentzündung),
1 „ (allgem. Hydrops),
5 Schafe (Tuberkulose),
3 „ (allgemeine Körper-Atrophie),
1 Ziege (Verletzungen)
1 „ (geringgr. Tuberkulose).
12 Schweine (Finnen in geringer Anzahl —
nach vorherigem Auskochen der
Fleisch- und Fetttheile unter
polizeil. Aufsicht),
8 „ (geringgr. Tuberkulose),
25 „ (Rothlauf in den verschiedensten
Krankheitsstadien),
1 „ (Schweineseuche im Initialstadium),
2 „ (akute Angina),
2 „ (Peritonitis in Folge von Ka-
stration),
3 „ (akute Magen-Darmentzündung).
Für ihren eigenen Hausgebrauch wurden den
Privat-Eigenthümern — insgesammt 129 Schlachtthiere — überlassen und zwar:

1 Rind (Tympanitis)
1 „ (akute Metritis),
6 Kälber (Unreife: zu geringes Alter bezw. Körpergewicht),
2 „ (Verletzungen),
71 Schweine (Rothlauf in den verschiedensten Krankheitsstadien),
3 „ (Finnen in geringer Anzahl — nach vorherigem Auskochen des Fleisches unter polizeil. Aufsicht),
4 „ (Geringgradige Tuberkulose),
17 „ (akute Magen-Darmentzündung),
11 „ (akute Angina),
3 „ (Schweineseuche im Initialstadium),
2 „ (Schienbein- bezw. Schenkelfrakturen),
6 „ (sonst. Verletzungen),
2 „ (Asphyxie bezw. Schlachtung in der Agonie der Thiere).

Als „ungeniessbar" wurden von Organen bezw. Körpertheilen und Eingeweiden der einzelnen Schlachtthiergattungen wegen Entzündungszustände bezw. sonstiger Parenchym-Erkrankungen, insbesondere auch Tuberkelinfiltrationen, Eingeweide-Parasiten (Echinococcen, Distomen, Strongyliden etc.) ganz resp. theilweise vernichtet:

Von Rindern: 8 Köpfe, 24 Herzen, 491 Lungen, 1186 Lebern, 16 Milzen 32 Nieren u. 13 Gedärme.
Von Kälbern: 73 Lungen, 36 Lebern und 10 Nieren.
Von Schafen und Ziegen: 166 Lungen, 3960 Lebern und 6 Nieren.
Von Schweinen: 16 Herzen, 2409 Lungen, 1583 Lebern, 14 Milzen, 30 Nieren u. 22 Gedärme.

G. Braun,
Schlachthof-Verwalter.

Bücherschau.

von Hippel, Die Thierquälerei in der Strafgesetzgebung des In- und Auslandes, historisch, dogmatisch und kritisch dargestellt nebst Vorschlägen zur Abänderung des Reichsrechts. Berlin 1891 bei Otto Liebmann.

Wiederholt, sagt der Verf., ist in der letzten Zeit eine Abänderung der reichsgesetzlichen Bestimmungen gegen Thierquälerei beantragt worden, und von verschiedenen Seiten wurde in der Sitzung des Preussischen Abgeordnetenhauses vom 25. Febr. 1885 die Vorlage einer ausführlichen Denkschrift über diese Angelegenheit verlangt. Diesem Verlangen soll das vorliegende Werk entgegenkommen. In dem ersten Theile desselben behandelt Verf. das deutsche Recht, in dem zweiten Theile das Recht des Auslandes, im dritten den „Rechtsgrund für die Bestrafung der Thierquälerei", während der vierte Theil eine Kritik der Gesetzgebung gegen die Thierquälerei und Vorschläge zur Umgestaltung des Reichsrechts

bietet. In einem Anhange sind ausländische Gesetze abgedruckt.

Obwohl die vorliegende Studie sich in erster Linie an den Juristen und Gesetzgeber wendet, beansprucht dasselbe das Interesse des Thierarztes in hohem Grade. Insbesondere gilt dieses von den Ausführungen über die Spezialverordnungen gegen Thierquälerei neben dem allgemeinen Verbote durch § 360 [13] des R.-St.-G.-B., über die Auslegung dieses Paragraphen, von dem Kapitel über den Rechtsgrund für die Bestrafung der Thierquälerei und über das Wesen der Thierquälerei und den Umfang des Strafgesetzes. Die Vorschläge des Verf. zur Umgestaltung des Reichsrechts gipfeln in dem Satze: „Jede unnöthige Thierquälerei ohne Rücksicht auf die Oeffentlichkeit der Begehung oder die Erregung von Aergernissen ist nach Reichsrecht für strafbar zu erklären."

Die sehr interessante Arbeit sei hiermit den Kollegen bestens empfohlen.

Roeckl, Ergebnisse der Ermittelungen über die Ausbreitung der Tuberkulose unter dem Rindvieh im Deutschen Reiche. Vom 1. Okt. 1888—30. Sept. 1889. S. A. Aus den „Arbeiten a. d. K. Gesundheits-Amte" Bd. VII. Berlin 1891. Verlag von Julius Springer.

In thierärztlichen und landwirthschaftlichen Kreisen wurde schon lange die Forderung einer polizeilichen Bekämpfung der Tuberkulose erhoben. Am 22. Okt. 1887 richtete nun der Reichskanzler an sämmtliche deutsche Regierungen das Ansuchen, Material über die Verbreitung der Tuberkulose mitzutheilen. Dieses Material sollte zur Entscheidung der Frage dienen, ob und in wieweit staatliche Maassnahmen gegen diese Krankheit ergriffen werden könnten.

Dieses Material liegt jetzt sorgfältig gesichtet vor. Verf. bemerkt aber gleich zu Eingang seiner Arbeit, dass das Material höchst ungleichmässig sei und deshalb ein richtiges Bild von der wirklichen Verbreitung der Tuberculose unter dem Rindvieh nicht zu geben vermöge. Auch liessen die Zahlen Vergleichungen nur in beschränktem Maasse zu. Denn die Ergebnisse waren abhängig von der Zahl vorhandener Schlachthäuser, von der Handhabung der Fleischbeschau, der Zahl der bei den Erhebungen sich betheiligenden Thierärzte u. s. w. Die nachfolgenden Zahlen können daher nur sehr relativen Werth beanspruchen. Verf. sagt: „Im Allgemeinen lässt sich annehmen, dass dort, wo die meisten Tuberkulosefälle ermittelt sind, die Einrichtungen zu solchen Ermittelungen am günstigsten waren, nicht aber, dass die Tuberkulose dortselbst stärker verbreitet gewesen wäre, als anderwärts".

Fast sämmtliche Berichterstatter sind der Ansicht, dass die Krankheit in starker Zunahme begriffen ist. In Bayern z. B. stieg der ermittelte Prozentsatz von

	1877 und	1877	1888/89

1,62 pCt.   1,64 pCt. auf 2,7 pCt.,
im Königreich Sachsen bei Rindern mit Ausschluss der Kälber

	1888	1889

von 4,9 pCt. auf 8,1 pCt.

Im Ganzen sind vom 1. Okt. 1888—30. Sept. 1889 im deutschen Reiche 51 377 Fälle (hiervon 26 352 in Schlachthäusern) von Rindertuberkulose festgestellt worden. Dies kommt, auf einen Rindviehstand von 15 786 764 (Zählung von 1883) berechnet, 0,33 pCt. ermittelter Fälle von Tuberkulose gleich (mit Ausschluss der Kälber unter 6 Wochen 0,34 pCt.)

Nach dem Geschlechte vertheilen sich die Fälle folgendermassen:

	im Ganzen		in 127 Schlachthäus.	
Bullen . .	2 935 =	5,7 pCt.	2 155 =	8,2 pCt.
Ochsen . .	7 817 =	15,2 „	5 410 =	20,5 „
Kühe . .	35 241 =	68,6 „	17 080 =	64,8 „
Rinder . .	2 867 =	5,6 „	705 =	2,7 „
Kälber . .	208 =	0,4 „	102 =	0,4 „
ohne Ang.	2 309 =	4,5 „	900 =	3,4 „

Die meisten Kälber unter 6 Wochen wurden ermittelt in Mecklenburg-Schwerin (2,6 pCt. der Gesammtzahl der dort tuberkulös befunden Thiere), dann im Reg.-Bez. Oppeln (2,1 pCt.) und in Oberbayern (0,6 pCt.)

Im Vergleich zu der Gesammtzahl der geschlachteten Thiere erwiesen sich als tuberkulös:

in 62 Schlachth. v.	72 063 Bull.	1 860 = 2,6 pCt.
„ 64 „	„ 129 507 Ochs.	4 614 = 3,6 „
„ 66 „	„ 178 749 Küh.	12 314 = 6,9 „
„ 54 „	„ 36 813 Rind.	447 = 1,2 „
„ 35 „	„ 374 996 Kälb.	37 = 0,01 „

Das Verhältniss innerhalb der einzelnen Schlachthäuser schwankt aber ganz erheblich, so giebt Marburg nur 0,1 pCt. und Goldberg 20 pCt. an. (Sorgfältige Untersuchung! D. R.).

Im Allgemeinen, sagt R., ist die Tuberkulose bei Thieren unter 1 Jahr nur sehr wenig verbreitet und beträgt kaum 1 pCt. der nachgewiesenen Fälle. Sie erreicht bei den Altersstufen von 1—3 Jahren etwa die 10fache, von 3—6 Jahren mehr als das 30fache derjenigen Ziffer, welche sich für das 1. Lebensjahr ergiebt.

Die Verbreitung der Tuberkulose unter den Beständen ist wesentlich von den wirthschaftlichen Einrichtungen abhängig. In Preussen und Sachsen stimmen ferner alle Berichte darin überein, dass das Niederungsvieh weitaus am häufigsten erkrankt ist.

Die intra vitam gestellte und durch die Schlachtung kontrollirte Diagnose auf Tuberkulose hat sich in 64,7 pCt. der Fälle bestätigt.

Sitz der tuberkulösen Veränderungen:

	im Ganzen	in Schlachthäusern
in einem Organ . .	50,5 pCt.	59,5 pCt.
„ einer Körperhöhle	16,9 „	13,0 „
„ mehreren Körperhöhlen . .	19,5 pCt.	14,7 pCt.
im Fleische	0,8 „	0,3 „
allgemeine Tuberkulose	10,7 „	11,3 „

R. hebt aber auch an dieser Stelle ausdrücklich hervor, dass die Angaben durchaus nicht als gleichwerthig zu erachten seien. So ist z. B. in den sächsischen Schlachthäusern kein Fall von allgemeiner Tuberkulose bezeichnet.

Das Fleisch der tuberkulösen Thiere war

	im Ganzen	in Schlachthäusern
1. Qualität bei . . .	20,2 pCt.	24,5 pCt.
2. „ „ . . .	44,4 „	43,8 „
3 „ „ . . .	35,4 „	31,7 „

„Somit haben verhältnissmässig viele tuberkulöse Thiere auch Fleisch von besserer Qualität geliefert." Zum Genusse wurden zugelassen 69,7 pCt. im Ganzen, 74,4 pCt. in Schlachthäusern; vom Genusse dagegen ausgeschlossen wurden 30,3 bezw. 25,6 pCt. In Baden liess man das Fleisch von 81,58 pCt. der tuberkulös befundenen Thiere in den Verkehr gelangen, und zwar bei 55,81 pCt. hiervon in Freibänken und von 44,69 pCt. unbeschränkt.

Ein grosser Theil der tuberkulösen Thiere ist der Ermittlung dort, wo obligatorische Fleischbeschau nicht besteht, entzogen worden. So wird z. B. aus dem Kreise Angermünde unter 13 000 Schlachtungen kein Fall von Tuberkulose gemeldet, im Kreise Teltow unter 40 000 Schlachtungen nur 15 (!). In den Privatschlächtereien des Reg.-Bez. Trier konnten von 18 450 geschlachteten Rindern nur 60 tuberkulöse Rinder ermittelt werden, während in den 4 öffentlichen Schlachthäusern des Bezirks von ca. 5600 Stück 240 tuberkulös befunden worden sind. (Hier ist zum ersten Male ziffernmässig gezeigt worden, eine wie grosse Gefahr — nicht nur durch den Verkauf des Fleisches tuberkulöser Thiere, sondern auch durch das Inverkehrbringen tuberkulöser Organe — der menschlichen Gesundheit bei mangelnder Fleischbeschau stetig droht. D. R.)

Sehr bemerkenswerth sind die Angaben über den Einfluss der wirthschaftlichen und hygienischen Verhältnisse in Bezug auf die Ausbreitung der Tuberkulose. Den grössten Einfluss übt häufiger Wechsel der Viehbestände aus, begünstigend wirken Mangel an Reinlichkeit, Luft und Licht, ferner die Verfütterung von Rückständen aus Brauereien, Brennereien, Zucker- und Stärkefabriken. Von dem „Magdeburgischen und Brandenburgischen Zuckervieh" sei fast jedes 5. Thier tuberkulös (nach des Ref. Erfahrungen fast jedes 3.). Die Folgen der Einschleppung der Tuberkulose machen sich etwa nach 1 Jahr in den betr. Beständen geltend.

Der Bericht von R. ist als erste Grundlage für eine allenfallsige veterinärpolizeiliche Bekämpfung der Tuberkulose höchst werthvoll.

Absoluten Glauben verdienen die in dem Berichte wiedergegebenen Zahlen, wie Verf. an mehreren Stellen besonders betont, nicht, weil die Grösse der Zahlen wesentlich von den örtlichen Einrichtungen abhängig ist. Im Allgemeinen dürften auch die in den Schlachthäusern gewonnenen Zahlen über die Verbreitung der Tuberkulose zu niedrig sein, weil seit jüngerer Zeit allgemein zugegeben wird, dass bei exakter Untersuchung, namentlich aller Lymphdrüsen der Brust- und Bauchhöhle, die Zahl der tuberkulösen Thiere sich viel höher stellt, als früher allgemein angegeben worden ist.

Dem Berichte sind ausführliche statistische Tabellen, sowie 7 Tafeln (Karten und Diagramme) zur Veranschaulichung der Tuberkuloseverbreitung beigegeben. Tafel 1 „Darstellung der bei geschlachteten Thieren ermittelten Tuberkulosefälle" ist doppelt werthvoll, weil sie ebensogut als Darstellung über die Durchführung bezw. den Mangel einer obligatorischen Fleischbeschau in den verschiedenen Theilen Deutschlands angesehen werden kann.

Es ist sehr erfreulich, dass die Verlagshandlung den Bericht von Roeckl durch eine Sonderausgabe zum Preise von 4 Mk. grösseren Kreisen, denen er hiermit bestens empfohlen werden soll, zugänglich gemacht hat.

Kleine Mittheilungen.

— **Zur Beurtheilung des Fleisches schwachfinniger Rinder.** Zahlreichere Fälle von Finnen beim Rinde sind bis jetzt nur auf dem Centralschlachthofe zu Berlin festgestellt worden. Neuerdings aber theilte Herr Schlachthofverwalter Melchers in Neisse dem Herausgeber mit, dass er bei Beobachtung des Berliner Verfahrens zur Ermittelung der Rinderfinnen in seinem neuen Wirkungskreise — Herr Melchers war früher in Rybnick — verhältnismässig oft Finnen bei Rindern feststellen könne. In der Regel fand auch Herr Melchers, ganz wie die Berliner Fleischbeschau, die Parasiten nur vereinzelt in den Kaumuskeln und im Herzen. Die finnigen Thiere, auch diejenigen, bei welchen sich nur eine nachweisen liess, wurden nun von Herrn Melchers ganz korrekt zur Kochung bestimmt, um in gekochtem Zustande dem Verkehr übergeben zu werden.

Gegen dieses Verfahren beschwerte sich ein Schlächtermeister in Neisse bei dem Königlichen Regierungspräsidenten in Oppeln und erzielte hiermit in der That einen seinen Wünschen entsprechenden Erfolg. Der Regierungs-Präsident von Bitter erliess unter dem 2. Septbr. folgende Verfügung:

„. . . . Nach den hier zu Protokoll gegebenen Angaben des Hannig sind die Finnen nur im Kopffleisch vorhanden gewesen, während das übrige Fleisch finnenfrei war. Da auch durch die Nachuntersuchung von Seiten des Königl. Kreisthierarztes Riedel weitere Finnen in dem Fleische der Kuh nicht aufgefunden worden sind, so hat nur eine auf einen Körpertheil begrenzte Einwanderung der Finnen stattgefunden. Es kann demnach auch nur derjenige Körpertheil, in welchem die Finnen vorhanden waren, als „finnig" bezeichnet werden.

Die Polizei-Verwaltung ersuche ich von dieser Entscheidung dem Kreisthierarzte, sowie dem Schlachthausverwalter Mittheilung zu machen und die Freigabe des Fleisches in ungekochtem Zustande, soweit in demselben keine Finnen vorhanden sind, sofort anzuordnen."

Zunächst berührt es eigenthümlich, dass obige Verfügung lediglich auf die protokollarische Aussage des Schlächtermeisters Hannig und ohne Anhörung des Schlachthausverwalters bezw. Kreisthierarztes erlassen worden ist. Dieser Punkt ist jedoch hier nebensächlich. Grösseres Interesse erregt der materielle Inhalt der Verfügung, welcher mit der wissenschaftlichen Beurtheilung des Fleisches schwachfinniger Rinder durchaus nicht in Einklang zu bringen ist. Die völlige Haltlosigkeit der in der angezogenen Verfügung zum Ausdruck gebrachten Anschauung braucht nicht näher bewiesen zu werden. Dieses ist bereits in eingehendster Weise durch das Gutachten der Technischen Deputation für das Veterinär-Wesen und der Wissenschaftlichen Deputation für das Medizinalwesen vom 18. Juni 1890 (siehe No. 1 d. Z., S. 80/82) geschehen.

Es muss gerechte Verwunderung erregen, dass der Herr Regierungspräsident zu Oppeln trotz des Hinweises auf dieses Gutachten seine Verfügung aufrecht erhalten hat und in allen einschlägigen Fällen befolgt wissen will. Herr Schlachthofverwalter Melchers aber ist völlig in seinem Rechte, wenn er selbst jegliche Verantwortung bei Befolgung der an ihn ergangenen obrigkeitlichen Verfügung ablehnt und sich mit einer Beschwerde über die sanitätspolizeilich völlig unmotivirte Verfügung des Regierungspräsidenten an das Ministerium gewendet hat. Schliesslich läuft die mehrfach erwähnte Verfügung nicht nur allen sanitätspolizeilichen Grundsätzen zuwider — wir begreifen die Entrüstung der Bevölkerung in Neisse vollkommen, dass sie gesundheitsschädliches Fleisch als tadellose Waare verzehren und bezahlen soll — sie hat auch sehr grossen wirthschaftlichen Schaden im Gefolge. Durch den unkontrollirten Vertrieb des finnigen Rindfleisches wird einer der Haupterfolge der geregelten Fleischschau, die

Bewahrung unserer Viehbestände vor Wurmbrut, im Bezirk von Neisse illusorisch gemacht und der Infection der Rinder mit Bandwurm systematisch Vorschub geleistet.

— Bemerkungen des Herausgebers zu der Stolper Milchverordnung (s. H. 1). Die Stolper Milchverordnung, welche der Berliner nachgebildet ist, unterscheidet sich in mehreren Punkten vortheilhaft von zahlreichen anderen, insbesondere auch von derjenigen der Stadt Celle, welche Kirchner (Handb. d. Milchwirthschaft S. 1/2) als „in den Hauptpunkten dem Zweck entsprechend" bezeichnet hat. Indessen hat sich in § 2 der Stolper Verordnung ein bedeutender Fehler eingeschlichen. Dieser Paragraph verbietet u. a. auch den Verkauf der Milch von maul- und klauenseuchekranken Thieren. Hierzu ist keine Polizeiverwaltung befugt. Sie darf auf Grund des § 61 der Instruktion zum Reichsviehseuchengesetz lediglich den Verkauf roher Milch verbieten. Der Verkauf gekochter dagegen ist zu gestatten. Ausserdem wäre in den angezogenen Paragraphen die Milch solcher Thiere aufzunehmen, welche mit stark wirkenden Arzneimitteln behandelt wurden. In unmittelbarem Zusammenhange damit musste den Besitzern von Milchkühen, solange diese zur Milchnutzung Verwendung finden, verboten werden, diese Kühe von Pfuschern behandeln zu lassen. Dann könnte leicht den Thierärzten die Sorge dafür übertragen werden, dass die Milch von kranken Kühen, insoweit sie als gesundheitsschädlich gelten muss, vom Verkehr ferngehalten wird. In Italien ist Anzeigepflicht aller Erkrankungen der Milchkühe gesetzliche Vorschrift.

— II. Kongress zum Studium der Tuberkulose zu Paris, vom 27. Juli bis 2. August 1891. Aus dem Berichte der Deutschen Medicinal-Zeitung entnehmen wir Folgendes. Chauveau erzeugte mittels der Produkte menschlicher Tuberkulose dieselbe Krankheit bei Kälbern durch Verfütterung, intravenöse und subkutane Impfung. Nach subkutaner Injektion sah Ch. niemals Generalisation. — Vignal theilte mit, dass es ihm nicht gelang, menschliche Tuberkulose auf einen Fasan zu übertragen. — Strauss und Gamaleia stellten durch eingehende Versuche fest, dass die Bacillen der menschlichen und Vogeltuberkulose bedeutende und permanente Unterschiede zeigen und daher als verschiedene Arten anzusehen seien. Cadiot, Gilbert und Roger bestätigten die grossen Unterschiede der beiden Tuberkulosen, trotzdem die Bacillen dieselbe Morphologie und Färbungsreaktion besitzen. Bei Kaninchen konnten sie durch Vogeltuberkulose viscerale Granulationen, bei Meerschweinchen in der Regel nichts, in vereinzelten Fällen dagegen lokale Abscesse oder spärliche Granulationen erzeugen. Von 40 Hühnern, welchen tuberkulöser Eiter

vom Menschen oder anderen Säugern injizirt wurde, fanden sich nur bei 5 junge, sehr kleine, durchscheinende Tuberkeln. Baivy erinnert daran, dass der Vogelbacillus sehr oft tödte, ohne dass Tuberkel in den Organen der Thiere entdeckt würden; dagegen finde man den spezifischen Bacillus in den Organen.

Babès theilte mit, dass er bei Lungentuberkulose neben dem Tuberkelbacillus den Staphylococcus aureus, den Streptococcus pyogenes und andere Bakterien nachgewiesen habe. Auf diese Mischinfektionen seien alle Komplikationen der Tuberkulose zurückzuführen. Experimentelle Tuberkulose entwickle sich schneller und in schwererer Form bei einem leicht mit Streptokokken infizirten Thiere. Verneuil berichtet ebenfalls über mikrobiäre Associationen bei Tuberkulose. Er fand in kalten Abscessen, welche sich plötzlich in warme verwandelten, Streptokokken und zwar diese häufiger, als Staphylokokken.

— Zur Frage der Verwerthung beanstandeter Thiere. Die von dem Herausgeber dieser Zeitschrift gegebenen Anregungen, betr. eine zweckmässigere Beseitigung und Verwerthung beanstandeter Theile und Thiere (vgl. Bericht über die Sitzung des Deutschen Veterinärraths S. 95) hat bereits in zwei Orten praktische Würdigung gefunden. In dem Jahresberichte über das Schlachthaus in Kiel wird eine Regelung des Abdeckereiwesens in der beregten Richtung als dringend wünschenswerth bezeichnet. In Rybnick sind bereits auf Antrag des neuernannten Schlachthofinspektors Warnke auf dem Terrain des Schlachthofes geeignete Vorkehrungen zur unschädlichen und möglichst gewinnbringenden Verwerthung der vom Genusse ausgeschlossenen Kadaver und Kadavertheile getroffen worden.

Tagesgeschichte.

— Virchows 70. Geburtstag. In ungetrübter geistiger und körperlicher Rüstigkeit begieng Rudolf Virchow am 13. Oktober das Fest seines 70. Geburtstages. Die unvergleichlichen Verdienste, welche sich Virchow um die Entwickelung nicht nur der pathologischen Anatomie sondern auch der Gesammtmedicin sowie verwandter Wissenszweige erworben hat, sind zu bekannt, als dass dieselben einer Aufzählung bedürften. Hervorgehoben sei an dieser Stelle nur, dass auch die Thierheilkunde sich stets des wärmsten Interesses Virchows zu erfreuen hatte und ihm viele Förderungen verdankt sowohl als Wissenschaft wie als Stand. Die Feier des 70. Geburtstages gestaltete sich zu einer gewaltigen Kundgebung und war eine in jeder Hinsicht der Bedeutung des Jubilars würdige. Nicht nur die Mediciner allein, alle Gelehrten, nicht blos Deutschland allein, sondern die ganze gebildete Welt nahm Theil an dem seltenen Feste.

— **Oeffentliche Schlachthäuser** wurden eröffnet in Leisnig, Kosel, Rudolstadt, Schwaan, Weilheim. Die Eröffnung steht unmittelbar bevor in Ludwigslust und Reichenbach. Der Bau öffentlicher Schlachthäuser wurde beschlossen in Gardelegen, Christburg, Stargard, Königsberg i. P., Gera, Stuhm, Schlettstadt; in Bamberg soll ein Centralschlachthaus, in Dessau nach Fertigstellung des Schlachthofes ein Viehhof und für die Gemeinden Driesen, Kietz, Holm und Vordamm ein gemeinschaftliches Schlachthaus errichtet werden. — Im Reg.-Bezirke **Marienwerder** wird bald die Hälfte der städtischen Kommunen mit Schlachthäusern versehen sein (10 Städte besitzen bereits Schlachthäuser, 8 haben den Bau beschlossen); im Reg.-Bezirke **Königsberg** bestanden bis zum Jahre 1886 nur 6 öffentliche Schachthöfe, jetzt sind 9 im Betriebe und 7 neu beschlossen worden.

— **Ortspolizeiliche Verfügungen.** In **Thorn** wurde eine **Freibank** errichtet. — In **Lützen** wurde **thierärztliche Untersuchung** allen Schlachtviehs und frischen Fleisches angeordnet. — In **Grünberg** wurde das Schlachthaus-Regulativ derart abgeändert, dass von nun an alle Schlächtermeister im Umkreise von 40 Kilometern, welche Fleisch nach G. verbringen wollen, im Schlachthofe zu G. zu schlachten verpflichtet sind.

— **Errichtung öffentlicher Schlachthäuser in der Provinz Brandenburg.** Die meisten Städte der Provinz, welche 10000 Einwohner und darüber besitzen, haben bereits öffentliche Schlachthäuser im Gebrauch oder den Bau derselben in Angriff genommen. Die Gewerbekammer der Provinz Brandenburg hat es aber als wünschenswerth bezeichnet, dass auch in den kleineren Städten, von 4000 Einwohnern an, öffentliche Schlachthäuser errichtet werden. Der Regierungs-Präsident hat in Folge dessen sämmtliche in Frage kommenden Städte zur Aeusserung hierüber aufgefordert.

— **Verfügung der Königl. Regierung zu Schleswig, die Nothschlachtungen betreffend.** Beabsichtigt der Besitzer eines nothgeschlachteten Thieres, das Fleisch desselben nicht ausschliesslich zum eigenen Gebrauche zu verwenden, sondern auch an Andere zu veräussern, so ist er durch obige Verfügung gehalten, eine thierärztliche Bescheinigung darüber beizubringen, dass dem Genuss des Fleisches keine gesundheitlichen Bedenken entgegenstehen.

— **Vieh- und Fleischverkehr.** Kürzlich wurden 19 Ochsen und 35 Schweine aus **Brasilien** versuchsweise nach Hamburg eingeführt. Die ebenfalls dort eingetroffenen **argentinischen** Rinder seien höchst geringartiger Beschaffenheit gewesen. Aus **Nordamerika** dagegen gelangen fortwährend noch vorzügliche Rinder in Tönning und Hamburg an. — Aus **Dänemark**

wurden in den letzten Wochen durchschnittlich ca. 180 Stück Hornvieh und 1600 Schweine importirt. — Die Schwarzvieheinfuhr aus **Russland** nach den beiden oberschlesischen Schlachthäusern ist noch im Steigen begriffen und erreicht nahezu die Höhe von 1500 Stück wöchentlich. Der Gesundheitszustand der Thiere ist ein guter. — In Bezug auf die Wiedergestattung der Einfuhr amerikanischer Schweine etc. hat sich auch **Italien** dem Vorgehen Deutschlands angeschlossen, und in Frankreich finden z. Z. hierüber Berathungen statt. In Deutschland sind die ersten Sendungen amerikanischen Specks bereits angekommen; der Preis der Prima-Waare ist 10—15 Pf. per Pfund (20—25%) niedriger als derjenige der einheimischen Waare.

— **Zum Kapitel der nichtthierärztlichen Schlachthausdirektoren.** In Crefeld bekleidete Thierarzt **Dopheide** die Stelle eines Schlachthausdirektors. Derselbe wurde aber jüngst auf Grund eines Disziplinarverfahrens entlassen. Die Vorgänge, welche zur amtlichen Entlassung des früheren Schlachthausdirektors geführt haben, bestimmten nun den Magistrag von Crefeld, das Schlachthauswesen einer Neuorganisation zu unterwerfen und als Schlachthofdirektor einen Hauptmann a. D., welcher zuletzt eine Destillation besass, als Vorgesetzten des im Uebrigen hinsichtlich der thierärztlichen Geschäfte selbstständigen Schlachthausthierarztes anzustellen. An anderer Stelle haben wir bereits eindringlich darauf hingewiesen, dass die Bestellung von Nichtthierärzten zu Schlacht- und Viehhofdirektoren die grössten Nachtheile für diese Einrichtungen selbst mit sich bringt. Die Crefelder Neuorganisation hat denn auch bereits zur Folge gehabt, dass trotz der Zuvorkommenheit des Direktors der derzeitige Schlachthofthierarzt seine Stelle gekündigt hat. Von dem Magistrate in Crefeld ist es aber zweifellos ein grosses Unrecht, einzig aus dem Grunde, weil Herr **Dopheide** entlassen werden musste, den Thierärzten den Posten des Schlachthofdirektors überhaupt zu entziehen. Es ist sonst nirgends Brauch, den ganzen Stand für den Einzelnen verantwortlich zu machen, und keiner Gemeinde dürfte es beispielsweise in den Sinn kommen, Juristen nicht mehr zu dem Amte eines Bürgermeisters zu berufen, weil sich vielleicht irgendwo ein juristisch gebildeter Bürgermeister einmal eine Pflichtwidrigkeit zu Schulden kommen liess.

— **Auf der 9. Hauptversammlung des Preussischen Medicinal-Beamten-Vereins** zu Berlin hielt Direktor Dr. Hertwig einen Vortrag über die **Auslegung des Nahrungsmittelgesetzes.** Auf diesen Vortrag werden wir später zurückkommen.

— **Beschlüsse des Sächsischen Landeskulturrathes.** In der Sitzung vom 10. September beschloss der Sächsische Landeskulturrath, beim Ministerium des Innern zu beantragen, dass eine

Versicherung gegen Verluste durch Krankheiten der Schlachtrinder von Staatswegen errichtet und eine allgemein verbindliche Fleischbeschau eingeführt werde. Wegen der unzureichenden Anzahl von Thierärzten wird aber auch die Mitverwendung von empirischen Fleischbeschauern zugestanden, welche in besonderen Kursen vorbereitet werden müssten. Aus dem Entwurfe der Schlachtviehversicherung ist hervorzuheben, dass dieselbe gleichzeitig eine Handhabe zur Bekämpfung der Tuberkulose bieten soll. Rinderbestände, aus denen entschädigungspflichtige Tuberkulosefälle stammen, sind vom beamteten Thierarzt zu untersuchen. Die hierbei als tuberkulös befundenen Rinder müssen vom Besitzer binnen vier Wochen der Schlachtung unterworfen werden, widrigenfalls die Entschädigung versagt wird.

— **Eingabe des ärztlichen Vereins zu Halle, die Frage der Marktmilch betreffend.** Unter Hinweis auf die Untersuchungen Renk's über den Schmutzgehalt der Marktmilch in Halle (vergl. d. Z. Bd. I. S. 185) verlangt die Eingabe ein direktes Verbot schmutziger Milch und formulirt als Aufgaben der Milchkontrolle folgende:

1. Die Beaufsichtigung der Verkaufsorte, damit diese nicht zu Wohn- oder Schlafzimmern oder gar Krankenzimmern benutzt werden.

2. Die Kontrole der Beschaffenheit der Milchgefässe, ob solche den Vorschriften entsprechend und gut verzinnt sind.

3. Die Untersuchung der Vollmilch auf den Gehalt an Schmutzstoffen.

4. Die Untersuchung auf Verfälschungen durch Ermittelung

a) des spezifischen Gewichts mittels der üblichen Senkspindel,

b) des Fettgehalts mittels der Feser'schen Laktoskops.

(Als niederster Fettgehalt werden 2,8 pCt. gefordert.)

— **Die Naturforscherversammlung in Halle a. S.** Anlässlich der letzten Naturforscherversammlung in Halle a. S. gab Herr Professor Dr. Pütz seiner Verwunderung darüber Ausdruck, dass von den Thierärztlichen Hochschulen nicht ein einziger Vertreter erschienen sei. Diese Thatsache ist für die Bedeutung der Sektion für Veterinärmedicin sehr bedauerlich, indessen durchaus nicht befremdlich. Das Gegentheil wäre befremdlich, wenn man lesen muss, dass zu dieser Naturforscherversammlung ein Mann, von welchem sich jeder honorige Kollege möglichst fernhält, nicht nur eine Einladung erhalten hat, sondern sogar mit dem Ehrenamte eines 2. Schriftführers bedacht worden ist. (!) Durch solche Vorkommnisse, welche den Takt und die Gesinnung der Betheiligten in ein eigenthümliches Licht stellen, müssen die Veteri-

närsektionen der Naturforscherversammlungen diskreditirt werden. Bei einer anderen Sektion wäre Aehnliches nicht denkbar.

Virchow-Sammlung.

An Beiträgen sind ferner eingegangen:

Von Kreisthierarzt Lehmann-Nordhausen 5,05 Mk.
„ Veterinär-Assessor Dr. Ulrich-Breslau 10,— „
„ Prof. Dr. Leonhard-Frankfurt a. M. 10,— „
„ M. in Loetzen (d. R. Schoetz) . . . 5,— „
„ Gestütsinspektor Schulze-Beberbeck 5,— „
„ Kreisthierarzt John-Haynau i. Schl. 10,— „
„ Ober-Marstalls-Rossarzt Thinius-Potsdam . . . . 6,05 „
„ dem Verein thüringer Thierärzte . 25,05 „
                                        76,15 Mk.
Dazu die früher eingegangenen: 931,— „
                    Zusammen 1007,15 Mk.

Münster, den 3. Oktober 1891.

Dr. Steinbach.

Personalien.

Gewählt wurde Thierarzt Hübner aus Doberan zum Schlachthof-Inspektor in Ludwigslust, städtischer Thierarzt Bayersdörffer aus Berlin zum Schlacht- und Viehhof-Direktor in Karlsruhe, Schlachthof-Inspektor Maske in Kulm zum Schlachthof-Direktor in Lübeck, Thierarzt Schwintzer aus Beuthen O.-Schl. zum Schlachthof-Verwalter in Tarnowitz, Thierarzt Haffner-Berlin zum Schlachthof-Inspektor in Marienwerder, Thierarzt Simon von Garz zum Schlachthaus-Inspektor in Rathenow, Thierarzt Runge von Brieg zum Schlachthaus-Thierarzt in Schweidnitz, Oberrossarzt Hitschfeld von Deutz als Schlachthaus-Thierarzt in Bockenheim, Thierarzt Schwaimair von Gundelfingen als Schlachthaus-Thierarzt in Aschaffenburg und Thierarzt Michaelis von Guben als Hilfsthierarzt an dem Schlachthof in Bremen.

Besetzt:

Schlachthaus-Thierarzt-Stellen in Ludwigslust, Rathenow, Schweidnitz, Tarnowitz, Bremen, Karlsruhe, Lübeck und Marienwerder.

Vakanzen.

Ibbenbüren, Römhild, Düsseldorf, Sorau, Weissenfels. (Nähere Angaben hierüber siehe in Heft 1.)

Bautzen: Schlachthof-Thierarzt (2100 M. Gehalt, freie Wohnung und Heizung). Bewerbungen an den Stadtrath.

Lübeck: Schlachthaus-Hilfsthierarzt zum 21. Dezember (2020 M. Gehalt). Bewerbungen bis 10. November an die Verwaltung des Schlachthauses.

Culm: Schlachthof-Inspektor zum 1. Januar (2100 M., freie Wohnung etc., keine Privatpraxis). Bewerbungen bis 15. November an den Magistrat.

Verantwortlicher Redakteur (excl. Inseratentheil): Dr. Ostertag. — Verlag und Eigenthum von Richard Schoetz in Berlin. Druck von W. Büxenstein, Berlin.

Zeitschrift

für

Fleisch- und Milchhygiene.

| Zweiter Jahrgang. | December 1891. | Heft 3. |

Original-Abhandlungen.
(Nachdruck verboten.)

Ueber einen häufigen Uebelstand und dessen Vermeidung beim Schächten von Grossvieh.

Von
Jakob-Crefeld
Schlachthofthierarzt.

Unter Schächten versteht man das Abschlachten eines zur menschlichen Nahrung bestimmten Thieres nach der rituellen Methode der Juden und Muhamedaner.

Bei dem Grossvieh (Stiere, Ochsen, Kühe) wird das Schächten gewöhnlich in der Weise ausgeführt, dass das betreffende Thier niedergeschnürt, an den Beinen gefesselt und auf die Seite gelegt wird. Kopf und Hals des Thieres werden dann so gewendet, dass der obere Theil des Kopfes mit den Hörnern nach unten und der untere Theil des Kopfes und Halses (Kehle) nach oben zu liegen kommt. Hierauf werden durch einen oder mehrere schnell aufeinander folgende Schnitte die Weichtheile des Halses (Haut, Luftröhre, Schlund, die grossen Blutgefässe, Nervenstämme und Muskulatur) bis auf die Wirbelknochen des Halses durchschnitten. Der Kopf wird bei diesem Akte durch einen oder mehrere Gehülfen fest zur Erde gedrückt und so lange festgehalten, bis das Thier vollständig ausgeblutet ist. Bei schweren Ochsen und Stieren ist es jedoch häufig selbst mehreren Personen nicht möglich, den Kopf der Schlachtthiere mit den Händen allein festzuhalten. Bei der bedeutenden Kraft, die diese Thiere im Nacken besitzen, reissen sich dieselben öfters, sobald mit dem Halsschnitt begonnen wird, los, und schleudern den Kopf und halbdurchschnittenen Hals auf das Heftigste nach allen Seiten hin und her, wobei nicht selten ein Abbrechen der Hörner stattfindet.

In anderen Fällen ist es ja möglich, den Halsschnitt vollständig auszuführen. Da aber erfahrungsgemäss beim Schächten der Tod langsam und unter heftigen Krämpfen erfolgt, so gelingt es den Thieren nicht selten, den Kopf noch nach dem Halsschnitt den Händen des festhaltenden Gehülfen zu entreissen und hin und her zu schleudern. Wenn man nun auch annimmt, was von den Vertheidigern des Schächtens gewöhnlich angeführt wird, dass nach der Durchschneidung der Blutgefässe am Halse, in Folge der unterbrochenen Blutzirkulation im Gehirn fast momentan Bewusstlosigkeit eintritt, so kann doch in der That nicht geleugnet werden, dass diese angeführten, leider häufig genug vorkommenden Uebelstände nicht nur auf den Laien einen höchst abschreckenden Eindruck machen, sondern auch, namentlich in grösseren Schlachthäusern den Nachtheil haben, dass die in der nächsten Umgebung arbeitenden Metzger, sowie das frisch ausgeschlachtete, in der Nähe hängende Fleisch, durch das beim Umherwerfen des Kopfes nach allen Seiten umherspritzende Blut beschmutzt werden.

In einigen Städten der Schweiz und Oesterreichs (Genf und Wien) ist in dieser Hinsicht dadurch Abhülfe geschaffen worden, dass von den dortigen Rabbinern der betäubende Beilschlag auf den Kopf unmittelbar nach dem Halsschnitt eingeführt ist, wodurch das erwähnte Umherschleudern des Kopfes verhindert wird.

In den meisten Gegenden Deutschlands ist dieses, wenn das Fleisch vom Schächter für „koscher" (rein) erklärt werden soll, nicht statthaft.

Um nun diesen angeführten Uebelständen auch bei uns abzuhelfen, sind seit kurzer Zeit in den Schlachthäusern einiger Städte des Rheinlandes Apparate im Gebrauch, welche das Losreissen des Kopfes beim Akte des Schächtens und das Hin- und Herwerfen des Kopfes nach dem Schächten verhindern sollen.

So ist beispielsweise im städtischen Schlachthause zu Elberfeld ein derartiger Apparat im Gebrauch. Derselbe besteht beim Schächten. Ferner ist an der Stange ein verschiebbarer eiserner Ring angebracht, welcher durch eine Schraube an der Stange festgestellt werden kann.

Der Apparat wird in der Weise angewendet, dass mittelst der hakenförmig umgebogenen Gabeläste a die Hörner des Schlachtthieres von oben umfasst werden. Der Punkt b des Apparates kommt also auf die Stirn des Thieres zu liegen. Hierauf wird der an der Stange beweglich angebrachte Ring c von unten über Maul und Nase geschoben und durch Andrehen der Schraube f an der Eisenstange befestigt. Der Kopf des Thieres ist dadurch vollständig am Apparat fixirt. Durch einen Gehülfen an der Handhabe d wird der Apparat mit dem daran befestigten Kopfe durch Umwenden des

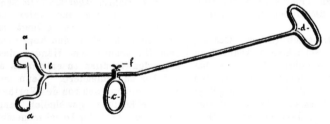

im Grossen und Ganzen aus einer circa 1½ Meter langen Zange. Der Kopf des Thieres wird zwischen den Zangenschenkeln mittelst einer Schraubenspindel fixirt und der Apparat sowie der darin festsitzende Kopf durch einen Gehülfen mittelst einer an dem anderen Ende des Apparates befindlichen Handhabe beim Schächten in der gewünschten Lage erhalten. Ein ähnlicher, demselben Zwecke dienender Apparat ist in den städtischen Schlachthäusern zu Crefeld und M. Gladbach im Gebrauch. Derselbe besteht, wie beistehende Figur zeigt, aus einer einfachen, circa 1½ Meter langen, an dem einen Ende sich gabelförmig theilenden Eisenstange. Die Enden der Gabeläste sind hakenförmig umgebogen. An dem andern Ende der Eisenstange befindet sich eine Handhabe zum Festhalten des Apparates Apparates in die erforderliche Lage gebracht und darin festgehalten. Da die 1½ Meter lange Eisenstange hierbei wie ein Hebel wirkt, so ist es mit verhältnissmässig geringem Kraftaufwand möglich, auch den Kopf starker Ochsen und Stiere mit Sicherheit festzuhalten. Von Vortheil ist es dabei, dass die Handhabe möglichst tief gehalten oder ganz zur Erde gedrückt wird. Die mit diesem Apparate in den erwähnten Schlachthäusern zu Crefeld und M. Gladbach angestellten Versuche haben ein befriedigendes Resultat ergeben, nur hat sich das Bedürfniss herausgestellt, für jedes Schlachthaus den Apparat in zwei verschiedenen Grössen anfertigen zu lassen, je nachdem derselbe zum Schächten der Ochsen und Stiere einerseits oder der Kühe andererseits dienen soll.

Im Interesse der Humanität und um

unnöthige Thierquälerei beim Schächten besser vermeiden zu können, scheint es wünschenswerth, dass mit fraglichen Apparaten auch in weiteren Kreisen Versuche angestellt würden.

Es dürfte sich dieses um so leichter erreichen lassen, als die Herstellung des Apparates nur mit geringem Kostenaufwand verknüpft ist, und der Apparat nach beistehender Zeichnung leicht von den meisten Schlossern und Schmieden dürfte angefertigt werden können.

Die Regelung der Milchversorgung mit Hinsicht auf übertragbare Krankheiten.

Vortrag, gehalten auf dem VII. internationalen Kongress für Hygiene und Demographie zu London.

Von

Prof. Dr. **Ostertag.**

(Schluss.)

Tuberkulose. Diese Krankheit muss wegen ihrer Ausbreitung unter den Kulturrinderrassen als die grösste Kalamität unserer Rindviehzucht bezeichnet werden. Nach Ausweis der Schlachthausberichte beträgt die Zahl der tuberkulösen Rinder insgesammt etwa 5—10pCt. Etliche Schlachthäuser registriren aber weit höhere Zahlen, so z. B. verzeichnet Leipzig (1889) 15 pCt. (in einem Monat 22 pCt.), Stolp 20,7 pCt., Bromberg 26,2 pCt. Hierbei ist zu berücksichtigen, dass die Prozentziffer der Erkrankung der Kühe eine beträchtlich höhere ist als bei den übrigen Rindergattungen. So waren z. B. in dem zuletzt genannten Schlachthause Bromberg 36,02 pCt., also mehr als ein Drittel aller Kühe mit Tuberkulose behaftet. Nach meinen eigenen, während der Dauer von sechs Jahren auf dem Schlachthofe zu Berlin gesammelten Erfahrungen ist die Durchschnittstuberkuloseziffer eine höhere, als allgemein angegeben wird, wenn man auch diejenigen Fälle in Rechnung zieht, welche nur an dieser oder jener Eingangspforte eine tuberkulös erkrankte Lymphdrüse zeigen. Diejenigen Schlächter in Berlin, welche ausschliesslich ältere, abgemolkene Kühe schlachten, sind

es gewöhnt, dass ihnen sämmtliche oder jedenfalls 50 -70 pCt. aller Lungen wegen tuberkulöser Veränderungen dieser selbst oder der Bronchial- bezw. Mediastinaldrüsen konfiszirt werden. Diese Zahlen gewinnen ein erhöhtes Interesse durch die Feststellung, dass die Milch tuberkulöser Thiere, auch ohne dass das Euter Veränderungen aufweist, virulent sein kann. In den Versuchen von Hirschberger war dieses bei 55 pCt. der darauf untersuchten Kühen der Fall. Wenn nun auch Bang nur bei 7¹/₇ pCt. tuberkulöser Kühe Virulenz der Milch nachweisen konnte*), und wenn wir weiterhin bedenken, dass Virulenz bei intraperitonealer Meerschweinchenimpfung noch nicht gleichbedeutend ist mit Infektiosität der Milch bei dem Genusse durch Menschen, so muss immerhin bei der grossen Verbreitung der Tuberkulose unter den Rindern diese Krankheit als eine Gefahr für die Gesundheit des Menschen bezeichnet werden. Eine ohne jeden Zweifel aber ganz bedeutende Gefahr schliesst die Milch derjenigen Kühe ein, welche mit tuberkulöser Erkrankung des Euters behaftet sind. Kein tuberkulöses Produkt beim Rinde weist so massenhaft Bakterien auf, wie das Sekret eutertuberkulöser Thiere, und dementsprechend zeigt auch die Milch solcher Kühe, wie Bang gezeigt hat, eine ganz bedeutende Virulenz. Bei der Eutertuberkulose sind folgende wichtige Punkte zu bedenken: 1. befällt sie nicht das ganze Euter, sondern lässt in der Regel ein oder mehrere anscheinend gesunde Viertel übrig; 2. ist die Milch dieser anscheinend intakten Viertel nach den Feststellungen Bangs ebenfalls virulent; 3. kommt die Eutertuberkulose bei einem immerhin noch recht beträchtlichen Prozentsatze tuberkulöser Thiere vor. Bang konnte zum Beispiel seiner Zeit im Verlaufe mehrerer Monate nicht weniger als 27 Fälle in den Milch-

*) Nach der neuesten Mittheilung Bangs auf dem Londoner Kongresse fand er unter 58 hierauf untersuchten Kühen bei 9 (= ca. 17%) die Milch infectiös.

wirthschaften Kopenhagens feststellen, und nach dem amtlichen Berichte für das Königreich Sachsen im Jahre 1888 und 1889 zeigten 4 bezw. 3,6 pCt. der tuberkulösen Thiere Eutertuberkulose. Diese Zahlen stimmen ungefähr mit meinen Erfahrungen von dem Schlachthofe zu Berlin überein. Der Umstand, dass die tuberkulöse Euterentzündung sich allmählich und ohne Schmerzen entwickelt und dass noch anscheinend normal sezernirende Viertel übrig bleiben, macht die tuberkulöse Euterentzündung zu einer gemeingefährlichen Krankheit. Denn jedem, welcher die gewöhnlichen milchwirthschaftlichen Verhältnisse kennen gelernt hat, dürfte es bekannt sein, dass die Milch derartiger Kühe nicht in toto weggegossen wird, sondern so lange in den Verkehr gelangt, als sie anscheinend normale Beschaffenheit besitzt. Hierfür spricht auch ganz unzweideutig die von mir auf dem Berliner Schlachthofe nicht selten gemachte Beobachtung, dass Kühe, welche mit Tuberkulose eines oder zweier Euterviertel behaftet waren, noch ziemlich stark laktirende Restviertel besassen. Die Eutertuberkulose ist angesichts der Thatsache, dass noch sehr viel Milch ungekocht genossen wird, ein mehr als hinreichender Grund, eine regelmässige thierärztliche Kontrolle der Milchkühe zu verlangen. Die Milch eutertuberkulöser Thiere ist ein eminent gefährliches Gift, und das Inverkehrbringen eines solchen Giftes, welchem bei der Eigenart des Milchhandels zahlreiche Menschenleben zum Opfer fallen, muss wie dasjenige der medikamentösen Gifte staatlicherseits ohne Rücksicht auf wirthschaftliche Bedenken verhindert werden. Das staatliche Einschreiten wäre ohne Zweifel schon längst geschehen, wenn tuberkulöse Milch eine sichtbare, sogleich nach dem Genusse auftretende schädliche Wirkung entfalten würde wie die übrigen Gifte. Aber gerade mit Rücksicht auf die heimtückische, schleichende Art der dauernden Gesundheitsgefährdung durch tuberkulöse Infektion sollte die Kontrolle der Milchthiere aus den angeführten Gründen eine um so schärfere sein.

Wenn es nun auch nicht dem geringsten Zweifel unterliegen kann, dass die Milch eutertuberkulöser Kühe unbedingt vom Konsume ausgeschlossen werden muss, so liegen die Verhältnisse bezüglich derjenigen Thiere, welche der Tuberkulose innerer Organe verdächtig sind, ohne dass sie evidente Erscheinungen namentlich auch des Euters zeigen, nicht so einfach. Die Frage der Diagnostik der Tuberkulose beim lebenden Thiere ist durch die Koch'sche Entdeckung in ein neues Stadium getreten. Soweit die vorliegenden, bereits recht umfangreichen Versuche ein Urtheil gestatten, scheint die Annahme wohl begründet zu sein, dass es mittels der Impfung mit Tuberkulin gelingen wird, die tuberkulösen Individuen eines Rinderbestandes zu erkennen. Bekanntlich ist in einer Reihe von Versuchen die Thatsache hervorgehoben worden, dass auch völlig gesunde Thiere auf Tuberkulinimpfung Reaktion gezeigt hätten. Von vornherein war schon die Vermuthung gerechtfertigt, dass wenigstens bei einem Theil dieser als völlig gesund bezeichneten Thiere doch an irgend einer versteckten Stelle ein tuberkulöser Herd vorhanden gewesen sein möge, und in der That zeigte die subtile Untersuchung sämmtlicher Lymphdrüsen an den Eingangspforten in einer umfassenden Versuchsreihe, dass solche unerwarteten Reaktionen auf geringe und streng lokalisirte Herde im Körper zurückzuführen waren.

Bei der grossen Anzahl von Kühen, welche an evidenter Tuberkulose leiden, 10—36 pCt., und dem nicht unbedeutenden Prozentsatz, welcher nur Tuberkulose der einen oder anderen Lymphdrüse aufweist, erscheint es vorläufig geradezu als ein Ding der Unmöglichkeit, die Milch aller Thiere vom Konsume auszuschliessen, welche auf eine Tuberkulin-Injektion reagiren. Wir können nicht unvermittelt auf ein Drittel der täglichen Milchmenge Verzicht leisten, ohne den Preis dieses unentbehrlichen Nahrungsmittels ganz ungebührlich in die Höhe zu schrauben und den Genuss derselben den ärmeren Volksschichten zu verringern oder geradezu unmöglich zu machen. Die allgemeinste Anwendung der Tuberkulininjektionen zur Eruirung der tuberkulösen Stücke in den Milchwirthschaften ist im höchsten Grade wünschenswerth und muss staatlich angeordnet werden, sobald über die bereits angestellten Versuche ein abschliessendes, günstiges Urtheil gefällt werden kann. Die Ausmerzung der durch Tuberkulin ermittelten tuberkulösen Thiere kann aber selbst bei staatlich geregelter Entschädigung nur allmählich geschehen, bis wir uns einen gesunden Viehstapel herangezüchtet haben werden. Dagegen wäre die Separirung der auf Tuberkulin reagirenden Kühe und ihre Ausschliessung von der Nachzucht jetzt schon möglich. Ausserdem wären die Besitzer anzuhalten, diejenigen Thiere möglichst bald auszumerzen, welche ausser dem positiven Ergebniss der Tuberkulininjektion noch anderweitige, den Verdacht bestärkende Symptome der Tuberkulose erkennen lassen. Die Milch aber der lediglich auf Tuberkulin reagirenden Kühe kann, wie ich glaube, nach vorherigem Aufkochen oder Sterilisiren nach einem bewährten Verfahren unbedenklich in den Verkehr gegeben werden. Denn schon das einfache Aufkochen genügt nach den Feststellungen von Bang zur sicheren Tötung der Tuberkelbacillen in der Milch.

Es wird sicherlich nicht an Stimmen fehlen, welche die vollkommene Ausschliessung der Milch der auf Tuberkulin reagirenden Kühe verlangen. Von diesen wird aber völlig verkannt, dass es bereits einen gewaltigen Fortschritt in der Milchhygiene bedeutet, wenn die möglicherweise virulente Milch tuberkulöser bezw. der Tuberkulose verdächtiger Kühe, welche früher ahnungslos als völlig tadellose Milch genossen wurde, nach vorheriger Unschädlichmachung in den Verkehr gebracht wird. An Käufern derartiger Milch wird es nach öffentlicher Klarlegung der Verhältnisse durch die Behörden ebenso wenig fehlen wie an Käufern der gekochten Milch von aphthenseuchekranken Thieren und des Fleisches von tuberkulösen Thieren, wenn die Milch nur zu einem etwas geringeren Preise abgegeben wird, als diejenige nichttuberkulöser Thiere. Es muss aber behördlicherseits dafür gesorgt werden, dass die Kochung der Milch, welche von tuberkuloseverdächtigen Kühen stammt, ebenso durchgeführt wird, wie in Deutschland bei der Aphthenseuche. Die Schwierigkeiten, welche sich der Ausführung eines solchen Verfahrens in den Weg stellen, dürfen bei der hervorragenden hygienischen Wichtigkeit desselben keinen Grund abgeben, dasselbe überhaupt unausgeführt zu lassen.

Als letzte Gruppe von Erkrankungen der Milchthiere mit Hinsicht auf übertragbare Krankheiten kommen die Entzündungen des Euters in Betracht. Die Aetiologie der Euterentzündungen ist keine einheitliche und in Folge dessen muss auch das bei den verschiedenen Formen der Mastitis noch gewinnbare Produkt verschieden beurtheilt werden. Klinisch kann man die Euterentzündungen eintheilen in phlegmonöse, katarrhalische, abscedirende, gangränescirende; ausserdem muss noch die bereits besprochene tuberkulöse sowie die aktinomykotische Mastitis unterschieden werden. Letztere kommt beim Schweine ziemlich häufig vor; beim Rinde dagegen zählt sie zu den seltensten Ereignissen. Der Ausschluss der Milch bei letztgenannter Erkrankung muss aus naheliegenden Gründen verlangt werden, wenn auch gleich eine Uebertragung der Aktinomykose auf den Menschen durch animalische Nahrungsmittel weder beobachtet worden ist noch für überhaupt wahrscheinlich gehalten wird. Von der phlegmonösen Euterentzündung können wir hier absehen, weil dieselbe in der Subkutis und im interacinösen Gewebe sich abspielt. Grosses

Interesse aber bieten die übrigen Formen der Mastitis. Bei der katarrhalischen Form fand Kitt regelmässig die sogen. Mastitisbakterien. Bang konnte bei einer chronischen ansteckenden Euterentzündung einen besonderen Streptococcus als Ursache ermitteln; aus anderen entzündeten Eutern züchtete er Streptococcen, Bicoccen, Staphylococcen und Bacillen, welche, in die Milchcisterne verbracht, wiederum eine Entzündung des Euters auslösten. Nocard und Mollereau, sowie Hess und Borgeaud stellten als Ursache einer sehr ansteckenden chronischen Mastitis, bei welcher die Milch sauer aus dem Euter kommt und Atrophie und Agalaktie die schliesslichen Folgen sind, Streptococcen fest, welche nach Kitt von den Bang'schen verschieden zu sein scheinen. Experimentell konnte parenchymatöse Mastitis hervorgerufen werden durch Injektion der Bacillen der blauen Milch, der Hühnercholerabakterien und der Drusestreptococcen in die Milchcisterne. Staphylococcus pyogenes aureus erzeugte nur eine vorübergehende Veränderung der Milch mit Schwellung des Euters. Eine beträchtliche entzündungserregende Wirkung aber folgte der Injektion von Botryococcus ascoformans (Kitt) sowie derjenigen des Bacillus enteritidis Gärtner (Johne). Wenn nun auch nur vielleicht von den letztangeführten Bakterien eine pathogene Wirkung für den Menschen mit Sicherheit angenommen werden kann, so muss doch wegen der Schwierigkeit der speziellen Diagnose im Einzelfalle, und weil die Unschädlichkeit der übrigen Bakterienarten für den Menschen nicht erwiesen ist, die Ausschliessung aller Milch von euterkranken Kühen vom Konsume verlangt werden. Die Milch darf erst dann wieder zum Konsume zugelassen werden, wenn die Entzündung völlig abgeheilt und die ermolkene Milch frei von Caseïngerinnseln, Blut oder Eiter ist.

Hiermit wären die Hauptquellen der gesundheitsschädlichen Milch und die dagegen anzuordnenden Massregeln besprochen. Schliesslich kann aber noch die bereits ermolkene Milch durch zufällige Berührung mit infektionskranken Personen oder mit Gegenständen, welche durch pathogene Keime verunreinigt sind, infizirt werden. Durch zahlreiche Beobachtungen ist dieser Infektionsmodus, welcher bei der Eigenschaft der Milch als eines ganz vorzüglichen Nährbodens leicht verständlich ist, als erwiesen zu betrachten. England gebührt das Verdienst, auf diese Gefahr zuerst aufmerksam gemacht zu haben; später wurde auch aus Dänemark, Deutschland und Holland über ähnliche Fälle berichtet. Alle diese Fälle haben das Gemeinsame: In einer Milchwirthschaft tritt ein Fall einer Infektionskrankheit auf, plötzlich folgen „explosionsartig" Erkrankungen, (dem stärkeren Milchkonsume entsprechend) namentlich der Frauen und Kinder, und schliesslich wird die Krankheit durch das Verkaufsverbot der schädlichen Milch koupirt. Bezüglich der Einzelheiten verweise ich auf die vorzüglichen Litteraturstudien in den bereits erwähnten Arbeiten. Dort ist auch näher begründet, dass ein Theil der Beobachtungen, welche auf die Uebertragung von Infektionskrankheiten durch Milch Bezug haben, nicht als beweiskräftig angesehen werden kann. Als festgestellt dagegen wird angesehen die Uebertragungsmöglichkeit für Cholera und Typhus, als immerhin wahrscheinlich für Diphtherie und auch für Scharlach. Die Möglichkeiten für eine nachträgliche Infektion der von gesunden und normal gehaltenen Kühen stammenden Milch sind kurz folgende: Einstreu von Stroh aus Krankenbetten, infektionskrankes oder im Reconvalescenzstadium befindliches Stallpersonal, mit pathogenen Keimen beladenes Spülwasser und endlich die Aufbewahrung der Milch in Räumen, in welchen sich infektionskranke Menschen befinden Die Vorbauung gegen die nachträgliche Infektion der Milch ergiebt sich von selbst. Es muss die Einstreu von Stroh aus Krankenbetten, die Verwendung infektionskranker und reconvalescenter Menschen in der Milchwirthschaft verboten, ferner dafür Sorge getragen werden, dass nur Wasser zum Spülen der Milchgeräthe verwendet wird, welches aus guten, einer Verunreinigung unzugänglichen Brunnen stammt. Beim Ausbruch einer Infektionskrankheit müssen die Kranken streng separirt werden; wo dieses nicht durchführbar erscheint, ist die Milchwirthschaft während der Dauer der Krankheit zu schliessen. Die Aufbewahrung von Milch in Schlaf- und Wohnräumen ist mit Rücksicht auf die beregte Gefahr im Allgemeinen zu verbieten.

Zum Schlusse wäre noch des Uebergangs schädlicher Metalle, Blei, Kupfer und Zink aus den Transportgefässen und des Verbotes der Verwendung von Gefässen zu gedenken, welche diese Metalle führen.

Die im Vorstehenden begründeten Forderungen müssen für den Verkehr mit gewöhnlicher Marktmilch aufgestellt werden. Eine besondere Würdigung verlangt, wie hier nur der Vollständigkeit halber noch angeführt sein soll, der Verkehr mit Kinder- und Kurmilch. Es ist im Interesse einer gedeihlichen Entwickelung der künstlich ernährten Kinder im höchsten Grade wünschenswerth, einen Theil der Milchwirthschaften zur Produktion dieser sogenannten Vorzugsmilch zu veranlassen. Von solchen Produzenten muss aber ausser den genannten Vorbeugungsmaassregeln gegen gesundheitsschädliche Milch noch die strenge Beachtung besonderer Maassregeln verlangt werden, und zwar Fütterung der Kühe entweder mit gutem Gras oder Heu, allenfalls mit Zugabe von Mehl oder Kleie. Von technischen Rückständen dürfen nur erwiesenermaassen unschädliche, z. B. Bierträber als Beifutter Verwerthung finden. Das Heu ist nach Soxhlet zur Vermeidung des für die Haltbarkeit der Milch so sehr nachtheiligen Heustaubes womöglich angefeuchtet zu verfüttern. Im Uebrigen ist grösste Sauberkeit der Ställe, Reinigung der Euter sowie der Hände des Melkers vor dem Melken und peinlichste Reinhaltung der Milchgeräthe dringend zu fordern. Ausserdem ist die Milch nach dem Melken aus den allgemein bekannten Gründen mittels besonderer Kühlvorrichtungen abzukühlen und wo immer möglich sterilisirt, sonst aber mit dem geringsten Zeitverlust den Konsumenten zu überbringen.

Resumé: Zur Abwehr der mit dem Milchgenusse möglicherweise verbundenen Gefahren ist es erforderlich:

1. dass alle Milchwirthschaften einer polizeilichen Genehmigung unterliegen,

2. dass alle Thiere, welche zur Milchgewinnung aufgestellt werden, thierärztlich untersucht und von Zeit zu Zeit kontrollirt werden,

3. dass die Besitzer der Milchwirthschaften gehalten werden, nur gutes unverdorbenes Futter zu verabreichen; ferner jede Erkrankung eines Milchthieres sofort dem zuständigen Thierarzte anzuzeigen und bis zu dessen Entscheidung die Milch des erkrankten Thieres nicht in den Verkehr zu geben,

4. dass das Melkgeschäft mit der peinlichsten Sauberkeit geschehe, und dass Leute, welche an einer Infektionskrankheit leiden, zum Melken nicht verwendet werden,

5. dass die ermolkene und gesammelte Milch nach dem Melken abgekühlt und in besonderen Milchkammern, nicht aber in Wohn- oder Schlafräumen aufbewahrt wird,

6. dass der Transport nur in geeigneten Gefässen geschieht,

7. dass bei Aphthenseuche und Tuberkuloseverdacht die Milch nur gekocht in den Verkehr gebracht wird, alle übrige Milch aber, welche als ekelerregend oder gesundheitsschädlich angesehen werden muss, vom Verkauf als Nahrungsmittel für Menschen ganz ausgeschlossen wird. Ebenso ist beim Ausbruch einer epidemischen Krankheit in einem Hause, in welchem eine Molkerei oder ein Milchhandel betrieben wird, der Verkauf der Milch zu verbieten,

8. Bei der Gewinnung der sog. Kindermilch müssen ganz besonders hohe Anforderungen in Bezug auf Fütterung der Milchkühe, Sauberkeit der Milchgewinnung, auf Abkühlung und geeigneten Transport derselben gestellt werden.

Erkrankung mehrerer Personen durch Genuss einer Kalbsleber.

Von
Pirl—Wittenberg,
K. Kreisthierarzt.

Der Fleischer V. in Kl. schlachtete ein angeblich gesund gewesenes, 8 Tage altes Kalb. Die Leber desselben bewahrte er bis zum anderen Vormittag in einem unsauberen Fleischschranke auf. Die Familien R. und U. kauften 30 Stunden nach dem Schlachten je die Hälfte der zwei Pfund schweren Kalbsleber. Von der Familie R. wurde die Hälfte der gekauften Leber am selbigen Mittag gebraten. Der Ehemann und dessen Frau assen sodann davon, und letztere will beim Genuss einen bitteren Geschmack empfunden haben.

Krankheitserscheinungen: Dem Ehemann wurde bald nach dem Genusse der Leber übel, im Uebrigen blieb er in der Folge gesund. Seine Frau erkrankte jedoch bald darnach unter Uebelkeit und zunehmenden Leibschmerzen und in der Nacht traten noch Kopfweh, Unruhe und Schlaflosigkeit hinzu. Am folgenden Vormittag geringe Besserung. Zu Mittag wurde der Rest der Leber gebraten. Hiervon nahm die Frau nur wenig zu sich, mehr verzehrte hiervon eine im Hause beschäftigte, bis dahin ganz gesunde Schneiderin. Bei beiden Personen folgten im Laufe des Nachmittags und zur Nacht Uebelkeit, Leibschmerzen, Appetitlosigkeit, Frostgefühl, Poltern im Unterleibe, Kopfschmerz (Drehgefühl) und Schlaflosigkeit. Diese Symptome — nebst Müdigkeit und Gähnen — während der folgenden Tage im Wesentlichen bestehen. Bei der Schneiderin gesellten sich noch Stiche in der linken Seite sowie Durchfall und bei beiden Personen Vollsein im Leibe hinzu. Auch der Vater der Ehefrau des R., welcher von der Leber an demselben Abend gegessen, bekam darnach Durchfall.

Am selbigen Mittage, an dem die R.'sche Familie zum zweiten Male von der Leber gegessen, wurde von der anderen Familie (U.) ebenfalls die Hälfte der gekauften Leber gebraten. Hiervon assen nun ein zweijähriges Kind, die Mutter desselben und eine im Hause beschäftigte Schneiderin.

Krankheitserscheinungen: Das Kind wurde im Laufe des Nachmittags unruhig, zeigte während ca. 2 Stunden Erbrechen und blieb in den nächsten Tagen appetitlos. Bei der Mutter, welche reichlich von der Leber gegessen, traten bald nach dem Genusse übles Aufstossen (nach faulen Eiern), Brechneigung, Leibschmerzen und Kopfweh ein. In der Nacht folgten erheblicher Durchfall und Schlaflosigkeit. Am folgenden Tage hörte der Durchfall auf, aber die übrigen Symptome bestanden der Hauptsache nach fort. Am Abend dieses Tages und am nächsten Tage traten bei gänzlicher Inappetenz noch Müdigkeit, Voll-

sein im Unterleibe und öfters kneifende Leibschmerzen auf. Die Schneiderin, welche weniger Leber genossen, erkrankte ähnlich, jedoch stellte sich bei ihr kein Durchfall ein.

Nachdem einige der Patienten ärztliche Hülfe in Anspruch genommen hatten, genasen sämmtliche Personen im Laufe von ca. acht Tagen.

Meine Ermittelungen fanden am vierten und fünften Krankheitstage an Ort und Stelle statt.

Zur näheren Beurtheilung der Sachlage führe ich noch kurz an, dass die übrigen Nahrungsmittel, welche während der kritischen Zeit genossen worden sind, ohne Tadel und in beiden Haushaltungen verschiedenartige gewesen sind. Das Braten der Leber erfolgte, nachdem dieselbe vorher mit Kochsalz bestreut und in einer reinen Steingutschüssel abgewaschen worden war, mit frischer Butter, gutem Mehl und Zwiebeln in einem eisernen Tiegel und zwar in jeder Haushaltung besonders. An den mir vorgelegten rohen, ca. 1 cm dicken Leberscheiben, welche zusammen höchstens den vierten Theil der Leber ausmachten und welche mit Salz bestreut gewesen und abgewaschen worden waren, liess sich makroskopisch weiter nichts Auffälliges mehr feststellen, als dass auf den frischangelegten rothbraunen Schnittflächen sich einige gelbbräunliche Felder deutlich markirten. An dem noch vorhandenen Fleische des Kalbes waren keine abnormen Veränderungen zu ermitteln. Der grösste Theil des Fleisches des Kalbes war bereits von zahlreichen Personen ohne jeden Nachtheil vor den angestellten Ermitelungen genossen worden. Die Eingeweide waren nicht mehr vorhanden.

Fasst man Alles zusammen, so ergiebt sich, dass die sieben Personen der beiden Haushaltungen unter einem Krankheitsbilde erkrankt sind, welches zu dem Schlusse berechtigt, dass die genossene Kalbsleber hier die Ursache gewesen ist. Die nach dem Genusse derselben aufgetretenen Erscheinungen: Uebelkeit, Brechneigung u. Erbrechen, Inappetenz, Leibschmerzen und Durchfall, Vollsein im Leibe, Kopfschmerz (Drehgefühl), Müdigkeit, Stiche in der linken Seite etc. haben hier unbedingt eine gemeinsame Ursache gehabt. Dass die beiden Männer weniger gelitten, kann u. a. in deren grösserer Widerstandsfähigkeit gegen die aufgenommene Schädlichkeit beruhen, und dass das Kind in der Hauptsache mit Erbrechen davongekommen zu sein scheint, dürfte als eine durch diesen Act entstandene Naturheilung zu betrachten sein.

Die Frage nach dem hier in Wirkung getretenen schädlichen Agens lässt sich auf Grund unserer Kenntnisse über Fleisch-gifte nur dahin beantworten, dass dasselbe entweder — und dies ist das Wahrscheinlichere — ein putrides Gift gewesen ist, welches von der Nabelvene aus durch jauchigen Zerfall der Thrombenmasse zu Lebzeiten des Kalbes in die Leber gelangte, oder dass es eins jener Fleischgifte — Ptomaïne (Toxine) — war, welches sich erst bei der Aufbewahrung der Leber zufolge Entwickelung pathogener Bacterien, und zwar durch die aktuelle Kraft dieser, als Stoffwechselproduct in der Leber gebildet hat. Die Möglichkeit, dass beide Faktoren nebeneinander gegeben gewesen sind, möchte ich nicht ausschliessen.

Referate.

Ueber Aktinomykose.

(Verhandlungen auf dem VII. internationalen Kongress für Hygiene u. s. w.)

Crookshank: Die Thierärzte sind seit langer Zeit mit gewissen Geschwülsten beim Rinde bekannt gewesen, welche an verschiedenen Organen auftretend die verschiedensten Benennungen erhalten haben. Es ist noch nicht allzu geraume Zeit her, dass man die gemeinsame Ursache dieser Geschwülste in den Aktinomyces entdeckt hat. C. hat vor 5 Jahren bei Johne in Dresden Studien über Aktinomykose gemacht und bei seiner Rückkehr nach England gefunden, dass die Aktinomykose als eine bei den Thieren vorkommende Krankheit nicht allgemein bekannt gewesen ist trotz der Veröffentlichung Fleming's, welchem das Verdienst gebührt, den ersten Fall in England festgestellt zu haben. C. fand in Norfolk 8 pCt. der Rinder mit Aktinomykose behaftet. Seit der Entdeckung der Krankheit beim Menschen seien ungefähr 200 Fälle beschrieben worden, wovon 5pCt. auf England entfallen.

Bezüglich der Uebertragbarkeit der Aktinomykose vom Thiere auf den Menschen hat Cr. in England keinen Fall gesehen, welcher zu Gunsten einer direkten Uebertragung von Thieren auf den Menschen spräche. Dagegen ist es ihm gelungen, die Krankheit von einem Menschen auf ein Kalb zu übertragen Cr. glaubt, dass die Krankheit selten, wenngleich manchmal, das Ergebniss einer direkten Uebertragung von einem Thiere auf das andere oder von einem Thiere auf den Menschen sei. Man habe zwei Fälle zu Gunsten der Uebertragungstheorie zitirt. 1. berichtete Steiner über einen Fall bei einem Menschen, welcher Thiere zu besorgen hatte, von welchen einige offene Aktinomykome besassen. 2. beschreibt Häcker einen Fall von Zungenaktinomykose bei einem Kuhwärter, in dessen Stall sich eine Kuh mit einer Kiefergeschwulst befand. Nach einer Statistik von Moosbrugger aber, welche 75 Fälle umfasst (54 Männer und 21 Frauen bezw. Kinder) hatte der grössere Theil der Aktinomyceskranken keinen Kontakt mit Vieh. Bei 11 ist die Beschäftigung nicht angegeben, 20 Fälle entwickelten sich bei Landleuten, 33 Kranke dagegen hatten nichts mit Thieren zu thun gehabt (Müller, Glaser, Schneider, Kaufleute und Studenten). Nur in einem einzigen Falle konnte der Umgang mit kranken Thieren festgestellt werden. Von den 21 Frauen bezw. Kindern gehörten nicht mehr als 4 dem bäuerlichen Stande an, und keines dieser Individuen hatte mit einem kranken Thiere Berührung gehabt.

Man müsse annehmen, dass Menschen und Thiere die Aktinomykose aus derselben Quelle beziehen. Das Getreide sei in dieser Hinsicht stark verdächtig.

Ponfick betont, er glaube, dass die Ansteckung bei Mensch und Thier auf gleiche Weise erfolge und nicht direkt vom Thiere auf den Menschen und umgekehrt sich vollziehe. Er erinnert an jenen Fall von Aktinomykose bei einem Kinde, welches einen Theil eines Strohhalmes verschluckt hatte und acht Wochen darauf unterhalb der Schulter einen Abszess zeigte. In diesem Abszesse fand sich das Stückchen Strohhalm. Das Kind aber starb an Aktinomykose der Lungen.

Nocard mahnt daran, trotzdem man eine direkte Uebertragung der Aktinomykose leugnen müsse, die hygienische Seite dieser Frage nicht zu vernachlässigen. Die Krankheit sei unregelmässig vertheilt, Bayern, Schottland, Italien und etliche Theile der Vereinigten Staaten seien besonders ergriffen. Zu Utrecht ferner könne man immer Fälle im Thierspital sehen. In Frankreich sei die Krankheit mit Ausnahme der Kieferaktinomykome selten. Diese aber beeinträchtigen das Allgemeinbefinden der Thiere nicht im Geringsten, es sei denn, dass die Geschwülste einen bedeutenden Umfang annehmen. Eine Ansteckung benachbarter Thiere sei niemals beobachtet worden. Auch er sei der Ansicht, dass die Aktinomykose durch pflanzliche Nahrung sich verbreite. Zahlreiche Beobachtungen sprechen dafür, dass gewisse Distrikte und Weiden mit Aktinomyceskeimen infizirt seien. In manchen Gegenden entstehe eine förmliche Panik, man tödte die Thiere und verbiete den Verkauf des Fleisches. Dieses sei aber nutzlos, da die Weiden infizirt bleiben. Nocard ist der Ansicht, dass sich die Aufmerksamkeit der Hygieniker namentlich auf die Biologie des Aktinomyces wenden müsse, um eine rationelle Prophylaxis einleiten zu können.

Ivanoff hat auf dem Schlachthofe zu Moskau in zwei Jahren mehr als 2000

Aktinomycesfälle beim Rind gesehen. Er hält die Krankheit weder für bösartig noch für ansteckend. Sie sei lokalisirt im Körper des angesteckten Thieres.

Salmon-Washington bemerkt, dass die Angaben von der Häufigkeit der Aktinomykose in den Vereinigten Staaten bedeutend übertrieben seien. Wenn gesagt werde, dass man auf den Viehmärkten zu Chicago täglich 10—15 Thiere mit Aktinomykose gefunden habe, so sei zu bedenken, dass der Auftrieb auf diese Märkte sich manchmal auf 8—10000 Stück pro Tag belaufe. In den Vereinigten Staaten herrsche zur Zeit die Meinung vor, man dürfe das Fleisch von Thieren nicht verwerthen, welche mit Aktinomykose behaftet seien.

Barret-London vertritt die Ansicht, die Aktinomykose sei besonders auf schwerem Boden verbreitet; auf leichtem sei sie so gut wie unbekannt. Von den kanadischen Rindern seien 2 pCt. infizirt.

M'Fadyean ist der Ansicht, dass die Aktinomykose nicht selten mit anderen Krankheiten verwechselt werde. Er führt darauf die angebliche Häufigkeit der Tuberkulose in Australien zurück. Schliesslich sagt er, sei er sehr neugierig zu erfahren, ob die Fleischbeschau in Amerika die Gewähr biete, dass das importirte Fleisch nicht von tuberkulösen oder aktinomykotischen Thieren herstamme.

Crookskank misst in einem Schlussworte der Verwechslung aktinomykotischer Processe mit Tuberkulose eine solche Bedeutung bei, dass er sagt, die Furcht vor der Tuberkulose der Thiere würde verschwinden, wenn man wüsste, dass die Thiere hauptsächlich mit einer weniger ernsten Krankheit, wie sie die Aktinomykose vorstelle, behaftet seien. Er habe hierbei namentlich diejenigen Fälle im Auge, welche stets als Skrophulose betrachtet worden seien, in Wirklichkeit aber nichts anderes als Aktinomykose vorstellten *)

---

*) Des Referenten Erfahrung spricht gegen die von Cr. angenommene häufige Verwechslungsmöglichkeit der Aktinomykose mit Tuberkulose.

Blanchard, Ueber Botulismus.

(Aus der Diskussion über Fleischvergiftungen auf dem VII. internationalen Kongresse für Hygiene u s. w.)

Im weiteren Sinne verstehe man unter Botulismus jede Art Fleischvergiftung. Die häufigste sei diejenige durch faulendes Fleisch. Wir wissen, dass die Fäulniss des Fleisches durch Mikroben bedingt ist. Diese befallen das Fleisch, vermehren sich auf ihm und produziren die Ptomaïne, welche in der Mehrzahl heftige Gifte sind. Es giebt aber auch Thiere, deren Fleisch normal giftige Eigenschaften besitzt. Blanchard erinnert an ein Blutgift, welches mit dem Namen „Ichthyotoxin" belegt wurde, ferner an Vergiftungen, welche durch einen Fisch im Meere von Cuba („melette vénéneuse") und durch einen zweiten im Japanischen Meere („lediodon") hervorgerufen werden. Beim ersteren scheine sich das Gift in den Muskeln zu finden. Für die „plectograths" von Japan dagegen gehe aus den Untersuchungen von Remy hervor, dass das Gift nur in den Drüsen vorkomme, welche sich im Zustand physiologischer Unthätigkeit befinden. In beiden Fällen aber werde die giftige Substanz durch die natürliche Thätigkeit thierischer Gewebe erzeugt. Die Vergiftung selbst bestehe in einer Resorption von Leukomaïnen.

Blanchard resümirt: es giebt also zwei verschiedene Arten von Fleischvergiftung: 1. den Botulismus (im engeren Sinne), erzeugt durch Ptomaïne produzirende Mikroben, und 2. die Leukomaïnevergiftung beim Genuss frischen Fleisches, in welchem durch physiologische Vorgänge sich Gifte bilden. (Die Fleischvergiftungen nach Genuss vom Fleisch kranker Hausthiere sind hier nicht besonders berücksichtigt worden. D. R.)

Beu, Ueber den Einfluss des Räucherns auf die Fäulnisserreger bei der Conservirung von Fleischwaaren.

(Centralbl. f. Bakteriologie u. s. w. Bd. VIII. No. 17/18.)

Nach vorgängiger Erläuterung über die langsame und die sog. Heissräucherung theilt Verf. die Ergebnisse seiner Untersuchungen mit, welche sich auf Räucherwaaren des Handels, sowie auf selbstgeräucherte animalische Nahrungsmittel erstreckten. Die meisten Fleischwaaren werden langsam, d. h. tagelang, bei ungefähr 20° R. geräuchert, gewisse jedoch, wie Knackwürste und sämmtliche Fische, entweder zunächst mehrere Stunden in einem Rauche von 55° R. und hierauf kürzere Zeit in einem solchen von 80° R. und darüber belassen, oder sogleich dem heissen Rauche ausgesetzt. Die Wirkung des Rauches setzt sich zusammen aus der Wasserentziehung und der Einwirkung der im Rauche enthaltenen antifermentativen Stoffe (Creosot, brenzliche Oele und Carbolsäure).

Von den langsam geräucherten, dem Handel überwiesenen Fleischwaaren war allein der untersuchte Speck in seinem Innern keimfrei. Landmettwurst ergab 5 Kolonien des Mikrokokkus candicans, Hamburger Rauchfleisch, welches 3—4 Wochen gepökelt und dann 5 Tage langsam geräuchert war, 6 Kolonien weisse Staphylokokken. In einem nur 3 Tage geräucherten Stück derselben Waare fanden sich dagegen viele Keime, darunter auch mehrfach Proteusarten.

Heissgeräucherte Fische waren entweder keimfrei oder zeigten doch nur 6 Kolonien, welche die Gelatine nicht verflüssigten. In einer heissgeräucherten Knackwurst aber wurden zahlreiche Keime der Fäulnissbakterien, Proteus vulgaris und mirabilis nachgewiesen.

Die Versuche, bei welchen Verf. selbst den Einfluss allmählicher Räucherung bei einer Temperatur von 18—20° R. prüfte, fielen folgendermassen aus: Gepökeltes mageres Schweinefleisch, welches vor dem Räuchern unzählige Fäulnisskeime enthalten hatte, war nach 6tägiger Räucherung vollkommen keimfrei. Ebenso wurde Speck nach 7tägiger Rauchwirkung keimfrei. Ein Stück ungesalzenen Schweinefleisches begann trotz des Räucherns zu faulen, und an einer Knackwurst konnte Verf. trotz langer fortgesetzter Räucherung eine bemerkenswerthe Beeinflussung ihres Bakteriengehaltes nicht feststellen.

Ein antifermentativer Einfluss des Räucherns ist mithin sowohl bei langsamer, wie besonders bei der Heissräucherung nicht zu verkennen, dagegen gelingt es bei stark wasserhaltigen und nicht zuvor durch Pökelung u. s. w. entwässerten Fleischwaaren nur schwer oder garnicht, die Fäulnisskeime zu vernichten.

Serafini und Ungaro, Der Einfluss des Räucherns auf die Lebensfähigkeit der Bakterien.
(Nach einem Ref. der Hyg. Rundschau No. 7).

Gleichzeitig mit der bekannten Abhandlung von Forster erschien die Publikation der Verf, in welcher sie mittheilten, dass der Rauch bei der Einwirkung auf Bakterien-Kulturen eine recht energische, keimtödtende Kraft besitzt. Dieselbe wird bei Milzbrandbacillen und Staphylokokken nach spätestens 2½ Stunden, bei Heubacillen nach 3½ Stunden und bei den Milzbrandsporen nach 18 Stunden wahrgenommen. Die wirksamen Bestandtheile des Rauches sind die höheren theerartigen Substanzen, welche durch die entwicklungshemmende Kohlensäure unterstützt würden.

Bei der Verwendung infizirten Fleisches, (Stücken von Milzbrand-Meerschweinchen) fanden aber die Verf., dass das Räuchern auf die in dem Fleische enthaltenen Bakterien nicht so einwirkt, wie auf die Reinkulturen derselben. Der Rauch dringt nur schwer in das Innere der Fleischtheile ein, besonders weil sich unter dem Einfluss des Räucherns eine Schicht von geronnenem Eiweiss auf der Oberfläche der Fleischstücke bildet.

Die Verf. kamen zu dem Schlusse, dass das Räuchern an und für sich und durch Austrocknung entwicklungshemmend, nicht aber zerstörend auf die in dem Fleische etwa vorhandenen Bakterien einwirke.

Schlatter, Ein Fall von Wundinfektion durch Maul- und Klauenseuche beim Menschen.
(Bruns' Beiträge zur klinischen Chirurgie, Bd VII).

Ein junger Metzgerbursche hatte eine vernachlässigte Wunde an der Hand, als er ein mit Aphthenseuche behaftetes Thier schlachtete. Nach 4 Tagen wurde die Wunde schmerzhaft und schwoll an. Ausserdem entwickelte sich am ganzen Arme ein Bläschenausschlag, welcher zwei volle Wochen anhielt. Später entstand sogar eine Sekundärinfektion an den Mamilla, welche zu einer eiterigen Mastitis führte. Die bakteriologische Untersuchung dieses Falles hatte denselben Misserfolg, wie alle bisherigen Untersuchungen über den Erreger der Aphthenseuche.

Hahn, Zur Leichendiagnose der septischen und pyämischen Prozesse.
(Virchow's Archiv Bd. 128).

Verf. hat unter Leitung von O. Israel 9 Puerperalfälle und 6 Phlegmonen beim Menschen untersucht. In 4 Fällen mit multiplen Metastasen vermochte er theils Staphylokokken theils Streptokokken festzustellen. In 5 Fällen von Puerperalperitonitis fand er jedesmal Streptokokken, welche in 2 Fällen mit Staphylokokken vergesellschaftet waren. Hervorzuheben ist, dass in einigen Fällen zwar keine Metastasen, aber Streptokokken in den inneren Organen nachgewiesen wurden.

In den 6 Phlegmonefällen ergaben die inneren Organe fast durchweg negativen bakteriologischen Befund, zeigten indessen die Erscheinungen der parenchymatösen Degeneration (chemische Wirkung der lokal sich vermehrenden Mikroorganismen).

Benno Martiny, Einiges über das Melken und die Aufstallung der Kühe.
(S. A. a. d. Mittelrheinischen Verbandskalender für 1892.)

Manchem dürfte vielleicht eine Besprechung über das Melken und die Aufstallung der Kühe als etwas höchst Ueberflüssiges erscheinen. Aus der Schrift Martiny's aber ist zu ersehen, wieviel hier noch im Argen liegt, und wie sehr in dieser Hinsicht ein Mahnwort an die Landwirthe am Platze ist.

M. bespricht die Grundsätze einer rationellen und den hygienischen An-

forderungen entsprechenden Milchwirthschaft. Seine Ausführungen unterscheiden
sich in einem wesentlichen Punkte von
vielen ähnlichen: M. begnügt sich nicht
damit, auf die Hauptfehler, welche im
Kuhstalle gemacht werden, hinzuweisen
und deren Abstellung allgemein zu betonen, sondern er giebt auch die Mittel
und Wege in durchführbarer Form an,
durch welche die gerügten Uebelstände
beseitigt werden können. Verf. führt aus,
als oberster Grundsatz in einer Milchwirthschaft müsse Sauberkeit gelten.
Die Reinigungsmethoden der Euter vor
dem Melken seien unzulänglich, wenn nicht
die Aufstallung der Thiere das Euter vor
Verunreinigung bewahre. Als beste Aufstallung müsse die holländische angesehen werden. Bei dieser fallen Koth
und Urin nicht auf den Lagerplatz, sondern in eine hinter den Kühen verlaufende
Rinne oder Gosse. Damit die Kühe beim
Niederlegen ihre Schwanzquasten nicht
in die Gosse gleiten lassen, werden dieselben durch Schnüre in derjenigen Höhe
gehalten, in welcher sie sich bei ruhigem
Stehen befinden. Auf diese Weise bleiben
die Kühe rein, und etwa am Euter anhaftende Streutheile können durch Ab-
streichen mit der Hand entfernt werden.
Damit allen Anforderungen der Gesundheitspflege genügt werde, brauche man
hierauf nur noch die Euter mit einem
sauber eingefetteten Wollentuche
abzureiben, um die dort haftenden
Bakterien zu beseitigen (zu fixiren. Vgl.
Guillebeau, Methode zur keimfreien Gewinnung der Milch. D. R.). M. sagt zutreffend, die Ställe sollten nicht als die
Miststätten, sondern als die „guten Stuben"
unserer Milchkühe angesehen werden.
Von den drei Arten des Melkens (Strip-
pen, Knödeln und Fausten) sei das
Fausten die beste. Beim Melken selbst
sei die Kuh sanft zu behandeln, denn
jede Mutter, welche ihr Kind selbst genährt habe, wisse, dass die Milchabsonderung unter dem Einflusse der Gemüths-
stimmung stehe. Vor dem eigentlichen
Melken solle der Melker aus jeder Zitze

etliche Kubikcentimeter in die hohle Hand
oder in ein Probeglas melken, theils um
die äusserste Zitzenmündung zu reinigen,
theils um die ermolkene Milch auf ihre
Güte zu prüfen. Ein grosser Nachdruck
sei auf gründliches Ausmelken zu legen,
weil die sogenannte „Nachmilch" sehr
fettreich ist. Ebenso wie keine Frau
während des Säugens Speise und Trank
zu sich nehme, sei es unnatürlich, den
Thieren während des Melkens Futter
vorzulegen. Zur Vermeidung der Heu-
staubinfektion der Milch geschehe das
Füttern von Heu und Stroh am besten
nach dem Melken, damit sich der Staub
bis zum nächsten Melken niedergeschlagen
habe. Etwas selbstverständliches sei
grösste Reinlichkeit der Milchgefässe; als
die besten Melkeimer empfiehlt M. die
aus einem Stücke gestanzten Blecheimer
mit starker blasenfreier Verzinnung. Die
sehr lesenswerthe Schrift Martinys enthält der beachtenswerthen Rathschläge
noch viele. Hier sei nur noch angeführt,
dass M. entgegen einer verbreiteten Anschauung empfiehlt, die Erstlingskühe
nicht blos vom Kalbe absaugen zu lassen,
sondern auch unter allen Umständen zu
melken, damit das Euter zu voller, gleichmässiger Entwicklung komme, ferner dass
M. bei Euterkrankheiten mit Recht verlangt, dass die kranken Kühe zuletzt
gemolken werden und der Melker sich
hierauf desinfizirt und dass er endlich
vor dem Unfug warnt, die Milch euter-
kranker Kühe, wie dieses leider fast
überall geschieht, in die Streu zu melken.

**Hüppe, Ueber Milchsterilisirung und
über bittere Milch mit besonderer Rücksicht auf Kinderernährung.**
(Berliner Klinische Wochenschrift 1891, Nr. 29).

Verf. nimmt in dieser Abhandlung
die Priorität des Gedankens für sich
in Anspruch, Milch in kleinen Portionen durch Kochen im Wasser-
bade zu sterilisiren. Thatsächlich
habe Soxhlet die Anregung zu seinem
Verfahren durch Verf.'s. Ermittlungen erhalten. Weiter wendet sich H. gegen die

Ausstellungen, welche Soxhlet in seiner vorletzten Arbeit (s. 1. Bd. ds. Ztschr. S. 154) an den Versuchen anderer Forscher, seinen früheren Flaschenverschluss zu verbessern, gemacht hat. Bei einer Nachprüfung des Schmidt-Mülheim'schen Verschlusses habe er (Verf.) gefunden, dass dieser keimdicht schliesse, wenn er richtig verwendet werde. (Als bester Verschluss muss aber jetzt unstreitig der neue von Soxhlet bezeichnet werden. D. R.)

Im Uebrigen sieht H. in allen Verfahren, bei welchen die Milch erst im Hause sterilisirt wird, nur einen Nothbehelf. Eine endgiltige befriedigende Lösung ist nach H. erst dann zu erwarten, wenn die Molkereien sich die möglichst saubere Gewinnung guter Milch angelegen sein lassen und die Sterilisirung an Ort und Stelle vornehmen. Die grössten Schwierigkeiten bereiten der Milchsterilisirung die sehr widerstandsfähigen Dauerformen der Buttersäurebakterien, die Heu- und Kartoffelbacillen, während die Milchsäure- und pathogenen Bakterien leicht vernichtet werden können. Jene müssen daher möglichst ausgeschlossen werden, und zwar durch Reinlichkeit in jeder Hinsicht, namentlich auch durch Waschungen der Euter sowie der Hände der Melker.

Am besten, fährt H. fort, werde die Milch in Grossbetrieben an Ort und Stelle sterilisirt, in Kleinbetrieben an bestimmten Sammelorten. Wenn die Milch vom Producenten selbst sterilisirt werden solle, geschehe dies am zweckmässigsten so, dass die Milch sofort in $^{1}/_{2}$ Literflaschen gefüllt und im strömenden Dampf von 100° C. ca. $^{3}/_{4}$ Stunden erhitzt werde. Für Betriebe, in welchen eine Garantie für reinliche Gewinnung nicht gegeben sei. habe er schon 1885 die Zentrifugirung und nachträgliches Wiederzufügen des vom Milchschlamme befreiten Rahmes angerathen (Vgl. in dieser Hinsicht die Arbeit von Scheuerlen. II. Bd. d Z. S. 13. D. R.) Durch Sterilisiren der Milch im Grossbetriebe fielen alle Unbequemlichkeiten der Milchsterilisirung im Hause weg. Die Lösung der Frage der Milchhygiene für die

Grossstädte liege in der Zunahme von grossen Milchsterilisirungsanstalten. —

H. sagt, mit der Frage der Milchsterilisirung stehe die Frage der bitteren Milch in engem kausalem Zusammenhange. Er habe schon früher gefunden, dass in Milch, welche durch das Erhitzen gegen Säurebildung geschützt werde, das Casein zuerst labähnlich ausgeschieden und dann durch Peptonisirung wieder gelöst werde. Hierbei sind nach der Untersuchung des Verfassers und Löfflers die von ersterem sogenannten Milchsäure- und die Kartoffelbacillen betheiligt. Löffler fand nach derartigen Zersetzungen bitteren Geschmack der Milch, welcher nach H. nicht von einem besonderen Bitterstoffe, sondern daher rühre, dass bei dem Lösen der Milchalbuminate echtes Pepton gebildet werde. Die Peptone schmecken auch in verdünnten Lösungen widerlich bitter. Nach einigen kurzen Bemerkungen über die Arbeiten Krügers und Weigmanns, welche die Frage der bitteren Milch wieder „recht konfuse gemacht hätten", verlangt H. entweder sichere Fernhaltung der Erreger der bitteren Milch oder deren sichere Abtödtung. Letzteres gelinge, wenn viele solcher Keime in einer Milch enthalten seien, nur durch gespannten Dampf von 110—120°, oder durch 6 Stunden lange bezw. durch diskontinuirliche Einwirkung von strömenden Dämpfen. Durch alle andere Verfahren, welche Verf. deshalb als provisorische bezeichnet, werde die Milch nur vorübergehend gegen das Auskeimen dieser Sporen geschützt. (Dass aber dieser vorübergehende Schutz für die Zwecke der künstlichen Säuglingsernährung völlig ausreicht, hat die Erfahrung tausendfältig erwiesen. D. R.)

Amtliches.

Preussen, Reg.-Bez. Düsseldorf. Polizei-Verordnung betr. die Abstempelung des von den Thierärzten untersuchten Fleisches. Vom 2. April 1891.

Auf Grund der §§ 6. 11, 12 des Gesetzes vom

11. März 1851 über die Polizei-Verwaltung (G.-S. S. 265) und des § 137 des Gesetzes über die allgemeine Landesverwaltung vom 30. Juli 1883 (Gesetzsammlung S. 195) bestimme ich unter Zustimmung des Bezirks-Ausschusses für den Umfang des Regierungs-Bezirks Düsseldorf hiermit Folgendes:

§ 1. Thierärzte und amtliche Fleischbeschauer, welchen Fleisch zur Untersuchung auf seine Geniessbarkeit vorgelegt wird, haben dasselbe, wenn es geniessbar befunden wird, in jedem Falle, ohne Rücksicht darauf, ob die Ausstellung eines Attestes verlangt wird oder nicht, zum Zeichen der geschehenen Untersuchung abzustempeln.

§ 2. Vollwerthiges Fleisch ist mit einem kreisförmigen, 4 cm im Durchmesser grossen Stempel abzustempeln, welcher das Wort „vollwerthig" und den Namen des untersuchenden Thierarztes oder Fleischbeschauers (bezw. Schauamts) zu enthalten hat. Minderwerthiges Fleisch ist mit einem ovalen, 3 bezw. 5 cm in den beiden Durchmessern grossen Stempel abzustempeln, welcher das Wort „minderwerthig" und den Namen des untersuchenden Thierarztes u. s. w. zu enthalten hat.

Zur Abstempelung dürfen nur Farbstempel mit Indigo, Lakmus oder Ultramarin verwendet werden, welche die einzelnen Worte deutlich und erkennbar wiedergeben.

§ 3. Die Abstempelung ungeniessbaren bezw. gesundheitsschädlichen Fleisches in ähnlicher Weise wie minder- oder vollwerthigen Fleisches ist verboten. Wird das vorgelegte Fleisch gesundheitsschädlich befunden, so hat der Thierarzt bezw. der Fleischbeschauer unbeschadet der Vorschriften des Seuchengesetzes hiervon der Ortspolizeibehörde binnen 24 Stunden Anzeige zu erstatten und den Besitzer des Fleisches auf die Ungeniessbarkeit bezw. die Gesundheitsschädlichkeit desselben hinzuweisen.

§ 4. Zuwiderhandlungen gegen vorstehende Bestimmungen werden mit Geldstrafe bis zu 60 M., im Unvermögensfalle mit entsprechender Haft bestraft.

§ 5. Vorstehende Polizeiverordnung tritt am 1. Juli 1891 in Kraft.

Der Regierungs-Präsident.

In Vertretung:

gez. Scheffer.

— Belgisches Gesetz, betr. die Verfälschung der Nahrungsmittel.[*]

Art. I. Die Regierung wird ermächtigt den Handel, Verkauf und Vertrieb sowohl der Lebensmittel als auch solcher Stoffe, welche zur Nahrung für den Menschen und die Thiere dienen, zu regeln und zu überwachen, und zwar insofern, als dies die öffentliche Wohlfahrt betrifft und Täuschungen und Fälschungen verhindert.

In gleicher Weise, nur im Interesse des allgemeinen Wohls, soll

a) Ueberwacht werden die Fabrikation oder Zubereitung der für den Verkauf bestimmten Lebensmittel, und

b) Verboten werden, hierzu Stoffe, Geräthe oder schädliche, bezw. gefährliche Gegenstände zu verwenden.

Was nun speziell die Fleischwaaren betrifft, so dürfen solche weder verkauft, noch zum Verkauf ausgestellt werden, wenn sie nicht in Folge einer sachverständigen Untersuchung für geeignet zur menschlichen Nahrung befunden worden sind.

Handelt es sich um frisches Fleisch, so muss die Untersuchung ganz besonders noch auf den inneren Organen beruhen, die zum betr. Fleisch gehören.

Zu diesem Zwecke muss auf Kosten der Interessenten im Voraus eine Gebühr abgezogen werden, die aber nicht die Kosten der gewöhnlichen Beschau überschreiten darf und deren Höhe mit allerhöchster Genehmigung von der Regierung oder den Kommunen festgesetzt wird.

Alle übrigen Untersuchungs-Gebühren auf Fleisch, so besonders die Stempelgebühr, fallen mit dem Datum des Inkrafttretens dieses Gesetzes fort.

Ausgenommen hiervon sind indess die Verordnungen, die auf Grund gesetzlicher Bestimmungen, betreffend die Sicherheit und Geniessbarkeit beim Verkauf von Nahrungsmitteln, bei Uebertretungen hiergegen von den Kommunal-Behörden erlassen worden sind, sofern sie nicht im Widerspruch mit den Landesgesetzen stehen.

Art. II. Der Magistrat und die Staatsbeamten, welche die Ausführung dieser erlassenen Verordnungen zu überwachen haben, sind berechtigt, zu dem Zweck die Magazine, Läden und Räume zu betreten, welche dem Verkaufe der Esswaaren und Nahrungs- oder Arzneimittel dienen und zwar in den Stunden, in welchen die Lokale dem Publikum geöffnet sind. Zu gleicher Zeit dürfen sie die Depots jener Verkaufsstellen, auch wenn sie dem Publikum nicht offen stehen, in Augenschein nehmen. Ebenso dürfen die Beamten zu jeder Tageszeit diejenigen Lokale besichtigen, (auch wenn der Zutritt dem Publikum nicht gestattet ist) welche der Fabrikation und der Zubereitung der Nahrungsmittel, behufs Verkaufs derselben, dienen.

Im Falle von Uebertretungen wird seitens der Beamten über den Gegenstand ein Protokoll aufgenommen, das bis zur endgültigen Entscheidung

---

[*] Es wird allgemein zugegeben, dass unser Nahrungsmittelgesetz vom 14. Mai 1879 in manchen Punkten der Verbesserung bedarf. Aus diesem Grunde dürfte die Kenntniss obigen Gesetzes nicht ohne Nutzen sein. Der Text des Gesetzes, welcher durch Herrn Dr. Heilemann ins Deutsche übertragen wurde, ging dem Herausgeber durch das Belgische Ministerium für Landwirthschaft u. s. w. zu. D. H.

für beweiskräftig zur erachten ist. Spätestens 24 Stunden nach erfolgter Konstatirung der Uebertretung erhält der Kontravenient eine Abschrift des Protokolls.

Derartige Protokolle sind entsprechend den Bestimmungen des Gesetzes vom 3. Mai 1889 zu entwerfen.

Art. III. Die Art und Weise der Beschlagnahme von Proben, sowie die Organisation und die Verrichtungen in den Laboratorien wird durch Gesetz bestimmt werden.

Art. IV. Betrifft die Verfälschung von Arzneimitteln.

Art. V. § 2 und § 3 al. 1 u. 2 des Art. 501 des Strafgesetzbuches erhalten folgende Fassung:

§ 2. Diejenigen Personen, die irgendwie beschädigte oder verdorbene, oder durch eine Behörde für schädlich erachtete Esswaaren, Getränke, Lebens- oder Nahrungsmittel verkauft haben, abgesetzt oder zum Verkauf gestellt;

§ 3 Diejenigen Personen, welche ohne betrügerische Absicht (lt. art. 500) verkauft, vertrieben oder zum Verkauf ausgestellt haben in irgend einer Weise verfälschte oder nachgemachte Esswaaren, Getränke, Lebens- oder Nahrungsmittel u. s. w.

Die im Besitz der Schuldigen vorgefundenen beschädigten, verdorbenen, schädlichen, verfälschten oder nachgemachten Esswaaren, Getränke, Lebens- oder Nahrungsmittel werden mit Beschlag belegt.

Art. VI. Die im Gesetz lt. Art. I u. IV, letzter Abschnitt, aufgeführten Uebertretungen werden mit einer Strafe von 1 bis 25 Fr. und 1 bis 8 Tage Gefängniss oder mit der einen oder anderen dieser Strafen geahndet.

Innerhalb zweier Jahre seit der letzten Verurtheilung kann im Wiederholungsfalle die Strafe verdoppelt werden.

Art. VII. Mit einer Busse von 50 bis 200 Fr. und zutreffenden Falles mit den in den §§ 269 bis 274 des Strafgesetzbuches bedrohten Strafen werden diejenigen Personen belegt, welche den mit der Untersuchung und Konstatirung der Uebertretungen dieses Gesetzes beauftragten Beamten den Eintritt, die Besichtigung oder die Entgegennahme von Proben verweigern oder Widerstand leisten.

Wenn innerhalb zweier Jahre seit der letzten Verurtheilung wegen Uebertretung des § 1 vorstehenden Artikels dieselbe Person rückfällig wird, so kann der Richter die Strafe bis auf 500 Fr. erhöhen und gleichzeitig auf Gefängnissstrafe von 8 Tagen bis 2 Monaten erkennen.

Art. VIII. Die Regierung muss alle zwei Jahre den Kammern Bericht über die Massnahmen erstatten, welche sie zur Ausführung dieses Gesetzes erlassen hat, sowie die aus ihm herzuleitenden Ergebnisse.

Gegenwärtiges Gesetz wird hierdurch bekannt gemacht, mit dem Königl. Insiegel versehen und durch den Moniteur veröffentlicht.

Gegeben Ostende, den 4. August 1890.

(Forts. folgt.)

Bücherschau.

Frank, Handbuch der Anatomie der Hausthiere mit besonderer Berücksichtigung des Pferdes, 3. Auflage durchgesehen und ergänzt von **Paul Martin**, Professor an der Thierarzneischule in Zürich. Stuttgart 1891. Verlag von Schickhardt und Ebner (Konrad Wittwer) Lief. 1—3.

Wohl alle Kollegen, welchen das Frank'sche Handbuch die Wege in der Anatomie gewiesen hat, werden die Nachricht mit Freuden begrüsst haben, dass dieses schöne Werk nicht mit seinem genialen Verfasser begraben werden, sondern unter der Hand eines berufenen Fachmannes eine Neuerstehung erleben solle. Frank's Handbuch der Anatomie der Hausthiere ist männiglich bekannt. Selbst im nördlichen Deutschland, in welchem „Leisering-Müller" das gebräuchliche Lehrbuch ist, findet man neben diesem den „Frank" in sehr vielen Bibliotheken.

Bei der dem Neuherausgeber eigenen hochbescheidenen Art war es vorauszusehen, dass an dem Fundamente des alten Frank'schen Werkes wenig geändert werden würde. Indessen hat das Werk in mehrfacher Hinsicht trotzdem sehr gewonnen. So wurde der allgemeine Theil durch einen kurzen, aber ganz zweckentsprechenden Ueberblick über die Entwicklungsgeschichte erweitert. An geeigneten Stellen wurden phylogenetische Notizen eingestreut; ausserdem fanden neuere anatomische Arbeiten, wie z.B. die Arbeit von Eichbaum, „die Fascien des Pferdes" Verwerthung. Die vergleichende Anatomie ist nach des Ref. Anschauung sehr übersichtlich dargestellt: nach Erledigung der zusammengehörigen Knochen- Bänder-, Muskelgruppen beim Pferde werden die abweichenden Verhältnisse bei den übrigen Haustieren besprochen. Sehr hübsch sind ferner die Zusammenstellung der Muskelgruppen nebst den Anheftungspunkten der einzelnen Muskeln, welche an der Spitze der betreffenden Abschnitte stehen. Mit grossem Vortheil ist hierbei von verschiedenen Lettern Gebrauch gemacht worden. Das Studium des Buches erleichtert sich dadurch ganz bedeutend im Vergleich zu den früheren Ausgaben. Schliesslich sind von Martin dem Texte eine Anzahl sehr schön ausgeführter Abbildungen neu eingefügt worden. Leider blieb aber — jedenfalls aus Rücksicht für die Herstellungskosten — ein Theil alter Frank'scher Figuren stehen, welche sehr unvortheilhaft von den durch ihre Schönheit berühmten Leyh'schen Bildern abstechen (vgl. nur z. B. die Figuren 223 u. 228 im Gegensatz zu

222 u. 227). Von dem zeichnerischen Geschick des Herausgebers bzw. seines Bruders Leo Martin, welches unsern Lesern übrigens wohlbekannt ist, geben Abbildungen wie Fig. 119, 121, 128, 175, 266, 274 den sprechendsten Beweis.

Wir zweifeln nicht im Geringsten daran, dass die Neubearbeitung durch Martin dem Frank'schen Handbuche der Anatomie diejenige Verbreitung sichern wird, welche bereits zu seiner 3. Ausgabe geführt hat. Verdienen würde es die Sorgfalt der Neuherausgabe ebenso, wie das Andenken Ludwig Franks!

Sussdorf, Lehrbuch der vergleichenden Anatomie der Haustthiere unter besonderer Berücksichtigung der topographischen Anatomie und der Methodik in den Präparirübungen. Stuttgart. 1891. Verlag von Ferdinand Enke.

Zu den beiden bis jetzt in Deutschland dominierenden Lehrbüchern der Hausthier-Anatomie von Leisering-Müller und Frank tritt nunmehr das Werk von Sussdorf, von welchem die 1. Lieferung in der Stärke von 10 Bogen kürzlich erschienen ist. Das ganze Werk soll einen Gesammtumfang von 60 Bogen erhalten und längstens innerhalb Jahresfrist beendet sein. Das vorliegende Lehrbuch hat nach dem Prospekte mehrere, von der herkömmlichen Veranlagung der anatomischen Bücher sehr vortheilhaft abweichende Ziele im Auge. Ausser der rein systematischen Anatomie soll für die Zwecke des Studierenden die Methodik des anatomischen Studiums, für diejenigen des praktischen Thierarztes die topographische Anatomie nach Thunlichkeit in dem Lehrbuche berücksichtigt werden. Bei der Knochenlehre wird ferner der für die Fleischbeschau unter Umständen wichtigen Differentialdiagnostik der Knochen der verschiedenen Thierspezies Rechnung getragen werden. Schliesslich soll in dem Sussdorf'schen Werke „das Pferd nicht obenanstehen und die übrige in Frage kommende Thierwelt nur so nebenher gehen", sondern es soll sich vielmehr durch eine gleichmässige Behandlung der Anatomie der verschiedenen Hausthiere auszeichnen.

Die 1. Lieferung umfasst eine Einleitung, eine allgemeine Anatomie einschliesslich eines Abrisses der Entwicklungsgeschichte und einen Theil des Skelettsystms. Die Studie dieser Lieferung schon überzeugt uns, dass wir es mit einem bedeutenden, durchaus originalen Werke zu thun haben. Der einzige Vorhalt, welcher der Bearbeitung der ersten Lieferung des Sussdorf'schen Werkes, nach des Ref.Ansicht vielleicht gemacht werden könnte, ist der, dass die allgemeine Gewebelehre und die Entwicklungsgeschichte für den Anfänger zu intensiv behandelt ist. Weniger wäre hier mehr gewesen. Die hervorragenden Eigenschaften der 1. Lieferung aber sind von anderer Seite (Fröhner, Monatshefte für Thierheilkunde, 3 Bd

5), bereits in einer so treffenden Weise gewürdigt worden, dass Referent diesen Au führungen nichts hinzuzufügen vermag. Auch Refer.nt hat nur den Ausdruck der unverhohlensten Anerkennung für die klare, übersichtliche und knappe Darstellung im Allgemeinen, für die trefflichen Bemerkungen über Methodik und die Beigabe der etymologischen Erklärung der zahlreichen anatomischen Fremdwörter im Besonderen. Noch einen Vorzug hebt Fröhner mit Recht hervor, er sagt, die Sussdorf'sche Anatomie sei eine der wenigen, welche, wie das berühmte Hyrtl'sche Buch in der Menschenheilkunde, zeige, dass das Studium der Anatomie nicht unter allen Umständen langweilig sein müsse.

Die Ausstattung des Lehrbuches von Sussdorf ist eine sehr gute. Die zahlreichen Abbildungen sprechen durch ihre gleichmässige Ausführung ungemein an, wenn wir es auch nicht durchweg mit Originalfiguren zu thun haben. In der allgemeinen Anatomie ist sogar die überwiegende Mehrzahl der Illustrationen nach Toldt wiedergegeben. Die Bilder zur speziellen Anatomie dagegen, und dies ist die Hauptsache, sind durchweg schön gelungene Originale.

Ein abschliessendes Urtheil über das vorliegende Werk ist vorläufig nicht möglich. Gleichwohl aber glauben wir dasselbe nicht blos allen Studierenden, sondern auch, um mit Sussdorf zu reden, den „bemoosten Häuptern" mit gutem Gewissen jetzt schon empfehlen zu können.

Deutscher Veterinärkalender für 1892, herausgegeben von Dr. R. Schmaltz, mit Beiträgen von Veterinärassessor Dr. Steinbach, Professor Dr. Rabe, Kreisthierarzt Dr. Arndt, Assistent Bertram und Schlachthofinspektor Koch. Berlin 1892 bei Th. Chr. Fr. Enslin (Richard Schoetz).

Die 3. Ausgabe des deutschen Veterinärkalenders unterscheidet sich von der letzten, was unsere Interessensphäre anbelangt, nicht unwesentlich. Im 2. Hefte dieser Zeitschrift hat Ref. bei Besprechung der vorjährigen Ausgabe darauf hingewiesen, dass die Erläuterungen zum Nahrungsmittelgesetze nicht ganz korrekt seien, und dass die Zahnaltertabelle für Rinder, welche dem vom Smithfield-Club zu London aufgestellten Normen entnommen war, für unsere spätreiferen Rassen abgeändert werden müsste. Beide Ausstellungen haben Beachtung gefunden. Ausserdem enthält die neue Ausgabe des vorliegenden Veterinärkalenders ein neues Kapitel „Das Bureau des Schlachthausthierarztes", bearbeitet von Koch-Hagen, mit sehr zweckmässigen Anweisungen insbesondere für jüngere Kollegen, welche mit der selbstständigen Leitung von Schlacht- und Viehhöfen betraut werden.

Leider kann sich Ref. auch mit den modifizirten Erläuterungen zum Nahrungsmittelgesetz nicht ganz einverstanden erklären. Namentlich steht folgendes mit den Gepflogenheiten der Sanitätspolizei im Widerspruche. Auf S. 82 ist unter d) „verdorben im gewöhnlichen Sinne und von jedem Verkaufe auszuschliessen, aber nicht dem Verbrauch im eigenen Haushalt zu entziehen" u. a. auch genannt das Fleisch bei Rothlauf, bei der Schweineseuche, ferner nach der Behandlung der Thiere vor dem Schlachten mit gewissen Arzneien (Carbolsäure, Petroleum, Terpentinöl, Kampfer, Baldrian, Kamillen, Wermuth u. s. w.) · und schliesslich das Fleisch von unreifen und gehetzten Thieren Hiergegen ist zu bemerken, dass Fleisch von rothlauf- und schweineseuchekranken Thieren überall zum Verkauf auf der Freibank zugelassen wird, wenn die substantiell n Veränderungen des Fleisches einen höheren Grad nicht erreicht haben. Vom sanitätspolizeilichen Standpunkte lässt sich auch hiergegen nichts einwenden. Aehnlich verhält es sich mit dem Fleische unreifer Thiere. Es giebt höhere und niedere Grade der Unreife; ein 3tägiges Kalb z. B. ist anders zu beurtheilen, als ein 10tägiges, trotzdem beide unter den Begriff „unreif" fallen. Ebensowenig lässt sich bei mit riechenden Arzneien behandelten Thieren die Beschränkung des Fleischgenusses auf den Haushalt motiviren, wie in den übrigen Fällen, ganz abgesehen davon, dass die Verabreichung reiner Karbolsäure, des Baldrians, der Kamillen und des Wermuths in medikamentösen Gaben die Beschaffenheit des Fleisches nicht beeinflusst Wenn schliesslich das Fleisch gehetzter Thiere nur im eigenen Haushalte verzehrt werden sollte, dann dürfte nur wenig Wild mehr auf den Markt kommen. Denn das meiste Wild ist gehetzt.

Ein Kalender ist kein Lehrbuch. Vorstehende Bemerkungen aber zu dem auch für Schlachthausthierärzte sehr empfehlenswerthen deutschen Veterinärkalender glaubte Ref. nicht unterdrücken zu sollen, weil die beregten Stellen schon mehrfach zu Konflikten in der Praxis der Fleischbeschau Veranlassung gegeben haben.

———— ——

Zur Besprechung, welche in den nächsten Heften erfolgen soll, ist weiterhin eingegangen:
1. **Hoffman, Thierärztliche Chirurgie, Lief. 6—8.**
2. **Scholl, Die Milch.** Wiesbaden 1891. Verlag von J. F. Bergmann.

Kleine Mittheilungen.

— Multiple Hämorrhagien in der Muskulatur der Schweine. Unter diesem Titel hat der Herausgeber dieser Zeitschrift ein sehr häufiges, in Laienkreisen mit dem Namen „Blutflecken" bezeichnetes Vorkommniss bei geschlachteten Schweinen beschrieben und bei dieser Gelegenheit den Nachweis erbracht, dass es sich hierbei um weiter nichts als um eine mechanische Zerreissung von Muskelfibrillen handle (Berl.

Archiv für Thierheilkunde 1890). Unter Hinweis auf diese Untersuchung hat Herr Direktor Dr. Hertwig zu wiederholten Malen darauf hingewirkt, dass das Fleisch dieser Thiere in gekochtem Zustande freibankmässig verwerthet werde. Das Kochen hätte in diesem Falle lediglich den Zweck, zu verhüten, dass das Fleisch von Gewerbetreibenden, namentlich von Wurstfabrikanten angekauft und als vollwerthiges weiter verkauft werde. Jahre sind bereits über jene Anträge hingegangen, ohne dass denselben Gehör geschenkt worden wäre. Dies ist um so mehr zu bedauern, als es sich hier um die Erhaltung eines ganz bedeutenden Kapitals handelt. Die „Deutsche Fleisch. Zeitung" hat bereits darauf hingewiesen, dass in einer Woche, vom 18. — 25. Oktober, 46, sage sechsundvierzig Schweine, wegen dieser Blutungen der Abdeckerei überwiesen worden sind. Aber auch in den übigen Wochen war die Zahl der wegen Blutungen in der Muskulatur vernichteten Schweine eine keineswegs geringe. Vom 25. Okt. bis 1. Nov. mussten 25, vom 1.—8. Nov. 34, vom 8.—15 Nov 31 Schweine, zusammen also in 4 Wochen 136 Schweine dem Verkehre entzogen werden, deren Fleisch lediglich im Aussehen verändert, im Uebrigen aber völlig gesund war. Nicht einmal die Verwerthung der tadellosen Eingeweide und des völlig unveränderten Fettes wurde gestattet.

Wir wissen nicht, wem die Schuld an dieser Massenvernichtung werthvollsten Materials beizumessen ist. Auf jeden Fall frägt man sich vergeblich nach Gründen für dieselbe. Nachdem die bedingungsweise Verwerthung finniger Schweine und Rinder polizeilicherseits in Berlin zugestanden wurde, wäre es ganz selbstverständlich dass auch das Fleisch von nur blutigen Schweinen zum freibankmässigen Verkehr zugelassen worden wäre. Denn es handelt sich ja um völlig unschädliches Material.

Nach dem Erfolge, welchen eine Petition des landwirthschaftlichen Vereins „Rückfort" hinsichtlich der Verwerthung finnigen Rindfleisches bei dem Herrn Minister erzielte, wäre es nur zu wünschen, dass auch hier die Interessenten, nachdem der massgebende Sachverständige sich schon zu wiederholten Malen vergeblich bemüht hat, an geeigneter Stelle wegen Beseitigung dieses Uebelstandes vorstellig würden.

— Ueber eine Massenerkrankung nach Genuss „ungesunden" Fleisches berichtet Nielsen (Ugeskr. f. Läger 1890, XXII und Hyg. Rundschau Nr. 5). Die Kuh war etliche Tage an „Kalbefieber" erkrankt gewesen u wurde am 1. Okt. geschlachtet; das Fleisch ist am 5. Okt. bei einem häuslich. Feste in Form von Braten und Suppe verzehrt worden. Von 115 Gästen erkrankten in der folgenden Nacht mehr als die Hälfte an Unterleibsschmerzen, Brechdurchfall und Krämpfen in den Wadenmuskeln. In etlichen, besonders schweren Fälle n fehlte der Brechdurchfall, wogegen schwere Kolikschmerzen, Dyspnoë, Kopfweh, taumelnder Gang, aphthöser Belag auf der Mundschleimhaut und starke Hinfälligkeit in den Vordergrund traten. Die Symptome verloren sich nach einigen Tagen. Indessen war die Reconvalescenz langwierig. (Die referirte Beobachtung ist für die praktische Fleischbeschau nur von bedingtem Werthe. 1. fehlt die Angabe, ob die kritische Kuh an Gebärparese oder an septischer Metritis gelitten hat. Die wegen Gebärparese nothgeschlachteten Rinder werden bekanntermassen in der Regel genossen, ohne dass bis jetzt auch nur ein einziger sicherer Fall von Gesundheitsschädigung nach dem Genuss solchen Fleisches bekannt geworden wäre. 2. ist es überhaupt fraglich, ob die erwähnte Fleischvergiftung mit der Erkrankung in ätiologischen Zusammenhang gebracht werden darf, da zwischen Schlachtung und Verspeisung 5 Tage verstrichen sind, während welcher eine nachträgliche Infection des Fleisches wohl stattgefunden haben kann. D. R.)

— **Zur unschädlichen Beseitigung des beanstandeten Fleisches.** In den Schlachthausentwürfen sucht man vergeblich eine unumgängliche nothwendige, wesentliche Einrichtung, nämlich zur unschädlichen Beseitigung der vom menschlichen Genusse ausgeschlossenen Organe und Kadaver. So kommt es, dass die Schlachthausverwaltungen behufs Beseitigung dieser Theile auf die durchaus unzuverlässige und mangelhafte Mitwirkung der Abdeckereien angewiesen sind. Erfreulicherweise suchen aber, wie bereits aus Kiel und Rybnick berichtet wurde, die Schlachthofverwaltungen jetzt diesem Uebelstande abzuhelfen. Zu Kiel und Rybnick gesellt sich nun auch Gotha. Daselbst wurde ein von Hofbaurath Schaller konstruirter Ofen angeschafft, in welchem die zur Vernichtung bestimmten Theile durch Kesseldampf getrocknet und unschädlich gemacht werden. Der Apparat, dessen Preis nur 600 Mark beträgt, beruht auf denselben Prinzipien, wie derjenige von de la Croix, mit welchem nicht nur in hygienischer, sondern auch in finanzieller Hinsicht (grosse Ausbeute an nutzbarem Material) sehr zufriedenstellende Ergebnisse erzielt worden sind. Der Apparat von de la Croix ist im Gemeindeschlachthause zu Antwerpen seit 1884 im Gebrauch und wurde jüngst auch in Deutschland patentirt. (cfr. B. T. W. 1891, No. 26.)

— **Schlachtvieh-Versicherung in Leipzig.** Im Jahre 1890 wurde ein Ueberschuss von rund 2600 ℳ. erzielt, während 1891 sich ein Fehlbetrag von 24,909 ℳ. ergab. Der Fehlbetrag entstand lediglich bei der Versicherung der Rinder, insbesondere der Kühe, und beziffert sich im Ganzen auf 40,138 ℳ. Nur in Folge eines Ueberschusses bei der Schweineversicherung (15,234 ℳ.) stellte sich der Rechnungs-Abschluss etwas günstiger. Nach den Aufstellungen der Schlachtviehversicherung Leipzig berechnet sich der Verlust für das männliche Rind auf 6,36 ℳ., für das weibliche dagegen auf 10,44 ℳ. Der Rath der Stadt Leipzig hat nun beschlossen, um weiteren Verlusten vorzubeugen, die Prämie nicht wie bisher am Anfang des Jahres, sondern jeweilig nach dem Stand der Kasse festzusetzen und ausserdem für männliche und weibliche Rinder verschiedene Sätze aufzustellen.

— **Fleischbeschau-Kurse für Intendantur- und Proviantbeamte bezw. Zahlmeister.** Das Preussische Kriegsministerium hat verfügt, dass in allen Sitzen der Generalkommandos unter der Leitung der Korps- bezw. Oberrossärzte Kurse abgehalten werden sollen, um den in der Ueberschrift genannten Beamten Gelegenheit zu geben, sich in der Beurtheilung der Nahrungsmittel und speziell des Fleisches grössere Sicherheit zu verschaffen. Der Verfügung des Kriegsministeriums ist der Unterrichtsplan des in Kiel für Marineärzte abgehaltenen Kursus beigefügt. In demselben werden Gegenstände in Betracht gezogen, von welchen die „Zeitschrift für Veterinärkunde" mit Recht bemerkt, dass sie den prakt. Bedürfnissen der oben genannten Beamten nicht entsprechen, wie z. B. der Nachweis von Milzbrand, Rothlauf u. Schweineseuche durch mikroskopische Präparate, der Nachweis der verschiedenen Bandwurmarten u.s.w. Nach der Ansicht der „Z. f. V.", welcher wir nur beipflichten können, ist die Beurtheilung des Fleisches an ausgeschlachteten Thieren und deshalb der Besuch des Schlachthofes in den für Intendantur- und Proviantbeamte bezw. Zahlmeister geplanten Cursen in den Vordergrund zu stellen.

— **Bestrafungen gewissenloser Milchwirthe.** 1. Die Strafkammer zu Halle a. S. verurtheilte am 5. Oktober den Grossgrundbesitzer Dr. phil. Hochheim-Schafstedt zu 1000 M. Geldstrafe oder 3 Monaten Gefängniss sowie zu einer Zusatzstrafe von 100 M. bezw. 30 Tagen Gefängniss, weil er im Jahre 1890 fortgesetzt rohe Milch von maul- und klauenseuchekranken Kühen in den Verkehr gebracht und die Seuche nicht angezeigt hatte. Der Staatsanwalt hatte 3 Monate Gefängniss und 3 Wochen Haft beantragt.

2. Wegen desselben Vergehens wurde gegen den Molkereibesitzer August Tietel-Rummelsburg von der Strafkammer des Landgerichts II Berlin am 10. Oktober auf 3 Monate Gefängniss und 2 Wochen Haft erkannt. Der Angeklagte habe die Milch von 5 erkrankten Kühen mit der Milch von gesunden vermischt in Berlin vertreiben lassen, und es seien thatsächlich die Kinder verschiedener Kunden erkrankt. Von den 5 Kühen hatte der Angeklagte bei der amtlichen Revision des Stalles bereits 4 zur Schlachtung verkauft, und weil dieselben nicht mehr gehen und stehen konnten auf sog. Schleifen fortschaffen müssen.

— **Der neue Soxhlet'sche Apparat.** Bei der Diskussion, welche sich an die Demonstration des neuen Soxhlet'schen Apparates im ärztlichen Verein München anschloss, erklärte Professor v. Ranke, der jetzige Verschluss scheine ihm ideal zu sein. In dem Blechtopfe von Escherisch (vergl. H. 9) nehme die Milch einen so unangenehmen Blechgeschmack an, dass die Kinder die Milch nach einiger Zeit refüsirten. Geheimrath Dr. Winkel hob die Bedeutung des Soxhlet'schen Apparates angesichts der Thatsache hervor, dass in Bayern über 25 pCt. der Mütter ihre Kinder nicht zu stillen vermögen. Hinsichtlich der Verdünnungen erklärt Prof. v. Ranke auf eine Anfrage von Soxhlet, dass in der Praxis 3—4 Verdünnungen ausreichen.

— **Zur Milchsterilisirung in Tagesportionen.** Escherich bedient sich gegenwärtig zur Milchsterilisirung in Tagesportionen nicht mehr der Blechgefässe — in denselben nahm die Milch einen unangenehmen Blechgeschmack an — sondern emaillirter Töpfe. Nach der Mittheilung von E. (Münch. Med. Wochenschr. 1891 No. 30) haben sich die Apparate sowohl in Bezug auf das Gedeihen der Kinder, als auf der Bequemlichkeit und Sicherheit der Handhabung durchaus bewährt.

— **Ueber den klinischen Werth der sterilisirten Milch** bemerkt Davis (42. amerik. mediz. Kongress), dass dieselbe weniger vollkommen verdaut werde, als die gewöhnliche, giebt aber zu, dass sterilisirte Milch in den verzweifeltsten Fällen von Brechdurchfällen in Verbindung mit Antisepticis und innerlicher Ausspülung ausgezeichnete Resultate ergeben habe. D. sagt ferner, dass der Milchzucker bei langem Erhitzen fast vollständig zerstört werde.

— **Der Kongress von Nahrungsmittel-Chemikern,** der vom 11.—13. Oktober in Wien unter dem Vorsitze von Hofrath Ludwig stattfand, hat nach der „Münch. Med. Wochenschrift" Anträge angenommen auf die von einer Kommission vorzunehmende Ausarbeitung eines Codex alimentarius, sowie auf Festsetzung bestimmter Kategorien der Nahrungsmittelverfälschung und zwar mit giftigen, werthlosen und minderwerthigen Substanzen. Der nächste Kongress wird im Jahre 1893 wieder in Wiens stattfinden.

Tagesgeschichte.

— **Oeffentliche Schlachthäuser.** Der Bau wurde beschlossen in Königsberg i N. und in Nicolai. Das öffentliche Schlachthaus zu Schweidnitz wird am 1. Dezember eröffnet.

— **Freibänke.** Die für Erfurt geplante und von sachverständiger Seite warm empfohlene Errichtung einer Freibank ist aus nicht ersichtlichen Gründen von der Stadtverordnetenversammlung abgelehnt worden. Es ist in hohem Grade bedauerlich, dass über derartig wichtige sanitäre Einrichtungen in Stadtverordnetenversammlungen durch Stimmenmehrheit entschieden werden darf.

— In **Bremen** wurde die Errichtung einer Freibank beschlossen.

— **Sanitätspolizeiliche Verordnungen.** Unter dem 11. November erschien in Berlin eine Polizei-Verordnung, betr. die mikroskopische Untersuchung der Wildschweine auf Trichinen. — Im Reg.-Bez. Arnsberg ist die obligatorische Trichinenschau auf sämmtliche geschlachteten Schweine, ferner auf die Wildschweine, ausgedehnt worden.

— **Eine wichtige Verfügung.** Der Regierungs-Präsident zu Posen hat am 19. Oktober d. Js. verfügt, dass die Kreisthierärzte sämmtlichen auf Grund einer Prüfung bestellten Trichinensucher des Reg.-Bezirks innerhalb 6 Monaten einer Nachprüfung zu unterziehen haben. Die Nachprüfung erstreckt sich nicht nur etwa auf das theoretische Wissen und praktische Können, sondern auch auf die Beschaffenheit der Mikroskope. Trichinenschauer, welche bei der Nachprüfung ein ungenügendes Wissen bekunden oder im Besitze unbrauchbarer Instrumente sich befinden, sind, sofern die stattgehabte Belehrung und Unterweisung keinen Erfolg verspricht, alsbald dem Kgl. Landrath behufs Erwägung des Widerrufs der Bestallung namhaft zu machen.

Ferner haben die Kreisthierärzte während ihrer Dienstreisen eine unvermuthete Kontrolle der Trichinenschauer auszuüben und sich hierbei insbesondere von der Beschaffenheit der Mikroskope und der ordnungsmässigen Führung der Bücher zu überzeugen.

— **Zur Trichinenschau.** In der Untersuchungsstation-I. Berlin ist schon wieder ein ausschrlich bereits untersuchtes Schwein stark trichinös befunden worden. Wie lange wird die Verfügung der doppelten Trichinenschau, des einzigen Mittels gegen solche Vorkommnisse, noch auf sich warten lassen?

— **Bestrafte Pflichtvergessenheit.** Von der Strafkammer in Glogau wurde der Trichinensucher W. Z. zu einem Jahr Gefängniss verurtheilt, weil er durch leichtfertige Ausübung seines Amtes den Tod zweier Menschen verschuldet hat. Z. hat nach der Aussage eines Zeugen wiederholt zur Untersuchung eines Schweines nicht mehr als 5 Minuten Zeit verwendet. Im vorliegenden Falle waren ausser den beiden Gestorbenen auch die übrigen Familienglieder an Trichinose erkrankt.

— **Trichinenendemie zu Altena i. W.** Nach Genuss von Schweinefleisch und von Schweinefleischwürsten erkrankten in A. über 30 Personen an Trichinose; glücklicherweise befinden sich sämmtliche Erkrankte auf dem Wege der Besserung. Die behördlich eingeleitete Untersuchung ergab, dass das Schwein, von welchem das schädliche

Fleisch stammte, mit dem amtlichen Stempel des Schlachthausinspektors versehen war. Zu diesem hochbedauerlichen Vorkommnisse sei Folgendes bemerkt: Nach dem Umfange der Endemie und der Schwere der Einzelerkrankungen muss angenommen werden, dass das fragliche Schwein nicht gerade sehr spärlich mit Trichinen durchsetzt war. Es kann also hier nur entweder eine versehentliche Abstempelung des Schweines oder völlige Unterlassung der Trichinenschau vorliegen. Im letzteren Falle wird der Sachverständige einer empfindlichen Strafe nicht entgehen, und mit Recht! Denn was wir an dem Empiriker verurtheilen, muss an dem wissenschaftlich gebildeten Sachverständigen doppelt verdammt werden.

Ein Kollege, welcher selbst einem Schlachthause vorsteht, schreibt zu der Altenaer Trichinose, dass wie in zahlreichen anderen Städten, so auch in Altena, der Schlachthausinspektor das „Mädchen für Alles" sei. Er habe namentlich ausser seinen speziellen Obliegenheiten noch die Geschäfte eines Trichinenschauers und Kassirers wahrzunehmen. Jedenfalls seien die Schlachthausinspektoren von dem zeitraubenden Trichinensuchen zu entbinden.

Wir können dieser Ansicht nur beistimmen. Altena besitzt 8000 Einwohner, und die Hauptschlachtung konzentrirt sich auf 2 Tage in der Woche. Dass unter solchen Umständen Versehen in der Amtsführung eines alles besorgenden Schlachthausinspektors vorkommen können, leuchtet ein. Für viele Magistrate aber ergiebt sich aus dem überaus traurigen Vorkommnis in Altena die dringende Mahnung, dem Schlachthausinspektor zur Ausübung der Trichinenschau besondere Trichinensucher beizugeben.

— Trichinenfunde in neuerdings eingeführtem amerikanischem Schweinefleische wurden in verschiedenen Einfuhrorten gemacht. So sind nach den Berichten der politischen Zeitungen in Düsseldorf unter 688 Speckseiten 12, in Hamburg unter 568 Schinken 8, unter 2000 Rippenstücken 25 trichinöse Stücke entdeckt worden. Von 220 Kisten mit je etwa 30 Stück Speckseiten wurden in Hamburg probeweise 6 untersucht; dabei fanden sich 3 mit Trichinen behaftete Speckseiten. Aehnliches wird aus Crefeld, Dortmund, Emmerich und Bremen gemeldet. Allein nur im letzteren Falle sei in dem Einfuhratteste bemerkt gewesen, dass eine mikroskopische Untersuchung in Amerika bereits stattgefunden habe.

Mit Fug und Recht wird nach diesen Untersuchungsergebnissen die nochmalige mikroskopische Untersuchung der amerikanischen Fleischwaaren in Deutschland allgemein verlangt. Dieselbe ist bereits angeordnet worden im Grossherzogthum Oldenburg, im Reg.-

Bezirk Düsseldorf und in den freien Hansestädten Bremen und Hamburg.

— Das Berliner Verfahren zur Unschädlichmachung infizirten und von thierischen Parasiten invadirten Fleisches hat überall die grösste Beachtung gefunden. Zahlreiche Sachverständige haben sich im Auftrage der Regierungen und Gemeinden in Berlin eingefunden, um sich durch Augenschein von der Zuverlässigkeit des auf dem Centralschlachthofe aufgestellten Desinfectionsapparates zu überzeugen, und es wird allgemein anerkannt, dass die Einführung solcher Desinfektionsapparate einen gewaltigen Schritt vorwärts bedeutet. Wie verlautet, beabsichtigt man bereits an mehreren Orten, nicht blos das Fleisch generell-tuberkulöser Thiere (mit der auf S. 182 des 1. J. gemachten Einschränkung) durch Desinfektion unschädlich zu machen, sondern auch das zum Genusse noch zulässige Fleisch von rothlauf- und schweineseuchekranken sowie von trichinösen Thieren. Namentlich an die bedingte Freigabe letzteren Fleisches hat man sich bis jetzt noch nicht gewagt, weil man das Kochen nicht für zuverlässig genug erachtete, trotz der gegentheiligen Erfahrungen in Süddeutschland. Der Desinfektor beseitigt diese Bedenken gänzlich und er kommt gerade zur gelegenen Zeit, um vielleicht bei der Einfuhr nicht zuverlässig untersuchten amerikanischen Schweinefleisches ein vorzügliches Auskunftsmittel zu bilden. Bei gewissen Importartikeln, wie z. B. amerikanischen Schweinezungen, wäre aus finanziellen Erwägungen die totale Erhitzung auf 100° dem Untersuchen jedes einzelnen Stückes vorzuziehen.

Pferdefleischvergiftung in Altena i. W. Nach dem Genusse von gehacktem Pferdefleisch erkrankten in Altena i. W. Anfang d. M. etliche 20 Personen, wovon eine am 3. November bereits gestorben ist. Alle übrigen befinden sich auf dem Wege der Besserung. Nach der gefälligen Mittheilung des Herrn Kreisthierarztes Grebe begannen alle Erkrankungen etwa 10 Stunden nach dem Verzehren des Fleisches mit Erbrechen, Durchfall, Kopfschmerz, Mattigkeit bis Hinfälligkeit.

Sämmtliche Patienten gaben an, das schädliche Pferdefleisch von dem Schlächter Schm. bezogen zu haben. Schm. hatte wenige Tage zuvor 2 Pferde geschlachtet, und zwar am 28. Oktober ein altes, sehr mageres, lahmes Pferd, welches sich beim Einladen auf der Bahnstation Plettenberg sehr stark verletzt hatte und daher an Ort und Stelle getödtet wurde, ferner am 29. Oktober ein zweites, welches Tags zuvor plötzlich im Stalle liegend gefunden wurde und ausserstande war sich zu erheben, dabei stark schwitzte und schwer athmete, aber noch regen Appetit zeigte.

Beide Pferde erklärte Herr Schlachthaus-Inspektor Tracht auf Grund seiner Untersuchung für „geniessbar". Bei der Nachuntersuchung, welche Herr Kreisthierarzt Grebe am 8. Nov. an den noch vorhandenen Fleischresten anstellte, liessen sich weder makroskopisch noch mikroskopisch Veränderungen feststellen, welche für das Vorhandensein einer erheblichen Krankheit beweisend gewesen wären. Der Letztere ist daher auch der Ansicht, dass es sich im vorliegenden Falle um eine Vergiftung durch Cadavergifte handelte, welche sich bei der Aufbewahrung des Fleisches in dem nachweislich feuchten, schwülen Laden des Metzgers bildeten.

Die Baucheingeweide des der Fleischvergiftung erlegenen Mannes wurden auf Verfügung der Behörde dem bekannten Chemiker König in Münster übergeben. (Warum übersandte man nichts an einen Bakteriologen? Der Chemiker ist bei Fleischvergiftungen, wenigstens allein, nicht kompetent. D. R.)

— **Fleischvergiftung in Arfenreuth** (Bayern). Nach der „Allg. Fleischerzeitung" sind in A. nach dem Genusse des Fleisches einer nothgeschlachteten Kuh gegen 20 Personen erkrankt; eine Frau und ein Kind sind bereits gestorben.

— **Die Naturforscher-Versammlung in Halle a. S.** Herr Professor Dr. Pütz übersandte der Redaktion nachstehende Erklärung mit der Bitte um Abdruck.

„Im November-Hefte dieser Zeitschrift findet sich S. 40 eine Äusserung über „die Naturforscher-Versammlung in Halle a. S.", welche mich zu folgender Erwiderung veranlasst:

Die meinerseits beklagte Thatsache, dass die Vertreter der thierärztlichen Hochschulen bei fragl. Versammlung fehlten, ist auch bei früheren derartigen Gelegenheiten mehrfach beobachtet worden. Die Gründe, welche Herr Professor Dr. Ostertag hierfür anführen zu dürfen glaubt, sind schon deshalb so wenig stichhaltig, dass dieselben einer Widerlegung kaum bedürfen. Die Veterinär-Section einer Naturforscher-Versammlung hat weder die Pflicht, noch das Recht, einen Collegen, der Mitglied eines thierärztlichen Vereins ist, mit einem angemeldeten Vortrage unbeachtet zu lassen, oder gar zurückzuweisen. In der constituirenden Sitzung wird dann aus der Zahl der Anwesenden in der Regel ein junger, im schriftlichen Ausdruck gewandter Theilnehmer als zweiter Schriftführer gewählt, ohne dass die Versammlung in der Lage wäre, in Streitigkeiten sich näher einlassen zu können.

Mag indess Herr Prof. Dr. Ostertag hierüber anders denken, so ist doch die Ursache der meinerseits beklagten Thatsache anderswo zu finden. Der Veterinär-Section wurde bereits vor ihrer Constituirung zu Baden-Baden (1879) von 2 Veter.-Professoren wegen der Geschäftslosigkeit

in der thierärztl. Forschung ein entschiedenes Fiasco in Aussicht gestellt. (S. meinen Vortrag „Die Stellung der Thiermedicin zu den übrigen Zweigen der Naturwissenschaften", Leipzig, 1880 S. 6.)

Ich habe damals den Pessimismus meines Freundes nicht getheilt; derselbe war auch insofern unberechtigt, als die Leistungen mehrerer thierärztlicher Hochschullehrer in weiteren Kreisen die wohlverdiente Anerkennung gefunden haben. Was uns aber immer noch fehlt, das ist die Harmonie unter uns selbst. Würden wir die schönen Worte der Sophokleischen Antigone „Nicht mitzuhassen, mitzulieben bin ich da" mehr beachten, so dürfte in unserem Verkehrsleben gewiss manches besser werden.

Pütz."

Leider kann ich mich auch nach vorstehender Erklärung über die Wahl des 2. thierärztlichen Schriftführers auf der Naturforscherversammlung in Halle zu einer andern Auffassung, als der bereits in Heft 2 dargelegten, nicht bekennen. Nicht geschriebene Satzungen sind es, welche derartige Vorkommnisse unmöglich machen, sondern das Standesgefühl.

Ostertag.

Personalien.

Schlachthof-Inspektor Ronneberger von Wismar wurde zum Schlachthof-Inspektor in Weissenfels und Thierarzt Harder von Bromberg zum Schlachthof-Inspektor in Kulm ernannt

Vakanzen.

Ibbenbüren, Römhild, Sorau, Bautzen, Lübeck, (Nähere Angaben hierüber siehe in Heft 1 und 2.)

Wismar: Schlachthof-Inspektor zum 1. Dezember (2100 M., freie Wohnung und Feuerung; keine Privatpraxis). Bewerbungen an den Bürgermeister.

Beuthen (Oberschlesien): Schlachthof-Thierarzt (2000 M. Gehalt, freie Wohnung und Heizung; keine Privatpraxis). Bewerb. an den Magistrat.

Krefeld: Schlachthof-Thierarzt (3000 M., keine Privatpraxis). Bewerbungen an den Oberbürgermeister.

Ballenstedt: Schlachthaus-Inspektor zum 1. April 1892 (1350 M. (!) Gehalt, freie Wohnung und Heizung). Bewerbungen beim Magistrat.

Spandau: Schlachthaus-Inspektor zum 22. Februar 1892 (2400 M. Gehalt, freie Wohnung. s. w.) 4jährige Probezeit. Meldungen an den Magistrat.

Besetzt:
Schlachthaus-Thierarzt-Stellen in Düsseldorf, Weissenfels und Kulm.

Verantwortlicher Redakteur (excl. Inseratentheil): Dr. Ostertag. — Verlag und Eigenthum von Richard Schoetz in Berlin. Druck von W. Büxenstein, Berlin

Zeitschrift

für

Fleisch- und Milchhygiene.

| Zweiter Jahrgang. | Januar 1892. | Heft 4. |

Original-Abhandlungen.

(Nachdruck verboten.)

- - -

Ueber das Vorkommen von Pentastomen in den Lymphdrüsen des Rindes.

Von

Prof. Dr. Ostertag.

Das Vorkommen von Pentastomen bei unseren Hausthieren ist eine altbekannte Thatsache. Zürn *) giebt an, dass das bandwurm ähnliche Fünfloch(Pentastomum tänioides) im Jahre 1757 durch Chabert in der Nasenhöhle des Pferdes und Hundes, das gezähnelte dagegen (P. denticulatum) einige Jahre später von Abilgaard und Fröhlich in den Eingeweiden einer Ziege und eines Hasen entdeckt worden sei. Hundert Jahre später aber erst wurde der entwickelungsgeschichtliche Zusammenhang des gezähnelten und bandwurmähnlichen Fünflochs festgestellt. Leuckarts geistvollen Untersuchungen **) war es vorbehalten, den Nachweis zu erbringen, dass P. denticulatum nur die Larve des P. tänioides vorstelle. Vom Standpunkte der Fleischbeschau bietet lediglich die Larve, das gezähnelte Fünfloch, Interesse, weil es die Eingeweide der schlachtbaren Hausthiere und zum Theil auch des jagdbaren Wildes bewohnt.

Bevor ich auf das Vorkommen und den Sitz des Parasiten eingehe, will ich kurz die wichtigsten zoologischen Daten über denselben wiedergeben.

Nach den Angaben von Leuckart und Zürn stellen die gezähnelten Fünflöcher platte weisse, durchsichtige, 4,5—5 mm lange und an der breitesten Stelle 1,2—1,3 mm breite Gebilde vor. Sie sind in etwa 80 Segmente eingetheilt, welche

*) Die Schmarotzer S. 105.
**) Bau und Entwickelungsgeschichte der Pentastomen. 1860.

reichlich mit stachel- und zahnförmigen Dornen besetzt sind. Unterhalb der Mundöffnung befinden sich auf jeder Seite zwei schlitzförmige Oeffnungen, aus welchen je zwei Krallenspitzen hervorsehen. (Von der irrthümlichen Deutung dieser schlitzförmigen Oeffnungen rührt der Name Fünfloch her.) Die Geschlechtstheile sind rudimentär.

Pentastomum denticulatum besitzt schon als Embryo einen Bohrapparat in Form eines stiftartigen Stachels unterhalb der Mundöffnung. Ausserdem bemerkt man an dem hinteren Leibesende des geschwänzten Embryos mehrere Stacheln, welche zur Fortbewegung dienen. Die Embryonen durchbohren nach Zürn die Darmwand und wandern meist mit dem Blutstrome unter das Bauchfell, in die Leber, Gekrösdrüsen und ausnahmsweise auch in die Lungen. In diesen Körpertheilen kapseln sich die Würmer ein und bleiben daselbst, während sie verschiedene Häutungen durchmachen, etwa 6 Monate liegen.

Ueber das weitere Schicksal des gezähnelten Fünflochs gehen die Ansichten auseinander. Zürn sagt, die Parasiten werden im 7. Monate etwas beweglicher, verlassen ihre Cystengefängnisse und gelangen in die Leibeshöhle ihres Wirthes. Hier warten sie auf den Zufall, der sie „aus diesem Kerker" befreien soll: Trifft dieser Zufall nicht ein, so encystiren sie sich nochmals, aber nur um zu sterben. Demgegenüber stellte Gerlach *) auf Grund eines Fütterungsversuches die Ansicht auf, dass die Pentastomen nicht bis zum Tode ihrer Wirthe in denselben verbleiben, sondern diese nach Entwicklung ihres Stachelkleides und der mächtigen Krallen verlassen, indem sie der

*) 2. Jahresbericht der Thierarzneischule zu Hannover. 1869.

Lunge und von dort aus der Luftröhre zuwandern. Rátz *) schliesst sich dieser Ansicht an. Er sah nämlich bei einer an Kachexie umgestandenen Ziege zahlreiche Pentastomen unter dem Bauchfelle, ausserdem aber auch in der Lunge. In letzterer hatten sich die Würmer weit in das Gewebe hineingebohrt. Babès **) dagegen hebt hervor, dass es ihm trotz seines reichen Beobachtungsmateriales nicht gelungen sei, die von Gerlach behauptete Wanderung der Pentastomen durch die Lunge und die Respirationswege zu verfolgen. Vielmehr fand er eine regelmässige Auswanderung der Parasiten in den Darm und Abgehen derselben mit den Exkrementen.

In Vorstehendem ist zum Theil schon die für die Fleischbeschau wichtige Frage des Sitzes der gezähnten Fünflöcher berührt worden. Sie werden gefunden nach Zürn unter dem Bauchfelle, in der Leber, in den Gekrösdrüsen, ausnahmsweise auch in den Lungen. Rátz sah sie in seinem Falle unter dem Bauchfellüberzuge der Leber und in der Lunge. Babès entdeckte die Parasiten in seinen zahlreichen Fällen vorwiegend in der Wand der Dünndarmschlingen und in den Mesenterialdrüsen, ausserdem aber auch unter dem serösen Ueberzuge der Leber und unter der Pleura. Colin ***) hatte schon vor 30 Jahren darauf hingewiesen, dass bei natürlicher Invasion die Parasiten sich gewöhnlich in den Gekrösdrüsen vorfinden, während bei seinen Fütterungsversuchen mit massenhafter Brut auch die Leber und Lunge von den Würmern aufgesucht wurden.

Hinsichtlich des Vorkommens der Pentastomen bei den verschiedenen Hausthiergattungen tritt uns zwischen den Angaben der deutschen sowie der französischen Autoren einerseits und des rumänischen Autors Babès andererseits ein sehr bemerkenswerther Unterschied entgegen. Zürn sagt: Das gezähnelte

Fünfloch wird im Innern von Hasen, Ziegen und Schafen, seltener bei Rindern angetroffen. Aehnlich äussern sich Pütz *) und Friedberger - Fröhner **). Aus Frankreich berichtete Colin in seiner ersten Mittheilung, dass er die Fünflöcher im Verlaufe von 2½ Monaten bei 300 Schafen und einem Dromedar gefunden habe; 2 Jahre später ***) erwähnte er beiläufig auch des Rindes als eines Trägers des Pentastomum denticulatum.

Bei Rindern wird mithin in Deutschland und Frankreich das Vorkommen unseres Parasiten als ein verhältnissmässig seltenes bezeichnet, während Babès die überraschende Thatsache mittheilt, dass er bei 20 Ochsen, welche an seuchenhafter Hämoglobinurie litten, das Pentastomum denticulatum nie vermisst habe. Babès war anfänglich geneigt, diesen Befund mit der genannten Krankheit in unmittelbaren Zusammenhang zu bringen. Doch überzeugte er sich bald, dass in Rumänien, insbesondere in den sumpfigen Donauniederungen, alles Hornvieh massenhaft Pentastomen beherbergt.

Was für Rumänien gilt, braucht für Deutschland wegen der völlig verschiedenen wirthschaftlichen Verhältnisse Geltung nicht zu besitzen. Indessen habe ich mich auf dem Zentralschlachthofe zu Berlin davon überzeugen können, dass auch in Deutschland Pentastomen beim Rinde häufig vorkommen, und zwar am häufigsten in den Gekrösdrüsen, seltener in den Darmbein- und Lendendrüsen, sowie in der Leber und Milz.

Diese Thatsache scheint, wenigstens nach Ausweis der Litteratur, den Beobachtern entgangen zu sein. Es ist überhaupt auffällig, dass trotz der Angaben bei Zürn, Pütz u. Friedberger-Fröhner dem Vorkommen des Pentastomum denticulatum selbst bei der Ziege und dem Schafe

---

*) Veterinarius 1890, No. 7.
**) Virchows Archiv Bd. 116, H. 1.
***) Rec. de méd. vét. 1861, S. 676/88.

*) Die Seuchen und Herdkrankheiten S. 117.
**) Lehrbuch der speziellen Pathologie und Therapie II S. 192.
***) Rec. de méd. vét. 1863, S. 721/36.

bis jetzt in den Schlachthäusern nur geringe Aufmerksamkeit geschenkt worden ist. In den Berichten der unter sachverständiger Kontrolle stehenden Schlachthäuser sucht man vergeblich nach Angaben über die Häufigkeit der Pentastomen oder Konfiskationen von Organen, welche mit diesem Parasiten durchsetzt waren. Gleichwohl dürfte hier und dort gelegentlich Pentastomum denticulatum gefunden worden sein. So sind beispielsweise in der Sammlung sanitätspolizeilich wichtiger Präparate auf dem Zentralschlachthofe zu Berlin aus dem ersten Untersuchungsjahre Präparate von P. d. aufbewahrt, und späterhin sind wiederholt Rinderlebern gefunden worden, welche mehr oder weniger zahlreiche Exemplare des Wurmes zeigten. Alle diese Präparate aber galten als grosse Raritäten und werthvolle Sammlungsgegenstände. Ohne Zweifel sind in allen diesen Fällen die Gekrösdrüsen noch viel stärker mit Fünflöchern behaftet gewesen, als fragliche Lebern. Denn ich habe, ganz in Uebereinstimmung mit den Angaben Colins für das Schaf, gefunden, dass bei massenhafter Invasion der Gekrösdrüsen vereinzelte Exemplare der Parasiten auch in der Leber vorkommen.

Bei dem Vorhandensein von Pen-

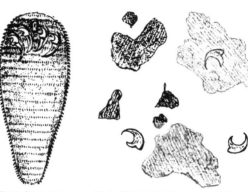

Fig. 1. Gekrösdrüse vom Rind mit verkalkten Pentastomenherden.

Fig. 2. Pentastomum denticulatum aus einer Gekrösdrüse vom Rinde. (Die Segmente sind nicht vollständig eingezeichnet).

Fig. 3. Krallen von Pentastomum denticulatum aus einem stark verkalkten Herde.

tastomen in den Gekrösdrüsen finden wir bei makroskopischer Untersuchung höchst verschiedene Veränderungen. Am auffälligsten sind hirsekorn — linsen — erbsengrosse Herde von gelblicher, grüner oder grauer Farbe, welche unregelmässig, gewöhnlich aber in die Randzone der Lymphdrüsen eingebettet sind. Die kleineren Herde erscheinen auf dem Durchschnitte rundlich, die grösseren von unregelmässiger Form, nicht selten aber sind auch Herde, welche längliche Gestalt besitzen. Die Konsistenz der von dem umgebenden Lymphdrüsengewebe sich deutlich abhebenden Bildungen ist zum Theil eine breiartige (bei gelblicher Farbe), zum Theil eine mehr käsige (bei grünlicher Farbe) und schliesslich eine durch Kalkablagerung bedingte festere, mörtelartige (bei grauer Farbe). Die mikroskopische Untersuchung dieser Herde verschiedener Farbe und Konsistenz liefert differente Ergebnisse: in den gelblichen und grünlichen Herden findet man intakte, in den grauen dagegen durch fettige Degeneration und Kalkablagerung getrübte Pentastomen. In den gelblichen Herden zeigen sich die Würmer von zertrümmertem Lymphdrüsengewebe, in den grünlichen von Eiterkörperchen und in den verkalkten von Detritus und Kalksalzen umgeben. Eine Kapselbildung, wie sie in der Leber und Milz die Regel bildet, habe ich in den Lymphdrüsen nicht gesehen. Hervorheben aber will ich, dass ich in einem Theil der graugefärbten Herde zwar keine Würmer mehr, aber die charakteristischen K r a l l e n als unzweifelhafte Ueberreste der abgestorbenen Parasiten feststellen konnte (siehe Fig. 3). Diese Krallen leisten anscheinend der Verkalkung ebensolchen Widerstand, wie die Haken der bewaffneten Cysticerken.

Blutige Herde in den Lymphdrüsen, wie sie Babès als fast regelmässig in der Umgebung der Pentastomen vorkommend beschreibt, habe ich selten und niemals in einer Intensität gesehen, wie Babès. Höchstwahrscheinlich hingen jene Blutungen mit der Erkrankung der von Babès untersuchten Rinder an Hämoglobinurie zusammen. Selbst wandernde Pentastomen, welche bereits ziemlich grosse Kanäle in den Lymphdrüsen gebohrt hatten, lagen in einem milchweissen oder nur leicht gelbgefärbten Breie.

Die Zahl der in den Mesenterialdrüsen des Rindes vorgefundenen Pentastomen wechselte sehr. Bald waren es nur wenige in dem ganzen Konvolute, bald sassen die Erweichungsherde in einzelnen Lymphdrüsen so dicht, dass die ganze Lymphdrüse zerfliesslich war, bald nahmen die grauen verkalkten Knötchen nur eine kleine Partie, bald einen grösseren Raum ein, als das restirende Drüsengewebe. Bei starkem Vorhandensein verkalkter Herde zeigte das umgebende Lymphdrüsengewebe die Erscheinungen der Induration.

Oben ist bereits hervorgehoben worden, dass ich ausser in den Gekrösdrüsen in vereinzelten Fällen auch Pentastomen in den D a r m b e i n - und L e n d e n d r ü s e n, in letzteren aber jedesmal nur sehr spärlich, festgestellt habe. Colin hat im Gegensatz hierzu beim Schafe stets die Gekrösdrüsen allein erkrankt, die übrigen Lymphdrüsen aber intakt gefunden, und Babès bemerkt, dass die vom Darm weiter entfernt liegenden Mesenterialdrüsen, sowie die retroperitonealen, portalen und renalen Lymphdrüsen (in seinen Hämoglobinurie - Fällen) zwar geschwollen gewesen seien, indessen Pentastomen nicht enthalten hätten.

Die Feststellung, dass Pentastomen beim Rinde in vorstehend beschriebener Weise vorkommen, dürfte für die F l e i s c h b e s c h a u in mehrfacher Hinsicht von Werth sein. Erstlich d i f f e r e n t i a l d i a g n o s t i s c h in Bezug auf Tuberkulose, zweitens aber a n u n d f ü r s i c h, weil der Fleischbeschauer die Aufgabe hat, zu verhüten, dass die Pentastomen durch Verfütterung an Hunde weiter, unter Umständen auch auf den Menschen, übertragen werden.

Aeltere Pentastomenherde besitzen mit Tuberkeln in den Lymphdrüsen eine gewisse Aehnlichkeit. Bei genauerer Betrachtung treten jedoch ganz markante Unterschiede zwischen beiden Prozessen zu Tage. Tuberkel sind scharf von ihrer Umgebung abgegrenzt. Die kleinen Knötchen besitzen trübes, verkästes Zentrum und diaphanen Rand, die grösseren dagegen sind fast total verkäst und von ausgesprochen gelblicher Farbe. Die durch regressive Metamorphose des Tuberkels entstandenen Massen sind ferner von feucht- oder trockenkäsiger Konsistenz. In der Umgebung grösserer Tuberkel kann man ausserdem in der Regel jüngere wahrnehmen. Demgegenüber kommen bei Pentastomatose nur gelblich gefärbte, niemals tiefer gelb gefärbte Herde vor. Ausserdem sind diese gelblich gefärbten Pentastomenherde von breiiger Konsistenz. Diejenigen Penstastomenherde aber, welche mehr käsige Beschaffenheit aufweisen, zeichnen sich durch g r ü n l i c h e Farbe aus. Die partiell verkalkten Residuen von Fünflöchern endlich besitzen eine graue Farbe, während die Herde der Tuberkulose auch bei vorgeschrittener Verkalkung ihre gelbe Farbe bewahren. Junge Knötchen mit verkästem Zentrum und durchscheinendem Rande werden bei Pentastomatosis nicht beobachtet.

Schliesslich kann durch ein einfaches Q u e t s c h p r ä p a r a t die Natur der Pentastomenherde einwandsfrei sichergestellt werden (Auffinden einzelner Krallen oder ganzer Larven.) Hierbei bemerke ich, dass nach meinen Untersuchungen ausgewanderte Pentastomen glatte Narben, nicht aber

Knötchen von oben beschriebener Beschaffenheit zu hinterlassen scheinen.*)

Eine besondere Bedeutung dürfte der Unterscheidung von Pentastomenknötchen und Tuberkeln in den Darmbein- und Lendendrüsen, und hier wieder namentlich bei der Untersuchung von auswärts, ohne Organe eingeführten Fleisches zukommen. Letztere Untersuchung ist mit Recht eine äusserst strenge, weil die Beurtheilung ohne Organe vorgelegter Fleischstücke stets eine unsichere ist. Häufig muss in dubio auf Konfiskation erkannt werden. Allenfalls in den Darmbein- und Lendendrüsen vorhandene Pentastomenherde dürften nunmehr als solche sicher festgestellt werden können.

Weiterhin besitzt der Hinweis auf das häufige Vorkommen von Pentastomen in den Lymphdrüsen an und für sich berechtigtes Interesse. Die statistischen Erhebungen über die Häufigkeit der Entozoen beim Hunde liefern den überzeugenden Nachweis, dass mit der Ein-

*) Der Vollständigkeit halber sei darauf hingewiesen, dass in der Darmwand und in den Mesenterialdrüsen des Rindes das Vorkommen weiterer verkäsender, nicht tuberkulöser Knötchen beobachtet worden ist. Dieselben lassen, ebenso wie die älteren Pentastomenherde eine grünliche Farbe erkennen. Das erste hierhergehörige Vorkommniss wurde von Drechsler beschrieben (Deutsch. Zeitsch. f. Thiermedizin, Bd. II.) Er sah in der Wand des Dünndarmes — hier kommen auch, was Babés besonders betont hat, Pentastomen vor — eine ziemlich grosse Anzahl scharf umschriebener, zum Theil schon verkäster Knötchen unter der Mukosa. In den Knötchen lag eine Rundwurmlarve von 1,0—1,5 mm. Länge. Diese Knötchen kommen, wie ich bestätigen kann, in Rinderdärmen häufig zur Beobachtung. 2. beschreibt Frank (Deutsch. Zeitsch. f. Thiermedizin Bd. XVI) verkäste und verkalkte Knötchen in dem Dünndarm und den Mesenterialdrüsen von geschlachteten Kühen. Die Knötchen sind hirsekorn—erbsengross, Tuberkeln ähnlich, von diesen aber durch ihre grünliche Farbe unterschieden. Bei mikroskopischer Untersuchung fand Frank neben Eiterkörperchen grünlich schimmernde Zellen „von offenbar pflanzlicher Natur." Frank theilt mit, dass er durch Thierversuch und Cultur den Aspergillus fumigatus als Ursache der von ihm beobachteten Knötchen habe feststellen können.

führung der Fleischbeschau an einem Orte oder in einem Lande die Zahl der mit Eingeweidewürmern behafteten Hunde ganz erheblich zurückgeht. Deffke hat in seiner schönen Arbeit*) für Berlin den Nachweis erbracht, dass seit der Einführung der obligatorischen Fleischbeschau die Bandwürmer beim Hunde bedeutend seltener geworden sind. So findet sich z. B. die Taenia marginata (e Cysticerco tenuicolli), welche früher in Berlin häufig Gegenstand der Behandlung wurde, welche ferner in Island 75 pCt (Krabbe) und in Sachsen bis zu 27 pCt. aller Hunde bewohnt (Schöne), in Berlin heute nur noch bei 7 pCt. der secirten Hunde vor. In Bezug auf die Pentastomen hingegen war die Wirkung der obligatorischen Fleischbeschau bis jetzt noch nicht zu bemerken. Pentastomen sind auch bei den Berliner Hunden noch recht häufige Schmarotzer. Deffke fand sie unter 200 Hunden 13 Mal, d. h. bei 6,5 pCt. (!)*). Und dabei muss ausdrücklich bemerkt werden, dass ein Zweifel über die Bezugsquelle der Penstastomenlarven durch die Hunde nicht bestehen kann. Denn Deffke hebt hervor, dass es vornehmlich die Fleischer- und Ziehhunde waren, welche Pentastomum taenioides beherbergten.

Die geringe Berücksichtigung, welche bislang den Fünflochlarven bei den Schlachtthieren zu Theil wurde, schädigt aber nicht nur die Gesundheit des Hundes, sondern mittelbar auch die Gesundheit der schlachtbaren Hausthiere. Je häufiger P. taenioides beim Hunde vorkommt, um so häufiger haben die Wiederkäuer Gelegenheit, die Brut dieses Parasiten sich einzuverleiben. Und dieses ist vom volkswirthschaftlichen Standpunkte aus, welchen zu wahren auch mit zu den hohen Aufgaben der Fleischbeschau gehört, durchaus nicht gleichgiltig. Bei vielen Thieren

*) Die Entozoen des Hundes, Berliner Archiv, XVII. Bd., 1/2 und 4/5 H.
*) Für das Königreich Sachsen beläuft sich die Zahl der mit Pentastomen behafteten Hunde, auf 5 pCt. (Schöne, citirt nach Deffke).

werden zwar gezähnelte Fünflöcher gefunden ohne die geringste Beeinflussung ihres Gesundheitszustandes. Durch Versuche ist aber gezeigt worden, dass massenhafte Einwanderung selbst das Leben der Thiere gefährden kann (Leuckart, Gerlach). Rátz glaubt ferner in seinem Falle, die Kachexie des untersuchten Thieres auf das Vorhanden- sein von Pentastomen zurückführen zu müssen. Colin beobachtete bei einer Versuchsziege Zurückbleiben im Wachsthum trotz guten Appetits. Babès sagt: die Pentastomenlarven schädigen den Organismus vermöge ihrer grossen Zahl zweifellos; zum mindesten machen sie während ihrer Wanderung die Thiere für Krankheiten empfindlicher. Colin schliesslich hob schon vor 30 Jahren hervor, dass in der Regel diejenigen Schafe mit Pentastomen behaftet seien, welche bleiche Haut besitzen und für die „cachexie aqueuse" prädisponirt scheinen. Ausserdem waren die mit P. denticulatum behafteten Schafe „généralement les moins gras du troupeau." Ich selbst habe zweifellose Fälle von Gesundheitsschädigung durch P. denticulatum beim Rind nicht gesehen; indessen ist hierbei zu beachten, dass ich nur die geschlachteten Thiere untersuchen, über die Vorgeschichte derselben aber nichts erfahren konnte. Wenn aber selbst der Schaden als ein geringerer sich herausstellen sollte, als nach den angezogenen Litteraturangaben angenommen werden muss, so dürfte schon die Furcht vor einer allgemeinen Verwurmung unseres Wiederkäuerbestandes, wie sie Babès für rumänische Rinder angiebt, die Fleischbeschau bestimmen, den Pentastomen ihre Aufmerksamkeit zuzuwenden. Dieser Punkt ist nicht zu gering zu veranschlagen, wenn man bedenkt, dass ein Pentastomenweibchen $\frac{1}{2}$ Million Eier produzirt. Dieses ist es aber nicht allein. Auch der Mensch läuft Gefahr, durch Aufnahme von Pentastomeneiern infizirt zu werden, und dieses, wie aus der medizinischen Litteratur ersichtlich ist, nicht

gerade selten. Zenker *) fand in Dresden das P. denticulatum bei 4 pCt. aller von ihm sezirten Leichen. Gelegentlich scheint aber auch beim Menschen die Larve sich zum geschlechtsreifen Wurm entwickeln zu können. Wenigstens führt Zürn einen Fall an, in welchem P. taenioides als Ursache von Nasenblutungen gefunden wurde (Laudon, ein kasuistischer Beitrag zur Aetiologie der Nasenblutung, Berl. klin. Wochenschrift 1878, Nr. 49) Gesundheitsschädigungen durch P. denticulatum sind beim Menschen noch nicht beobachtet worden.

Zur Vorbeuge gegen die weitere Verbreitung der Fünflöcher hat Zürn empfohlen: „Scharfes Augenmerk auf Schlachtthiere, in deren Innern möglicherweise Pentastomum denticulatum befindlich sein könnte. Wenn man — namentlich in den Lebern und Gekrösdrüsen der Ziegen und Schafe, sowie in der Bauchhöhle von Kaninchen und Hasen — gezähnelte Fünflöcher findet, sind sie sofort (am besten durch Feuer) zu vernichten".

Nach meinen Untersuchungen hat die Fleischbeschau ihr Hauptaugenmerk auf die Gekrösdrüsen des Rindes und Schafes zu richten. Das Verbrennen aller mit Pentastomen behafteten Eingeweide ist sehr schwer durchzuführen, glücklicherweise aber auch nicht unbedingt nothwendig. Weitaus die meisten Gekröse dürften heutzutage in den Anstalten zur Herstellung von Speisetalg und in Seifenfabriken ausgeschmolzen werden. Hierdurch wird die Möglichkeit einer Uebertragung der Fünflochlarven auf den Hund beseitigt, so dass uns in allen Fällen, in welchen die angegebene Verwendung in der That ausgeführt wird, nur übrig bliebe, die stärker inficirten Gekrösdrüsenpackete mit Beschlag zu belegen. Dasselbe hätte mit den Lymphdrüsen fettarmer Gekröse zu geschehen, welche nicht zur Ausschmelzung gelangen. Schliesslich aber muss ausserdem durch Belehrung dahin gewirkt werden, dass bei Verwertung von Ge-

*) Zitirt nach Birch-Hirschfeld, Lehrbuch der pathologischen Anatomie.

krösen im Hausgebrauche die Verfütterung der aus den Gekrösen ausgeschnittenen Lymphdrüsen an Hunde und Katzen überhaupt unterbleibt.

Ein neues Mikroskop für die Trichinenschau.

Schon mehrfach ist der Versuch gemacht worden, an den für die Trichinenschau bestimmten Mikroskopen besondere Vorrichtungen zur Verschiebung der Kompressorien anzubringen. Durch solche Vorrichtungen sollte auch bei weniger geübten Untersuchern die Gewähr gegeben werden, dass sämmtliche Theile der Präparate das Gesichtsfeld passiren, eine Gewähr, welche bei der einfachen manuellen Verschiebung eine grössere Uebung und Gewandtheit in der Untersuchung zur Voraussetzung hat. Trotz dieses zweifellosen Vorzugs haben aber die Mikroskope mit mechanischen Verschiebevorrichtungen eine grössere Verbreitung nicht finden können, und diese Thatsache ist hauptsächlich dadurch zu erklären, dass alle bisherigen Konstruktionen ihrem Zwecke nicht völlig entsprachen. Die Vorrichtungen waren entweder zu komplizirt angelegt oder funktionirten beim Gebrauche schlecht. Ein Theil war nur für Kompressorien von ungenügender Grösse eingerichtet, ein anderer litt an dem Mangel, dass die Kompression in Folge der Anwendung unzweckmässiger Klammern oder Schrauben eine ungleichmässige war. Die Firma Eduard Messter-Berlin kündigt nun ein neues Kompressorium-Mikroskop an, welches allen billigen Ansprüchen genügen soll. Seine Konstruktion erhellt aus nachstehender Beschreibung.

Das Instrument besteht aus einem grossen, schweren Hufeisenstativ, ist mit grossem Hohl- und Planspiegel (A), mit Auszug (B) am Tubus, mit einem Okular (C) und zwei Objektiv-Systemen (D und E) versehen; letztere sind an einem Objektiv-Revolver (F) befestigt. Die Höhe des Stativs mit ausgezogenem Tubus beträgt 337 mm, die Tischfläche 125 mm $\times$ 125 mm. Das Kompressorium ist mit dem Stativ fest verbunden und derartig eingerichtet, dass der untere Theil desselben (H, H) durch einen Finger-

druck auf den Hebel (G) bequem in die Höhe gehoben werden kann und die Kompressor-Platten (J$_1$ und J$_2$) zum Einlegen von Objekten leicht abgenommen und wieder aufgelegt werden können. Das Kompressorium drückt den im Gesichtskreis befindlichen Theil der Glasplatten immer gleichmässig zusammen, so dass die Objekte stets gut durchsichtig erscheinen. Die Kompressor-Platten sind 12½ cm lang und 7 cm breit und die obere Glasplatte (J$_1$) ist in 32 gleiche Felder getheilt, welche nummerirt

sind, damit eine Verwechselung der verschiedenen Fleischpräparate ausgeschlossen ist. Die Glasplatten können auch mit jeder andern; den Vorschriften der verschiedenen Provinzen entsprechenden Theilung versehen werden. Auf dem Objekttisch befinden sich Schlittenvorrichtungen, durch welche die Kompressor-Platten mittelst der Schrauben-Mutter (K) in der Querrichtung und durch die Trieb-Schraube (L) in der Längsrichtung bewegt werden können. Die Bewegungen sind derartig regulirt, dass alle Theile der Präparate bestimmt in das Gesichtsfeld kommen müssen, und so ein Uebersehen von Trichinen gänzlich ausgeschlossen ist. Zum Absuchen der Präparate wird das schwächere Objektiv (D) mit 40 facher linearer Vergrösserung benützt. Das schärfere Objektiv (E) mit 80facher linearer Vergrösserung wird nur in dem Fall, dass etwas Verdächtiges in dem Gesichtskreis erscheint, durch einfache Drehung des Revolvers (F) in die optische Axe des Instrumentes gebracht. Die Objektive sind an dem Objektiv - Revolver so genau justirt, dass dieselben ohne weitere Verstellung des Mikroskoptubus immer scharf eingestellt sind.

Das Messter'sche Mikroskop wurde durch Herrn Direktor Dr. Hertwig einer Prüfung unterworfen, deren Ergebniss sehr zufriedenstellend war. Die Kompressions-vorrichtung funktionirte ebenso gut, wie der Mechanismus zur Verschiebung des Kompressoriums in der Längs- und Querrichtung. Das geprüfte Mikroskop kann somit für weniger Geübte und alle Diejenigen, welche nicht allzuhäufig in die Lage kommen, Schweinefleisch auf Trichinen zu untersuchen, als ein sehr zweckmässiges Instrument um so mehr empfohlen werden, als dasselbe zu dem billigen Preis von 60 Mk. geliefert wird.

Referate.

Bang, Ueber Rothlauf - Endocarditis bei Schweinen.
(Deutsche Zeitschrift für Thiermedizin Bd. XVIII H. 1).

Der ausgezeichnete Forscher weist in vorliegender Abhandlung auf eine Folge-krankheit des Rothlaufs hin, welche für die Fleischbeschau von grossem Interesse ist. Bang hat seit mehreren Jahren schon Fälle von hochgradiger obturirender, verrucöser Endocarditis bei Schweinen gesehen und 1888 gefunden, dass dieselben bakterieller Natur sind. Diese Bakterien sieht B. auf Grund der morphologischen und tinktoriellen Eigenthümlichkeiten als Rothlaufstäbchen an.[1] Vor Bang haben schon Hess und Guillebeau auf die Rothlaufendocarditis bei Schweinen hingewiesen. Ausserdem hat Schottelius dieselbe beschrieben und dabei hervorgehoben, dass in den Klappenwucherungen dicke Kolonien und Züge feiner Bacillen sich vorfinden.

Die Rothlaufendocarditis bei Schweinen ist eine Nachkrankheit, welche sich schon in etwa 2 Monaten so ausbilden kann, dass sie auf mechanische Weise tödtet. Die Thiere überstehen einen Rothlaufanfall, gesunden wieder mehr oder weniger vollkommen (latente Periode), um plötzlich oder langsam die Erscheinungen einer Herzkrankheit darzubieten. In manchen Fällen wird das Thier morgens todt im Stalle gefunden*), in andern ähnelt die Krankheit dem akuten Rothlauf, in den meisten aber sind die Schweine 8—14 Tage krank. Von den Krankheitserscheinungen ist hervorzuheben, dass gewöhnlich eine Hautröthe auftritt, welche jedoch im allgemeinen von geringerer Intensität ist, als beim Rothlauf. Die Sektion von Thieren, welche der Endokarditis erlegen sind, zeigt immer kolossale Grade der Klappenerkrankung (fast vollkommene Verstopfung). Die Hautröthe bei Schweinen, welche an Endokarditis verenden, tritt nach Bang post mortem gewöhnlich stärker hervor als im Leben.

In etlichen Fällen hat B. ausser im Herzen auch in der Milz Rothlaufstäbchen nachgewiesen. Letztere aber waren spärlich im Vergleich zu den ungeheuren Mengen im Herzen. Um der Gefahr der Verschleppung des Rothlaufs durch das Fleisch durchgeseuchter Thiere zu begegnen, hat das dänische Ministerium des Innern verfügt, dass die Verkaufserlaubniss des Fleisches gesunder

---

*) Mäuse starben auf Verimpfung der pathologischen Produkte, Schweine dagegen erkrankten darnach nicht an Rothlauf. Indessen hebt Bang hervor dass auch er, ähnlich wie andere Untersucher, vergeblich versucht habe, Schweine mit Material von akutem Rothlauf (Milz) zu infiziren.

*) Auf Rothlaufendokarditis dürfte mancher plötzliche Todesfall bei Schweinen zurückzuführen sein, bei welchem von den Obduzenten als Befund in empirischer Weise „Lungenlähmung" angegeben wird.   Ostertag.

Schweine eines Rothlaufgehöfts von der normalen Beschaffenheit der einzelnen Theile, darunter auch des Herzens, abhängig gemacht werden soll. Am Rothlauf erkrankte Schweine, gegen deren Genuss der Thierarzt ein Bedenken nicht erhebt (Anfangsstadium der Krankheit), dürfen in Dänemark nur innerhalb des Gehöfts verzehrt werden.

Ueber Aktinomykose in Dänemark.

(Nach einem Ref. von St. Friis in der „Deutschen Zeitschrift für Thiermedizin," XVII H. Bd, 5 und 6.)

Rasmussen, Schlachthausthierarzt in Kopenhagen, beschreibt zahlreiche und hochinteressante Fälle von Aktinomykose beim Rinde. In der Zunge sah er sowohl erbsen- als auch wallnussgrosse Aktinomykome. Gleichzeitig mit Geschwulstbildungen in der Maul- und Rachenhöhle waren die oberen und mittleren Halslymphdrüsen, die Kehlgangsdrüsen, sowie in einigen Fällen die Ohrspeicheldrüsen und Submaxillares erkrankt. Lungenaktinomykose präsentirte sich entweder in Form von kleineren disseminirten Knötchen oder von wallnuss- bis hühnereigrossen Knoten an einer mehr begrenzten Partie der Lunge. In einzelnen Fällen war auf diese Weise die Hälfte eines Lungenlappens zu einer festen Masse mit sehnenartiger Schnittfläche umgewandelt. Einmal fand sich nur ein einziges, aber kindskopfgrosses Aktinomykom in der Lunge. Rasmussen hebt hervor, dass die einzelnen Pilzrasen in dem Eiter der Lungenaktinomykome bedeutend kleiner waren und kleinere Keulen hatten, als in den Aktinomykomen des Schlundes, der Zunge etc. und sich wie runde Haufen glänzender Körner ohne hervortretende Fäden präsentirten[1]). Bei Lungenakti-

[1]) Bei der Untersuchung von Leberaktinomykomen beim Rinde fand ich in den durch Mischinfektion mit Eiterbakterien erweichten Stellen die Aktinomycesrasen ebenfalls von einer Beschaffenheit, welche von dem gewöhnlichen Bilde des Rinderaktinomyces abwich, eine auffallende Aehnlichkeit aber mit demjenigen von Rasen in aktinomykotischen Abcessen vom Menschen zeigte.

Ostertag.

nomykose fand R. Pleuritis fibrosa, mitunter aber auch spezifische Knoten auf der Pleura costalis. Von 15 im Verlaufe eines halben Jahres untersuchten Ochsen mit Lungenaktinomykose litten 14 zugleich an Kieferaktinomykose. Nur ein Ochse zeigte Veränderungen lediglich an der Brusthöhle. Vereinzelt sah R. auch Aktinomykose des Bauchfells und der Lymphdrüsen des Hinterleibs, 4 mal ferner Aktinomykose im Euter der Kuh entweder als feste Knoten im Parenchym oder als diffuse akute Entzündung. In 2 Fällen bei abgemolkenen Kühen endigte die Krankheit mit Verkalkung des Pilzes, ohne dass der Prozess eine grössere Ausdehnung erreicht hätte. Bei Schweinen sah R. 52 Fälle von Euteraktinomykose innerhalb 3 Monaten!

Bang theilt 2 Beispiele von Verwechselung von Lungenaktinomykose mit Tuberkulose mit. In dem einen Falle seien kleine, frische Knötchen, im andern wallnussgrosse Knoten von weichem Gefüge vorhanden gewesen. Im letzteren Falle wurden — als erster derartiger Befund — auch Aktinomykome in den Nieren festgestellt.

Morot, Ueber Polyarthritis bei Schlachtkälbern.

(Presse vétérin. 1891/21.)

M. ist der Ansicht, dass die eitrige und die sero-fibrinöse Arthritis der jungen Thiere verschiedenen Ursprungs seien; die erstere schliesse sich an eine Nabelvenenentzündung an, während letztere eine rheumatisch-infectiöse (?) Erkrankung vorstelle und sich häufig zu Magendarmentzündungen hinzugeselle (?). Wenn M. diese letztere Ansicht darauf stützt, dass er bei der sero-fibrinösen Polyarthritis keine Spur einer Nabelvenenentzündung gefunden hat, so übersieht er nach der Ansicht des Referenten dabei vollkommen, dass septische Prozesse — und darum handelt es sich hier — keine augenfälligen Veränderungen am Eingangsorte zu hinterlassen brauchen.

In sanitätspolizeilicher Hinsicht sagt M., dass selbst weniger schwere Fälle der Polyarthritis den Ernährungszustand der Kälber stark beeinflussen. Bei denjenigen Thieren ferner, welche der Krankheit nicht erliegen, erfolge nicht immer vollkommene restitutio ad integrum. Vielmehr bleiben häufig chronische Gelenkveränderungen bestehen. In solchen Fällen, fährt Verf. fort, können die Thiere theilweise (d. h. nach Entfernung der erkrankten Gelenke. D. R.) zum Konsume zugelassen werden. Wenn aber die Thiere sehr mager sind, oder wenn zahlreiche Gelenke Erkrankungen zeigen, muss gänzlicher Ausschluss vom Genusse erfolgen. Das Gleiche hat zu geschehen, wenn das Fleisch allgemeine Infiltration oder die Erscheinungen vorausgegangener fieberhafter Erkrankung zeigt. Bei denjenigen Kälbern dagegen, bei welchen es sich nur um eine Lokalerkrankung handle, und bei denen die Beschaffenheit des Fleisches eine gute sei, müssten alle Gelenke geöffnet und genau untersucht werden, damit diese vom Verkaufe zurückgehalten würden, während das Uebrige freigegeben werden könne. (Diese partielle Freigabe bei der septischen Form der „Kälberlähme", von welcher M. spricht, ist nur bei älteren Kälbern gerechtfertigt, bei welchen die Gelenkprozesse thatsächlich als abgeheilt betrachtet werden können. Dieses ist der Fall, wenn die Parenchyme des Herzens, der Leber und Nieren intakt sind, und der Ernährungszustand des Thieres ein guter ist. D. R.)

Potain, Ein Fall von Taubenmäster-krankheit.

(L'Union méd. 1891, No. 38 u. Centralbl. f. Bakteriol. etc. X. No. 19).

Dieulafoy, Chantemesse und Vidal haben einen Aspergillus als Ursache einer eigenthümlichen, unter dem klinischen Bilde der Tuberkulose verlaufenden Lungenerkrankung der Taubenmäster nachgewiesen. P. hatte Gelegenheit, einen gleichen Fall zu beobachten. Im Anschlusse an diese Beobachtung führt er

an, dass auch die Tauben an dieser Aspergillus-mykose erkranken, und zwar entweder chronisch (mit Bildung tuberkelähnlicher Knoten) oder akut (unter dem Bilde einer tödtlichen Pneumonie). Durch intravenöse Injektion der Reinkulturen erzeugten Chantemesse und Vidal eine akute tödliche Krankheit, während subkutane Injektion disseminirte Knotenbildung in der Lunge und anderen inneren Organen hervorrief.

Der pathogene Aspergillus soll sich häufig in der Hirse finden und auf die Mäster durch die eigenthümliche Art der Mästung (von Mund zu Schnabel) übertragen werden.

Perroncito, Ueber eine neue auf den Menschen übertragbare Hausthier-Seuche.

(VII internationaler Kongress für Hygiene etc. in London.)

Auf Sardinien herrscht unter den Pferden, Eseln, Rindern und Schweinen eine seuchenartige Erkrankung, welche auch auf den Menschen übergehen kann. Von Versuchsthieren zeigen sich Kaninchen, Meerschweinchen und Geflügel empfänglich Die beregte Krankheit ähnelt in ihrem Verlaufe und den klinischen Symptomen in hohem Grade dem Milzbrand, tritt aber mitunter auch unter dem Bilde einer Hämaturie und Hämoglobinurie auf. P. entdeckte als Erreger dieser Krankheit einen Mikroorganismus — Proteus virulentissimus —. Zu den Proteus-Arten (Hauser) rechnet Verf. den Spaltpilz deshalb, weil er sowohl im thierischen Organismus als auch in Reinkulturen die mannigfachsten Formen aufweist.

Rasmussen, Ueber peptische Magen-Geschwüre beim Rind.

(Nach einem Ref. von St. Fris in der „Deutschen Zeitschr. für Thiermedizin", XVII. Bd. H., 5 und 6).

Verf. hat peptische Magengeschwüre beim Rinde, wie sie Ostertag 1888 beschrieben hat, auch in Kopenhagen häufiger gesehen. R. bestätigt im allgemeinen die Angaben von O. Er sah die Krankheit bei Kälbern im Alter von 8—24 Wochen. Die Geschwüre waren von höchst unregelmässiger Form, von verschiedener Breite und Tiefe und gewöhnlich in der Zahl von 2—3 grösseren und einem oder mehreren kleineren zugegen. Adhäsionen sah R. nie. Auch R. glaubt, dass Insulte beim Transport zu den häufigen Perforationen, welche übrigens intra vitam leicht diagnostizirbar seien, Veranlassung geben.

(Merkwürdigerweise verzeichnet ausser Berlin und Kopenhagen kein Schlachthof das Vorkommen peptischer Magengeschwüre béim Kalbe. D. R.)

Ellenberger und Hofmeister, Das Verhalten der sterilisirten Milch zum künstlichen Magensaft.

(Bericht über das Veritinärwesen im K. Sachsen für 1890).

Vereinzelte Aerzte haben sich in neuer Zeit gegen die Verwendung sterilisirter Milch als Kindernahrungsmittel ausgesprochen und dieses damit begründet, dass sterilisirte Milch bedeutend schlechter ausgenützt werde, als frische, nicht sterilisirte. Es wurden Beobachtungen mitgetheilt, dass Kinder bei sterilisirter Milch fast garnicht zunahmen, beim Uebergang aber zu frischer, nicht sterilisirter, die normale tägliche Gewichtszunahme erkennen liessen.

Diese hochwichtige Frage suchten Verf. auf dem Wege des Experiments zu lösen, und zwar bedienten sie sich der künstlichen Verdauung. Der, wie die Verf. hervorheben, am sichersten entscheidende Weg — Fütterung junger Thiere — konnte aus äusseren Gründen nicht verfolgt werden. Aus den Verdauungsversuchen, deren Anordnung im Original nachzulesen ist, geht hervor, dass sterilisirte Milch nicht schwerer verdaulich ist, als nichtsterilisirte. Andererseits lieferten die Versuche aber auch eine hinreichende Erklärung der über die mangelhafte Ausnützung sterilisirter Milch gemachten Beobachtungen. Das Kaseïn wird bei der Sterilisation erheblich verändert. Im Magen tritt keine Käsebildung wie bei frischer Milch ein, und ausserdem ist die Wirkung der im Magen vorhandenen Säuren und des Milchsäureferments auf das Kaseïn der sterilisirten Milch eine sehr unvollkommene. Es bilden sich keine grösseren, sondern nur kleine, flockige, leichte, nicht klebrige Gerinnsel. Die sterilisirte Milch bleibt also im Magen mehr oder weniger flüssig und kann deshalb leicht und zu früh aus dem Magen in den Darm übertreten. Und auch im Darm gerinnt sie nicht, wie frische Milch, und vermag daher auch diesen zu rasch zu durchlaufen.

Unter allen Umständen kann also ein grösserer Theil der sterilisirten Milch unverdaut abgehen. Bleibt die sterilisirte Milch aber lange genug im Magen und Darm, dann wird sie auch gut verdaut und ausgenützt.

Verf. bezeichnen die Zahl der Verdauungsversuche zur hinreichenden Begründung der daraus gezogenen Schlussfolgerungen als nicht gross genug und stellen weitere Untersuchungen in Aussicht.

Klingemann, Der Uebergang des Alkohols in die Milch.

(Virchow's Archiv, Bd. 126, H. 1.)

Für den Arzt ist die Frage von Wichtigkeit, ob Alkohol bei stillenden Frauen in die Milch übergeht. Ueber anderweitige Ausscheidung desselben wissen wir durch Binz und seine Schüler Heubach und Schmidt, dass sich im Harne nur 1 pCt. des aufgenommenen Alkohols wiederfindet. Hinsichtlich der Ausscheidung durch die Milch gehen die Angaben auseinander. Die Versuche hierüber von Lewald und Stumpf fielen negativ aus im Gegensatze zu Angaben von Bär und Demme.

Verf. prüfte zunächst die bei Ziegen angestellten Versuche nach, hatte aber ausserdem die Gelegenheit, bei 2 Wöchnerinnen zu experimentiren. Bei der Ziege konnte er feststellen, dass nach mässigen Alkoholmengen (bis zu 50 ccm pro dosi) Alkohol in der Milch nicht nachzuweisen war. Bei erheblicher Steigerung aber (auf 100—200 ccm) traten geringe Mengen in die Milch über. Die gefundenen Mengen betrugen indessen höchstens 0,5 pCt. des aufgenommenen Alkohols. Aehnlich verhält es sich beim Menschen. Bei mässigem Genuss (46—57 ccm pro dosi) konnte kein Uebergang von Alkohol in die Milch wahrgenommen werden. Bei erheblicher Steigerung ist jedoch anzunehmen, dass geringe Mengen durch die Milch ausgeschieden werden.

Dieses ist für den Aethylalkohol als festgestellt zu betrachten. Wie sich aber die Fuselöle, besonders der Amylalkohol verhalten, dies bezeichnet Verf. als eine noch offene Frage.

Spilker und Goldstein, Ueber die Vernichtung von Mikroorganismen durch die Induktionselektrizität.

(Centralbl. f. Bakteriol. und Parasitenk. 1891, No. 3 und 4.)

Verf. liessen auf Bakterienaufschwemmungen Induktionselektrizität in der Weise einwirken, dass sie Glas- oder Thonröhren mit einer Drahtspirale umwanden, durch welche der Strom von einer Dynamomaschine oder von Akkumulatoren aus hindurch ging. Hierbei fanden die Untersucher, wenn sie eine Stromstärke von wenigstens 10 Amp. auf 3,5 ☐ cm Querschnitt der Röhren eine Stunde lang einwirken liessen, dass Mikroorganismen in wässeriger Aufschwemmung getödtet wurden. In Milch resultirte nur eine Verminderung der Keimzahl und Verzögerung der Entwicklung. Blut erwies sich für die Zerstörung von pathogenen Bakterien (welcher, ist leider nicht gesagt. D. R.) als ein noch günstigeres Suspensionsmedium, als Wasser. Sehr bemerkenswerth ist, dass es durch Zusatz von Ferr. albuminat. gelang, in Flüssigkeiten und Geweben organischer Natur die Wirksamkeit der Elektrizität auf pathogene Bakterien bedeutend zu erhöhen.

Inwieweit der Induktionsstrom für die Konservirung von Nahrungsmitteln verwerthbar ist, suchen die Verf. durch weitere Experimente festzustellen. Thatsache sei, das Butter nach der elektrischen Behandlung noch nach Wochen frisches 'Aussehen, frischen Geruch und Geschmack zeige. Die unbehandelte Hälfte zeige nach einigen Wochen einen bis 30 pCt. höheren Gehalt an freier Säure, als behandelte.

Amtliches.

Stolp. Polizei-Verordnung. Betrifft die Zuweisung und Zulassung nicht bankwürdigen Fleisches von geschlachtetem Vieh zur sogenannten Freibank.

Auf Grund der §§ 5 und 6 des Gesetzes über die Polizeiverwaltung vom 11. März 1850 und der §§. 143 und 144 des Gesetzes über die allgemeine Landesverwaltung wird bez. der Zuweisung und Zulassung nicht bankwürdigen Fleisches — d. h. verdorbenen Fleisches im Sinne des Gesetzes betreffend den Verkehr mit Nahrungsmitteln, Genussmitteln und Gebrauchsgegenständen vom 14. Mai 1879 — auf die Freibank mit Zustimmung des Magistrats und mit Genehmigung des Königlichen Regierungspräsidenten zu Cöslin vom 26. November 1891 für den Gemeindebezirk der Stadt Stolp verordnet.

§ 1.

Auf dem städtischen Schlachthofe ist durch Gemeindebeschluss der städtischen Körperschaften vom 24./30 September d. J. eine Verkaufsstelle zum Verkauf nicht bankwürdigen (minderwerthigen) Fleisches eingerichtet. Die Verkaufsstelle steht unter polizeilicher Aufsicht, wird mit der Aufschrift „Freibank" versehen und darf nur zum Verkaufe minderwerthigen Fleisches, welches entweder im Schlachthofe ausgeschlachtet, oder von auswärts eingeführt und bei der Untersuchung als minderwerthig befunden ist, benutzt werden.

§ 2.

Gesundheitsschädliches Fleisch darf nicht verkauft werden.

Als minderwerthiges Fleisch wird insbesondere anzusehen sein, resp. nach stattgehabter Untersuchung zum Verkauf der Freibank überwiesen werden:

a) Fleisch von zu alten, oder abgemagerten aber sonst gesunden desgl. von zu jungen, noch unreifen Thieren.

b) Fleisch von unangenehmem Geruch oder auffälliger Farbe, ohne gesundheitsschädlich zu sein, so auch von alten Zuchtebern und Ziegenböcken.

c) Fleisch von lungenseuchekranken Thieren und solchen, welche mit Tuberculosis behaftet sind, sofern dieses Fleisch nicht nach dem ministeriellen Erlasse vom 15. September 1887 bezw. in den daselbst nicht namhaft gemachten Fällen nach der jedesmaligen Entscheidung des Sachverständigen als gesundheitsschädlich

anzusehen ist, event. nach zuvoriger Abkochung.

d) Fleisch von Thieren, die im geringen Grade
finnig sind, nach zuvoriger Abkochung.

e) Fleisch von Thieren, welche in geringem
Grade, oder in einzelnen Organen mit nicht
auf den Menschen übertragbaren Parasiten,
z. B. Leberegeln, Magen- u Blasenwürmern,
behaftet sind,wenn durch die Parasiten das
Wohlbefinden und der Ernährungszustand
der Thiere gestört ist.

f) Fleisch von Thieren, welche infolge von
Erstickungsgefahr, Verstopfung, Knochen-
brüchen, örtlichen Krankheiten, Geburtshindernissen nothgeschlachtet sind, wenn
die Nothschlachtung innerhalb 24 Stunden
nach Beginn des Leidens erfolgte.

§ 3.

Die Entscheidung, ob Fleisch minderwerthig
und auf die Freibank zu verweisen ist, erfolgt
durch den Schlachthof-Inspektor. Glaubt der
Besitzer des Fleisches, sich bei dem Ausspruch
des Schlachthof-Inspectors nicht beruhigen zu
können, so steht ihm frei, innerhalb 12 Stunden
die Entscheidung der Polizeiverwaltung auzu-
rufen. Entstehen durch eine zweite Untersuchung
Kosten, so hat der Besitzer des Fleisches dieselben zu tragen, wenn der Ausspruch des
Schlachthof-Inspektors bestätigt wird.

§ 4.

Das für die Freibank bestimmte Fleisch wird
als „minderwerthig" gestempelt und darf nur in
Quantitäten von 250 g bis 3 kg an Konsumenten
verkauft werden. Fleischer, Wurstmacher,
Händler, Gastwirthe, überhaupt solche Personen,
welche aus dem Verkaufe von Fleisch ein Gewerbe
machen, dürfen weder persönlich noch durch
dritte Fleisch von der Freibank kaufen.

§ 5.

Der Verkauf erfolgt durch den Besitzer
des Fleisches unter Aufsicht der Schlacht-
hofbeamten und muss Tags zuvor durch die
Lokalblätter, oder eines derselben bekannt
gemacht werden.

§ 6.

Der von dem Verkäufer bestimmte
Preis für das Fleisch, der Name des Verkäufers,
die Ursache der Minderwertigkeit, die Gattung
und das Geschlecht des Thieres, von dem das
Fleisch stammt, wird mittelst einer im Verkaufs-
lokal anzubringenden Tafel bekannt gegeben.

§ 7.

Minderwertiges Fleisch, welches durch Verkauf auf der Freibank innerhalb dreier Tage
nicht verwerthet wird, fällt der Vernichtung
anheim oder wird zu gewerblichen Zwecken
ausgenutzt.

§ 8.

Nach beendigtem Verkauf hat der Verkäufer
für die gründliche Reinigung des Lokals und der
Utensilien Sorge zu tragen, widrigenfalls die
Reinigung auf seine Kosten erfolgt.

§ 9.

Für die Benützung des Freibanklokales sind
an Gebühren pro Tag zu entrichten:

für ein Stück Grossvieh 1 Mk,
für ein Stück Kleinvieh 50 Pf.
für Fleischstücke pro Kilo 5 Pf.

§ 10.

Wer den vorstehenden Bestimmungen zuwiderhandelt, verfällt, soweit nach den allgemeinen
Gesetzen nicht eine höhere Strafe eintritt, in
eine Strafe bis zu dreissig Mark, an deren Stelle
im Unvermögensfalle eine verhältnissmässige
Haftstrafe tritt.

§ 11.

Die Polizeiverordnung tritt mit dem Tage der
Publikation in Kraft *).

Stolp, den 3. November 1891.

Die Polizei-Verwaltung.

Mittheilungen aus Versammlungen.

— Sitzungs-Protokoll über die 2. Versammlung
der Schlachthaus-Thierärzte des Reg.-Bez. Arnsberg.

Am 1. Novbr. v. J. fand im Hotel Lünen-
schloss zu Hagen i. W. die zweite Versammlung
der Schlachthaus-Thierärzte des Reg.-Bez. Arnsberg statt.

Anwesend waren die Kollegen: Kredewahn-
Bochum, Albert-Iserlohn, Koch-Hagen, Bias-
Hagen, Tracht-Altena, Clausnitzer-Dortmund,
Bullmann-Witten, Hertz-Gelsenkirchen, Ober-
schulte-Lüdenscheid, Schieferdecker-Siegen,
Meyer-Hoerde, Goldstein-Hohenlimburg und
Wysocki-Lippstadt.

Kollege Kredewahn übernahm den Vorsitz,
hiess die zahlreich Erschienenen herzlich willkommen und machte die Mittheilung, dass der
Herr Departementsthierarzt Woestendieck sein
Ausbleiben entschuldigen lasse, an unseren Verhandlungen jedoch den regsten Antheil nehme.

Die Tagesordnung wies als ersten Gegenstand
Statutenberathung auf. — Von dem Referenten,
Kollegen Albert, wurde der Entwurf eines Statuts
vorgelegt. Derselbe berichtete einleitend, dass
der Entwurf sich an die Statuten des Vereins
der Thierärzte der Provinz Westfalen anlehne,
da bisher die freie Vereinigung schlesischer

*) In den meisten Freibankverordnungen ist
bestimmt, dass der Preis durch den Schlachthaus-
thierarzt bezw. eine besondere Freibank-Kom-
mission festgesetzt werde. Diese Bestimmung
war in dem ersten Entwurfe zur Freibank-
verordnung in Stolp auch enthalten. Jener Entwurf wurde aber u. a. auch mit dem Hinweise darauf abgelehnt, dass es gesetzlich unzulässig sei, den Preis des Freibankfleisches vorzuschreiben. Und in der
That verlangt das Nahrungsmittelgesetz keine
Preisherabsetzung, sondern lediglich Deklaration für das „verdorbene" Fleisch.

Schlachthaus-Thierärzte keine Statuten angenommen hätte.

Die Statuten wurden durchberathen und gelangten in folgender Fassung zur Annahme:

Unter der Bezeichnung: „Verein der Schlachthaus-Thierärzte des Regierungs-Bezirks Arnsberg" ist am 30. August 1891 in Hagen i. W. eine Vereinigung entstanden, welche folgende Statuten angenommen hat:

§ 1. Hauptzwecke des Vereins sind: Anbahnung eines engeren Verkehrs unter den Schlachthaus-Thierärzten zum Zweck der Förderung der Standesinteressen, Anstrebung einer möglichst einheitlichen Fleischbeschau, Erörterung wissenschaftlicher und praktischer Fragen auf dem Gebiete der Fleischbeschau, Besprechung der die Fleischbeschau regelnden gesetzlichen Verordnungen und Erlasse.

§ 2. Jeder approbirte Thierarzt kann Mitglied des Vereins werden.

§ 3. In jeder Versammlung werden aus dem Gebiete der Schlachthauspraxis von den Mitgliedern Vorträge gehalten, welche einer freien Besprechung unterzogen werden.

§ 4. Der Verein wird vertreten: a) durch einen Vorsitzenden, b) durch dessen Stellvertreter, welcher zugleich Rendant ist und c) durch einen Schriftführer. — Die Wahl der Genannten geschieht durch Stimmzettel auf drei Jahre, beginnend mit dem 1. November 1891. Die Mitglieder des gewesenen Vorstandes sind wieder wählbar.

§ 5. Es finden alljährlich 3 Versammlungen statt. Zeit und Ort der nächsten Versammlung wird in der jedesmaligen Sitzung festgesetzt. Einladungen mit Angabe der Tagesordnung werden ausserdem jedesmal vom Vorstand erlassen.

§ 6. In dringenden Fällen kann der Vorstand den Verein zu einer Generalversammlung zusammenberufen; hierzu ist derselbe auch dann verpflichtet, wenn zwei Drittel der Mitglieder die Einberufung schriftlich beim Vorstande beantragen.

§ 7. In allen Angelegenheiten des Vereins entscheidet die Versammlung. Beschlüsse werden nach Stimmenmehrheit gefasst, bei Stimmengleichheit giebt der Vorsitzende den Ausschlag.

§ 8. Jedes Mitglied zahlt in der Herbstversammlung für das laufende Jahr einen Beitrag von drei Mark an die Vereinskasse, welcher zur Bestreitung der Bedürfnisse des Vereins dient.

§ 9. Wer aus dem Verein austreten will, hat solches dem zeitigen Vorstande schriftlich zu erklären und zwar vor Schluss des mit dem 1. November jeden Jahres beginnenden Vereinsjahres. Mit dem Austritt gehen die Rechte an das Vereinsvermögen verloren.

§ 10. Von der Versammlung können Ehrenmitglieder ernannt werden.

§ 11. Eine Auflösung des Vereins findet statt, sobald die Mitgliederzahl bis auf drei herabgesunken ist. Das vorhandene Vereinsvermögen soll in diesem Falle dem thierärztlichen Verein der Provinz Westfalen überwiesen werden. — Vorstehende Statuten treten mit dem heutigen Tage in Kraft.

Hagen, den 1. November 1891.

Ein, von einem Kollegen gestellter Antrag statt Schlachthaus-Thierarzt die Bezeichnung „Sanitäts-Thierarzt" anzunehmen, fand nicht genügende Unterstützung und wurde zurückgezogen.

Darauf fand die Wahl des Vorstandes durch Stimmzettel statt und wurden definitiv gewählt: Zum 1. Vorsitzenden: Kredewabn-Bochum, zum 2. Vorsitzenden: Koch-Hagen und zum Schriftführer: Albert-Iserlohn. Die drei Genannten nahmen die Wahl dankend an.

Der Vorsitzende stellte darauf den Antrag: Der Verein wolle den Herrn Departements-Thierarzt Woestendieck, welcher unserem jungen Verein vieles Interesse erwiesen und uns mit Rath und That auch fernerhin unterstützen wolle, zum Ehrenmitgliede ernennen. Der Antrag wurde freudigst begrüsst und fand einstimmige Annahme.

Der zweite Gegenstand der Tagesordnung betraf einen Vortrag des Kollegen Koch: Ueber die Beurtheilung des Fleisches tuberkulöser Thiere mit besonderer Berücksichtigung der Grenzen zwischen lokaler und genereller Tuberkulose und im Anschluss hieran Demonstrationen von Tuberkelbazillen und Anfertigung von Präparaten.

In dem etwa eine halbe Stunde dauernden, sehr interessanten Vortrage gab Redner zunächst einen kurzen Ueberblick über die Grenzbestimmungen zwischen genereller und lokaler Tuberkulose bei Gerlach und Schmidt-Mülheim, ging darauf auf die neueren Entdeckungen Robert Kochs über, besprach verschiedene von neueren Forschern ausgeführte Experimente mit Muskelsaft von Phtisikerleichen in Gegenüberstellung der mit dem von tuberkulösen Thieren herrührenden Fleischsaft gemachten Experimente. (Kastner und Steinheil.) Als sehr werthvolle Beiträge für die Beurtheilung der Grenzen, ob lokale oder generelle Tuberkulose anzunehmen sei, bezeichnete Redner die verdienstvollen Arbeiten Ostertags im Archiv von 1888, wie auch in der von demselben herausgegebenen Zeitschrift für Fleisch- und Milchhygiene.

Der mit gespanntester Aufmerksamkeit von den Anwesenden verfolgte Vortrag wurde einer lebhaften Diskussion unterzogen, wobei besonders Fälle aus der Schlachthauspraxis mitgetheilt und erörtert wurden.

Bei Eintritt in den 3. Gegenstand der Tagesordnung: „Verschiedenes" erstatte Kollege Tracht-Altena über die dort z. Z. bestehende Trichinose Bericht; es wären gegenwärtig 3 Personen erheblich erkrankt, während Zeitungsberichte über 30 Fälle meldeten. — Als Ort für die nächste Versammlung wurde Dortmund gewählt und dazu der 6. März 1892 bestimmt. Darauf wurde die

Versammlung durch den Vorsitzenden geschlossen, und vereinigte ein gemeinschaftliches Mittagsmahl und nachfolgender Spaziergang die Kollegen noch mehrere Stunden.

Generalversammlung des thierärztlichen Vereins der Provinz Westfalen. In der am 12. September v. Js. abgehaltenen Generalversammlung des thierärztlichen Vereins der Provinz Westfalen kamen u. A. folgende Gegenstände zur Besprechung:

1. Die Einführung einer allgemeinen Fleischbeschau:
2. Die Beurtheilung des Fleisches tuberkulöser Thiere vom gesundheitlichen und marktpolizeilichen Standpunkte;
3. Das Berufungsverfahren in der Fleischbeschau.

Zu 1 berichtete Veterinär-Assessor Dr. Steinbach, 1889 habe der Regierungs-Präsident zu Minden dem Ober-Präsidium den Entwurf einer Polizei-Verordnung, betr. die Einführung der allgemeinen Fleischbeschau, nebst Ausführungs-Anweisung mit dem Antrage unterbreitet, dieselbe zu prüfen und geeignetenfalls eine Fleischbeschau-Ordnung für den Umfang der Provinz Westfalen zu erlassen. Ueben diesen Antrag wurden zunächst die beiden Regierungspräsidenten zu Münster und Arnsberg gutachtlich gehört. Nach dem Eingang der bezüglichen Berichte stellte das Ober-Präsidium einen Entwurf zu einer Provinzial-Polizei-Verordnung auf, welcher dann dem Dr. Steinbach zur weiteren Prüfung und Begutachtung vorgelegt wurde. Die Angelegenheit nahm trotz mancher Schwierigkeiten einen günstigen Fortgang. Anfangs Juni 1890 theilte jedoch der Ober-Präsident mit, er habe die Absicht des Erlasses einer allgemeinen Fleischbeschau-Ordnung für den Umfang der Provinz zur Zeit aufgegeben, da nach dem Gutachten der Vorstände der beiden grössten landwirthschaftlichen Vereine der Provinz die Einführung einer derartigen Verordnung auf einen grossen Widerspruch aus landwirthschaftlichen Kreisen stossen würde, und er auch nicht hoffen könne, bei dem Kollegium des Provinzial-Raths die erforderliche Zustimmung zu finden. — Einige Zeit nachher frug der Regierungs-Präsident zu Minden bei dem zu Münster an, ob letzterer für seinen Bezirk eine solche Verordnung in Aussicht genommen habe, und bemerkte dabei, er würde die fraglichen Vorschriften nur dann erlassen können, wenn gleichartige Bestimmungen auch für die Regierungsbezirke Arnsberg und Münster erlassen würden, da andernfalls die hochentwickelte Fleischwaaren-Industrie des Bezirks Minden eine empfindliche Einbusse erleide. Die Antwort des Regierungs-Präsidenten zu Münster war verneinend. Die Hauptschwierigkeit wurde darin gefunden, dass die thierärztliche Kontrole der Nothschlachtungen in vielen Gegenden

wegen Mangels an Thierärzten sich nur schwer und nur mit unverhältnissmässig grossen Unkosten ausführen lasse. Manche Kreise, wie Büren Mechede, Olpe u. s. w., haben nicht allein keinen Kreisthierarzt, sondern überhaupt keinen Thierarzt.

Eine allgemeine und einheitliche Regelung der Fleischbeschau für Westfalen ist hiernach vorläufig aufgegeben, doch haben seit Jahresfrist viele Gemeinden, namentlich im Regierungsbezirk Münster, durch ortspolizeiliche Vorschriften eine Kontrole der Schlachtthiere vor und nach dem Schlachten eingeführt.

Zu 2 trug Departements-Thierarzt Johow seine Ansicht vor, die darin gipfelte, dass bei geringfügigen tuberkulösen Veränderungen der Lungen, etc., welche unzweifelhaft örtlich seien, das Fleisch guter Qualität unbeanstandet dem Verkehr übergeben werden, dass bei erheblichen lokaltuberlösen Prozessen aber Deklarationszwang bestehen müsse, und dass nur bei generalisirter Tuberkulose genügender Grund zum Vernichten des Fleisches vorliege. Derselbe trat deshalb der Forderung des Ministers der u. s. w. Medizinal-Angelegenheiten vom 23. April 1890 entgegen, wonach einer Verfügung des Regierungs-Präsidenten zu Minden gemäss auch bei ganz unerheblichen tuberkulösen Veränderungen der Lungen etc. das Fleisch eines Thieres als minderwerthig zu behandeln sei, und bemerkte dass sonderbarer Weise diese Forderung nur für den Regierungsbezirk Minden Platz greife, in anderen Regierungsbezirken aber nicht gestellt sei. Dr. Steinbach hob hervor, dass derselbe Minister sich früher in dieser marktpolizeilichen Frage für nicht zuständig gehalten habe, wie aus dem Erlasse der Minister für Landwirthschaft u. s. w., des Innern und für Handel u. s. w. vom 11. Februar 1890 hervorgehe, und dass die drei letztgenannten Minister es für unnöthig erklärt haben, eine besondere polizeiliche Kontrole für den Verkauf des noch zum Genusse geeigneten Fleisches tuberkulöser Thiere anzuordnen. Das Richtige liege wohl in der Mitte, und hoffentlich werde bald auf Betreiben der betheiligten Landwirthe die Sache durch eine besondere Kommission aufgeklärt und einheitlich geordnet werden.

Zu 3 regte Dr. Steinbach die Frage an, ob dem Besitzer des Fleisches oder Thieres, im Falle er sich nicht mit dem Urtheile des die Beschau ausübenden Thierarztes zufrieden gebe, anheimzustellen sein möchte, seinerseits einen andern Thierarzt zur Begutachtung zuzuziehen und bei Divergenz der Ansichten dieser Beiden den Kreisthierarzt oder wenn derrelbe bereits sein Gutachten abgegeben habe, den Departementsthierarzt als Obmann zuzuziehen, oder ob es zweckmässiger sei, der Einfachheit halber sofort die Zuziehung des Kreis- bezw. Departementsthierarztes behufs Entscheidung (also gewissermassen als Berufungsinstanz) zu veranlassen. Die Versammlung sprach sich für das letztere Verfahren aus, bei welchem der beamtete Thierarzt nach Berathung mit dem Ordinarius der Fleischbeschau zu entscheiden und falls die Entscheidung abweichend ausfalle, auch die Verantwortung zu übernehmen habe. Das andere Verfahren sei nicht allein kostspieliger und zeitraubend, sondern führe erfahrungsgemäss auch zu vielen Unzuträglichkeiten zwischen den betheiligten Sachverständigen.

Dr. Steinbach.

Bücherschau.

Johne, Bakteriologisch - mikroskopische Vorschriften. Dresden. Zu beziehen aus der Buchdruckerei von J. Pässler (Grosse Klostergasse).

Das Gelingen einer Bakterienfärbung, auch der einfachsten, ist davon abhängig, dass die „Methode" genau innegehalten wird. Zu diesem Behufe muss der angehende Bakteriologe die speziellen Vorschriften stets neben seiner Arbeit vor Augen haben. Johne hat in richtiger Würdigung dieses Bedürfnisses die wichtigsten Färbemethoden am Deckglase und im Schnitte kurz und übersichtlich auf Zetteln zusammengestellt, welche bequem auf dem Arbeitstische Platz finden können.

Die Johne'schen Vorschriften waren ursprünglich für die bakteriologischen Uebungen bestimmt. Dieselben sind aber sicherlich auch jedem Gelegenheits - Bakteriologen sehr willkommen. Namentlich möchte ich alle Schlachthausthierärzte auf die „Vorschriften" von Johne ganz besonders aufmerksam gemacht haben, da diese in der Färbetechnik der Bakterien völlig bewandert sein müssen. Der Preis der „Vorschriften" ist ein minimaler. Die obengenannte Buchdruckerei giebt die einzelnen Serien (I—X) zum Preise von 25 Pf., in Partien über 10 Stück aber zu 20 Pf. ab.

Weiss, Lehrkursus der Trichinen- und Finnenschau. Düsseldorf 1891, bei L. Schwann.

Die Mehrzahl der Anweisungen zur Ausübung der Trichinenschau kann notorisch den bescheidensten Ansprüchen selbst dann nicht genügen, wenn man in Betracht zieht, dass weit mehr Empiriker dieser Beschäftigung sich widmen, als höher gebildete Leute. Das vorliegende Werkchen von Weiss zeichnet sich aber in mehreren Punkten vor einer grossen Zahl ähnlicher Schriften aus. Seine Sprache ist klar und verständlich, die Darstellung wissenschaftlich und erschöpfend Ob jedoch die von dem Verfasser gewählte Form der Behandlung des Stoffes durch Fragen und Antworten eine zweckmässige ist, glaubt Referent bezweifeln zu müssen. Verfasser stellt der Fragen zuviele, ohne die wesentlichsten gebührend hervorzuheben. In Bezug auf den Inhalt möchte

Referent Folgendes berichtigen. S. 10 ist das Fleisch vergifteter Thiere zu Unrecht als gesundheitsschädlich bezeichnet worden; ferner ist auf derselben Seite eine nicht zutreffende Erläuterung des Begriffes „verdorben" gegeben. S. 12 sind der makroskopischen Sichtbarkeit der Trichinen die Verhältnisse beim Menschen zu Grunde gelegt. S. 33 ist gesagt, die Proben seien in Wallnussgrösse zu entnehmen. (Die Hälfte dürfte vollkommen genügen). Präparate ferner von 2 cm Länge (S. 35) werden ebenfalls zweckmässiger durch kürzere (haferkorngrosse) ersetzt Wasserzusatz zu frischen Präparaten (S. 36) ist nicht erforderlich. Als Kompressorium verdient zweifellos das im Berliner Schauamte gebräuchliche eine besondere Empfehlung. S. 50 dürfte der Regenwurm entbehrt werden können. S. 66 schliesslich sind die Lieblingssitze der Finnen nicht hinlänglich behandelt worden.

Dem Werkchen von Weiss sind 31 Abbildungen beigegeben. Von diesen lassen namentlich die Finnen (Titelbild und S. 67) sehr viel zu wünschen übrig. Bei der Abbildung der Finnenhaken hat dem Künstler, welcher zweifelsohne niemals das mikroskopische Bild einer Schweinefinne gesehen hat, allem Anscheine nach der im gewöhnlichen Leben gebräuchliche Sinn des Wortes „Haken" vorgeschwebt. Denn besagte Finnen sind nicht mit den ihnen eigenthümlichen Gebilden, sondern mit einer Art Wider-Haken abgebildet.

Noch eines möchte Referent hervorheben. Referent hat sich sehr darüber gefreut, dass die Abhandlung von Weiss sich als Lehrkursus der Trichinen- und Finnenschau und nicht, wie fast alle übrigen, der „Fleischbeschau" betitelt. Gleich darauf aber und auch später gebraucht Verfasser das Wort Fleischbeschauer statt der allein zutreffenden Bezeichnung Trichinenschauer oder, wie Schmidt-Mülheim vorgeschlagen hat, Trichinensucher. Mit Recht ist im Königreich Sachsen die missbräuchliche Anwendung des Wortes Fleischbeschauer auf Trichinenschauer amtlich verboten. Denn dieser Missbrauch ist dazu angethan, in weiteren Kreisen ganz falsche Vorstellungen über die Thätigkeit der Trichinenschauer und das aus dieser Thätigkeit resultirenden Schutzes gegen Gefahren durch Fleischgenuss zu unterhalten.

Kleine Mittheilungen.

— Die Kontrolle der Nahrungs- und Genussmittel in Bayern. Unter diesem Titel ist in München eine Abhandlung von Sendtner erschienen, aus welcher zu entnehmen ist, dass Bayern 3 Untersuchungsstationen für Nahrungs- und Genussmittel in Verbindung mit den Universitäten München, Erlangen und Würzburg, indessen als selbstständige Königliche Institute, besitzt. Die Geschäftsordnung dieser Institute unterscheidet sich von denjenigen der zahlreichen städtischen Anstalten anderer Länder sehr vortheilhaft. In letzteren ist die Untersuchung eine einseitige, weil rein chemische, während in Bayern die Mitwirkung des Bezirksarztes und Bezirksthierarztes vorgesehen ist. Die bisherige Thätigkeit der Münchener Untersuchungsanstalt, welche 1880 von Pettenkofer begründet und 1884 verstaatlicht wurde, zusammengefasst, ergiebt als Frucht der regelmässigen Kontrole, dass die Beanstandungen von 1884—1889 von 35 pCt. auf 17 pCt. zurückgegangen sind, trotzdem die Anstalt den Umfang ihrer Thätigkeit stetig ausdehnt.

— **Verbreitung der Tuberkulose im Königreich Sachsen.** In den öffentlichen Schlachthäusern wurde die Krankheit 1890 festgestellt bei 15,7 pCt. aller geschlachteten Rinder, 0,03 pCt der Kälber, 0,84 pCt. der Schweine und 0,02 pCt. der Schafe. Von den tuberkulösen Rindern wurden wurden 4,2 pCt. gänzlich verworfen, 10,1 pCt der Freibank überwiesen und 85,6 pCt als bankwürdig erklärt.

Den höchsten Prozentsatz an Tuberkulose hatte der Schlachthof zu Frankenberg mit 26,7 pCt. aufzuweisen, hierauf Leipzig mit 22,3 pCt. und Zittau mit 15 pCt.

Nach dem Bericht des Schlachthofes Leipzig, auf welchem die absolute Zahl der tuberkulösen Rinder 4546 und der tuberkulösen Schweine 775 betrug, erstreckte sich daselbst die Erkrankung auf 1 Organ bei 3800 Rindern u. 231 Schweinen, auf die Organe einer Körperhöhle ... „ 203 „ „ ‹ „ auf mehrere Körperhöhlen „ 543 „ „ 537 „ auch auf das Fleisch ... „ 50 , „ 81 „ auch auf das Euter ... „ 23 „ „ 3 „

— **Tuberkulose im Grossherzogthum Baden.** Im II. Vierteljahr 1891 wurden „perlsüchtig" befunden: Kälber 0,008 pCt. der gewerblich geschlachteten und 0,29 pCt. der notgeschlachteten Thiere, Jungrinder 0,39 bezw. 0,78 pCt., Kühe 4,76 bezw. 1,83 pCt., Ochsen 1,24 bezw. 5,62 pCt., Farren 1,29 bezw. 8,7 pCt. Im Ganzen waren mit Ausschluss der Kälber 1,53 pCt. der gewerblich und 10,4 pCt. notgeschlachteten bezw. 2,24 pCt. sämmtlicher geschlachteter Rinder tuberkulös. Von diesen Thieren litten 21,87 pCt. an Tuberkulose mehrerer Körperhöhlen, 8,42 pCt. an allgemeiner Tuberkulose. Ganz vom Verkehr ausgeschlossen wurden 17,99 pCt., als nicht bankwürdig erklärt 41,05 pCt., zum freien Verkehr dagegen konnten zugelassen werden 40,92 pCt. (Thierärztliche Mittheilungen 1891, No. 11).

— **Ueber Mehlzusatz zu den Würsten** sprach Dr. Trillich auf der Versammlung von Nahrungsmittel-Chemikern und Mikroskopikern zu Wien. Einleitend bemerkte T., er habe schon vor mehreren Jahren nachgewiesen, dass auch ohne Wasserzusatz durch die moderne Fabrikation 70—80 pCt. Wasser den Würsten zugeführt werden könne. Ein Wurster habe einmal mit Recht gesagt: „heute wird das Wasser mit der Gabel gegessen". Wenn der Milch 70—80 pCt. Wasser zugemischt werden, so nenne man dieses Verfälschung; bei der Wurst werde dieser Zusatz unbeanstandet gelassen. Trillich hat Grenzzahlen aufstellen wollen, ist aber zu keinem Resultate gekommen, weil gerade die Würste, welche das meiste Wasser enthalten, vom Publikum bevorzugt werden. Er ist überhaupt der Meinung dass eine Grenze nicht gezogen werden und deshalb auch ein Mehlzusatz bis zu 2 pCt. wohl gestattet werden könne.

— **Ueber leuchtende Würste** berichtet uns Herr Bezirksthierarzt Prieser-Bamberg folgendes: Von einer angesehenen Familie wurden von dem ersten Grossmetzgergeschäfte dahier sogenannte Rindfleischwürste gekauft, die aus purem Rindfleisch nebst Pfeffer und Salz ohne Knoblauch bestehen und in Rindsdärme eingefüllt sind. Diese Würste wurden in einer Porzellanschüssel in einem nicht benützten Kochofen mit offener Thür aufbewahrt, zum Theil verspeist und zeigten nach 4 Tagen eine sehr starke Phosphorescenz. — Abends noch wurden von dem erschrockenen Besitzer mir diese Würste zur Untersuchung gebracht, und im dunkeln Zimmer sah ich dieselben hell leuchten. Ich bemerkte einzelne intensiv bläulich-weiss leuchtende Perlen, ca. 20—25 im Ganzen. Obwohl ich die Würste mit einem Tuch trocken rieb, leuchteten dieselben dennoch, und zwar nach dieser Prozedur fast intensiver. Die Würste selbst waren noch ganz frisch, rochen wie frisches Fleisch und wurden auch später ohne alle Folgen mit grossem Appetit von dem Metzger verspeist, der sie, um alle Weiterungen abzuschneiden, bereitwilligst zurücknahm.

— **Einen werthvollen Beitrag zur Biologie des Bacillus enteritidis Gärtner** bringt Lubarsch (Virchow's Archiv Bd. 123): Er stellte als Erreger einer septischen Pneumonie beim Neugeborenen einen Bazillus fest, welcher von dem durch Gärtner bei der Frankenhäuser Vergiftung nachgewiesenen nicht wesentlich abwich. Die infektiöse Wirkung war bei beiden Mikroorganismen dieselbe, dagegen besassen die von Lubarsch gezüchteten Bazillen eine erheblich schwächere toxische Wirkung, als die Frankenhäuser (vergl. auch die Fleischvergiftung in Cotta, 1. Bd. d. Z. S. 150 D. R.). Der Bazillus steht morphologisch einem im Darm vorkommenden, sowie einem bei der Fäulniss sich findenden Mikroorganismus nahe, gegen die Identität spricht ausser anderem aber die Bildung toxischer Produkte. Gärtner sagt indessen in einem Referat über die Arbeit von Lubarsch (Hyg. Rundschau) selbst: „Ob jedoch die Giftbildung allein genügend ist, um als Differenzmerkmal zu dienen, ist sehr fraglich, umsomehr, als sie leicht verschwindet und die Erzeugung toxischer Stoffe nicht nur vom Bazillus, sondern auch vom Substrat abhängt."

— **Milzbrandinfektionen beim Menschen** wurden im Königreich Sachsen 1890 bei 26 Personen, darunter 15 Fleischern und 1 Kurpfuscher, beobachtet. Sämmtliche genasen. Zu bemerken ist, dass von 550 an Milzbrand erkrankten Rindern, 159 nothgeschlachtet worden waren.

(Sächs. Jahresbericht pro 1890).

— **Fleisch-Vergiftung in Hohenstein-Ernstthal.** Nach dem Sächsischen Veterinär-Berichte pro 1890 erkrankten an dem genannten Orte gegen 200 Personen durch den Genuss von Bratwürsten. Die Erscheinungen verschwanden nach 1—3 Tagen; Todesfälle traten nicht ein. Wegen der im Anfang der Erkrankung zu bemerkenden Anschwellung der Augenlider wurde zuerst Trichinosis vermuthet. Die Ursache der Massenerkrankung blieb leider unaufgeklärt.

— **Benzol nach Genuss von trichinösem Schweinefleisch** empfiehlt Dr. Pütter-Stralsund (D. med. Wochenschrift 14/91). P. wurde im Sommer 1890 konsultirt, nachdem auf einem Landgute 27 Personen die gekochten Schinken eines Schweines verzehrt hatten, dessen reichlicher Trichinengehalt erst einige Stunden nach dem Genuss bekannt wurde. Die Gutsherrin und vier Frauen hatten von der rohen Wurstmasse wiederholt gekostet. Von P. wurde am Abend desselben Tages verordnet: Rp. Benzoli 0,5 ad caps. gel. No. 270 D. S. Nach Vorschrift à Person 10 Kapseln zu nehmen. Jeder sollte am nächsten Morgen nüchtern 5 Kapseln nehmen und eine Stunde darauf 1 Theelöffel von Pulv. rad. Rhei u. Pulv. Liquir. comp. aa. Am Nachmittag wieder 5 Kapseln und 1 Theelöffel Abführmittel. Am nächsten Tag weiterer Gebrauch des Abführmittels. Das Benzol wurde durchweg gut vertragen, und alle Personen, welche von dem Schweinefleisch gegessen hatten, blieben gesund.

— **Zur Erkennung abnormer Milch durch Gährproben** liefert W. Koch in der „Deutsch. Molkereizeitung" einen sehr interessanten Beitrag. Die Milch-Gährproben werden in der Weise angestellt, dass die mit Milch gefüllten Glascylinder einer konstanten Temperatur von 40° 12 Stunden lang ausgesetzt werden. Gesunde Milch soll hierbei vollständig ausdicken, und die Rahmoberfläche eher etwas einfallen oder wenigstens sich flach erhalten. In abnormer, zur Käsebereitung untauglicher Milch dagegen beobachtet man Flocken in der Käseschicht, Wölbung der Rahmschicht oder Löcherbildung unterhalb derselben. W. Koch fand bei der Milch einer Kuh, die erst 3 Wochen vorher gekalbt hatte, Lochbildung, bei einer zweiten mit Euterentzündung bereits nach 6 Stunden das Auftreten von Flocken.

— **Herstellung von Phosphat-Milch.** Sagnier hat nach der „Milch-Zeitung" auf der Musterfarm von Gravier in Vichy 8 Kühe gesehen, welche in voller Laktation täglich 2,3—2,5 g Phosphorsäure im Liter (gegenüber der physiologischen Menge von 0,581 g) gaben. Dieses Ergebniss wurde durch besondere Fütterung erzielt und ist wissenschaftlich zweifelsohne interessant, praktisch aber nach unserer Ansicht werthlos, da man solche Phosphatmilch viel leichter durch nachträglichen Zusatz von Phosphaten erzielen kann.

— **Verwendung von Blut zur Herstellung von Conservebrod.** Chardin (Rec. de méd. vét. 1891 No. 21) berichtet aus seinen Versuchen, aus Rinderblut und Mehl Brod herzustellen, dass das Blut unter dem Einflusse der Brodgährung eine wirkliche Verdauung durchmache, durch welche es den spezifischen Geschmack vollkommen verliere und leichter assimilirbar werde. 5 Jahre habe sich das Brod gehalten und sei dann von Pferden, Kaninchen und Schafen ohne weiteres gefressen worden. Chardin zieht aus seinen Versuchen den Schluss, dass es auf die bezeichnete Weise sehr gut möglich sei, das Blut der Schlachtthiere zu verwerthen, nicht blos als Futtermittel für unsere Hausthiere, sondern auch im Nothfalle für Menschen.

Tagesgeschichte.

— **Oeffentliche Schlachthäuser.** Die Errichtung von Schlachthäusern wurde beschlossen in Tuchel, Nauen und Mohrungen. In Annaberg soll ein neues Schlachthaus gebaut werden. Im Bau begriffen ist der Schlachthof zu Dessau. Eröffnet wurden die Schlachthäuser zu Löbau, Ludwigslust, Tarnowitz, Marggrabowa, Schweidnitz und Freiburg i. Schl.

— **Freibänke** wurden eingerichtet in Schweidnitz, Myslowitz, Gotha und Stolp. Beschlossen wurde die Einführung einer Freibank in Liegnitz und trotz der antagonistischen Bemühungen nunmehr auch in Erfurt.

— **Zur Errichtung einer Freibank in Hannover.** In Hannover wurden Berathungen über die Errichtung einer Freibank gepflogen. Hierbei ist von gegnerischer Seite der Versuch gemacht worden, gegen das Projekt mit dem Hinweise auf Berlin zu agitiren. Mit Bezug hierauf sei aber daran erinnert, dass Dr. Hertwig, der Direktor der städt. Fleischschau in Berlin, zu wiederholten Malen öffentlich erklärt hat, dass er durchaus kein Gegner des Freibankprinzips sei, sondern nur die Einführung einer Freibank nach dem Muster kleiner Städte in Berlin nicht für zulässig erachte, weil eine Kontrolle über den Verbleib des Fleisches unmöglich sei. Bekanntlich ist in Berlin der freibankmässige Verkauf gekochten finnigen Rind- und Schweinefleisches schon länger als ein Jahr eingeführt, und diese Einrichtung soll in allernächster Zeit dahin erweitert werden, dass alles vom freien Verkehr auszuschliessende, aber an und für sich unschädliche oder durch Kochen bezw. Dampfdesinfektion unschädlich gemachte Fleisch in derselben Art und Weise dem Konsum zugänglich gemacht wird.

— **Ortspolizeiliche Verfügungen.** In Oderberg und Schleusingen wurde obligatorische Fleischbeschau eingeführt. — Die Polizeiverwaltung in Stolp erliess unter dem 10. Oktober 1891 eine Verordnung, betr. den Verkehr mit Rossfleisch und Rossfleischwaaren. Eine denselben Gegenstand betreffende Verordnung tritt mit dem 1. Januar 1892 in Danzig in Kraft.

— **Zum Schlacht- und Viehhofdirektor in Halle a. S.** wurde Thierarzt Goltz, der derzeitige Direktor des Schlachthofes zu Naumburg, gewählt. Im Ganzen waren über 70 Bewerbungen, darunter auch von Verwaltungsbeamten und Offizieren a. D., eingelaufen. Es ist sehr erfreulich, dass die Hallenser Direktorstelle einem Thierarzte, und dazu einem im selbstständigen Fleischschaudienste schon lange mit grossem Erfolg thätigen, übertragen wurde. — In Mannheim wird eine ähnliche Stelle, wie in Halle eingerichtet; der Anfangsgehalt beträgt 5000 Mark, ev. mit freier Wohnung, Heizung und Licht.

— **Dem auf dem Berliner Zentralschlachthofe aufgestellten Fleisch-Desinfektor** galt kürzlich ein Besuch des Preussischen Kultusministers, Herrn von Zedlitz-Trützschler. In seiner Begleitung befanden sich der Vorsteher des hygienischen Instituts, Prof. Rubner, sowie die vortragenden Räthe für das Medizinalwesen im Kultusministerium, Dr. Schönfeld u. Dr. Pistor. — Wie verlautet, soll auch in Hannover ein Rohrbeck'scher Desinfektor eingeführt werden. Aus Kolberg (Schlesien) wird gemeldet, dass das dort eingeführte Verfahren, das nichtbankwürdige Fleisch in gekochtem Zustande zu verkaufen, sich sehr gut bewähre. Das gekochte Fleisch finde gute Abnahme.

— **Prüfung für Nahrungsmittelchemiker.** Im Kaiserlichen Gesundheitsamt ist ein Entwurf ausgearbeitet worden, welcher den Bundesstaaten als Grundlage für die Prüfung dienen soll.

— **In Betreff der Belohnung der empirischen Fleischbeschauer** hat das Bezirksamt II in München allen Gemeinden, in denen die Fleischbeschauer bisher entweder gar keine Entlohnung erhielten oder auf Naturalbezüge, bezw. Gratifikationen' seitens der Thiereigenthümer angewiesen waren, den sehr beachtenswerthen Auftrag ertheilt, entweder den Fleischbeschauern aus der Gemeindekasse ein Jahresfixum in angemessener Höhe auszuwerfen und in den Gemeindeetat einzustellen oder für Inanspruchnahme des Instituts der örtlichen Fleischbeschau Gebühren festzusetzen, ferner da die Fleischbeschau den Betheiligten auf Grund gesetzlicher und oberpolizeilicher Bestimmungen zur Zwangspflicht gemacht ist, die Genehmigung des Bezirksamts einzuholen.

— **Trichinosis** wurde, nach der „Allg. Fl. Z.", bei 4 Soldaten der Garnison Soldau festgestellt. Dieselben hatten rohes, zur Herstellung von Klopsen zubereitetes Fleisch von einem amtlich untersuchten Schweine genossen. — Ausserdem wird über die Erkrankung mehrerer Personen aus Zeitlofs in Unterfranken berichtet.

— **Ein Fall von Botulismus.** Ein Ehepaar in Oldenbüttel, welches sich in letzter Zeit ausschliesslich von Kaffee, Brot und Würsten, den jetzten der vorjährigen Hausschlachtung ernährt hatte, erkrankte nach der „Allg. Fl.-Z." plötzlich und starb wenige Tage darauf. Von dem behandelnden Arzte wurde die Diagnose „Botulismus" gestellt. Derselbe fand die zuletzt im Gebrauche gewesene, angeschnittene Wurst auf der Schnittfläche schmierig und überriechend und die Wursthülle stark mit Schimmelpilzen besetzt.

— **Wegen rechtswidriger Zueignung trichinösen Fleisches** wurde von der Strafkammer in Gnesen der Schlächtergeselle Franz Schlaps zu 1 Jahr 6 Monate Zuchthaus und der Mitangeklagte M. Jankiewicz zu 6 Monaten Gefängnis verurtheilt.

— **Schlachtvieheinfuhr.** Aus Oesterreich-Ungarn wurden im Oktober 1891 in 43 deutsche Schlachthäuser 10378 und aus Russland in demselben Monat nach Beuthen und Myslowitz 5425 Schweine eingeführt. An Rindern dagegen aus Oesterreich-Ungarn nur 40 Stück zur Einfuhr. Neuerdings dürfen russische Schweine ausser nach Beuthen und Myslowitz auch nach Tarnowitz eingeführt werden.

— **Schlachtviehversicherungswesen.** In Neisse wurde nach dem Muster der in Liegnitz bestehenden Einrichtung eine Schlachtvieh-Versicherung gegründet. Die Versicherungsprämien betragen für Rinder von 200 ℳ. Werth 5 ℳ., von 200—300 ℳ. 6 ℳ., von 300 und darüber 8 ℳ., für Schweine ohne Unterschied 1 ℳ.— In Frankfurt a. O. besteht eine Schlachtviehversicherung seit 1. Dezember v. J.

— **Der Kafill-Desinfector.** Unter diesem Titel beschreibt in einer jüngst bei Julius Springer in Berlin erschienenen Broschüre Ingenieur Henneberg den von de la Croix in Antwerpen konstruirten und nunmehr auch in Deutschland patentirten Apparat zum Sterilisiren und Ausrocknen von Thierleichen, Fleischabfüllen u. s. w. unter Gewinnung von Fett, Leim und Dungpulver

Auf den Inhalt der Broschüre werden wir im nächsten Hefte zurückkommen.

— **Die Mindener Tuberkuloseverfügung.** Die letzte Generalversammlung des Vereins Rheinpreussischer Thierärzte nahm nach einem eingehenden Referat von Bongartz-Bonn folgende Resolution an:

„Die Generalversammlung Rheinpreussischer Thierärzte befürchtet, falls der Ministerial-Erlass an die Regierung zu Minden etc. zur allgemeinen Nachachtung gelangen sollte, eine schwere Schädigung der Landwirthschaft und Viehzucht, die um so härter empfunden werden würde, als weder die Erfahrungen auf dem Gebiete der Fleischbeschau noch die Ergebnisse wissenschaftlicher Versuche bezüglich der Uebertragbarkeit der Tuberkulose eine eingehende Aenderung der bestehenden Verhältnisse dringend erfordern."

— **Die Frage der Nachuntersuchung des amerikanischen Schweinefleisches** beschäftigt unausgesetzt die politische, die Fleischer- und einen Theil der wissenschaftlichen Presse. Die unmittelbare Veranlassung hierzu hat ausser den Trichinenfunden in neuerdings eingeführtem amerikanischen Schweinefleisch (in Düsseldorf, Krefeld, Emmerich Leipzig, Stettin und Elberfeld) hauptsächlich ein Aufsatz von Prof. C. Fränkel-Marburg in der „Frankfurter Zeitung" gegeben. Fränkel betonte die geringe Gefährlichkeit der in amerikanischen Importwaaren enthaltenen Trichinen und empfahl als bestes Mittel zur Vermeidung der Trichinosis gründliches Kochen und Braten des Fleisches. Diesen Ausführungen gegenüber wies Direktor Hertwig-Berlin (allg. Fl. Z.) darauf hin, dass in amerikanischem Schweinefleisch bei der Nachuntersuchung in Deutschland wiederholt lebende Trichinen festgestellt worden seien. Namentlich fänden sich lebensfähige Parasiten in der Tiefe der Fleischwaaren. Das Kochen und Braten ferner gewähre insolange keinen sicheren Schutz, als das Fleisch mehr nach dem Geschmacke der Konsumenten, als nach dem Thermometer zubereitet werde. Die nachträgliche Untersuchung des amerikanischen Schweinefleisches sei daher unerlässlich. In ähnlichem Sinne sprach sich Duncker-Berlin (Deutsche Fl.-Z.) aus. Duncker hob namentlich hervor, dass es nicht blos ihm, sondern auch anderen Untersuchern in Dresden und Hamburg gelungen sei, durch Verfütterung amerikanischen Schweinefleisches an Kaninchen deren Fortpflanzungsfähigkeit zu beweisen. Die „Deutsche Fleischerzeitung" macht schliesslich ganz zutreffend geltend, dass der § 367 des deutschen Strafgesetzbuches den Verkauf trichinenhaltigen Fleisches

schlechtweg verbiete, und dass es daher für den Verkehr ganz irrelevant sei, ob das amerikanische Schweinefleisch Trichinen im lebenden oder abgestorbenen Zustande beherberge. Ausserdem weist gen. Zeitung darauf hin, dass der amerikanische Speck auch zur Herstellung von Mett- und Cervelatwurst, welche bekanntlich ungekocht genossen werden, Verwendung finde.

In Duisburg hat der Oberbürgermeister bekannt gemacht, dass die Polizeiverwaltung befugt und verpflichtet sei, die nochmalige Untersuchung sämmtlichen ausserdeutschen Schweinefleisches zu verlangen, und in Stettin ordnete der Polizeidirektor trotz des Protestes der Kaufmannschaft die Nachuntersuchung sämmtlichen aus Amerika eingeführten Fleisches an mit Bezug auf die Verordnung des Reg.-Präsidenten vom 27. 12. 87, nach welcher alles Schweinefleisch, welches in Stettin verkauft wird, vorher von einem amtlichen Trichinenschauer untersucht werden muss.

Personalien.

Schlachthofdirektor Goltz in Naumburg wurde zum Direktor des Vieh- und Schlachthofes in Halle a. S. erwählt, Thierarzt Beyer zum Schlachthofthierarzt in Liegnitz, Rossarzt a. D. Ott zum Schlachthofinspektor in Löbau, Thierarzt Franz zum 2. Schlachthofthierarzt in Lübeck, Thierarzt Köhler, bisher Hilfsthierarzt am Schlachthofe zu Leipzig, zum Schlachthof-Thierarzt in Bautzen, Schlachthausthierarzt Lund von Lübeck als Schlachthaus-Inspektor nach Wismar, Rossarzt a. D. Dlugay von Oels als Schlachthof-Thierarzt nach Beuthen (Oberschlesien) und Thierarzt Stöcker zum Schlachthofinspektor in Lüben.

Vakanzen.

Ibbenbüren, Römhild, Sorau, Krefeld, Ballenstedt, Spandau. (Nähere Angaben hierüber siehe in Heft 1—3.)

Mannheim: Direktor des Schlacht- und Viehhofes. Anfangsgehalt 5000 M., ev. freie Wohnung, Licht und Heizung. Bewerbungen an den Oberbürgermeister.

Eisenach: Schlachthof-Verwalter (1800 M. nebst freier Wohnung und Feuerung). Bewerbungen bei Chr. Salzmann.

Ratibor: Schlachthaus-Thierarzt zum 1. März 1892 (Gehalt 2640, steigend von 5 zu 5 Jahren um 200, bis 3240 M. Keine Privatpraxis). Bewerbungen beim Magistrat.

Guhrau: Schlachthaus-Inspektor (1200 M., freie Wohnung und Heizung. Privatpraxis bedingungsweise) Bewerbungen an den Magistrat.

Besetzt: Bautzen, Lübeck, Wismar u. Beuthen.

Verantwortlicher Redakteur (excl. Inseratentheil): Dr. Ostertag. — Verlag und Eigenthum von Richard Schoetz in Berlin. Druck von W. Büxenstein, Berlin

Zeitschrift

für

Fleisch- und Milchhygiene.

| Zweiter Jahrgang. | Februar 1892. | Heft 5. |

Original-Abhandlungen.

(Nachdruck verboten.)

Ueber das Nahrungsmittelgesetz und den § 367 des Strafgesetzbuches.

Von

Prof. Dr. Ostertag.

Für jeden Sachverständigen ist es eine ausgemachte Thatsache, dass ohne Freibank oder freibankähnliche Einrichtung eine befriedigende Regelung des Fleischverkehrs n i c h t möglich ist. Nun fehlt aber bekanntlich in den reichsgesetzlichen Bestimmungen für den Verkehr mit Fleisch die ausdrückliche Anweisung, dass man ausser m a r k t g ä n g i g e r, nicht zu beanstandender, und g e s u n d h e i t s g e f ä h r l i c h e r, dem Verkehr durchaus zu entziehender Waare auch noch solches Fleisch zu unterscheiden habe, welches, ohne gesundheitsschädlich zu sein, in Folge gewisser Abweichungen von der Norm bestimmten V e r k e h r s b e s c h r ä n k u n g e n (Verkauf auf der Freibank) zu unterwerfen sei. Das Fehlen dieser ausdrücklichen Bestimmung wird mit Recht als ein erheblicher Mangel unseres Nahrungsmittelgesetzes bezeichnet. Das Italienische Reglement für den inneren Verkehr, betr. die sanitäre Ueberwachung der Nahrungsmittel, Getränke u. s. w. vom 3. August 1890 ist in dieser Hinsicht dem deutschen Gesetze weit überlegen. Denn es verfügt in nicht misszuverstehender Weise die Verwerthung nichtschädlichen, aber von kranken Thieren stammenden Fleisches auf der F r e i b a n k (vergl. d. Zeitschr., 1. Jahrgang, Seite 183).

Wenn nun auch im deutschen Nahrungsmittelgesetze das Freibankprinzip nicht klipp und klar zum Ausdruck gebracht ist, so haben wir doch in § 10, Absatz 2 desselben eine Handhabe zur befriedigenden Regulirung des Verkehres mit Fleisch, welches, trotzdem es gesundheitsgefährliche Eigenschaften nicht besitzt, dem f r e i e n Verkehr nicht übergeben werden darf. § 10, Absatz 2 besagt, wie hier zum Ueberfluss wörtlich angeführt werden soll:

„Mit Gefängniss bis zu 6 Monaten und mit Geldstrafe bis 1500 Mark oder mit einer dieser Strafen wird bestraft

1. wer . . . . .

2. wer wesentlich Nahrungs- oder Genussmittel, welche verdorben oder nachgemacht oder verfälscht sind, u n t e r V e r s c h w e i g u n g d i e s e s U m s t a n d e s verkauft oder u n t e r e i n e r z u r T ä u s c h u n g g e e i g n e t e n B e z e i c h n u n g feilhält".

Mit Rücksicht auf diese Fassung des § 10² des Nahrungsmittelgesetzes habe ich (vergl. ds. Zeitschr. 1. Jahrg. S. 37/41) den Vorschlag gemacht, dasjenige Fleisch, welches dem freien Verkehr entzogen werden muss, zum bedingten Verkaufe auf der Freibank aber zugelassen werden kann, als „v e r d o r b e n i m S i n n e d e s N a h r u n g s m i t t e l g e s e t z e s" zu bezeichnen. Gleichzeitig versuchte ich, diesen Begriff unter Zugrundelegung der hierauf bezüglichen Reichsgerichtsentscheidungen so zu definiren, dass er den wissenschaftlichen Grundsätzen der Fleischbeschau und den Interessen eines reellen Marktverkehrs mit Fleisch möglicht entspreche. Die Definition lautete:

„Verdorben im Sinne des Nahrungsmittelgesetzes ist alles Fleisch, welches, ohne gesundheitsschädlich zu sein,

a) objektiv Veränderungen seiner Substanz zeigt, oder

b) von Thieren stammt, welche mit einer erheblichen äusseren oder inneren Krankheit behaftet waren".

An dieser Stelle will ich nur das Eine wiederholen, dass das Wort „verdorben im Sinne des N.-M.-G." allen übrigen als Ersatz gebräuchlichen Bezeichnungen (nichtbankwürdig, fehlerhaft, ekelerregend, minderwerthig u. s. w.) schon um dessetwillen vorgezogen zu werden verdient, weil es ein legaler Begriff ist, bezüglich dessen genaue Vorschriften gegeben sind. Mit Genugthuung kann ich konstatiren, dass mein Vorschlag mannigfache Beachtung gefunden hat, zuletzt in der vom zuständigen Regierungs-Präsidenten genehmigten Freibankverordnung für die Stadt Stolp i. P. Letzgenannte Verordnung enthält den Hinweis, dass auf der Freibank dasjenige zum Verkauf kommen werde, welches als „verdorben im Sinne des Gesetzes, betr. den Verkehr mit Nahrungsmitteln, Genussmitteln u. s. w., vom 14. Mai 1879" angesehen werden müsse.

Es hat aber auch nicht an vereinzelten Stimmen gefehlt, welche sich gegen den von mir vorgeschlagenen Gebrauch des Wortes „verdorben im Sinne. des N.-M.-G." ausgesprochen haben. So hat Schwarz*) gesagt, nach seiner Ansicht werde das Wort „verdorben" schwer Eingang finden, weil es dem Laienpublikum gegenüber zu Missverständnissen Veranlassung gebe, da nur wenige darüber orientirt seien, dass das im Sinne des Nahrungsmittelgesetzes verdorbene Fleisch nur verdorben heisse, keineswegs aber verdorben sei. Die Haltlosigkeit dieses Bedenkens habe ich a. a. O. zurückgewiesen. Haselbach hob hervor, dass bei der Bezeichnung eines Nahrungsmittels als eines „verdorbenen" nicht nur § 10² des N. M. G. sondern auch § 367⁷ des Strafgesetzbuches in Betracht käme, welcher den Verkauf „verdorbener" Nahrungsmittel schlechtweg

verbiete. Dasselbe machte neuerdings Bleisch*) geltend, indem er ausführte, dass der § 367⁷ des Str. G. B. durch das N. M. G. durchaus nicht aufgehoben sei, und deshalb die Feilhaltung und der Verkauf verfälschter und verdorbener Esswaaren nach wie vor unter allen Umständen strafbar bleibe. Nur die „nachgemachten" Fleischwaaren dürften unter Deklaration verkauft werden.

Diesen abweichenden Ansichten gegenüber hat Schilling-Oppeln**) darauf hingewiesen, dass nach seiner Ansicht der Begriff des „Verdorbenseins" im Strafgesetzbuche ein anderer sei, als im Nahrungsmittelgesetze, bezw. dass die Verschiedenheit der Begriffe, wenngleich sie beim Erlassse des letzteren Gesetzes noch nicht vorhanden war, im Laufe der Jahre sich entwickelt habe. Er wünscht die Anerkennung dieses Satzes oder die Abschaffung des § 367⁷ des Strafgesetzbuches. Schilling will gleich mir solches Fleisch auf die Freibank gebracht wissen, welches im Sinne der Reichsgerichtsentscheidungen über den § 10 des N.-M.-G. als verdorben zu bezeichnen sei, glaubt aber, dass selbst für Freibänke mit dieser Bestimmung zur Zeit die gesetzliche Berechtigung fehle, da sich nach § 367⁷ des Str. G. B. auch derjenige strafbar mache, welcher verdorbenes Fleisch unter Nennung der Beschaffenheit feilhalte.

Zu diesen Ausführungen von Haselbach, Bleisch und Schilling möchte ich mir folgende Bemerkungen erlauben:

Es kann nicht der geringste Zweifel obwalten, dass durch das Nahrungsmittelgesetz der mehrfach erwähnte § 367⁷ nicht aufgehoben ist; denn hierüber sprechen sich die Reichsgerichtsentscheidungen vom 11. Febr. 1882, 9. Mai 1882 und vom 18. Juni 1885 ganz klar aus. Mit meinem verehrten Freunde Schilling aber kann ich mich vollständig einverstanden erklären, wenn er eine Streichung des § 367⁷ des Str. G. B. befürwortet.

---

*) Dies. Zeitschr. I. S. 97.
**) Dies. Zeitschr. l. S. 139.

*) Archiv f. wiss. u. prakt. Thierheilkunde, XVII. Bd., H. 4/6.
**) Berl. Thierärztl. Wochenschr. 1892, No. 2.

Denn dieser Paragraph ist nach der jetzt gang und gäben Anwendung des Nahrungsmittelgesetzes mindestens überflüssig geworden. Andererseits aber muss ich betonen, dass auch das Fortbestehen des § 367⁷ des Strafgesetzbuches dem Gebrauche des Wortes „verdorben" unter der von mir betonten Einschränkung „im Sinne des Nahrungsmittelgesetzes durchaus nicht im Wege steht.

Meyer und Finkelnburg*) sagen zwar: „Der Begriff „verdorben" findet sich bereits (nach dem Vorgange des Preuss. Str. G. B. § 345 No. 5) in § 367 No. 7 des R. Str. G. B. Die Einschaltung des Beispiels: Trichinenhaltiges Fleisch, (welches im § 345 No. 5 des Preuss. Str. G. B. fehlte) ist für die Präzisirung des Begriffes „verdorben" von Bedeutung, da nicht anzunehmen ist, dass das neue Gesetz von einem andern Begriff des Verdorbenseins hat ausgehen wollen, als das R. Str. G. B." Diese Ansicht kann aber als eine berechtigte nicht angesehen werden, und zwar aus folgenden wissenschaftlichen Gründen. § 367⁷ des Str. G. B. begreift unter „verdorbenem" Fleische auch gesundheitschädliches, wenn er lautet:

„Mit Geldstrafe bis zu 150 Mk. oder mit Haft wird bestraft, wer verfälschte oder verdorbene Getränke oder Esswaaren, insbesondere trichinenhaltiges Fleisch feilhält oder verkauft." Denn trichinenhaltiges Fleisch ist gesundheitschädlich.

In schroffem Gegensatz hierzu macht das Nahrungsmittelgesetz einen fundamentalen Unterschied zwischen „verdorbenem" und gesundheitschädlichem Fleische. Nach Massgabe des letzteren Gesetzes wird der Verkäufer „verdorbenen" Fleisches nur dann bestraft, wenn er die verdorbene Beschaffenheit verschweigt. Das Höchstmass der Strafe beträgt 6 Monate Gefängniss und 1500 Mk. Geldstrafe. Bei gesundheitschädlichem Fleische hingegen

*) Das Gesetz, betreffend den Verkehr mit Nahrungsmitteln u. s. w. 1885.

ist jegliches Inverkehrbringen, selbst das Verschenken an Andere und der Verbrauch in der eigenen Wirthschaft untersagt, und Kontravenienten werden mindestens mit Gefängniss, unter Umständen aber mit Zuchthaus bestraft. Ja es tritt sogar, wenn durch die Handlung der Tod eines Menschen verursacht worden ist, Zuchthausstrafe nicht unter 10 Jahren oder lebenslängliche Zuchthausstrafe ein.*)

Aus dieser strengen Unterscheidung der Begriffe „verdorben" und „gesundheitschädlich" im Nahrungsmittelgesetze ergiebt sich ohne jeglichen Kommentar, dass der erstere nicht mit dem „verdorben" im § 367⁷ konfundirt werden darf.

Allen Missverständnissen aber brechen wir die Spitze ab, wenn wir, wie ich dieses vorgeschlagen habe, nicht von „verdorben" schlechtweg, sondern nur von „verdorben im Sinne des Nahrungsmittelgesetzes" sprechen. Hierzu sind wir umsomehr berechtigt, als die Mehrzahl der in Frage kommenden Reichsgerichtsentscheidungen bei ihren Begriffserklärungen sich ebenfalls dieses Zusatzes bediente. Durch Betonung dieses Zusatzes entziehen wir dem Strafrichter die Gelegenheit, auf den § 367⁷ des Strafgesetzbuches zurückzukommen und schaffen nach meiner Ansicht eine gesetzlich unanfechtbare Basis für die Errichtung von Freibänken oder freibankähnlichen Einrichtungen.

*) Zuchthausstrafe wurde gerade wegen Inverkehrbringens trichinösen Fleisches, welches nach § 367⁷ mit dem „verdorbenen" im Sinne jenes Gesetzes auf eine und dieselbe Stufe gestellt wird, schon öfter verhängt. So z. B. verurtheilte das Schwurgericht zu Oels die Beyerschen Eheleute aus Kleinschönwald bei Festenberg zu je 15 Jahren Zuchthaus, 10 Jahren Ehrverlust und Stellung unter Polizeiaufsicht, weil sie wissentlich trichinenhaltiges Fleisch in den Verkehr gebracht und dadurch den Tod von 6 Menschen verursacht hatten.

Ueber das Verfahren bei der Untersuchung und Beanstandung der Schlachtthiere.*)

von

Fischöder-Bromberg,

Schlachthausdirektor.

Eine der vornehmsten Pflichten der thierärztlichen Thätigkeit ist die Ausübung der Fleischbeschau. Es handelt sich hierbei nicht nur um den Schutz der menschlichen Gesundheit, sondern auch um die Erhaltung des Nationalvermögens. Bei der grossen Wichtigkeit dieser Frage muss man sich eigentlich wundern, wie wenig, namentlich in Preussen, in dieser Angelegenheit geschehen ist. Während in den anderen Bundesstaaten seit längerer oder kürzerer Zeit darüber besondere Vorschriften erlassen sind, ist in Preussen nur die Trichinenschau geregelt; ausserdem bestehen mehrere Ministerialerlasse in Betreff der Behandlung der tuberkulösen Rinder, über die Behandlung finniger Thiere und trichinöser Schweine.

Das Gesetz vom 18. 3. 68. und 9. 3. 81. ermächtigt diejenigen Gemeinden, welche sich im Besitze eines öffentlichen Schlachthauses befinden, die Schlachtthiere vor und nach dem Schlachten einer Untersuchung durch Sachverständige unterziehen zu lassen. Schliesslich giebt das Nahrungsmittelgesetz vom 14. 5. 79. und der §. 367 des Strafgesetzbuches durch Strafandrohungen Anhaltspunkte zur Regelung des Verkehrs mit Fleisch.

Dass aber diese vereinzelten Bestimmungen nicht ausreichend sind, dass vielmehr eine einheitliche Regelung durch ausführende Bestimmungen erforderlich ist, sieht man daran, dass leider nur

---

*) Ueber obiges Thema hat Herr Kollege Fischöder, welcher in Bromberg ein Musterschlachthaus in sanitätspolizeilicher Hinsicht eingerichtet hat, in der XXII. Generalversammlung des thierärztlichen Provinzialvereins für Posen einen Vortrag gehalten. Wenn dieser Vortrag auch, wie Herr F. selbst angiebt, die Elemente der Fleischbeschau behandelt, dürfte die Wiedergabe desselben doch, namentlich den jüngeren Herren Kollegen, hochwillkommen sein. Ostertag.

---

zu oft Erkrankungen in Folge von Fleischgenuss vorkommen.

Es wäre aber zu weit gehend, wollte man diesem Umstande allein die ganze Schuld in die Schuhe schieben. Ein Einblick in die verschiedenen Fleischschauberichte beweist zur Genüge, dass an verschiedenen Orten, in denen öffentliche Schlachthäuser sich befinden, die Fleischbeschau ganz verschieden ausgeführt wird. Es giebt sogar in unserer Provinz Schlachthäuser, in denen im ganzen Jahre nicht ein einziges Organ, geschweige denn ein ganzes Thier beanstandet wird, während in anderen Schlachthäusern die Zahl der Beanstandungen eine enorm hohe ist.

Im öffentlichen Schlachthause zu Bromberg wurden z. B. 7,07 pCt. aller geschlachteten Thiere entweder ganz oder theilweise beanstandet, 46,25 pCt. aller geschlachteten Rinder und 62,69 pCt. aller Kühe. Von den geschlachteten Kühen waren 36,02 pCt. mit Tuberkulose behaftet.

Die grossen Differenzen können nur in der Verschiedenheit des Untersuchungsverfahrens ihren Grund haben, und es ist daher durchaus erforderlich, dass für die Vorbildung der Sanitätsthierärzte auf den Hochschulen mehr gethan wird, als bisher. Dies ist auch an massgebender Stelle erkannt worden, und wir können mit voller Zuversicht in die Zukunft blicken.

Während des klinischen Studiums wird den Praktikanten eine genaue Anweisung über die Art und Weise der Untersuchung zur Feststellung der Diagnose zu Lebzeiten gegeben, und darnach können dann die Thierärzte in der Praxis verfahren.

Für die beamteten Thierärzte besteht in der Anlage B. der Ausführungsbestimmungen zum Viehseuchengesetze eine genaue Anweisung für das Obduktionsverfahren, so dass diese Herren an der Hand dieser Anweisung sowie der während ihres Studiums erworbenen Kenntnisse in der Sektionstechnik und der pathologischen Anatomie zur Feststellung der Diagnose gelangen können.

Etwas derartiges giebt es für den

Sanitätsthierarzt nicht, ja es wird oft die Meinung verbreitet, dass man bei einem Schlachtthiere dessen Fähigkeit zum menschlichen Genusse sogar per distance feststellen könne. Aber grade hier ist es durchaus nothwendig, dass der Sachverständige mit dem Messer in der Hand nach einem bestimmten Modus sich von der Beschaffenheit des Untersuchungsobjekts überzeugt. Ich will hier nur an die Tuberkulose (in den Bronchialdrüsen) an die Finnen (im geringen Grade) bei Schweinen und besonders bei Rindern erinnern, deren Feststellung nur mit Hülfe des Messers erfolgen kann. Schon das Nahrungsmittelgesetz mit seinen harten Strafen mahnt den Sachverständigen zur genauesten Untersuchung.

Ich will versuchen hier in kurzen Zügen einige Andeutungen über den Untersuchungsmodus zu machen. Es kann dies selbstverständlich keine genaue Darstellung werden, denn diese ist nur am Objekte selbst möglich. Ausserdem werden die Grundregeln der pathologisch-anatomischen Untersuchungsweise nicht besonders erwähnt werden; diese werden als bekannt vorausgesetzt. Es sollen hier vielmehr nur diejenigen Handgriffe kurz besprochen werden, welche bei jedem Schlachtthiere unter allen Umständen anzuwenden sind.

Die Hauptrolle bei der Untersuchung der Schlachtthiere spielen die Eingeweide. Sind an ihnen patholog. Zustände nicht vorhanden, so ist auch das Fleisch für gewöhnlich zum menschlichen Genusse geeignet.

Von der Vornahme einer regelrechten Obduktion, wie sie bei der Feststellung von Seuchen für gewöhnlich angewandt wird, müssen wir bei der Untersuchung für sanitäre Zwecke in den meisten Fällen absehen. Wir bekommen nur das ausgeschlachtete Thier und die einzelnen Eingeweide zur Untersuchung. Es ist praktisch unausführbar, dass der Sachverständige stets bei der Eröffnung der Körperhöhlen und der Herausnahme der Eingeweide selbst thätig ist. Es ist aber erforderlich solche Einrichtungen zu treffen, dass eine Verwechselung der Eingeweide nicht vorkommt, und dass der Sachverständige sofort hinzugerufen wird, wenn beim Ausweiden Abnormitäten bemerkt werden. Auf Grund der zu Lebzeiten vorgenommenen Untersuchung ist es aber oft durchaus unerlässlich, die ganze Sektion selbst auszuführen.

A. Untersuchung der Rinder.
Lunge und Herz.

Bei der Lunge ist die Farbe, der Ausdehnungszustand und die Beschaffenheit der Pleura (Tuberkulose) zu beachten. Dann ist sie gründlich durchzufühlen, ob Verhärtungen, Knoten, Ecchinococcen u. s. w. darin enthalten sind. Mit dem Messer verschafft man sich dann weitere Kenntnisse von dem Zustande derselben.

Unter allen Umständen sind aber die Lymphdrüsen anzuschneiden, weil diese das feinste Reagens auf Tuberkulose sind. Verschiedene Krankheitsprozesse, z. B. verkalkte Ecchinococcen, namentlich den Ecchinococcus multilocularis kann man abgesehen von anderen Merkmalen (Ostertag, Zeitschr. f. Fleisch u. Milch-Hyg. 1890, pag. 119), nur durch die Untersuchung der Lymphdrüsen von der Tuberculose unterscheiden.

Die Unterscheidung ist aber für die Fleischbeschau wesentlich, namentlich mit Rücksicht auf die neueste Ministerialverfügung, betr. die Behandlung der mit Perlsucht behafteten Schlachtthiere. Das Auffinden der Drüsen lässt sich besser am Objekte zeigen, daher muss hier davon Abstand genommen werden.

Der Herzbeutel ist oft Sitz von Neubildungen (Sarkomen) und umgiebt dann panzerartig das Herz, mit dem er öfter auch vollständig verwachsen ist.

Bei der traumatischen Pericarditis ist die Art und der Grad der vorhandenen Prozesse für die Fleischbeschau wesentlich (septische Prozesse mit Allgemeininfektion).

In das Herz sind stets nach der allgemeinen Untersuchung Einschnitte*) zu machen, weil die Rinderfinne, welche hier auch ihren Sitz hat, an frischer Luft leicht unkenntlich wird. (Zeitschr. f. Fl. u. M. Hyg. 1890 pag. 29).

Leber.

Die Portaldrüsen sind stets mit dem Messer zu untersuchen (Tuberkulose), ebenso sind einige Schnitte in das Parenchym zu machen. Verdickte Gallengänge, Incrustationen, Verhärtungen erregen den Verdacht auf Leberegel, die dann durch Pressen auf der Schnittfläche zum Vorschein kommen. Frische und abgekapselte Eiterherde, wie sie z. B. nach dem Verschlucken von Fremdkörpern vorkommen, sind nicht mit Tuberkulose zu verwechseln. Auch in den Bändern der Leber kommen solche Herde vor und verursachen durch Aufbrechen Bauchfellentzündung mit Allgemeininfektion.

Die Milz ist durch Abtasten und Schnitte zu untersuchen.**) Bei Tuberkulose ist zu beachten, ob die Herde vom serösen Ueberzuge herrühren, oder auf dem Wege der Metastase entstanden sind. (Wichtig bei der Beurtheilung der Tub.)

Beim Magen und Darm ist der seröse Ueberzug, die Wandung und die Schleimhaut einer genauen Prüfung zu unterziehen (Petechien, Sugillationen). Tuberkulöse Herde, Narben, Parasiten u. a. d. Strongylus convolutus Ostertag sind für die Fleischbeschau von Bedeutung, wenn Abmagerung dabei besteht. Der vierte Magen und Mastdarm sind oft Sitz von Sarkomen***).

Die Gekrösdrüsen sind in allen Fällen abzutasten und mit dem Messer einzuschneiden.

Die Gebärmutter ist ebenso zu untersuchen wie der Darm, dabei ist auf Serosentuberkulose, tuberkulöse Infiltration,

acute und chronische Entzündungen, sowie auf Neubildungen zu achten.

Am Kopfe ist die Zunge herauszunehmen. Zur Untersuchung müssen gelangen Lippen und Zunge (Maul- und Klauenseuche) Kieferknochen und Zunge (Actinomykose), die Submaxillar- und alle Schlundkopfdrüsen (Tuberkulose). Jedes Mal ist der innere Kaumuskel als Lieblingsstelle der Rinderfinne durch Anlegen von Schnitten zu untersuchen*).

Nachdem die Eingeweide in dieser Weise untersucht worden sind, wendet man sich dem „Fleische" zu und zwar zunächst mit der allgemeinen Besichtigung. Hier kommt der Nährzustand in Frage, der bei der Beurtheilung sehr wesentlich ist. (Tuberculose, parasitäre Krankheiten u. a.)

Es ist zu beachten, ob Abmagerung oder Magerkeit vorhanden ist. (Ostertag, Zeitsch. f. Fleisch- u. Milch-Hyg. 1890 pag. 74).

Die serösen Häute sind sorgfältig zu prüfen, namentlich unter dem Zwerchfell (Tuberkulose.) Alsdann beginnt man zweckmässig beim hängenden Thiere mit der Untersuchung von oben nach unten.**)

Das Euter ist durchzufühlen (Knoten, Eiterherde, parenchymatöse Entzündungen, Tuberkulose), und es sind stets die dazu gehörigen Lymphdrüsen anzuschneiden, ebenso die anderen an der Innenseite befindlichen Drüsen, die Nebennieren, Nieren und Nierendrüsen (Tuberkulose, Eiterungen).

Die Wirbel, das Brustbein sind zu beachten, (Tuberkulose) ebenso die Gelenke. (Tuberkulose, eiterige oder jauchige Entzündungen).

---

*) Sämmtliche Schnitte sind planmässig und so anzulegen, dass der Verkaufswerth der nicht veränderten Organe möglichst wenig beeinträchtigt wird.

**) Zuerst ist auf Abweichungen in Grösse, Farbe und Konsistenz (Milzbrand) zu achten.

***) Der 4. Magen bei Kälbern nicht selten Sitz von Geschwüren. O.

---

*) Die Zunge ist wegen des häufigen Vorkommnisses vereinzelter Aktinomycesherde sorgfältig abzutasten; indurirte Stellen sind mit dem Messer zu prüfen.

**) Zweckmässig untersucht man das Peritoneum und die Pleura in einer gewissen Reihenfolge, wie z. B.: Linke Bauchwand und Bauchfläche des Zwerchfells, Brustfläche der l. Zwerchfellhälfte (nach Emporheben!), linke Pleura, rechte Pleura, Brustfläche der r. Zwerchfellhälfte u. s. w. O.

Unter den Skelett-Muskeln sind die Nacken-Muskeln anzuschneiden,*) (Lieblingssitz der Rinderfinne). Die Muskeln der Bauchdecken sind bei Sarkomatose des Magens oft mit ergriffen, ebenso viele andere Körpermuskeln bei allgemeiner Sarkomatose.

*) Und die Halsmuskeln.   O.

An den äusseren Skelettmuskeln kommen oft tiefgehende Blutunterlaufungen bei scheinbar kleinen oberflächlichen Blutungen vor (schlechte Behandlung der Thiere, oder Unglücksfälle während des Transports); daher sind solche rothen Flecke stets anzuschneiden.

(Fortsetzung folgt.)

Referate.

Uebertragbarkeit der Tuberkulose durch Fleisch und Milch von tuberkulösen Thieren.*)

(Verhandlungen der II. und III. Sektion des VII. Internat. Kongresses für Hygiene u. s. w. in London.)

Burdon-Sanderson (Oxford) führt aus, dass die Tuberkelbazillen durch den Respirationsapparat und den Nahrungsschlauch eindringen können, dass aber der erstere Weg der bei weitem häufigere sei. Nach den Angaben von Arloing seien 10 pCt. der geschlachteten Rinder mit Tuberkulose behaftet. Diese Zahl sei zwar erschreckend hoch, man dürfe sich jedoch über deren Bedeutung nicht täuschen. Selbst wenn es gelänge, alles infizirte Fleisch vom Genusse auszuschliessen, so habe man doch gar keinen Anhaltspunkt dafür, dass damit auch die Tuberkulose beim Menschen aus der Welt geschafft sei. Andererseits genüge es aber nicht, zu sagen, die Gefahr hinsichtlich des Genusses des Fleisches tuberkulöser Thiere sei übertrieben. Wenn diese Gefahr wirklich existire, sei deren Betonung nicht übertrieben; denn man müsse sich dessen erinnern, dass 14 pCt aller Todesfälle auf Tuberkulose kommen. Die gewöhnliche Phthise beginne aber gewöhnlich in den Lungen, auf welche Weise auch die Infektion erfolgt sei. Intestinal-

*) Obwohl bereits in dem Berichte über den 7. internationalen Hygienekongress (ds. Zeitschr. 1. Bd., H. 12) die wichtigsten Vorträge über den in Rede stehenden Gegenstand enthalten sind, sollen nichts destoweniger in Anbetracht der grossen Wichtigkeit der Materie die Verhandlungen ausführlich hier wiedergegeben werden. D. H.

tuberkulose trete beim Menschen niemals primär in Erscheinung. Im Gegentheil habe man in gewissen Fällen die Uebertragung der Krankheit von den Lungen auf den Darmtraktus durch Sputum verfolgen können. Beim Kinde bedarf es noch weiterer Aufklärungen. Nach den statistischen Aufzeichnungen der Kinderspitäler zeigen sich tuberkulöse Veränderungen bei einem Drittel der Leichen. Sehr häufig folge aber Tuberkulose bei Kindern auf Keuchhusten und Masern. Zum Schlusse sagt B., bevor man über die Konfiskation des Fleisches tuberkulöser Thiere beschliesse, müsse man über besonders geschulte Sachverständige verfügen. Ausserdem seien die Thiereigenthümer zu entschädigen.

Bang-Kopenhagen kann nicht zugeben, dass der Genuss von Fleisch und Milch soviel Gefahren einschliesst, als man behauptet. Wenn diese Gefahren wirklich vorhanden wären, müsste man den Genuss des Fleisches und der Milch tuberkulöser Thiere verbieten ohne Rücksicht auf die Ausbreitung des Prozesses. Diese Massregel sei auf dem Tuberkulosekongress in Paris befürwortet worden. Man dürfe aber nicht vergessen, dass eine solche Massregel enorme Summen vernichten würde. In Deutschland habe man sich gegen eine solche Massregel erklärt, und es sei überhaupt in Ländern, in welchen die Tuberkulose sehr verbreitet sei, unmöglich, auf einer solchen Massregel zu bestehen.

Die Milch tuberkulöser Thiere brauche

man nur zu kochen. Alle Bestandtheile der Milch können die Bacillen enthalten; man findet dieselben daselbst noch nach 20—30 Tagen. Um sich der Unschädlichkeit der Butter zu vergewissern, sei weiter nichts nothwendig als den Rahm vor der Verarbeitung auf 85° C. zu erhitzen. Von der Grösse der Gefahr, welche mit dem Milchgenusse verbunden ist, konnte sich Bang durch zahlreiche eigene Versuche überzeugen. Unter 58 Kühen, deren Milch er an Kaninchen und Meerschweinchen verimpfte, befanden sich 9, deren Milch virulent war. Die Kühe aber, von welchem die verimpfte Milch stammte, befanden sich in einem vorgeschrittenen Stadium der Tuberkulose.

Im Muskelsafte habe man Tuberkelbazillen gefunden, jedoch nur in sehr seltenen Fällen. Seine eigenen Experimente bezeugten, dass der Muskelsaft und das Muskelgewebe ein sehr ungünstiges Medium für die Vermehrung vorstellen. Die Zahl der darin enthaltenen Bazillen sei daher auch immer beschränkt. Bang versuchte, die Tuberkulose mittelst des Blutes kranker Kühe zu übertragen, hat aber bei 21 Versuchen nur 2 positive Ergebnisse erzielt.

Bezüglich des Fleisches besteht nach der Ansicht des hervorragenden dänischen Forschers keine Gefahr, solange die Tuberkulose ausgesprochen lokalisirt ist.

Arloing-Lyon: Vor allen Dingen ist es nothwendig, die Tuberkulose unter die Seuchen aufzunehmen. Wenn man dem entgegenhalte, die Diagnose der Tuberkulose sei schwer, so müsse man zu bedenken geben, dass für manche Krankheiten, welche jetzt zu den Seuchen gehören, die Verhältnisse früher ebenso gelegen hätten. Die Zahl der durch die Veterinärpolizei festgestellten Tuberkulosefälle nehme stetig zu.

Was das Fleisch tuberkulöser Thiere anbelangt, so glaubt A. die Zahl von Bazillen, welche in diesem oder jenem Versuche gefunden worden sei, ergebe nicht den richtigen Massstab für die Grösse der Gefahr. Die zu den Versuchen verwendete Fleischmenge stelle nur einen sehr kleinen Theil des Gesammtgewichtes des Thieres vor. Ferner gehen in den ausgepressten Fleischsaft nur wenige Bazillen über, da dieselben im Muskelgewebe eingeschlossen seien. Das Kochen vermindere ohne Zweifel die Gefahr, allein grosse Mengen Fleisches würden unvollkommen gekocht genossen. Man müsse die Beschlagnahme allen Fleisches von tuberkulösen Thieren verfügen, könne dasselbe aber ohne Nachtheil zur Herstellung von Fleischbrühe verwenden, weil hiermit Sterilisation verbunden sei. Ferner könne man es zum Pökeln verwenden, nicht weil diese Manipulation an und für sich sterilisire, sondern weil dieselbe eine Zubereitung nothwendig mache, welche Sterilisation einschliesse. Selbstverständlich sei die Entschädigung der Besitzer. Die hierzu erforderlichen Kosten könne man aber leicht durch eine Schlachtsteuer von 15—25 Pfg. pro Kopf aufbringen (?! d. R.). Selbstverständlich gehöre zur Wirksamkeit der vorgeschlagenen Massregel die Durchführung der obligatorischen Fleischbeschau selbst in den kleinsten Orten.

M'Fadyean und Woodhead haben bei 127 tuberkulösen Kinderleichen 43 Mal Erkrankung des Darmes und 100 Mal Veränderungen der Mesenterialdrüsen feststellen können. Die Mehrzahl dieser Kinder befand sich in einem Alter von 1—5½ Jahren, eine Thatsache, welche die Häufigkeit der Intestinal- und Mesenterialtuberkulose in einem Lebensalter beweist, in welchem die Kuhmilch als Ersatz der Muttermilch dient.

Die Versuchsergebnisse der beiden englischen Forscher sind bereits eingehend in dem Berichte erwähnt. Sie erzielten mit der Milch von 13 tuberkulösen Kühen nur zweimal positive Resultate. Das Fleisch halten M'F. und W. ebenso wie Bang für weniger gefährlich. Die Angabe, welche in die Berichte mehrerer Zeitschriften übergegangen ist, die beiden

Forscher hätten unter drei Fällen beim Rinde zweimal Muskeltuberkulose gesehen, ist nach einer privaten Mittheilung M'Fadyeans an den Ref. dahin zu berichtigen, dass es sich um Tuberkulose von sog. „Fleischlymphdrüsen" gehandelt hat. Im Uebrigen kommen M'F. und W. zu dem Schlusse, dass man das Fleisch eines Thieres frei passiren lassen könne, solange nur ein Organ mit seinen Lymphdrüsen erkrankt sei. (Vergl. Bd. 1, S. 208).

Hamilton-Aberdeen sagt, nach seiner Ansicht könne die Infektion durch die Produkte tuberkulöser Thiere keine grosse Rolle spielen, weil Lungentuberkulose, die häufigste Form beim Menschen, nicht durch eine Infektion der Nahrungswege zu Stande kommen könne.

Nocard-Alfort ist stets für milde Massregeln bei der Beurtheilung des Fleisches tuberkulöser Thiere eingetreten. Er sagt, er könne die Ansichten von Bang, M'Fadyean und Woodhead nur unterstützen. Die Vertheidiger der totalen Beschlagnahme, welche auf den französischen Kongressen von 1885, 1888, 1889 und 1891 triumphirt hätten, versteiften sich auf die Versuchsergebnisse bei der intraperitonealen Verimpfung von Muskelsaft. Man könne damit wohl manchmal positive Resultate erzeugen. Nocard hat aber selbst den Muskelsaft von 21 Kühen, welche mit generalisirter Tuberkulose behaftet waren, verimpft, und nur in einem einzigen Falle hat eines von 4 Meerschweinchen tuberkulös gemacht werden können. Sämmtliche Versuchsthiere hatten je 1 ccm frischen Fleischsaft in die Bauchhöhle erhalten. Dabei sei aber wohl zu bedenken, dass intraperitoneale Infektion keineswegs gleichbedeutend sei mit der Möglichkeit einer Infektion auf dem Wege des Verdauungsschlauches. Alle Versuche in letztgenannter Richtung seien ihm fehlgeschlagen. Ja selbst das Fleisch derjenigen Kuh, deren Muskelsaft eines der 4 geimpften Meerschweinchen infizirt habe, sei von 4 Katzen ohne Nachtheil verzehrt worden, trotzdem jede mehr als 500 g zu sich nahm.[*]) Es ist Nocard bekannt, dass Galtier und Perroncito in der letzten Zeit viele Versuche in derselben Richtung gemacht haben, welche aber auch durchweg ein negatives Resultat ergaben. Andererseits sei ihm kein einziges zuverlässiges Experiment bekannt, welches eine Gefahr beim Genusse fraglichen Fleisches habe feststellen können.

Aus diesen Gründen glaubt Nocard, dass die totale Beschlagnahme nur in denjenigen Fällen gerechtfertigt sei, wo generalisirte Tuberkulose vorliege. Die Bedingungen in den Versuchen (Muskelsaftinjektionen) seien nicht dieselben, wie im gewöhnlichen Leben. Junge Katzen besässen eine grosse Empfänglichkeit für Tuberkulose und sie nähmen sehr gerne Fleisch auf. Trotzdem habe er in einer beträchtlichen Zahl von Versuchen, bei welchen der Fleischsaft Bazillen enthielt, nur negative Resultate erzielt. Diese Versuche müssten, ohne sie zu überschätzen, in Rechnung gezogen werden, bevor man strengere Massregeln beschliesse. Bezüglich der Milch von tuberkulösen Thieren sei er der Ansicht, dass dieselbe eine wirkliche Gefahr, namentlich für die kleinen Kinder vorstelle.

Hime-Bradford sagt, man möge doch nicht vergessen, dass die Tuberkulose auch vom Menschen auf den Menschen übertragbar und dass dieses der häufigste Fall sei. In England sei die Fleischbeschau mangelhafter als irgendwo anders. Wenn die Ansicht derjenigen, welche an die Uebertragbarkeit der Krankheit durch Fleisch glauben, zu Recht bestände, hätte dieser Mangel an Kontrolle eine grosse Ausdehnung der Tuberkulose unter den Menschen bedingen müssen; dem sei aber nicht so. Die Bewegung in der öffentlichen Meinung zu Gunsten der Beschlagnahme des Fleisches in jedem Stadium der Tuberkulose sei in Folge eines falsch verstandenen Wortes von Prof.

*) Diese Versuche beanspruchen ganz besonderes Interesse für die Fleischbeschau.

Lingard entstanden. Die kompetentesten Beobachter dagegen seien der Ansicht, dass das Fleisch tuberkulöser Thiere nicht gefährlich sei, wenn man die kranken Organe nicht geniesse. Es sei offenbar absurd, eine Infektion des ganzen Körpers anzunehmen, wenn die Veränderungen nur lokal seien.

Die allgemeine Beschlagnahme des Fleisches aller tuberkulöser Thiere ist nach der Ansicht von H. undurchführbar und wissenschaftlich nicht begründet. Dagegen muss (in England) eine bedeutend strengere Fleisch - Kontrolle eingeführt werden.

Barlow - London hält Fleisch und Milch nicht für die wesentlichste Infektionsquelle beim Menschen. Wichtiger seien die hygienischen und Reinlichkeitsverhältnisse unter welchen dieselben lebten. Er ist jedoch auch für das Kochen der Milch und will hinsichtlich des Fleisches nur die Aerzte auf die Gefahr hinweisen, welche mit der Vorschrift rohen Fleisches für Patienten verbunden sein könne.

Ransome konstatirt, dass in gewissen englischen Städten die Sterblichkeit an Tuberkulose zurückgegangen sei, seit daselbst Entwässerungsanlagen geschaffen worden seien. Die Gesammtziffer an Tuberkulose betrage daselbst nur noch $1^1/_2$ gegen $2^1/_2$ %o seit dem Erlasse von Verordnungen über öffentliche Gesundheitspflege.

Gibert - Havre betont den grossen Einfluss der Dichtigkeit der Bevölkerung auf die Ausbreitung der Tuberkulose.

Perroncito-Turin hat eine grosse Anzahl von Fütterungsversuchen mit Fleisch bei Schweinen angestellt, aber stets mit negativem Erfolg. Hiernach scheine das Schwein gegen Tuberkulose immun zu sein. (Dem trefflichen P. scheint die Häufigkeit spontaner Fütterungstuberkulose unter den Schweinen unbekannt zu sein. D. R.)

Burdon-Sanderson fasst das Ergebniss der Diskussion zusammen. Die Meinungsverschiedenheiten seien sehr geringe; alle Redner wären darin einig, dass eine strenge Fleischschau nothwendig sei.

Arloing bekennt, dass er mit der Forderung der vollkommenen Beschlagnahme des Fleisches aller tuberkulösen Thiere allein geblieben ist. Er stellt den Antrag, dass die Tuberkulosefrage bei Kindern von 3 Monaten bis 5 Jahren auf dem nächsten Kongresse zur Diskussion gestellt werde. Dieser Antrag wird einstimmig angenommen.

Lister schliesst die Verhandlungen mit der Bemerkung, dass beim Schafe die Tuberkulose nicht vorzukommen scheine (Tuberkulose bei Schafen ist zwar sehr selten, kommt aber vor. D. R.) und es mithin wenigstens eine Fleischart gebe, welche ohne Tuberkulosefurcht genossen werden könne.

Follenius, Erkrankungen in Folge ungekochter infektiöser Milch.

(Korrespondenzblatt d. ärztl. Vereine Hessens 1891, No. 12.)

Am 10. Oktober v. J. erkrankten zwei Assistenten und ein Diener des Hygienischen Instituts in Giessen unter auffallenden, übereinstimmenden Symptomen. Zuerst zeigte sich Kopfschmerz, Mattigkeit und wiederholter Frost; hierzu gesellten sich 2 Tage darauf starker Durchfall mit heftigem Erbrechen und hohes Fieber (40—41°). Der Diener war bereits am 13. October wieder fieberfrei, seine Rekonvaleszenz aber wurde durch grosse Schwäche gestört. Während nun die Erkrankung des Dieners sich als ein leichter Fall von Cholera nostras kennzeichnete, war der Verlauf derselben bei den beiden andern Patienten mehr dem Typhus ähnlich. Der eine derselben, bei welchem zeitweilig tödlicher Ausgang befürchtet wurde, hatte bis zum 19. October hohes Fieber, Durchfall und Erbrechen. Die Rekonvaleszenz war sehr langsam, und während derselben trat Angina und Stomatitis auf. Patient konnte erst 6 Wochen nach Beginn der Erkrankung seine dienstliche Thätigkeit wiederaufnehmen. Der zweite Assistent befand sich in entschiedener Lebensgefahr. Das Fieber hielt sich 14 Tage auf beträchtlicher Höhe; erst nach dreiwöchentlicher Krankheit blieb auch Abends die Temperatur normal.

Die angestellten Nachforschungen ergaben unzweifelhaft, dass sämmtliche drei Erkrankungen auf Milch zurückgeführt werden mussten, welche die Erkrankten am 9. Oktober ungekocht zum Frühstück genossen hatten. Die Milch hatte höchstens 2 Stunden im Institut gestanden, sie war von den Assistenten aus einer Tasse, der Rest aber von dem Diener aus der von der Molkerei gelieferten Flasche selbst getrunken worden. Eine Infektion der Milch im hygienischen Institute war nach Lage der Sache auszuschliessen. Dagegen wurde in dem Stalle eines der Milchlieferanten eine Kuh entdeckt, welche an einem „wässerig-blutigen Darmabgange, fast ohne Koth" litt, ohne jedoch im Uebrigen so auffällige Symptome zu zeigen, dass Besitzer die Kuh als schwer krank ansehen musste. Die Dejekte enthielten nekrotische Schleimhautfetzen. Prof. Winkler, welcher die in Rede stehende Kuh am 16. Oktober untersucht hatte, fand das Leiden 4 Tage später wieder beseitigt.

Von grösstem Interesse ist es nun, dass aus den dünnflüssigen Entleerungen der 3 erkrankten Personen, wie aus den Dejekten der Kuh ein und derselbe pathogene Mikroorganismus nachgewiesen werden konnte, nämlich ein kurzer, lebhaft beweglicher Bazillus von ausserordentlicher Wachsthumsenergie. Subkutane Injektion desselben tödtete Versuchsthiere schon in geringen Mengen nach 1—2 Tagen, in der Regel unter dem Bilde einer Peritonitis oder Pleuritis exsudativa. Die Untersuchungen über den fraglichen Krankheitserreger sind noch nicht abgeschlossen. Prof. Gaffky stellt aber weitere Mittheilungen über denselben in Aussicht. Bemerkenswerth ist noch zum Schlusse, dass die von der erkrankten Kuh stammende Milch frei von pathogenen Mikroorganismen befunden wurde. Es muss daher angenommen werden, dass die Krankheitserreger aus den dünn-flüssigen Darmentleerungen der Kuh in die Milch gelangt sind.

Müller-Gotha, Ueber einen Fall von multiplem Echinococcus hydat. der Schweinsleber.
(Deutsche Zeitschr. für Thiermedizin, XVII Bd. H. 5 und 6)

Ueber die Jugendstadien der Echinococcen liegen nur experimentelle Beobachtungen von Leuckart u. a. vor. Gleichwohl dürften dieselben in den Schlachthäusern nicht selten gesehen werden (Ref. fand in Berlin mehrere Fälle beim Rinde und Schweine). Aus Müllers vorzüglicher Beschreibung eines derartigen Falles bei einem jungen Schweine heben wir folgendes hervor: Die Leber ist von normaler Farbe und Konsistenz, etwas vergrössert. Unter der Serosa zeigen sich zahlreiche gelblichweisse Knötchen und Bläschen, deren Grösse zwischen der eines Hirsekornes und einer Erbse schwankt; ebensolche Gebilde finden sich auf den Schnittflächen. An den Durchschnitten der Bläschen kann man makroskopisch eine äussere weissliche, feste Umhüllung von einem weicheren Inhalte unterscheiden. Letzterer ist von gallertiger Konsistenz und hyalinem, glasigem Aussehen, in der Mitte mit weisslichen Flocken vermischt, und quillt aus der festen Hülle hervor. An der Hülle ist mikroskopisch nur an einzelnen Stellen jene zarte Streifung zu bemerken, welche bei grösseren Echinococcen stets zugegen ist Die Bläschen waren durchweg in das interacinöse Bindegewebe eingebettet.

Das Alter der vorgefundenen Bläschen schätzt M. nach Analogie des Leuckart'schen Falles auf 8 Wochen.

Amtliches.

Reg.-Bezirk Posen. Bekanntmachung, betr. die Prüfung der Fleischbeschauer durch die beamteten Thierärzte.

Die Bestimmung in No. 2 der Bekanntmachung der vormaligen Abtheilung des Innern der Kgl. Regierung hierselbst vom 16. Oktober 1884 (cfr. Amtsblatt 1884, S. 322) wird hiermit dahin abgeändert, dass die zur Prüfung als Fleischbeschauer Zugelassenen nicht mehr von dem Kreisphysikus, sondern bis auf Weiteres von dem zuständigen Kreisthierarzte bezw. dessen Stellvertreter in der vorgeschriebenen Weise auszuführen ist.

Posen, den 4. Januar 1892.

Der Regierungs-Präsident.

gez. Himly.

Abschrift der vorstehenden Bekanntmachung ist den Kreisthierärzten des Reg.-Bez. Posen zur Kenntnissnahme und mit dem Ersuchen übersandt worden, über das Ergebniss der einzelnen abgehaltenen Fleischbeschauerprüfungen, welchen die Bestimmungen der Verfügung des Kgl. Regierungs-Präsidenten zu Posen vom 1. Oktober v. J., J.-Nr. 9197/91 I D, die Nachprüfungen der Fleischbeschauer betreffend, zu Grunde zu legen sind, alljährlich zum 1. April Bericht zu erstatten. Auch sind die Kreisthierärzte darauf hingewiesen worden, die Heranbildung der Fleischbeschauer möglichst zu unterstützen und die Ausbildung der zum Amte eines Fleischbeschauers sich meldenden Personen erforderlichen Falles selbst zu übernehmen.

II.

Ferner hat der Regierungs-Präsident zu Posen unter dem 11. Januar d. J. sämmtliche Magistrate des Regierungsbezirks eine Verfügung erlassen, in welcher bestimmt wird, dass als Sachverständiger im Sinne des § 2, Nr.1 des Gesetzes vom $\frac{18.\ März\ 1868}{9.\ März\ 1881}$ die Errichtung öffentlicher Schlachthäuser betreffend, in der Regel nur ein Thierarzt gelten kann. Die Anstellung einer Person als Schlachthaus-Sachverständiger, welche nicht als Thierarzt geprüft ist, darf nach dem Inhalte der Verfügung nicht erfolgen, bevor nicht von dem Kgl. Regierungs-Präsidenten die Genehmigung zur Anstellung erfolgt ist. Diese wird künftighin davon abhängig gemacht werden, dass der Bewerber einen praktischen Kursus an einem

---

*) Die Trichinenschau befindet sich jetzt, dank den unermüdlichen Bemühungen des Herrn Kollegen Heyne, thatsächlich in den Händen der beamteten Thierärzte des Posener Regierungs-Bezirks, und diese werden nunmehr den Beweis zu liefern haben, dass mit den Thierärzten dasselbe oder womöglich Besseres in der fraglichen Angelegenheit geleistet wird, wie mit den Kreisphysikern. Der Reg.-Bez. Posen ist der erste in Preussen, in welchem in der Trichinenschau die beamteten Thierärzte, und zwar nur solche, als die competenten Sachverständigen anerkannt worden sind. Wir zweifeln nicht daran, dass die Posener Kollegen sich der Bedeutung dieses gewichtigen Fortschrittes, welchem hoffentlich bald weitere folgen werden, ganz bewusst werden und dass sie dementsprechend bei der Ausbildung der Trichinenschauer, deren Prüfung und Nachprüfung mit der erforderlichen Umsicht und Klugheit verfahren.

unter thierärztlicher Leitung stehenden öffentlichen Schlachthause absolvirt und den Nachweis der für die fragliche Stelle erforderlichen technischen Kenntnisse dargethan hat. Der Nachweis ist durch eine vor dem Kgl. Departements-Thierarzt des dortigen Regierungsbezirks abzulegende Prüfung zu liefern.

Nach der Anstellung von Schlachthaus-Sachverständigen an öffentlichen Schlachthäusern, welche das Fähigkeitszeugniss auf Grund der vorbezeichneten Prüfung sich erworben haben, sind sodann in allen den Fällen, in welchen in diesen Schlachthäusern offenbar innerlich erkranktes Grossvieh geschlachtet werden soll oder — bei Nothschlachtungen — geschlachtet worden ist, und in welchen bei geschlachtetem Grossvieh, das vor der Schlachtung sichtbare Krankheitserscheinungen nicht hatte wahrnehmen lassen, umfangreichere krankhafte Veränderungen innerer Organe vorgefunden werden, — diese Schlachtthiere stets einer zweiten Beschau durch einen thierärztlichen Sachverständigen zu unterziehen.

Die Milchkontrolle betreffend.

Gutachten

von

Medicinalassessor Dr. Vaerst-Meiningen.*)

K. H. an den hochlöblichen Magistrat ergebenst zurückerstattet.

Baumgarten sagt in dem umstehend von Herrn Medicinalrat X. angegebenen Buche (S. 623) wörtlich:

„Die Hauptgefahr in dieser Richtung (Infektion mit Tuberkulose durch den Darmkanal) droht jedenfalls Seitens des Fleisches und namentlich der Milch tuberkulöser Rinder. Da aber Fleisch und Milch zum grossen Theile gekocht genossen werden, und ein mehrere Minuten langes Aufkochen, wie wir wissen, die Virulenz der

---

*) Dr. Vaerst regte beim Magistrate in M. ein Ortsgesetz an behufs Kontrolle des Milchhandels (period. thierärztl. Unters. der Milchthiere, Aufbewahrungsräume für Milch, Milchgeschirre u. s. w.) und motivierte dessen Nothwendigkeit u. A. durch die immerhin umfangreiche Verbreitung der thierischen Tuberkulose in und um M. Das Bedürfniss nach einem solchen Ortsgesetz wurde jedoch von dem hierüber befragten beamteten Arzt verneint mit dem Bemerken, dass die diesbezüglichen Gefahren nicht so gross seien, wie auch bei Baumgarten: Mykologie (S. 623) und Erismann: Gesundheitspflege (S. 255) angegeben, dass ein öffentlicher Hinweis auf die Gefahren der ungekochten Milch ausreichend erscheine, und dass den Amtsthierärzten schon nach ihrer Dienstinstruktion eine Kontrolle der einschlägigen Verhältnisse möglich sei. Auf weiteres Befragen gab Dr. V. obige gutachtliche Aeusserung ab.

Tuberkelbacillen sicher aufhebt, so bleiben nur das rohe Fleisch und die rohe Milch als gefahrdrohende Objekte übrig. Hiervon ist nun wieder das Fleisch so gut wie vollständig zu streichen, da schwerlich Jemand tuberkelknotenhaltiges Fleisch geniessen wird und der Genuss knotenfreien Fleisches nach den hierüber vorliegenden Erfahrungen im Allgemeinen als unschädlich betrachtet werden kann. Etwas anders liegt die Sache bei der Milch tuberkulöser Kühe; hier kann zwar auch fast nur diejenige Milch in Betracht kommen, welche von den an Eutertuberkulose leidenden Kühen stammt, die aber, wie wir namentl. durch die schönen Untersuchungen Bang's wissen, keine so wenig häufige Erkrankung ist, wie man bisher wohl meist angenommen hat. Die von dem tuberkulösen Euter gelieferte Milch enthält fast stets, und zwar auch ohne, dass Aussehen und Geschmack die gefährliche Zumischung verrathen brauchen, mehr oder weniger reichliche Mengen von Tuberkelbacillen, wonach dieselbe, wie die Fütterungsexperimente mit solcher natürlich oder künstlich bereiteter tuberkulöser Milch direkt erwiesen haben, an und für sich als eine sehr wirksame Quelle der tuberkulösen Infektion auf dem Wege der Nahrungsgefahr zu ermessen ist. Wenn trotzdem, wie wir aus dem oben angegebenen Grunde annehmen, der Mensch in Wirklichkeit nur selten auf dem oben genannten Wege sich die Tuberkulose zuzieht, so ist dies. abgesehen davon, dass wie gesagt die tuberkulöse Milch grösstentheils durch Kochen infektionsunfähig gemacht wird, höchstwahrscheinlich noch dem von Bang in dieser Beziehung erwähnten Umstande zu verdanken, dass im Allgemeinen die tuberkulöse Milch mit der ganzen von der Besitzung gelieferten Milchmenge zusammengemischt und dadurch möglicherweise bis zur Unwirksamkeit verdünnt wird."

In dem vorstehend Angeführten ist die Annahme der geringen Gefahr der ungekochten Milch tuberkulöser Thiere aus den Umständen gefolgert, dass „im Allgemeinen die tuberkulöse Milch mit der ganzen von der Besitzung gelieferten Milchmenge zusammengemischt und dadurch möglicherweise bis zur Unwirksamkeit verdünnt wird". Dieser Umstand trifft für die hiesige Stadt nur sehr wenig zu Hierorts kommt in den Verkehr die Milch von vier Gütern; aber auch diese wird nicht immer vorher die behufs Verminderung ihrer eventuellen Infektionsfähigkeit wünschenswerte Vermischung erfahren. In die Wagschale aber fällt, dass in hiesiger Stadt Milch abgesetzt wird durch ca. 20 kleinere Viehbesitzer (sogen. Milchhöcker) aus Meiningen und Umgegend, welche nur 1—2 Kühe haben oder doch nur 1 oder 2 Thieren die Milch zum Verkaufe entbehren können. Die letztere Milch ist vor dem Verkaufe wenig

oder gar nicht gemischt und wird bedenkliche Folgen haben können, wenn sie wenig gekocht oder ungekocht genossen wird. Die Gefahr der Milch von an Eutertuberkulose leidenden Kühen giebt ja Baumgarten, wie oben angeführt, selbst zu. Aber auch von der Milch der an Tuberkulose der Brustorgane, Bauchorgane u. s. w. leidenden Thiere muss eine Gefahr für die menschliche Gesundheit befürchtet werden. Ist es doch erwiesen, dass die Fütterungsversuche mit tuberkulöser Milch (Baumgarten S. 753 u. 754) bei Thieren (Kaninchen u. dergl.) stets positive Erfolge hatten.

Dass übrigens obige Ausführungen Baumgartens von vornherein nicht als absolut massgebend gelten können bei der Handhabung der betreffenden sanitätspolizeilichen Massnahmen, erhellt wohl aus seinen Worten bezüglich der Geniessbarkeit des Fleisches tuberkulöser Thiere. Wollte man seiner Ansicht entsprechend verfahren, so dürfte man dieses Fleisch nur dann als gesundheitsschädlich erachten, wenn dasselbe „tuberkelknotenhaltig" ist. Erfahrungsgemäss vermag man aber nur äusserst selten, selbst in den immerhin häufigeren Fällen von allgemeiner Tuberkulose, „Tuberkelknoten im Fleisch" zu konstatieren. Hingegen ist es allgemein Brauch und wohl auch zum Schutze der menschlichen Gesundheit das empfehlenswertheste Verfahren das Fleisch tuberkulöser Thiere dann als gesundheitsschädlich resp. -gefährlich zu erachten und vom menschlichen Konsum auszuschliessen, wenn die Tuberkulose generalisirt ist, d. h. die pathologischen Alterationen derart sind, dass anzunehmen ist, die Tuberkelbacillen sind durch die Lymph- und Blutgefässe nach den verschiedensten Körperregionen getragen, sind also auch in den Fleischtheilen vorhanden. Man findet alsdann die Lymphdrüsen in den einzelnen Körperregionen mitunter — auch nicht immer — afficirt, aber Tuberkelknoten im Fleische selbst beobachtet man, wie schon erwähnt, nur äusserst selten. Ein Verfahren in diesem Punkte, entsprechend den Baumgart'schen Ansichten, würde nach dem jetzigen Stande der diesbezüglichen anderweitigen theoretischen Erwägungen und praktischen Erfahrungen wohl kaum zulässig erscheinen.

Was die Ansicht Erismann's anbetrifft, so sagt derselbe an zitierter Stelle wörtlich: „Die Uebertragung der Tuberkulose auf den Menschen durch die Milch perlsüchtiger Kühe ist möglich. Doch scheint, wenigstens nach den neuesten Untersuchungen, die Gefahr einer solchen Infektion keine so grosse zu sein, wie von mancher Seite angenommen wird; wenigstens kann gekochte Milch ohne Sorgen zu allgemeinem Genusse empfohlen werden, da der Infektionsstoff, auch wenn er in der Milch vorhanden sein sollte, durch Kochen sicher zerstört wird".

Erismann hält demnach die Uebertragung der Tuberkulose auf den Menschen durch die Milch perlsüchtiger Kühe für möglich. Entgegen dieser Ansicht, sowie der obigen Ansicht Baumgartens über die Gefährlichkeit der Milch tuberkulöser Thiere wurde von anderer Seite nachdrücklich auf die diesbezüglichen Gefahren hingewiesen, so z. B. von Haller-Kiel und Wyss-Zürich auf dem Kongress für öffentliche Gesundheitspflege in Strassburg (1889), sowie auch von Bollinger-München in einem kürzlich erstatteten Gutachten des bayrischen Obermedizinalausschusses, in welchem er u. a. sagt (s. Berliner thierärztliche Wochenschrift No. 14, S. 111), dass ganz besonders auch Massregeln hinsichtlich der erfolgreichen Bekämpfung gegen die thierische Tuberkulose in Betracht zu ziehen seien, da unzweifelhaft dargethan sei, dass 55% der tuberkulösen Kühe eine virulente Milch liefern, welche, wenn ungekocht genossen, bei Kindern Tuberkulose erzeugen kann.

Mag man nun über die Höhe der Gefahr von Milch tuberkulöser Thiere für die menschliche Gesundheit streiten, diese Gefahr besteht und zwingt die Sanitätspolizei, sie thunlichst zu beseitigen und zwar um so mehr, als die zu treffenden Massnahmen nicht eingreifender Natur sind. Zu diesem Zwecke genügt nach meinem Dafürhalten der öffentliche Hinweis darauf, dass diese Gefahr durch Kochen der Milch schwindet, ebensowenig, wie es in der Fleischkontrolle ausreichend sein würde, wollte man öffentlich auf die Thatsache hinweisen, dass die Gefährlichkeit der im Fleische enthaltenen thierischen und pflanzlichen Parasiten durch Garkochen des Fleisches gehoben wird, und alsdann das Weitere dem konsumierenden Publikum überlassen. Die in dieser Beziehung für die Nothwendigkeit einer Fleischkontrolle geltend zu machenden Gründe fordern gleichfalls eine Kontrolle der Verkaufsmilch.

Das absolut sichere Fernhalten der Milch tuberkulöser Thiere vom menschlichen Konsum wird allerdings erschwert durch den Umstand, dass die Diagnose der thierischen Tuberkulose stellenweise schwer, ja unmöglich ist. Man trifft jedoch bei Ausübung der gerichtlichen und amtlichen Funktionen, sowie der Privatpraxis gar oft Milchthiere an, bei denen man mit ziemlicher Gewissheit auf vorhandene Tuberkulose schliessen kann. Andere wieder erscheinen durch fortwährendes Husten, Abzehrung ohne sonst nachweisbare Ursache u. dergl. mehr oder weniger verdächtig. Was nützt es, wenn man den Besitzer als dann anhält, solche Thiere nicht weiter zum Gewinnen von Verkaufsmilch zu verwenden, so lange man nicht auf Grund gesetzlicher, insbesondere ortsgesetzlicher Bestimmungen seinen

Anordnungen Nachdruck verleiht? Neben diesen gelegentlich beobachteten Fällen wird aber die grosse Mehrzahl der Fälle von Tuberkulose bei Milchthieren nicht zur Kenntniss kommen, weil ohne Ortsgesetz keine Untersuchung der Milchthiere stattfindet. Die Amtsthierärzte, sich berufend auf das im Jahre 1839 entstandene, die Berufspflichten für die Amtsthierärzte enthaltene Gesetz, unaufgefordert und ohne durch Ortsgesetz hierzu veranlasst zu sein, die Milchthiere bei den verschiedenen Besitzern einer bislang nicht vorgenommenen Kontrolle unterziehen, die Besitzer würden es sicherlich eigenartig finden und ihre Sympathien für den Untersuchenden würden dadurch gewiss nicht wachsen. Wer diesen Sympathien noch einigermassen Rechnung tragen muss, wird solche bisher nicht übliche Untersuchungen besser unterlassen.

Aber wichtiger noch, als die Kontrolle der Milchthiere auf ihre Gesundheit scheint mir unter den hierorts obwaltenden Verhältnissen die Kontrolle der Fütterung und Pflege der Thiere, sowie der Aufbewahrungsräume und -Geschirre für Milch.

Z. B. wird in hiesiger Stadt unverhältnissmässig viel Schlämpe durch die Brennereien gewonnen und dieselbe zum Verfüttern von Kühen verwandt. Die Schlämpe, wenn viel verabfolgt, wirkt nun derart auf den thierischen Organismus und speziell auf die Harnsekretion ein, dass die von dem Harn benetzten Füsse der Thiere mitunter angeätzt werden und sich ein mit dem Namen „Schlämpemauke" belegter krankhafter Zustand einstellt. Wenn der solcherweise veränderte Harn im Stande ist, die thierische Haut anzuätzen, welchen Gefahren muss da die ungleich empfindlichere Schleimhaut des menschlichen Verdauungstractus, zumal bei Kindern, ausgesetzt sein, nach Aufnahme von Milch solcherart gefütterter Thiere, da doch nachgewiesenermassen die Futterstoffe die Milchqualität intensiv beeinflussen. Solche Milch ist doch zum Mindesten ungeeignet für den Genuss für Kinder. Ohne Rücksicht auf diese Art des Fütterns wird jedoch hierorts sogen. kuhwarme Milch von Kindern genossen, wovon man sich früh und Abends hinreichend überzeugen kann. Gilt doch auch hier noch das Trinken kuhwarmer Milch als die Gesundheit fördernd!

Die Pflege der Milchthiere, der Zustand der Ställe, die Aufbewahrungsräume und -Gefässe für Milch sind, zumal bei den kleineren Besitzern, stellenweise gerade dazu angethan, die Milch zu verderben. Der Dünger liegt wochenlang in den Ställen; die dadurch entstandenen und infolge schlechter Ventilation in Unzahl angehäuften Fäulnisskeime aller Art werden bei dem Melkakte mit der Luft in die Milch gebracht, welche einen sehr günstigen Nährboden zu deren Entwickelung abgiebt. Schenkel und Euter sind vom Dünger beschmutzt. Beim Melken gelangen von diesen oft krustenartig aufgelegten Schmutzmassen Bestandtheile in die Milch und liefern in derselben einen förmlichen Bodensatz. Die Milch wird in schlecht ventilirten, unreinlichen Räumen, stellenweise in der Wohnstube aufbewahrt und dergl. Es sind dies Thatsachen, die zu beachten es an Gelegenheit nicht fehlt und die wohl bei der grossen Mehrzahl der kleinen Milchlieferanten in und um Meiningen mehr oder weniger zutreffen werden.

Der Amtsthierarzt ist nun nicht, wie Herr Medizinalrath X. meint, befugt, zur Beseitigung dieser Uebelstände einzuschreiten, denn der angezogene Artikel 17 der „Berufspflichten für die Amtsthierärzte" sagt wörtlich: „Der Amtsthierarzt ist Organ der Medizinalpolizei in ihrer Beziehung auf die Gesundheit der Menschen, indem auch er die Gefahren mit abzuwenden hat, welche den Menschen bei unzweckmässiger und unvorsichtiger Behandlung kranker und todter Thiere in der Art drohen, dass sie theils förmlich von den Krankheiten der Thiere angesteckt werden, theils durch den Genuss des Fleisches und der Milch des kranken Viehes, durch Besudelung mit seinem Blute, seinen Absonderungsstoffen etc., durch die bei seiner Beerdigung sich entwickelnden Miasmen erkranken." — Der Amtsthierarzt hat demnach nur das Recht, resp. die Pflicht, einzuschreiten, wenn die menschliche Gesundheit gefährdet wird durch todte oder kranke Thiere oder deren Produkte. Doch steht ihm nicht das Recht zu, so dringend geboten es ihm auch scheinen mag, die Milchlieferanten zu veranlassen, dass die Ställe der Milchthiere reinlich gehalten und gelüftet, die Euter der Thiere gereinigt, diese sowie die Hände des Melkenden gewaschen, die Milch in zweckmässigen und reinlichen Räumen und Geschirren aufbewahrt werden und dergleichen. Diese ohne Berechtigung vorgenommenen Schritte würden dem Amtsthierarzt wahrscheinlich sehr unangenehme Scherereien verursachen, während meines Erachtens nur einige auf Grund ortsgesetzlicher Bestimmungen vorgenommenen Untersuchungen genügen würden, die vorhandenen Uebelstände der Hauptsache nach zu beseitigen. Es ist wohl selbstverständlich, dass die diesbezüglichen Anordnungen nicht zu rigoros sein dürften, sich vielmehr der Sachlage in jedem einzelnen Falle thunlichst anpassen und die Grenzen des Durchführbaren innehalten müssten. Ich hebe nochmals hervor, dass in Betreff der unverhältnissmässig hohen Zahl kleiner Milchlieferanten, sowie auch der durch statistische Ermittelungen ergebenen Erkenntniss der immer-

hin umfangreichen Verbreitung der thierischen Tuberkulose in hiesiger Gegend die Milchkontrolle hierorts eingehende Beachtung verdient. Auch ist hierbei noch zu berücksichtigen, dass die kleinen Milchlieferanten für die Nachzucht der Milchthiere keine Milch übrig haben, dass sie ihren Bedarf an Milchthieren durch Ankauf decken, und nach meinen diesbezüglichen Erfahrungen sind die in den Handel gelangenden Thiere meist Individuen, welche ihrem bisherigen Besitzer durch Husten u. dergl. verdächtig erschienen und deren er sich durch den Verkauf entledigte, also Stücke, bei denen die Möglichkeit des Behaftetseins mit Tuberkulose oder anderen Krankheiten sehr gesteigert ist.

Soll die Milchversorgung in hiesiger Stadt einen soliden Boden gewinnen, so ist zu deren Kontrolle ein betreffendes Ortsgesetz erforderlich. Es genügen meines Erachtens am allerwenigsten Bestimmungen, welche vor fast einem halben Jahrhundert entstanden sind, also zu einer Zeit, wo von einem Vertrautsein mit den Gefahren, welche die Menschheit durch thierische und pflanzliche Parasiten bedrohen, nach unserm jetzigen Wissen kaum die Rede sein konnte. Die Erkenntniss dieser Gefahren hat gerade im letzten Dezennium durch die fortschreitende Entdeckung neuer Krankheitskeime, durch die Sammlung experimentellen und statistischen Materials feste Stütze gewonnen und die Sanitätspolizei hat umsomehr die Pflicht, die Resultate der wissenschaftlichen Forschungen im Interesse des Allgemeinwohls zu verwerthen, als wie im vorliegenden Falle, die erforderlichen Schritte nicht eingreifender Natur sind.

Bücherschau.

Sohrodt, Anleitung zur Prüfung der Milch im Molkereibetriebe. Bremen 1892 bei M. Heinsius Nachfolger.

Die milchwirthschaftliche Litteratur hat durch die Broschüre von Schrodt, Vorstand der milchwirthschaftlichen Versuchsstation und Lehranstalt in Kiel, eine sehr zweckmässige Bereicherung erfahren. Denn der Verf. bietet auf dem knappen Raume von 29 Oktavseiten und 8 Tafeln eine vollkommene Anleitung zur Milchprüfung, welche gerade wegen ihres zusammenfassenden Charakters eines grossen Erfolges sicher sein darf.

Verf. sagt selbst, dass er in der vorliegenden Anleitung, mit deren Abfassung er von den milchwirthschaftlichen Vereine beauftragt worden ist, etwas Neues nicht bieten könne. Sein Verdienst aber ist, das Vorhandene in zweckentsprechender Form verwerthet zu haben. Abbildungen aus dem Handbuche der Milchwirthschaft von Kirchner erhöhen den Werth der sehr empfehlenswerthen Broschüre.

Scholl, Die Milch, ihre häufigen Zersetzungen und Verfälschungen mit spezieller Berücksichtigung ihrer Beziehungen zur Hygiene. Wiesbaden 1891, Verlag von J. F. Bergmann.

In vorliegender Arbeit, welcher ein Vorwort des um die Milchhygiene hochverdienten Prager Bakteriologen Hüppe das Geleit giebt, will Verf. eine Zusammenstellung der wichtigsten Grundlagen für die sanitäre und chemische Milchkontrolle bieten. Verf. stellt letztere absichtlich in die zweite Reihe und legt das Hauptgewicht seiner Darstellung auf die bis jetzt leider so sehr vernachlässigte hygienische Seite des Milchverkehrs.

Die Arbeit des Verf. umfasst folgende Kapitel: I. Die Zusammensetzung der Milch und die verschiedenen Milchsorten. II. Anormale Milch. Bakterielle Zersetzungen der Milch. III. Hygienische Anforderungen an den Milchhandel und die sanitätspolizeiliche Kontrolle. IV. Die Verfälschungen der Milch und die chemische Milchuntersuchung. V. Milchkonservirungs-Methoden und als einen Anhang Anhaltspunkte für bakteriologische Milchuntersuchungen.

Wenn Verf. in seiner Einleitung betont, er habe weniger gewisse technische Einzelheiten besprechen, als vielmehr die leitenden Gesichtspunkte angeben wollen, nach welchen eine hygienisch richtige Milchwirthschaft und deren Kontrolle angelegt sein sollen, so kann gesagt werden, dass dieser Zweck erreicht worden ist. Die Abschnitte über die sog. Milchfehler, Milchinfektionen, sowie über Pasteurisiren und Sterilisiren sind das Wesentliche des Buches und gut bearbeitet. Die Ausführungen über Hygiene des Milchhandels dagegen bewegen sich auf so allgemeinem Boden, dass man annehmen muss, der Verf. stehe dem praktischen Molkereibetriebe vollkommen ferne. Mit Recht stellt Sch. bei der Verhütung von Milchinfektionen beim Menschen die thierärztliche Kontrolle in den Vordergrund, etwas problematisch aber sieht es mit der 2. Forderung „Mischen grosser Milchmengen" aus, während Forderung 3 „Es darf unter keinen Umständen rohe Milch in den Handel gebracht werden, sondern alle Milch muss vor dem Verkaufe einen sicheren Sterilisationsprozess durchgemacht haben, ebenso undurchführbar ist, wie sie bei Erfüllung der Forderung 1 unbegründet erscheint.

Wenn Ref. auch im Einzelnen an manchen Stellen die Tiefe, Gründlichkeit und Kritik bei der Bearbeitung des Stoffes vermisst hat, so steht er doch nicht an, den Versuch von Scholl, wie ihn Hüppe bezeichnet, allen Milchhygienikern — und zu diesen gehören in erster Linie die Thierärzte — als eine recht lesenswerthe und mit Bezug auf das Kapitel „bakterielle Milchzersetzungen" recht gute Arbeit zu empfehlen.

Henneberg, Der Kafill-Desinfektor, Apparat zum Sterilisiren und Austrocknen von Thierleichen Fleischabfällen und dgl. unter Gewinnung von Fett, Leim und Dungpulver. Berlin 1892 bei Julius Springer.

Es ist ein Verdienst Lydtins, die deutschen Ingenieure auf eine Einrichtung aufmerksam gemacht zu haben, welche von einem Thierarzte (De la Croix in Antwerpen) erfunden, im Auslande schon seit 8 Jahren mit grossem Gewinn Verwerthung findet. Es ist dieses der Appareil stérilisateur-dessicateur, système De la Croix", welcher durch deutsches Reichspatent geschützt, nunmehr auch in Deutschland von der Firma Rietschel und Henneberg hergestellt und empfohlen wird. Verf. „verdeutscht" den Namen des Apparates, indem er ihn als Kafilldesinfektor bezeichnet. Besser als die Verdeutschung aber ist die Beschreibung des Apparates und seiner eminenten Bedeutung. Verf. legt in einer Weise, bei welcher man die fachmännische Assistenz nicht verkennt, klar dar, dass die bisherige Verweisung der an Seuchen umgestandenen oder vom menschlichen Genusse ausgeschlossenen Thierkadaver an die Abdeckereien bezw. das Verscharren derselben eine befriedigende Regelung der Frage nicht bedeuten könne. Denn in der That muss das bisherige Verfahren als eine Miss- und Raubwirtschaft angesehen werden, welcher je eher desto besser Einhalt zu bieten ist. Der Kafilldesinfektor soll diesen Zweck erfüllen.

Aus der Broschüre sei nur Weniges hervorgehoben. In dem Kafilldesinfektor werden einzelne Theile und ganze Kadaver mehrere Stunden lang einer Temperatur von etwa 150°C. ausgesetzt und durch sinnreiche Einrichtungen völlig geruchlos in Fett, Leimwasser und Dungpulver zerlegt. Als mittlere Ausbeute von sterilisirtem, getrocknetem und gemahlenem Dungpulver wurden 25—30 pCt. vom Gewichte des eingesetzten Materiales gewonnen und hierfür pro 100 kg 14—16 Mark erzielt. Der Gewinn an Fett betrug durchschnittlich 15—20 pCt. des Einsatzes und repräsentirte einen Werth von 36–48 M. pro 100 kg.

Diese Angaben mögen genügen. Im Uebrigen seien alle Schlachthofverwaltungen auf die kleine Schrift eindringlichst hingewiesen. Referent möchte aber dem Wunsch ausgesprochen haben, dass vor Aufstellung der Kafilldesinfektoren die Angaben über die Temperaturgrade, namentlich im Innern der nicht zu Pulver zerfallenden Theile, einer einwandsfreien Nachprüfung unterzogen werden.

Kleine Mittheilungen.

— Im Verein brandenburgischer Thierärzte hat Herr Schlachthausdirektor Wulff-Cottbus beantragt, der Verein möge dahin wirken, dass den Schlachthaus- und beamteten Thierärzten die Ausbildung, Prüfung und Nachprüfung der Trichinenschauer übertragen werde. Herr Dr. Albrecht beleuchtete den grossen Uebelstand, dass die Apotheker das Prüfungsrecht für Trichinenschauer besitzen. Herr Dr. Schmaltz schlug vor, folgende 4 Punkte zum Gegenstand einer Petition zu machen: 1. Die Fleischbeschauer sollen ausschliesslich in den Schlachthäusern und in mit gleichen Hülfsmitteln versehenen Instituten durch die betr. Thierärzte ausgebildet werden. 2. Den Apothekern ist das Recht, Personen behufs Bestellung als Fleischbeschauer zu prüfen, zu entziehen. 3. Dieses Recht soll neben den Kreisphysikern auch den Kreisthierärzten zustehen. 4. In solchen Schlachthäusern, wo die Leitung der Fleischschau und damit die ständige Kontrolle derselben einem Thierarzt obliegt, soll von Nachprüfungen der Fleischbeschauer durch die Kreisphysiker abgesehen werden.

Der Vorstand wird ermächtigt, über diesen Gegenstand höheren Orts Vorstellungen zu unterbreiten. (Berl. Thierärztl. Wochenschr. Nr. 45, 1891).

— **Trichinenschau im Königreich Sachsen.** 1890 wurden unter 673 882 geschlachteten Schweinen 75 trichinöse festgestellt (1 : 8985). Hiervon hat $1/3$ die Trichinen in Sachsen selbst erworben. Ein trichinöses Schwein stammte aus einem Stalle, in welchem schon im Vorjahre Trichinen vorgekommen waren.

Die Ueberwachung der Trichinenschauer liegt bekanntlich zum Theile in den Händen der Bezirksthierärzte. Bezirksthierarzt Baumgärtel berichtet, dass von 70 nachgeprüften Trichinenschauern nur 14 ganz tadellos, 16 gut, 32 genügend und 8 ungenügend gearbeitet haben. Einmal fanden sich an einem Mikroskope die Schrauben eingerostet, die Spiegel erblindet und die Linsen durch Schmutz und Fett völlig undurchsichtig. Bezirks-Thierarzt Weigel berichtet: Von einem trichinösen Schweine hatten in Folge Nachlässigkeit des Trichinenschauers bereits 14 Personen Fleisch gegessen. Erkrankungen traten aber glücklicher Weise nicht ein (jedenfalls wegen geringen Trichinengehaltes des fragl. Schweines. D. H.). (Sächsischer Jahresbericht f. d. Vet.-Wesen pr. 1890.

— **Trichinenschau-Kurse an der Thierärztlichen Hochschule zu Dresden.** Während des Jahres 1890 wurden 5 derartige Kurse abgehalten, an welchen sich 88 Personen betheiligten. Von diesen unterzogen sich der Prüfung 86 Theilnehmer, welche ebenso wie 35 anderweitig vorgebildete Prüflinge Befähigungszeugnisse erhielten.

— **Pferde- und Hundeschlächtungen im Königreich Sachsen.** An Pferden wurden geschlachtet zu Leipzig 1053, Dresden 1428, Chemnitz 575 Freiburg 157, Dippoldiswalde 70, Grossenhain 272, Annaberg 132, Marienberg 69, Plauen 121, Auerbach 372, zusammen 4249 Stück. Hunde gelangten zur Schlachtung in Leipzig, 103, in Chemnitz 312. Unter letzteren befand sich ein Thier, welches ziemlich stark mit Finnen (Cysticercus cellulosae) durchsetzt war.

— **Vieh- und Fleischausfuhr von New York.** Nach einem Berichte des Bez.-Thierarztes Fuchs in den „Thierärztlichen Mittheilungen" (aus der „New York Daily Tribune") hat sich der Export von lebendem Hornvieh 1890 auf 166 891 Stück und von Rindervierteln von 598 378 Stück gehoben (gegen 38 523 und 287 302 Stück im Jahre 1881). Das ausgeschlachtete Fleisch wird durch das Ammoniak-Verfahren in kalten, festen und trockenen Zustand, nicht aber zum Gefrieren gebracht und in Dampfern nach Europa geschickt, welche bis zu 4700 Rinderviertel zu fassen imstande sind. Die neueingerichteten Schiffe brauchen zur Fahrt 7 Tage.

— **Freibank in München.** Nach der „Wochenschrift f. Thierheilk. u. Viehz." wurden auf der Freibank zu München 1890 480 Ochsen, 3276 Kühe, 66 Stiere und 38 Jungrinder (= 3860 Stück Grossvieh), ferner 930 Kälber, 1706 Schweine und 132 Schafe, (= 2768 Stück Kleinvieh) zusammen 6628 Thiere verwerthet. Mit Ausnahme von 190 Kühen und etwa 1000 Schweinen, welche freiwillig von Besitzern auf der Freibank verkauft wurden, erfolgte die Ueberweisung aller übrigen Thiere auf sanitätspolizeiliche Anordnung. Nach der Münchener Freibankordnung muss der Verkaufpreis des Fleisches mindestens 10 Pf, unter dem jeweiligen Tagespreise betragen. Die Preise gestalteten sich pr. Pfund für Ochsenfleisch 34—60 Pf. Rindfleisch 24—54 Pf., Kalbfleisch 30—54 Pf., Schweinefleisch 34—60 Pf., und Schaffleisch 20—38 Pf.

— **Fleischkontrolle in Russland.** Aus einem Berichte der „Politiken" über das Schlachthaus zu Petersburg sind folgende interessante Einzelheiten zu entnehmen. Der Schlachthof besitzt (was in Deutschland leider nicht der Fall ist) eine Anstalt zur Vernichtung des Fleisches kranker Thiere. Zur Trichinenschau werden junge Mädchen verwendet. Grosser Anerkennung erfreut sich ein „Fleischmuseum", welches der Leiter des Petersburger Schlachthofes, Mag. Ignatiew, eingerichtet hat. Das Museum enthält vorzügliche, in Wachs ausgeführte Nachahmungen der verschiedenen Fleischarten und Fleischsorten, so dass man in dem Museum die Gelegenheit hat, einen vollständigen Kursus der Küchenanatomie durchzumachen und die technischen Namen, die Verwendung, sowie den Nährwerth der einzelnen Fleischtheile kennen zu lernen. Ausserdem finden sich in dem Museum die Veränderungen der Organe und des Fleisches bei den verschiedenen Krankheiten, sowie bei betrügerischen Manipulationen, z. B. beim Aufblasen.

Die Schlachtziffer in Petersburg beträgt jährlich etwa 180 000 Ochsen, 100 000 Kälber, 35 000 Schweine, 17 000 Ferkel und 18 000 Schafe. Ausserdem gelangt aber noch viel Fleisch in den Handel, welches nicht auf dem Schlachthofe geschlachtet wurde. Das Schlachten der Ochsen geschieht mittels des Genickstiches und nachheriger Eröffnung der Halsgefässe. Bemerkenswerth ist zum Schlusse die Mittheilung, dass Tuberkulose nur bei 3 pro mille der geschlachteten Rinder angetroffen werde.

Tagesgeschichte.

— **Oeffentliche Schlachthäuser** wurden eröffnet in Weissenfels und Bautzen. Der Schlachthof zu Guhrau soll am 1. Juni d. J. dem Betriebe übergeben werden. — In Linden bei Hannover ist der Bau eines öffentlichen Schlachthauses in Aussicht genommen. — In Barmen hat man endlich den Bau eines neuen Schlachthauses beschlossen.

— **Freibänke.** Die Stadtverordneten-Versammlung zu Crefeld beschloss die Errichtung einer Freibank. — In Demmin (Pommern) wird das zur menschlichen Nahrung geeignete, aber nicht bankwürdige Fleisch in gekochtem Zustande verkauft. Es ist sehr anzuerkennen, dass die Anregung zu diesem Vorschlag von der Fleischerinnung zu Demmin ausging.

— **Schlachtvieh-Versicherungswesen.** Der Kreis Leobschütz hat eine Versicherung gegen Verluste im Schweinebestande errichtet. — Der Rath der Stadt Leipzig erhebt seit dem 1. Jan. d. J. folgende Prämien:

a) für Ochsen und Bullen 7,50 Mk., b) für Kühe unb Färsen 9,50 Mk, c) für Schweine 0,80 Mk.

— **Ortspolizeiliche Verfügungen.** In Friedrichstadt soll vom 1. April d. J. alles Schlachtvieh durch einen Sachverständigen obligatorisch untersucht werden. — Das Regulativ, betr. den Schlachthauszwang in Dessau bestimmt u. a., dass Kälber nur in einem Alter von über 10 Tagen und bei einem Mindestgewicht von 45 kg geschlachtet werden dürfen. Ferner soll (§ 5) den Schlachtthieren vor dem Schlachten eine Ruhepause gegönnt werden, und zwar im Winter bei Fusstransport von 8 Stunden, bei Wagentransport von 4 Stunden, im Sommer dagegen von 12 bezw. 6 Stunden.

— **Zum Direktor des Viehhofs in Mannheim** wurde der bisherige Bezirksthierarzt Fuchs daselbst ernannt.

— **Zur Einfuhr amerikanischen Schweinefleisches.** In Stettin wurden 1891 von 857 amerikanischen Speckseiten 7 trichinös befunden. — Aus Neuss (Rheinpr.) wird berichtet, von den daselbst untersuchten amerikanischen Speckseiten

seien 2 pCt. trichinös gewesen. — In Düsseldorf sind seit der wieder erlaubten Einfuhr amerikanischen Schweinefleisches in 66 Fleischstücken, Schinken und Speckseiten Trichinen gefunden worden. — In Dresden sind nach der „Allg. Fleisch-Ztg." bei der Untersuchung einer Sendung amerikanischer Schweineprodukte wiederum zwei trichinenhaltige Speckseiten und zwar die eine davon sehr stark mit Trichinen durchsetzt aufgefunden worden. Die Sendung war mit einem Zertifikat der amerikanischen Behörde (U. S. Departement of Agriculture Bureau of Animal Industrie) versehen, dass das Fleisch der Ursprungsthiere in Chicago vor und nach der Schlachtung nach Massgabe der Kongressakte vom 3. März 1891 untersucht und frei von ge sundheitsschädlichen Eigenschaften befunden worden sei.

— **Trichinosis** ist nach den Berichten mehrerer Zeitungen in Lodz (Russisch-Polen) ausgebrochen. Von über 50 Erkrankten seien bereits 17 gestorben, darunter die ganze aus 11 Personen bestehende Familie Seidel in Neuschlesien. — In Leske (West-Pr.) ist die Familie und das Gesinde eines Gutsbesitzers stark an Trichinosis erkrankt. Das Dienstmädchen erlag der Krankheit. Der Gutsbesitzer hatte zum Hausgebrauche 3 Schweine geschlachtet, welche bei der nachträglich veranlassten Untersuchung sich sämmtlich als stark mit Trichinen durchsetzt herausstellten.

— **Quarantäne in Bremen.** Laut Senatsbeschlusses vom 16. September 1891 können zu Zuchtzwecken aus Grossbritannien importirte Rinder ohne Weiteres dem Verkehr übergeben werden, während das nicht zu Zuchtzwecken aus England und Amerika eingeführte Rindvieh eine 4 wöchentliche Quarantäne durchmachen muss. (Der Zweck dieser Massregel ist nicht recht verständlich. Gerade die nicht zu Zuchtzwecken eingeführten Rinder könnten ohne Quarantäne zur sofortigen Abschlachtung zugelassen werden. Jedenfalls liegt ein Druckfehler vor. D.H.)

— **Wegen fahrlässiger Tödtung und Körperverletzung** wurde der als Trichinenschauer verpflichtete Lehrer A. L. aus Madre (Posen) zu 6 Monaten Gefängniss verurtheilt. Derselbe hatte der Instruktion zuwider einem Schweine die Proben nicht selbst entnommen, sondern sich damit begnügt, von der Besitzerin des Schweines ihm übersandte Proben zu untersuchen. A. L. bescheinigte auf Grund dieser Untersuchung, dass das Schwein trichinenfrei sei. Nach dem Genuss des Fleisches aber erkrankte die ganze Familie des Rittergutsbesitzers an Trichinose; die Frau desselben starb daran.

— **Die polizeilichen Vorschriften über Fleischbeschau** für den K. Bayr. Kreis Unterfranken werden zur Zeit einer Abänderung unterzogen. Man erhofft bestimmt eine zeitgemässe Reform namentlich mit Hinsicht auf die Belohnungsverhältnisse der Fleischbeschauer sowie in Betreff des Verkehrs mit Fleisch von kranken Thieren.

— **Die Fleischschau- Kurse für Intendanturund Proviantbeamte bezw. Zahlmeister,** über welche bereits berichtet wurde, sind bei sämmtlichen Preussischen, sowie bei dem 14. und 15. Armeekorps abgehalten worden. Die Leitung der Kurse, an welchen sich 177 der oben genannten Beamten betheiligten, war den Korpsrossärzten, ausnahmsweise aber auch Oberrossärzten übertragen. Unter den 177 Theilnehmern befanden sich a) von der Intendantur: 3 Räthe, 4 Assessoren, 26 Sekretäre, 17 Sekretariats-Assistenten, 9 Büreau-Diätare, b) von der Proviant-Verwaltung: 3 Direktoren, 9 Kontroleure, 6 Rendanten, 2 Sekretäre, 40 Assistenten, 5 Aspiranten, 8 Applikanten u. ausserdem c) 45 Zahlmeister u. 5 Zahlmeister-Aspiranten. (Zeitschrift f. Veterinärkunde).

— **Der deutsche Verein für öffentliche Gesundheitspflege** hält seine nächste Jahresversammlung in Würzburg ab, und zwar in der ersten Hälfte des Septembers, unmittelbar vor der zu Nürnberg tagenden Versammlung deutscher Naturforscher und Aerzte.

— **Die Versammlung von Nahrungsmittel-Chemikern und Mikroskopikern,** welche am 12. und 13. Oktober in Wien tagte, hat nach der „Zeitschrift für Nahrungsmitteluntersuchung und Hygiene" den von Dr. Löbisch (Universitätsprofessor in Innsbruck) gestellten Antrag folgenden Inhalts angenommen:

‚Es möge im Interesse der sanitätspolizeilichen Fleischbeschau die Hebung der wissenschaftlichen Ausbildung der Thierärzte angestrebt werden. Dies würde dadurch erreicht, wenn auch bei uns, wie in Deutschland, der Unterricht der Thierärzte als Hochschulen-Unterricht eingerichtet würde".

— **Die englische Tuberkulosecommission** stellt eine Enquete an: 1. über Fälle von Tuberkulose beim Menschen, die nach Ansicht des Beobachters durch den Genuss tuberkulöser Nahrung oder durch den Verkehr mit tuberkulösen Tieren entstanden sind. 2. über Fälle tuberkulöser Infection bei Thieren, welche nach dem Beobachter von tuberkulösen Menschen übertragen worden sind. 3. über Fälle, in welchen die Individuen trotz Genusses tuberkulöser animaler Nahrung von der Krankheit verschont geblieben sind.

Auf dem II. Oesterreichischen Thierärzte-Tag referirte u. a. Toscano-Wien über „das Fleischbeschauwesen in Oesterreich und dessen nothwendige Regelung", ferner Csokor-Wien über „die Tuberkulose der Hausthiere".

— **Zum Kapitel der nichtthierärztlichen Schlachthausdirektoren.** Mit Bezugnahme auf die Notiz, S. 89, des II Jahrg. dies. Zeitschr., theilt das Oberbürgermeisteramt Crefeld dem Herausgeber folgendes mit: „Die Vorgänge, welche zur Entlassung des früheren Schlachthofinspektors nach den Gründen des bezüglichen gerichtlichen Urtheils geführt haben, liegen auf einem ganz anderen Gebiete, als die Ursachen, welche die Neuorganisation der hiesigen Schlachthausverwaltung veranlasst haben. Abgesehen von anderen Gründen, hat man bei der Anstellung eines Verwaltungsbeamten namentlich gehofft und die Erfahrung hat dies jetzt schon bestätigt, dass dadurch eine sachgemässere Leitung des maschinellen Betriebes und erhebliche Minderausgaben für Materialien erzielt werden, als dies bei der Leitung der Verwaltungsgeschäfte durch einen Thierarzt, selbst bei dem besten Willen des letzteren, möglich ist.

Die Neuorganisation ist nicht von dem „Magistrat" — einen solchen giebt es hier überhaupt nicht —, sondern von der Stadtverordneten-Versammlung, und zwar in vollem Einverständniss mit allen betheiligten Kreisen, beschlossen worden. Der angestellte Schlachthof-Direktor ist nicht „Hauptmann a. D.", sondern ein studirter und praktisch erfahrener Chemiker, der allerdings nebenbei Hauptmann der Landwehr und als solcher noch im Dienst ist. Die Kündigung des derzeitigen Schlachthofthierarztes ist nicht eine Folge der Neuorganisation, sondern eine Folge andauernder Kränklichkeit. Der betreffende Herr hat auf den Rath seines Arztes seines Gesundheitszustandes wegen zu meinem Bedauern schon vor Beendigung seines Amtsverhältnisses in seine Heimath beurlaubt werden müssen. Ich wüsste in der That keinen Grund, welcher den genannten Beamten hätte veranlassen können, als Ursache seiner Kündigung seinen Gesundheitszustand anzuführen, wenn die wirkliche Ursache die Neuorganisation der Verwaltung gewesen wäre."

Anm. des Herausgebers. Gegen die Anstellung von besonderen Verwaltungsbeamten an Schlachthöfen lässt sich durchaus nichts einwenden. Es ist aber bei der untergeordneten Bedeutung der Verwaltungsgeschäfte (Leitung des maschinellen Betriebes und Verwaltung der Materialien) ein offenbares und praktisch für den Betrieb höchst nachtheiliges Missverhältniss, wenn der Verwaltungsbeamte dem Schlachthofthierarzte gleich- oder gar übergeordnet wird.

Personalien.

Dem Thierarzt E. Rose, vorher in Markdorf, wurde die Trichinenschau in Römhild übertragen. Thierarzt Ohlmann aus Bordesholm wurde zum Schlachthof-Vorsteher in Sorau, Thierarzt Mejer von Leipzig zum Schlachthof-Thierarzt in Crefeld, Thierarzt Staubitz von Fulda zum Schlachthaus-Inspektor in Ballenstedt und Thierarzt Türcks von Frielendorf zum Schlachthof-Verwalter in Eisenach gewählt.

Bezirksthierarzt Fuchs in Mannheim wurde zum Direktor des Vieh- und Schlachthofes daselbst ernannt.

Vakanzen.

Ibbenbüren, Spandau, Ratibor, Guhrau (Nähere Angaben hierüber siehe in Heft 1—4.)

Naumburg a. d. Saale: Schlachthof-Verwalter zum 1. Juli 1892 (2500 steigend bis 3000 M. und freie Wohnung; keine Privatpraxis). Bewerbungen an den Magistrat.

Oberhausen (Rheinpr.): Schlachthof-Inspektor zum 1. Mai 1892 (2400, im 2. Jahre 3000 M. nebst freier Wohnung und Heizung). Bewerbungen an den Bürgermeister.

Blankenburg (Harz): Thierarzt zur Leitung des Fleischschaueramtes sofort (2100 M.). Bewerbungen beim Stadtmagistrat.

Pasewalk: Schlachthaus-Thierarzt zum 1. Mai 1892 (2400 M., freie Wohnung und Heizung). Bewerbungen an den Magistrat.

Kattowitz: Schlachthaus-Thierarzt (2400 M., freie Wohnung und Heizung. Keine Privatpraxis) Gesuche an den Magistrat.

Besetzt: Römhild, Sorau, Crefeld, Ballenstedt, Eisenach, Mannheim.

Aufforderung,
die Anfertigung von Präparaten für die Prüfung der Trichinenschauer betr.

Durch Verfügung der Königlichen Regierung zu Posen ist die Prüfung und Ueberwachung der Trichinenschauer in dem dortigen Bezirke den Kreisthierärzten, und zwar diesen ausschliesslich, übertragen worden. In anderen Regierungsbezirken ist ebenso wie im Königreich Sachsen ein Anfang zu dieser durchgreifenden Reform des Trichinenschauwesens dadurch gemacht worden, dass man die Prüfung der Trichinensucher neben den Kreisphysikern den beamteten Thierärzten überliess. Es steht nun zu hoffen, dass diese Angelegenheit in nicht zu ferner Zeit in ganz Norddeutschland nach dem Vorbilde Posens geregelt werden wird.

Schon jetzt aber gehen dem Herausgeber zahlreiche Anfragen über den Bezug geeigneter mikroskopischer Präparate für die Prüfung der Trichinenschauer zu. Leider ist derselbe, so gerne er dieses im Interesse der hier in Frage kommenden Angelegenheit gethan hätte, vorläufig nicht in der Lage, solche Präparate unter seiner Aufsicht herstellen zu lassen. Deshalb richtet er an Fachgenossen, welche die Zeit und Lust besitzen, fragliche Präparate herzustellen, die Bitte ihm ihre Adresse zukommen zu lassen. Es ist in hohem Grade wünschenswerth, dass Kollegen sich mit der Herstellung der Prüfungsobjekte befassen, weil die gewöhnlich von Trichinenschauern verfertigten Präparate, wie ich mich mehrfach zu überzeugen die Gelegenheit hatte, den an sie zu stellenden Anforderungen in der Regel nicht genügen.

Eine Kollektion von Trichinenschaupräparaten würde am zweckmässigsten umfassen je 1 Präparat von
1. Darmtrichinen (männlich und weiblich),
2. wandernden Muskeltrichinen (vom Kaninchen oder Meerschweinchen),
3. eingekapselten „ „ Schwein,
4. partiell verkalkten „ „ „
5. total „ „ „
6. intakten sog. Psorospermien,
7. verkalkten „ „
8. intakten „ Duncker'schen Strahlenpilzen,
9. verkalkten „ „ „
10. jugendlich degenerirten Finnen,
11. konservirtem Schweinefleisch (Schinken) mit krystallinischen Ablagerungen.

Ausserdem würde es sich sehr empfehlen, wenn der oder die Kollegen, welche sich zur Herstellung der genannten Präparate bereit finden, stets mehrere mit Trichinen gefütterte Meerschweinchen, Kaninchen oder Mäuse vorräthig hielten, um zu jeder Zeit frisches trichinöses Fleisch abgeben zu können. Bekanntlich stösst der Bezug geeigneten frischen trichinösen Fleisches aus Schlachthäusern auf manche Schwierigkeiten, da selbst in bedeutenden Schlachthöfen nicht jeden Tag trichinöse Schweine, bzw. solche trichinöse Schweine gefunden werden, deren Fleisch sich als Prüfungsgegenstand eignet.   Ostertag.

Verantwortlicher Redakteur (excl. Inseratentheil): Dr. Ostertag. — Verlag und Eigenthum von Richard Schoetz in Berlin. Druck von W. Büxenstein, Berlin.

Zeitschrift

für

Fleisch- und Milchhygiene.

Zweiter Jahrgang.   März 1892.   Heft 6.

Original-Abhandlungen.
(Nachdruck verboten.)

Ueber das Verfahren bei der Untersuchung und Beanstandung der Schlachtthiere.

Von
Fischöder-Bromberg,
Schlachthof-Direktor.

(Schluss.)

B. die anderen Schlachthiere.

Bei den anderen Schlachtthieren ist im Grossen und Ganzen dasselbe zu berücksichtigen wie bei den Rindern. Es soll daher nur auf etliche Punkte hingewiesen werden, die bei den einzelnen Thiergattungen besondere Beachtung verdienen.

I. Kälber.

Jedes Kalb ist auf seine Reife zu prüfen. Zu diesem Zwecke ist zu untersuchen, ob der Nabel vollständig vernarbt ist, und wie das Fett beschaffen ist. Sulzige, grauröthliche Beschaffenheit des Fettes (wenn man dasselbe als Fett bezeichnen kann), schlaffe, weiche Mnskulatur sind Zeichen der sog. Unreife. Der Nabel spielt auch bei der Nabelinfection eine grosse Rolle. Eine schlaffe, missfarbene Beschaffenheit des Nabels auch ohne jauchige Erscheinungen ist charakteristisch für Nabelinfection. Dabei bestehen immer gelbsulzige Infiltrationen vorzugsweise an den Tarsal- und Carpalgelenken. (Zeitschr. f. Fleisch- u. Milch-Hyg. 1890 pag. 117.) Diese fallen zuerst in die Augen und sind von grosser Bedeutung. Bei pyämischer Infection sind Eiterherde in den inneren Organen und Gelenken. Tuberculose ist höchst selten bei Kälbern.*)

*) Kälbertuberculose wird aber häufiger eruirt, wenn in jedem Falle die Milz abgetastet wird und die Portaldrüsen angeschnitten werden.   O.

II. Schafe.

Die Lunge ist oft Sitz von Fadenwürmern und Ecchinococcen, daher ist sie stets durchzufühlen und anzuschneiden, desgleichen die Drüsen (Tuberculose).

Die Leber ist genau so wie bei den Rindern zu untersuchen. Leberegel, oft noch im ganz jungen Zustande, sind ein häufiger Befund. Der Inhalt der Gallengänge ist dann dickflüssig in Folge der zahllosen kleinen Würmer. Beim Vorhandensein der Gelbsucht ist die Leber gelb, ebenso das Bindegewebe. Es empfiehlt sich gelbsuchtverdächtige Thiere einige Stunden hängen zu lassen. Sie werden alsdann quittengelb.*) Der Nährzustand ist bei Schafen stets zu beachten, da er sehr häufig in Folge einer Wurmkrankheit leidet.

III. Schweine.

Bei Schweinen sollen kurz nur diejenigen Schnitte erwähnt werden, welche ausser der im Allgemeinen vorzunehmenden Untersuchung in allen Fällen gemacht werden müssen.

Es sind anzuschneiden: die oberen Halsdrüsen (sehr oft tuberculös), die Nackenmuskeln, Lendenmuskeln, Zunge, das Herz (Finnen), die Bronchial- und Mediastinaldrüsen (Tuberculose), Lungenbasen (Fadenwürmer), Portaldrüsen (Tuberculose), Leber (Tuberculose; Leberegel höchst selten!) Die Milz ist nach dem Durchfühlen anzuschneiden (Tuberculose), ebenso wie die Gekrösdrüsen (sehr wichtig! Tuberculose.)**)

*) Oder weiss! (Hertwig).
**) Sehr wichtig ist das systematische Absuchen

Es ist unmöglich hier die Untersuchungsmethoden bis in ihre kleinsten Züge hin
zu verfolgen und die einzelnen Krankheiten nacheinander zu besprechen.

In Betreff der Untersuchung der tuber-
culösen Thiere muss ich auf die vorzügliche Arbeit von Ostertag (Zeitschr. f.
Fleisch- und Milch-Hyg. 1890. pag. 7 u. 19.)
verweisen, welche wohl zu beachten ist.

Es soll hier nur noch die Trichinenschau kurz erwähnt werden.

Wie sie auf dem Lande oft geübt wird,
darüber haben wir so viele Beispiele
in der Litteratur, dass ich dieses hier
mit Stillschweigen übergehen kann. Es
ist mir nur unverständlich, wie ein Thierarzt an einem Schlachthause, an welchem
täglich 10—15 Schweine geschlachtet
werden, ausser seinen übrigen Amts-
geschäften die Trichinenschau selbst versehen kann.*)

Die Trichinenschau kann nur dann eine
gründliche genannt werden, wenn eine
ganz bestimmte Anzahl von Präparaten
aus den Lieblingssitzen der Trichine
(Ostertag, Zeitschr. f. Fl.- u. M.-Hyg. 1891
pag. 17) angefertigt werden, wenn die
Präparate mindestens ein □ cm gross
sind und mindestens eine halbe Stunde
auf die Untersuchung derselben verwendet wird.**) Wenn also ein Schlacht-
haushierarzt 5—7 Stunden mindestens
auf die Untersuchung auf Trichinen verwendet, wie kann er mit seinen übrigen,
nicht nur thierärztlichen, sondern auch Ver-
waltungs-Arbeiten fertig werden?

Mit der Ausübung der Trichinenschau
sind daher nicht die Schlachthaushierärzte,
sondern empirische Trichinenschauer
zu beauftragen, welche unter Aufsicht

---

der inneren Bauch- und Brustwandung des
Schweines auf Finnen. (Vorherige Entfernung der
sog. „Liesen", wie es in Berlin Vorschrift ist.) Bei
einfachem Hineinsehen in die ausgeschlachteten
Schweine werden nur die stärkeren Finnen-
invasionen entdeckt.

*) Vergl. die Trichinose in Altena!

**) In Berlin sind 18 Minuten für die Unter-
suchung der Proben eines Schweines vorgeschrieben.   O.

des Thierarztes arbeiten. Von weiteren
Einzelheiten will ich hier absehen.

Wenn man in der angeführten Weise
jedes einzelne Schlachtthier untersucht,
dann trifft man auf die verschiedensten
krankhaften Zustände, und es ist hierauf
Sache des Sachverständigen auf Grund
seiner pathologischen und anatomischen Kenntnisse die Untersuchung weiter auf bestimmte Körpertheile mit der grössten Aufmerksamkeit auszudehnen. Ich will noch hervorheben, dass die einzelnen pathologisch-
anatomischen Zustände bei Schlachtthieren sich ganz anders repräsentiren
als an einem nicht ausgebluteten Thiere.
Dieser Umstand ist wohl zu beachten,
namentlich bei Beurtheilung der Organ-
parenchyme. Die grösste Vorsicht und
Sorgfalt ist bei nothgeschlachteten
Thieren anzuwenden. In dieser Beziehung sind im Circularerlass der Königlichen Kommission für das Veterinärwesen
in Sachsen 1889 wohlzuberücksichtigende
Winke enthalten; es sind dort bestimmte
Krankheiten erwähnt, wie Gebärkrank-
heiten, Euterentzündungen, Darmentzün-
dungen mit Neigung zu Blutungen und
Erkrankung der Parenchyme, Perforativ-
pleuritiden und Peritonitiden, welche mit
Allgemeininfektion verbunden sind. Dahin gehören auch äussere Verletzungen der
Knochen und Gelenke. Gerade diese
Krankheiten geben oft zu Fleischvergiftungen Veranlassung.

Sind nicht alle Eingeweide zur Stelle,
so ist die Untersuchung unter allen Umständen abzulehnen; in zweifelhaften
Fällen sind die Veränderungen abzuwarten,
welche mit dem Fleische in 24—48 Stunden
vorgehen. Schlaffe, missfarbene, trübe Beschaffenheit des Fleisches, blutige, seröse
Durchtränkung der Lymphdrüsen sowie
markige Schwellung derselben sind Zeichen
einer Allgemeininfektion. Oft sieht man
aber dem Fleische garnichts Krankhaftes
an, während es geeignet ist, die schwersten
Folgen herbeizuführen. Daher Vorsicht
bei der Beurtheilung des Fleisches von
Thieren, über deren Gesundheitszustand

zu Lebzeiten auch nur die geringsten Zweifel bestehen.

Die Untersuchungen haben sich so weit zu erstrecken, dass der Sachverständige nicht nur über die Art der vorhandenen krankhaften Zustände sich Gewissheit verschafft, sondern er muss auch ganz genau über die Ausbreitung und das Alter derselben volle Gewissheit haben, denn nur in diesem Falle kann er ein massgebendes Urtheil über die Verwerthung des Fleisches abgeben. Der Befund ist sofort an Ort und Stelle in Bezug auf das Wesen, die Ausbreitung und Alter der krankhaften Veränderungen niederzuschreiben; es ist dies nicht nur für polizeiliche, sondern auch für gerichtliche Zwecke erforderlich.

Hat sich nun der Sachverständige über sein Untersuchungsobjekt Klarheit verschafft, so kommt an ihn die Frage: Was ist mit dem ganzen Thiere, oder mit den einzelnen Theilen zu machen?

Zur Beantwortung dieser Frage muss man sich über die Unterscheidung der fehlerhaften Fleischsorten im Klaren sein.

Die Ausdrücke „geniessbar" und „ungeniessbar" sind für die Fleischbeschau unbrauchbar, denn „genossen werden kann alles Fleisch, wenn man die ev. Folgen unberücksichtigt lässt".

Der am meisten bekannte und angewandte Ausdruck ist „verdorben;" er ist sowohl im § 367, als auch im Nahrungsmittelgesetz angeführt. Schmidt-Mülheim sagt in seinem Archiv für animalische Nahrungsmittelk. Bd. IV. pag. 19, dass dieser Ausdruck für die Fleischbeschau nicht passe und wünscht dafür die Worte: „ekelerregend" und „minderwerthig". Für den Ausdruck „minderwerthig" tritt auch Bollinger ein, ebenso Schwarz (Zeitschr. f. Fleisch- u. Milch-Hyg. 1890 pag. 94) und andere. Schwarz stellt an derselben Stelle die in verschiedenen Staaten gebräuchlichsten Ausdrücke wie „bankwürdig", „nicht bankwürdig", „fehlerhaft" u. s. w. zusammen. Der Ausdruck „minderwerthig" wird fast allgemein (auch von Schmaltz im Deutschen Veterinär-Kalender für 1892) angewendet. Die Vorzüge dieses Ausdruckes sieht man darin, dass einerseits als „minderwerthig" bezeichnetes Fleisch thatsächlich oft geringeren Nährwerth hat, andererseits dadurch, dass es unter Deklaration verkauft werden muss und deswegen auch nur einen geringeren Preis einbringt.

Ich sehe in allen diesen Ausdrücken ebenso wie Ostertag (Zeitschr. f. Fleisch. u. Milch-Hyg. 1890 pag. 37.) das Fehlen der gesetzlichen Unterlage. Der Sachverständige kann alle diese Betrachtungen bei seiner Untersuchung anstellen und sich noch viele andere Fragen vorlegen. Bei seinem Urtheil über die Beschaffenheit des Fleisches aber darf er nur diejenigen Ausdrücke anwenden, welche in den gesetzlichen Bestimmungen angewendet sind.

Besondere Ausführungsbestimmungen fehlen uns noch bis heute; es ist daher unsere Pflicht in dem Rahmen des Gesetzes zu bleiben, sonst nimmt die Willkür zu sehr Ueberhand. Das Haus ist gebaut und wir müssen uns daselbst einzurichten suchen, so lange nichts besseres vorhanden ist. Demnach haben wir folgende fehlerhafte Fleischqualitäten zu unterscheiden:

1. Fleisch, welches geeignet ist, die menschliche Gesundheit zu beschädigen. (§ 12 des N. M. G.)
2. Verdorbenes Fleisch. (§ 10 des N. M. G. u. § 367 des St. G. B.)

Ich kann mich mit der im deutschen Veterinär-Kalender 1892 Seite 78 gemachten Angabe: „Mit Rücksicht auf die Vorschriften (Lokalvorschriften) hat sich der Sanitätsthierarzt bei der Untersuchung der fehlerhaften Fleischqualitäten in der Regel nicht die Frage vorzulegen „gesundheitsschädlich oder nicht?" sondern vielmehr die Frage: „zum menschlichen Genusse noch geeignet oder nicht?" durchaus nicht einverstanden erklären. Indem ich die Wichtigkeit der letzten Frage nicht verkenne, halte ich es für erforderlich, dass der Sachverständige sich in jedem Falle darüber klar wird, ob das fehlerhafte Fleisch gesundheitsschädlich oder nur verdorben ist. Diese Frage ist für die weitere Behandlung des Fleisches von der grössten Wichtigkeit, indem das gesundheitsschädliche Fleisch von der Polizei-Behörde unschädlich zu beseitigen ist, während das weitere Verfahren mit dem verdorbenen Fleische wesentlich anders ist. Darauf werde ich noch später zurückkommen.

Bei genauerer Prüfung des Nahrungsmittelgesetzes kann man die Fleischbeschau an der Hand der darin enthaltenen beiden Bezeichnungen des fehlerhaften Fleisches: 1. geeignet die menschliche Gesundheit zu beschädigen und 2. verdorben, sehr gut ausüben, ohne dem Gesetze und sich selbst irgend einen Zwang anzuthun.

1. Fleisch ist dann geeignet, die menschliche Gesundheit zu beschädigen, wenn der Genuss desselben erfahrungsgemäss bereits die Gesundheit von Personen geschädigt hat, oder wenn die Gefährlichkeit solchen Fleisches für die Gesundheit wissenschaftlich bewiesen werden kann. (Deutsch. Vet. Kal. 1892 pag. 79.) Diese Eigenschaft muss dem Fleische anhaften. Das Gesetz verbietet jedes Inverkehrbringen gesundheitsschädlichen Fleisches, also auch das Verschenken oder das Vorsetzen seinen Angehörigen, und die Polizei hat dafür Sorge zu tragen, dass solches Fleisch unschädlich beseitigt wird. Stellt nun ein Sachverständiger die Gesundheitsschädlichkeit eines Schlachtthieres oder einzelner Theile desselben fest, so hat er sich zunächst die Frage vorzulegen: Kann diese dem Fleische anhaftende Eigenschaft der Gesundheitsschädlichkeit auf irgend eine Weise benommen werden? Ich will hier nur das vollständige Garkochen nach vorheriger Zerkleinerung (bei schwach finnigen Schweinen) und das Ausschmelzen hervorheben. In Berlin wurden aber Versuche gemacht, auch das Fleisch von allgemein tuberkulösen Rindern auf diese Weise für den Consum zu erhalten.*)

Muss der Sachverständige aber die erste Frage mit „nein" beantworten, so hat er sich zu fragen: Sind an Ort und Stelle Einrichtungen vorhanden, das Thier oder einzelne Theile technisch zu verwerthen, ist die Garantie geboten, dass nichts davon in den Verkehr, zum menschlichen Genusse gelangt?

Auch für die technische Ausnützung sind an Orten, an denen obligatorische Fleischbeschau eingeführt ist, Einrichtungen zu treffen. Falls keine technischen Anlagen bestehen, so kann wenigstens das Fett zur Bereitung von Schmiere oder Seife verwerthet werden. Hierbei ist aber dafür zu sorgen, dass die technisch zu verwerthenden Theile zum menschlichen Genusse unbrauchbar gemacht werden, z. B. durch gründliche Durchtränkung mit Petroleum.

Erst wenn das Thier oder einzelne Theile weder zum menschlichen Genusse brauchbar gemacht werden können, noch eine technische Verwerthung derselben möglich ist, erst dann ist das Thier zu vernichten. Das Verbrennen ist die beste Vernichtungsart; wo dies nicht durchführbar ist, ist zum Verscharren zu greifen. Die Kadaver sind dann recht tief zu vergraben und vorher durch gründliche Durchtränkung mit Petroleum zum menschlichen Genusse ungeeignet zu machen. Es ist Sache der Polizei-Behörde, das ev. Auskochen, Ausschmelzen, die technische Ausnutzung, sowie die Vernichtung des Kadavers zu überwachen, um volle Sicherheit zu bieten, dass thatsächlich nichts in den Verkehr gebracht wird. Die Behörde verlangt aber von dem Sachverständigen, welchem die Untersuchung übertragen ist, nicht nur ein Urtheil, sondern auch Vorschläge für die weitere Behandlung des

---

*) Wo eine obligatorische Fleischbeschau besteht, da sind auch Einrichtungen zu treffen, dass derlei Auskochungen und Ausschmelzungen leicht unter Aufsicht zu bewerkstelligen sind (Dampfkochapparate, Talgschmelzen).

Thieres oder einzelner Theile. Hierauf kann die Behörde darüber entscheiden, inwieweit eine Ausnützung des Thieres ohne Gefahr für die menschliche Gesundheit zu gestatten möglich ist.

2. Verdorbenes Fleisch.

Der Ausdruck „verdorben" ist allgemein verbreitet; man versteht darunter im gewöhnlichen Leben Fleisch, welches in Fäulniss begriffen ist. Aus diesem Grunde kann er sich sogar unter den Sachverständigen schwer Eingang verschaffen. Man hat auch versucht, andere Ausdrücke dafür einzusetzen. Ostertag tritt aber für die Beibehaltung der Bezeichnung „verdorben" in der Ausübung der praktischen Fleischbeschau ein. (Zeitschr. f. Fleisch- u. Milch-Hyg.).

Ich muss mich seiner Ansicht vollständig anschliessen, namentlich mit Rücksicht darauf, dass diese Bezeichnung eine gesetzliche Grundlage hat. Dass unter dem Ausdruck „verdorben" im gewöhnlichen Leben ganz bestimmt verändertes (fauliges) Fleisch bezeichnet wird, braucht den Sachverständigen bei der Abgabe seines amtlichen Ausspruches durchaus nicht zu stören. Die Behörden, denen gegenüber er das Wort „verdorben" benützt, wissen, dass damit dasjenige Fleisch bezeichnet wird, von welchem in dem Nahrungsmittelgesetz die Rede ist.

Solche technischen Ausdrücke bezeichnen sehr oft etwas anderes als im gewöhnlichen Leben. Das allernächste Beispiel liegt im Folgenden: Fleisch, welches in Fäulniss begriffen ist, wird im gewöhnlichen Leben „verdorben" genannt. Der Sanitätsthierarzt muss es aber bei seiner amtlichen Thätigkeit „gesundheitsschädlich" nennen!

In analoger Weise können und müssen wir auch den Ausdruck „verdorben" ohne Rücksicht darauf, was er im allgemeinen Leben bedeutet, gebrauchen. Wenn wir das Wort „verdorben" anwenden, so ist es immer nur im Sinne des Nahrungsmittelgesetzes. „Wir müssen es nur dem Gesetze und dem Stande der Wissenschaft entsprechend definiren". Bezüglich des Wortlauts dieser Definition vergl. diese Zeitschr. 1890, S. 37.

Das Nahrungsmittelgesetz verbietet nur die Verschweigung dieses Umstandes beim Verkaufen oder Feilhalten.

Dabei ist selbstverständlich, das Fleisch, welches so hochgradig verändert ist, dass es die Qualification als Nahrungsmittel verloren hat, nicht nur vom Verkaufe, sondern überhaupt vom Konsum ausgeschlossen werden muss (§ 367 des Str.-G.-B.). Die Frage, wann das Fleisch die Qualification als Nahrungsmittel verliert, wird nicht schwer zu entscheiden sein. Ich will hier einige Beispiele anführen: Eine Leber mit ganz verdickten Gallengängen, starker Wucherung von Bindegewebe, dazu noch Leberegel enthaltend, wird wohl schwerlich für consumfähig gehalten werden können. Ebenso ist es mit anderen Organen, welche mehr Parasiten (z. B. Ecchinococcen) beherbergen, als eigene Substanz enthalten, mit Fleischtheilen, welche in Folge von Quetschungen oder Beinbrüchen ganz mit Blut durchtränkt sind, bei Schweinen, welche in Folge von hochgradigem Rothlauf ganz roth sind, ebenso das gekochte Fleisch von hochgradig finnigen Schweinen u. a. Solches Fleisch ist kein Nahrungsmittel mehr. Es ist für den menschlichen Genuss ungeeignet zu machen, mit Petroleum zu begiessen, technisch zu verwerthen oder zu vernichten, je nachdem es die örtlichen Verhältnisse gestatten. Die Polizei-Behörde hat aber nicht die Verpflichtung, die Vernichtung anzuordnen und zu überwachen.

Alles übrige Fleisch, welches unter den Begriff verdorben i. S. des Nahrungsmittelgesetzes fällt, kann nicht nur genossen, sondern auch feilgehalten werden, wenn dabei nur der Umstand nicht verschwiegen wird, dass es eben entweder objektiv verändert ist oder von erheblich kranken Thieren stammt. Die Angabe dieser Eigenschaft muss möglichst genau und verständlich sein. Es ist wiederum Sache der Behörden, diesen bedingten Verkauf zu überwachen. Den Interessenten muss jede Gelegenheit genommen werden, in die Versuchung zu kommen, solches Fleisch unter Verschweigung seiner Beschaffenheit feilzubieten oder zu verkaufen. Dies kann geschehen entweder durch Kennzeichnung des Fleisches durch besondere Stempel oder dadurch, dass die Besitzer angehalten werden, solches Fleisch unter Aufsicht der Behörde unter Angabe seiner Beschaffenheit nur direct an Consumenten und ausschliesslich in geringen Gewichtsmengen zu verkaufen oder schliesslich, dass die Behörde selbst den Verkauf solchen Fleisches für Rechnung des Eigenthümers übernimmt.

Welche von diesen Einrichtungen zu wählen sind, das müssen die örtlichen Verhältnisse ergeben. Unzulässig ist es aber, solches Fleisch dem vollständig freien Verkehr zu übergeben, oder dasselbe andererseits dem Eigenthümer vorzuenthalten und es zu vernichten.

Aus dem Angeführten geht hervor, dass die Behörden auf Grund der sanitätspolizeilichen Untersuchung und der über den Verkehr mit Fleisch bestehenden gesetzlichen Bestimmungen zu folgendem Verfahren mit dem Fleische berechtigt bezw. verpflichtet sind:

1. Unbedingte Freigabe zur beliebigen Verwerthung; diese muss bei gutem, gesundem Fleische geschehen.

2. Freigabe unter der Bedingung, dass es unter Angabe der fehlerhaften Beschaffenheit feilgeboten und verkauft werden kann, mit Beaufsichtigung bezw. Uebernahme des Verkaufes. Hierher gehört Fleisch, welches als verdorben zu bezeichnen ist, soweit es noch zur menschlichen Nahrung geeignet ist.

3. Unbrauchbarmachen für den Genuss (Begiessen mit Petroleum) und Freigabe zur technischen Verwerthung. Diese Behandlung hat das Fleisch zu erfahren, welches

zum menschlichen Genusse nicht geeignet ist, aber auch keine gesundheitsschädlichen Eigenschaften besitzt. (Fleisch von Thieren mit hochgradigem Rothlauf und anderen Allgemeinkrankheiten, ferner mit Parasiten behaftete Organe bezw. Theile derselben u. s. w.)

4. Garkochen und Ausbraten unter Aufsicht und hierauf weitere Behandlung wie ad 2. Hierher gehört Fleisch, welches zwar als gesundheitsschädlich zu bezeichnen ist, diese Eigenschaft aber in Folge des Ausbratens oder Garkochens mit Sicherheit verliert. (Fleisch von schwachfinnigen und Fett von stark finnigen bezw. trichinösen Thieren sowie von allgemeintuberkulösen Thieren, bei denen im Fleische selbst keine Herde vorgefunden werden).

5. Unschädliche Beseitigung unter Aufsicht, entweder durch technische Verarbeitung oder Vergraben (nur wenn es vorher zum Genusse unbrauchbar gemacht ist), oder durch Verbrennen. Dieses Verfahren muss unter Aufsicht der Polizeibehörde mit dem gesundheitsschädlichen Fleische angewandt werden, wenn nicht etwa in besonderen Fällen das Verfahren ad 4 statthaft erscheint.

Ich habe versucht, in grossen Umrissen die praktische Ausübung der Fleischbeschau zu schildern. Ich bin von dem Grundsatze ausgegangen, dass es bei der sanitätspolizeilichen Thätigkeit durchaus erforderlich ist, nur solche Fleischsorten zu unterscheiden, welche auch in den gesetzlichen Bestimmungen unterschieden werden. Dieses Verfahren hat zwei grosse Vortheile:

1. Man hat dadurch eine gesetzliche Grundlage für die weitere Behandlung des zu beanstandenden Fleisches.

2. Nur auf diese Weise lässt sich

eine einheitliche Ausübung der Fleischbeschau erreichen. Es bedarf allerdings hierzu noch besonderer, bindender Ausführungsbestimmungen.

Eins könnte aber jetzt schon geschehen, und dieses wäre von wesentlicher Bedeutung. Ich meine die Regelung der Fleischbeschau in denjenigen Gemeinden, welche im Besitze eines gemeinschaftlichen, ausschliesslich zu benützenden Schlachthauses sind. Das Schlachthausgesetz von 1868 und die Novelle von 1881 ermächtigen ja diese Gemeinden zu einer Regelung der Fleischbeschau. Die Untersuchungsregulative aber, welche von den Gemeindeverwaltungen erlassen und von den Bezirksregierungen genehmigt werden, enthalten gerade für die eigentliche Ausübung der Fleischbeschau für gewöhnlich nur recht ungenügende, oft weder dem Stande der Wissenschaft noch den gesetzlichen Bestimmungen Rechnung tragende Vorschriften. Man merkt sofort, dass ein thierärztlicher Sachverständiger dabei garnicht gefragt worden ist. Der angestellte Sanitätsthierarzt soll aber nachher auf Grund des betreffenden Untersuchungsregulativs die Fleischbeschau ausüben. Das sind Missstände, welche daran Schuld sind, dass die Aufgaben und Pflichten der Fleischbeschau nur ungenügend erfüllt, und in Folge dessen auch ihre Früchte nur im mässigen Grade erreicht werden können. Unsere Pflicht soll und wird es aber immer sein, sowohl nach den jetzigen gesetzlichen Bestimmungen und dem Stande der Wissenschaft bei unserer Thätigkeit zu verfahren, als auch dahin zu streben, dass die Fleischbeschau von der Staatsregierung einheitlich geregelt wird. Denn nur auf diese Art wird einerseits die menschliche Gesundheit geschützt, andererseits das Nationalvermögen nicht unnöthiger Weise vergeudet werden.

———

Angeborene Tuberkulose bei einem Kalb.

von

Paul Falk-Berlin.

Städt. Thierarzt.

Ein im November 1891 auf dem Berliner Schlachthof beobachteter Fall von Tuberkulose beim Kalb dürfte einen Beitrag zu der Kasuistik der angeborenen Tuberkulose abgeben. Tuberkulose beim Kalb ist zwar bei sorgfältiger Untersuchung kein seltener Befund; sehr selten aber sind die Fälle, welche, wie der folgende, auf intrauterine Infektion zurückzuführen sind.

Der Befund selbst war folgender:

Männliches Kalb holländischer Rasse, höchstens 5 Tage alt (Nabelstrangstumpf noch fest dem Nabel anhaftend). Nährzustand mittelmässig. Die Auskleidungen der Bauch- und Brusthöhle glatt, glänzend, normal. Die Lymphdrüsen der Bauch- und Beckenwandung sowie die Leistendrüsen vergrössert, stark durchfeuchtet und leicht geröthet. Die Palpation der Milz ergiebt die Anwesenheit vieler, bis hanfkorngrosser Knötchen, welche in der Mehrzahl central liegen und nur vereinzelt unter der Milzkapsel so gelagert sind, dass man sie als graue, scharfumschriebene Herde durchschimmern sieht. Auf dem Durchschnitt lassen sich diese verschieden grossen Knötchen in der überwiegenden Zahl central verkäst und einige sogar verkalkt erkennen; im Uebrigen erscheint das Milzgewebe normal. Die Leber lässt ungemein zahlreiche, graue, hirsekorn- bis halberbsengrosse Herde unter ihrem Ueberzuge nachweisen; desgleichen zeigt sich auf dem Durchschnitt das gesammte Lebergewebe sehr stark mit solchen scharf umschriebenen Herden durchsetzt. Bei näherer Untersuchung zeigen sich sehr viele dieser Herde schon zum Theil oder gänzlich verkäst und ein nicht unerheblicher Theil sogar verkalkt. Die Portaldrüsen sind ein wenig grösser als normal und durchweg mit verkalkten Tuberkeln durchsetzt, sodass es den Anschein hat, als ob sie in toto verkalkt wären. In den Lungen lassen sich ebenfalls, wenn auch in viel geringerer Anzahl, Tuberkel finden, die bis hanfkorngross und zum Theil verkäst sind, zum Theil beginnende Verkalkung zeigen. Die Bronchial- und Mediastinaldrüsen sind bis auf das Vierfache ihres normalen Umfanges geschwollen, stark durchfeuchtet und zeigen viele verkäste Tuberkel in ihrem Parenchym. In der rechten Niere ist ein unregelmässig runder, grauer, nicht ganz hanfkorngrosser Fleck im Nierengewebe, dicht unter der Kapsel, zu bemerken, der auf dem Durchschnitt auch unregelmässig rundlich (aber nicht keilförmig) erscheint. Die linke Niere wie die Nierenlymphdrüsen erscheinen normal. Die Mesenterialdrüsen sind durchweg stark geschwollen und sehr durchfeuchtet; specifische Veränderungen finden sich in ihnen nicht.

Dass eine Tuberculose, wie die beschriebene, in 5 Tagen nicht entstehen kann, bedarf keines besonderen Beweises. Wissen wir doch, dass von der Einver-

leibung der Tuberkelbacillen bis zum Auftreten makroskopisch bemerkbarer Herde etliche Wochen verstreichen, und dass fernerhin die Verkalkung auf ein längeres Bestehen der makroskopisch sichtbaren Tuberkel schliessen lässt. (Leider ist eine Prüfung auf Tuberkelbacillen unterlassen worden. D. H.)

Referate.

Bleisch, Die Aufgaben und die Organisation einer obligatorischen Fleischbeschau unter Berücksichtigung der gesetzlichen Bestimmungen und der Rechtsprechung.

(Archiv f. wissensch. u. prakt. Thierheilk., XVII Bd. H. 4—6).

In vorliegender Arbeit hat Verfasser, welcher in Kosel als Kreisphysikus fungirt, die im Titel genannten Fragen einer eingehenden Besprechung unterzogen. Die Arbeit ist in der Hauptsache eine kompilatorische, wobei in sachlicher Beziehung die Werke von Gerlach, Lydtin u. Schmidt-Mülheim, in rechtlicher dagegen der Kommentar zum Nahrungsmittelgesetz von Meyer und Finkelnburg sowie Oppenhoff's Rechtsprechung des Preuss. Obertribunals in Strafsachen als Grundlage gedient haben. Trotzdem somit das Wesentlichste der Ausführungen von B. den Thierärzten, jedenfalls allen Denjenigen, welche mit der Handhabung des Fleischbeschau betraut sind, bekannt sein dürfte, ist die Arbeit eine sehr verdienstliche, namentlich weil sie in übersichtlicher und vollständiger Weise die gesammte gesetzliche Unterlage zusammenstellt, auf welcher in Deutschland die Ausführung der Fleischbeschau basirt.

Im Einzelnen möchte Ref. aus der umfassenden Arbeit Folgendes hervorheben: In der Einleitung giebt Verf. eine geschichtliche Uebersicht über die Entstehung der auf den Verkehr mit Fleisch bezüglichen Gesetze, wobei die Thatsache eine besondere Hervorhebung erfährt, dass § 367[7] des Strafgesetzbuches durch das Nahrungsmittelgesetz von 14. 5. 79 nicht

aufgehoben worden sei. Im Uebrigen kommen für den Handel mit Fleisch in Betracht das Rinderpest- und das sog. Reichsviehseuchengesetz. Nach wörtlicher Anführung der einschlägigen Paragraphen der genannten Gesetze stellt Verf. alles Fleisch zusammen, dessen Feilhalten bezw. Verkauf die Behörden zu regeln und zu verbieten haben. Hierauf folgt eine Interpretation der Begriffe „Gesundheitsgefährlich",„Verdorben",„Verfälscht" und „Nachgemacht", und zwar unter Bezugnahme auf entsprechende, in „Meyer-Finkelnburg" abgedruckte Entscheidungen des Reichsgerichts.

Verf. sagt weiterhin, zur Erfüllung ihrer gesundheitspolizeilichen Aufgaben gewähren die vorhandenen strafgesetzlichen Bestimmungen und veterinärpolizeilichen Verbote der Fleischbeschau eine genügende Grundlage. Indessen verlange die Reellität des Marktverkehrs einerseits und die Rücksichtnahme auf das nationalökonomische Interesse andererseits, dass ausser den in den Gesetzen vorgesehenen Unterscheidungen „nicht bankwürdiges" Fleisch unterschieden werde, welches nur unter Angabe seiner besonderen Beschaffenheit zum Verkauf gelangen solle.

Die Besprechung der „in der Beschaffenheit der Schlachtthiere begründeten Mängel" kann übergangen werden, da sie neue Gesichtspunkte nicht eröffnet. Dasselbe gilt von dem nachfolgenden Kapitel: „die nach dem Tode des Thieres entstehenden Mängel des Fleisches."

Im weiteren Verlaufe der Abhandlung giebt Verf. den Rath, bei gutachtlichen Aeusserungen in zweifelhaften Fällen nach dem Grundsatze zu verfahren: In dubio pro reo. Bei der Qualifizirung eines Objektes als „verdorben" oder „gesundheitsschädlich" seien lediglich festgestellte Thatsachen bezw. sinnlich wahrnehmbare Veränderungen, nicht aber blosse Verdachtsgründe in Betracht zu ziehen.

Das Schlusskapitel der Arbeit von B. befasst sich mit der Organisation der Fleischbeschau, wobei die allgemein bekannten Forderungen aufgestellt werden. Bezüglich der Untersuchung des von ausserhalb eingeführten Fleisches verlangt auch Verf., dass mit dem Fleische die Eingeweide in natürlichem Zusammenhange eingeführt werden. (Leider ist diese Forderung leichter gestellt, als erfüllt. D. R.) Als einzig berufene Sachverständige in Sachen der Fleischbeschau erklärt Verf. die Thierärzte. In Beschwerdefällen solle das Urtheil eines beamteten Thierarztes, und falls dieser selbst die Beschau ausgeübt habe, vielleicht der Kreisphysikus entscheiden.*) Für die Regelung der Fleischbeschau auf dem platten Lande in Preussen macht Verf. den Vorschlag, ausser den thierärztlichen Sachverständigen zuverlässige Empiriker anzustellen, den bereits vorhandenen Trichinenschauern aber nur in ganz kleinen Bezirken die gesammte Fleischbeschau zu übertragen. Im Uebrigen sei von denselben bei der Möglichkeit einer Ueberbürdung abzusehen. Wohl aber könnte die Schweinebeschau (die makroskopische und mikroskopische) von der übrigen Fleischbeschau getrennt und den

Trichinenschauern vollständig übertragen werden.

Dieses die für uns bemerkenswerthesten Punkte aus der Arbeit von B. Im Anschlusse an die Wiedergabe derselben sei es dem Referenten gestattet, gegen zwei sehr wichtige Punkte seine abweichende Ansicht geltend zu machen. Der erste betrifft die Konfundirung des Wortes „verdorben" des Nahrungsmittelgesetzes mit dem des § 367 des Strafgesetzbuches; der zweite die Definition des Wortes „verdorben". Auf ersteren Punkt hat Ref. in einer besonderen Abhandlung hingewiesen, über den zweiten aber sei hier folgendes kurz gesagt. Verf. sagt, für den Zustand des Verdorbenseins sei es ein unbedingtes Erforderniss, dass das fragliche Objekt gewisse, von den normalen abweichende, aber sinnlich wahrnehmbare Eigenschaften aufweise, die eine erheblich verminderte Tauglichkeit bezw. Verwendbarkeit als Nahrungsmittel auch im Sinne eines allgemein berechtigten Ekels bedingen. Diese Definition deckt sich mit den bekannt gewordenen Reichsgerichtsentscheidungen, was die „sinnlich wahrnehmbaren" Eigenschaften anbelangt, nicht. Verf. giebt selbst an, dass die Entscheidung vom 25. März 1884 das ausgesottene Fett von finnigen Schweinen als „verdorben" bezeichne, trotzdem an diesem sinnlich wahrnehmbare Veränderungen nicht zu sehen sind. Dieses ist aber nicht, wie B. annimmt, die einzige diesbezügliche Entscheidung, denn ausserdem führt die R.-G.-E. vom 28. Sept. 1885 aus: „Es genügt zwar (zur Feststellung des Verdorbenseins. D. R.), wenn beispielsweise das Fleisch, weil es von einem kranken Thiere herrührte . . . ., nachgewiesenermassen den Ekel des Publikums erregt u. s. w." Das Fleisch kranker Thiere lässt aber durchaus nicht immer, selbst bei schwereren Fällen, Veränderungen sinnlich wahrnehmen. Schliesslich besagt die R.-G.-E. vom 2. November 1886, dass „Verdorbensein" auch dann anzunehmen sei, wenn die Abweichungen

---

*) Mit diesem Vorschlag könnten wir uns vollkommen einverstanden erklären, wenn sämmtliche Kreisphysici ex officio sich so eingehend mit der Fleischbeschaufrage beschäftigen würden, wie dieses Herr Dr. Bleisch gethan hat. Solange dieses aber nicht der Fall ist, ist die letzte Entscheidung den Departementsthierärzten zu übertragen. D. Ref.

von der normalen Beschaffenheit ihren Grund in einer vor dem Schlachten vorhanden gewesenen Krankheit haben und mit Werthverminderung und Ekelerregung bei dem Publikum im Allgemeinen verbunden sind. Es hatte sich im letzteren Falle um das Fleisch einer tuberkulösen Kuh nach Entfernung der tuberkulösen Herde gehandelt, so dass an dem Fleische besondere sinnliche Wahrnehmungen nicht mehr zu machen waren.

Hertwig, Ueber einen seltenen Fall von Tuberkulose beim Rinde.

(Bericht über die städt. Fleischschau in Berlin 1890/91.)

Von besonderem wissenschaftlichen Interesse ist ein von H. mitgetheilter Fall, in welchem nicht nur die Eingeweide und die in dem „Fleisch" gelegenen Lymphdrüsen, sondern auch stellenweise das „Fleisch" selbst tuberkulöse Erkrankung zeigte. Der Fall war folgender:

Bei der Untersuchung eines vierjährigen Ochsen wurde eine sehr starke primäre Affektion der Mesenterialdrüsen festgestellt. Der Darm selbst war nicht erkrankt. Im Parenchym der Lunge, der Leber und der Nieren wurden wallnussgrosse embolische Heerde gefunden; die Leisten- und Bugdrüsen waren um das Drei- bis Fünffache ihres normalen Umfanges vergrössert und enthielten käsige Herde von verschiedener Grösse. Ausserdem waren im subkutanen Bindegewebe und in den Hautmuskeln, spärlicher in der tiefer gelegenen Muskulatur, besonders am unteren Theile der Brust, an den Schultern, sowie an den Innenflächen der Hinterschenkel flache Plaques und perlschnurartige Stränge wahrnehmbar, welche aus grösseren und kleineren Knoten bestanden und der Richtung der Bindegewebszüge und der Muskelfasern folgten. Die Tuberkelnatur dieser Gebilde ist durch die mikroskopische Untersuchung, sowie durch positiv ausgefallene Impfversuche an Kaninchen festgestellt worden.

Notz, Hämorrhagische Milzschwellung bei Saugkälbern.

(Göring's Wochenschrift 1891, Nr. 29.)

Verf. hat in seinem Bezirke Garmisch häufig eine plötzliche, schwere Erkrankung der Saugkälber beobachtet. Der Appetit liegt völlig darnieder, und die Peristaltik ist unterdrückt. Athmung und Puls beschleunigt. Die Augen thränen; sie werden halb geschlossen. Die Thiere selbst liegen mit weggestreckten Extremitäten auf der Streu. Behandlung ohne Erfolg. Nach dem Tod, welcher in 12 bis 18 Stunden eintritt, fand Verf. regelmässig umschriebenen oder totalen Milztumor und daneben starke Dünndarm-Hyperämie.

Verf. hält den Milztumor für das Wesentliche des Befundes und führt die Entstehung desselben auf Stösse und Schläge auf die Milzgegend zurück. Diese Deutung scheint dem Ref. nicht erlaubt. Kein Thier stirbt an einem Milztumor bei intakter Milzkapsel. Zudem weist der Darmbefund darauf hin, dass wir es in den von N. beschriebenen Fällen höchstwahrscheinlich mit der häufig und rasch tödlich endigenden hämorrhagischen Dünndarmentzündung der Saugkälber zu thun haben.

Ritsert, Ueber das Ranzigwerden der Fette.

(Inaug.-Dissert. Bern 1890).

Ref. Bujard.

R. hat sich der Aufgabe unterzogen, durch systematische chemische und bakteriologische Versuche die Beziehungen zwischen Mikroorganismen und dem Ranzigwerden der Fette festzustellen und zu ermitteln, ob und unter welchen Bedingungen steriles Fett ranzig wird, ferner welche Rolle die Mikroorganismen, sofern sie hierbei überhaupt etwas zu thun haben, bei der weiteren Zersetzung ranzig gewordener Fette spielten, und gelangte auf Grund seiner umfassenden und eingehenden Versuche, welche er mit Schweinefett, Wurstfett,

Kokosöl und Butterfett vorgenommen hatte, zu folgenden wichtigen und einen Entscheid der Frage herbeiführenden Resultaten:

1. Das Ranzigwerden von reinem Schweinefett wird nicht durch Bakterien, weder aёrobe noch anaёrobe verursacht; denn in reinem Fett sterben die zugeimpften Bakterien ab. Das Fett behält, vor Licht und Luft geschützt aufbewahrt, vollkommen seinen Geschmack und Geruch und zeigt keine Säurezunahme.

2. Fermentwirkung ist ebenfalls nicht anzunehmen, da steriles Fett, welches mehrere Stunden auf 140¹ erhitzt war, — einer Temperatur, bei welcher erfahrungsgemäss alle auch nicht organisirten Fermente zerstört werden — im geschlossenen Gefässe nnter Einwirkung von Licht und Sauerstoff oder Luft ranzig wird.

3. Feuchtigkeit ist ebenfalls kein nothwendiger Faktor beim Ranzigwerden der Fette, denn gerade von Feuchtigkeit befreites Fett wurde unter Lichtwirkung noch intensiver ranzig, als mit Feuchtigkeit beladenes Fett.

4. Das Ranzigwerden reinen Fettes ist ein direkter Oxydationsprozess, durch den Sauerstoff der Luft bedingt. Dieser Prozess verläuft um so rascher, je grösser die Intensität der gleichzeitigen Lichteinwirkung ist.

5. Sauerstoff wird (im Gegensatz zu Kohlensäure) unter Ausschluss des Lichtes von dem Fette gar nicht aufgenommen und vermag es auch nicht ranzig zu machen.

6. Dem Licht allein fehlt bei Abwesenheit von Luft beziehungsw. Sauerstoff das Vermögen, Fett ranzig zu machen.

7. Im Dunkeln, auch bei Luftzutritt, wurde reines Schweinefett innerhalb zweier Monate nicht ranzig, da aber aus Versuchen mit Kohlensäure hervorgeht, dass dieselbe auf Fett einen gewissen Einfluss hat, so ist wohl anzunehmen, dass die Kohlensäure der Luft im Dunkeln ebenso auf einen Theil des Fettes einwirkt, wenn auch in schwächerem Maasse, als dies bei der Einwirkung reiner Kohlensäure bei den ausgeführten Versuchen der Fall war — Durch Einwirkung der Kohlensäure erhielt das Fett zwar nicht den charakteristischen Geruch und Geschmack des ranzigen Fettes, sondern das Fett wurde nur fade im Geschmack und talgig. — Andere Gase wie Stickstoff und Wasserstoff verhalten sich im Lichte, wie im Dunkeln gegen Fett indifferent.

8. Schmelzbutter (also Butterfett), welche von Wasser und stickstoffhaltigen Stoffen (Caseїn) befreit ist, verhält sich genau so, wie reines Schweinefett.

9. Auf ranzigen Fetten vermögen aёrobe und anaёrobe Bakterien zu leben. Nicht darauf leben können sie, wenn in den ranzigen Fetten zu viel freie Fettsäure enthalten ist, (wie z. B. bei ranzigem Palmöl).

Für die Praxis ergiebt sich als Folgerung aus Ritserts Untersuchungen, dass zur Verhütung des Ranzigwerdens der Fette erste Bedingung absoluter Luftabschluss ist. Ist dieser Aufforderung genügt, so ist es einerlei, ob die Fette dem Lichte ausgesetzt sind oder nicht.

Max Wolff und James Israel, Ueber Reinkultur des Aktinomyces und seine Uebertragbarkeit auf Thiere.

(Virchow's Archiv, Bd. 126, H. 1.)

In ausführlicher Darstellung berichten Verfasser über ihre von Erfolg gekrönten Versuche, den Aktinomyces reinzuzüchten und diese Reinzüchtungen auf Thiere zu übertragen, nachdem sie bereits am 12. März 1890 in der Berliner Medizinischen Gesellschaft das Wesentliche hierüber mitgetheilt hatten. Was in den von anderen Forschern unternommenen Züchtungsversuchen nicht gelungen ist, gelang den Verfassern: „Wir vermochten fast jedesmal durch Uebertragungen unserer Kulturen auf das Thier typische Aktinomykose mit Drusen zu erzeugen. Durch Ueberimpfen auf künstliche Nährböden, wie auf Thiere haben wir ferner die Lebensfähigkeit und die pathogenen Eigenschaften der in den Impftumoren unserer Experimentalthiere gefundenen Pilze erweisen können".

Ihre Reinkulturen erhielten Verfasser aus einem retromaxillären Aktinomykom und einem Fall von primärer Lungenaktinomykose mit Propagation auf die rechte Mamma durch Uebertragung auf Agar unter anaёroben Bedingungen. Bei mikroskopischer Untersuchung dieser Reinkulturen beobachtete man Pilzformen von sehr verschiedener Gestalt und Grösse: kürzere und längere Stäbchen, lange solide oder gegliederte, einfache oder auch dichotomisch getheilte Fäden von gradlinig gestrecktem oder wellig gebogenem Verlauf, deutlich schraubenartig gewundene Organismen und schliesslich kokkenartige Elemente. Als einfachste und häufigste Form sieht man kurze, meist gerade, öfter auch knieartig und noch stärker gebogene Stäbchen. Grosse ausgebildete Keulen fehlten in den Kulturen. Hin und wieder begegnete man aber Anschwellungen.

Verfasser rechnen den Aktinomyces nach diesen Kulturergebnissen gegenüber den monomorphen zu der höher organisirten Gruppe der pleomorphen Spaltpilze mit der Grundform von einfachen Stäbchen.

Durch Verimpfung der Reinkulturen an Kaninchen und Meerschweinchen erzielten Verfasser haselnuss- und bohnengrosse Tumoren; diese Tumoren übergeimpft, erzeugten auch die Krankheit, und in diesen Tumoren kam es zur Bildung schöner Keulen. Im Ganzen wurden 18 Kaninchen, 3 Meerschweinchen und 1 Hammel geimpft. Beim Hammel war der Befund negativ. (Dieses entspricht vollkommen dem natürlichen Verhalten des Schafes gegenüber der Aktinomykose. Von grossem Interesse wären Impfversuche bei Kälbern. D. R.).

von Lingelsheim, Experimentelle Untersuchungen über morphologische, kulturelle und pathogene Eigenschaften verschiedener Streptokokken.

(Zeitschrift f. Hygiene Bd. X.)

Verfasser studirte 19 Streptokokkenkulturen der verschiedensten Herkunft (Mundspeichel eines gesunden Menschen, Pleuraexsudat von Meerschweinchen, Diphteriemembranen, Gesichtserysipel, Phlegmone). Er fand, dass das Kettenwachsthum der Streptokokken am schönsten in Bouillonkulturen zum Ausdruck kommt und dass man im allgemeinen 2 Gruppen unterscheiden müsse, den Streptococcus longus und brevis. Ersterer bildet Ketten von beträchtlicher Länge, zuweilen von 50 und mehr Gliedern, der Streptococcus brevis dagegen sehr viel kürzere, welche nur

selten 8-10 Glieder enthalten und ausserdem häufig in Form von Diplokokken und einfachen Kokken auftreten. Sehr bemerkenswerth ist die vom Verfasser ermittelte Thatsache, dass die kurzen Streptokokken durchweg die Gelatine verflüssigen, während diese Eigenschaft den langen völlig abgeht, ferner dass die kurzen im Gegensatze zu den langen pathogene Eigenschaften bei Versuchsthieren nicht besitzen.

Amtliches.

Preussen. Erlass, die Beurtheilung des Fleisches tuberkulöser Thiere betr.:

Ministerium der geistlichen, Unterrichts- und Medizinal-Angelegenheiten.

M. Nr. 9189.

Berlin, den 31. Dezember 1891.

Nach eingehender Erwägung der in dem gefälligen Bericht vom 30. Juli d. J. — No. 2018 P. K. — betreffend die Beurtheilung des Fleisches von perlsüchtigem Rindvieh, vorgetragenen Verhältnisse, ersuche ich Ew. Hochwohlgeboren ergebenst, die in Folge meines Erlasses vom 23. April d. J., M. 2743, getroffenen Bestimmungen gefälligst ausser Kraft zu setzen. Ich behalte mir vor, in Gemeinschaft mit den Herren Ressortministern, demnächst gemeinverständliche Vorschriften über die Beurtheilung und Verwerthung von dem in Rede stehenden Fleisch zu erlassen.

Die Berichtsanlagen erfolgen zurück.

gez. von Zedlitz.

An
den Kgl. Regierungs-Präsidenten Herrn von Pilgrim Hochwohlgeboren zu Minden.

Minden, den 11. Januar 1892.

Abschrift vorstehenden Erlasses übersende ich Ew. Hochwohlgeboren — Wohlgeboren — unter Beziehung auf meine Verfügung vom 5. Mai v. J. — I.P.K. 1226 —, welche ich gemäss der Anweisung des Herrn Ministers hiermit ausser Kraft setze.

Es bleibt hiernach Ew. Hochwohlgeboren — Wohlgeboren — pflichtgemässem Ermessen überlassen, bis zur Emanation der von dem Herrn Minister in Aussicht gestellten Vorschriften das etwa Erforderliche zur Erzielung einer sachgemässen, den sanitäts-polizeilichen Interessen Rechnung tragenden Beurtheilung des Fleisches perlsüchtiger Thiere im öffentlichen Schlachthause Ihrerseits anzuordnen.

Der Regierungs-Präsident.

v. Pilgrim.

An
die Kgl. Kreisthierärzte des Regierungs-Bezirks.

— **Belgisches Gesetz, betr. die Verfälschung der Nahrungsmittel.** (Fortsetzung zu S. 55/56.)
— **Ausführungs-Gesetze, a) betreffend den Fleischhandel.** In Bezug auf das Gesetz vom 4. August 1890, wodurch die Regierung ermächtigt wird, den Handel mit Nahrungsmitteln und die Fabrikation oder Zubereitung dieser Nahrungsmittel zu überwachen, sowie den Gebrauch von schädlichen oder gefährlichen Stoffen, Geräthen zu verbieten;

in besonderem Bezug auf die Bestimmungen dieses Gesetzes betreffend den Handel mit Fleischwaaren;

in Bezug auf das Gesetz vom 18. Juni 1887 betreffend die Einfuhr von Thieren und Fleischwaaren in Belgien;

in Bezug auf die Art. 454—457, 498, 500 bis 503 und 561 § 2 u. 3 des Strafgesetzbuches, betreffend den Handel mit verfälschten, nachgemachten, beschädigten, verdorbenen oder schädlichen Nahrungsmitteln;

in Bezug auf die Kab.-Ordre vom 10. Dezember 1890 betreffend die Umgestaltung des Veterinärdienstes;

in Erwägung, dass der Fleischhandel, nämlich der mit Fleisch von Säugethieren und Vögeln und deren Eingeweide, des Fettes und Blutes, Anlass zu Missbräuchen giebt, die geeignet sind, schwere Störungen der öffentlichen Wohlfahrt und des kaufmännischen Vertrauens herbeizuführen;

in Erwägung der zahlreichen, diesen Gegenstand betreffenden und an Uns aus den verschiedensten Kreisen des Landes seitens der Aerzte und Thierärzte zugegangenen Eingaben;

in Bezug endlich auf die Berichte der Königl. mediz. Akademie, des hohen Raths für öffentl. Hygiene, des Comités für ansteckende Krankheiten und der technischen Deputation unserer Abtheilung für Landwirthschaft, Industrie und öffentliche Arbeiten; — — —

haben Wir auf Vorschlag Unseres Ministeriums für Landwirthschaft, Industrie und öffentliche Arbeiten:

verordnet und verordnen:

Die Abschlachtung der Schlachtthiere, der Verkauf des frischen, geschlachteten Fleisches, der Verkauf von Geflügel und frischem Wildpret, die Fabrikation und der Verkauf von daraus hergestellten Produkten, sowie endlich der Transport des frischen oder zubereiteten Fleisches oder der Fleischwaaren, soll in Zukunft durch die nachfolgenden speziellen Bestimmungen geregelt werden, ohne Rücksicht auf die schon erlassenen Gesetze und Verordnungen, betreffend den Handel mit Nahrungsmitteln im Allgemeinen, die polizeilichen Bestimmungen hinsichtlich der unpassenden, unsauberen oder gefahrdrohenden Schlachtstätten (établissements); die von der Veterinärpolizei erlassenen und endlich diejenigen Bestimmungen, die von den Kommunen über diesen Gegenstand laut Anleitung des Art. 78 des Kommunalgesetzes gegeben worden sind.

§ 1.

Abschlachtung der Schlachtthiere.

Art. 1. Die Schlachtthiere, mit Inbegriff des Schweines, deren Fleisch, Eingeweide, Fett oder Blut zur menschlichen Nahrung bestimmt sind, müssen nach der Schlachtung von einem Sachverständigen besichtigt werden, der entweder von der Stadt oder in Ermangelung derselben von der Regierung für die Kommune, in der die Schlachtung stattfindet, ernannt wird.

Art. 2. In den Kommunen, wo ein oder mehrere Thierärzte ihren Wohnsitz haben, oder in Kommunen, die unmittelbar an solche Ortschaften grenzen, sind die Untersuchungen vorzugsweise den praktizirenden Thierärzten zu übertragen.

Sind zum Zwecke der Untersuchungen Nicht-Thierärzte berufen, so haben diese die vom Minister erlassenen Bestimmungen zu erfüllen.

Art. 3. Wenn ein Sachverständiger, der nicht Thierarzt ist, einen abnormen Zustand konstatirt, so hat er ohne Verzug die Zuziehung des Thierarztes zu beantragen, der für diese Fälle gerichtlicherseits bestimmt ist, und zu gleicher Zeit den Bürgermeister zu benachrichtigen, um zweckentsprechende polizeiliche Massregeln zu ergreifen.

In gewissen durch das Reglement festgesetzten abnormen Fällen kann aber auch der nichtthierärztliche Sachverständige ohne Zuziehung eines Veterinärs selbstständig verfahren.

Art. 4. Abgesehen von der Untersuchung nach dem Schlachten können die Kommunen, wenn sie es für erforderlich halten, auch anordnen, dass die in ihrem Weichbilde zu schlachtenden Thiere, auch vor dem Schlachten einer einmaligen Untersuchung unterzogen werden. Die Bedingungen, unter denen diese zu erfolgen hat, werden von der Kommune festgestellt, die auch die Kosten trägt.

Art. 5. Spätestens zwölf Stunden nach dem Schlachten (im Sommer), oder vierundzwanzig (im Winter), begiebt sich der Sachverständige in die Schlachtstätten, wo ihm vor der Zerstückelung des Thieres, dessen Fell noch nicht abgezogen oder wenigstens an einem Theil des Körpers sich im natürlichen Zusammenhang mit ihm befinden muss, um die Untersuchung der ganzen

Thiere und ihrer inneren Organe vorzunehmen, die ihm alsdann bereit gestellt sein müssen.

Vor der Ankunft des Sachverständigen müssen die Baucheingeweide vollständig herausgenommen und so aufbewahrt werden, dass ihre Zugehörigkeit zu dem betreffenden Körper erkennbar bleibt.

Die Brusteingeweide dürfen nicht exenterirt werden.

Bei den Einhufern müssen noch ganz besonders, ausser den Brusteingeweiden, Luftröhre und Schlundkopf in der natürlichen Lage verbleiben.

Der Sachverständige hat ein Register anzulegen, in welchem er das Signalement des Thieres und seinen Gesundheitszustand vermerkt.

Ist ein Thier krank befunden, so muss der Sachverständige dem Interessenten einen Auszug aus dem Register als Bescheinigung verabfolgen, welcher Art und Verlauf der Krankheit, etwaige Veränderungen in Folge einer medikamentösen Behandlung, die Art der Abschlachtung und, falls ein Theil des Fleisches dem Konsum entzogen werden muss, die dadurch ungefähr bewirkte Werthverminderung enthalten muss.

Diese Bescheinigung ist auf Verlangen der Behörde einzureichen.

Art. 6. Ist nach erfolgter Untersuchung Fleisch, Eingeweide etc. für gesund befunden, so muss der Sachverständige bei grösseren Thieren wenigstens jedes Viertel, bei kleineren Thieren, wie Lämmer, Zicklein, Ferkel, jede Hälfte derselben mit einem vorschriftsmässigen Ortsstempel versehen.

Art. 7. Ergiebt die Untersuchung, dass ein Thier ganz oder theilweis zur menschlichen Nahrung sich ungeeignet erweist, so muss der Sachverständige ungesäumt davon dem Bürgermeister Nachricht geben, der nach Anhörung des Ersteren bestimmen wird, ob es ganz oder theilweis der Abdeckerei übergeben oder ob es nach Bestimmung der Veterinär-Polizei vernichtet werden muss.

Art. 8. Ein Ministerial-Erlass wird die Fälle festsetzen, in welchen Fleisch, Kräme etc immer für ungeeignet zur menschlichen Nahrung zu erachten sind.

Art. 9. Erkennt ein Interessent das Gutachten eines Sachverständigen nicht an, so steht es ihm frei, sich ein Gegengutachten von einem Thierarzt seiner Wahl einzuholen.

Ist hierbei kein Einverständniss erzielt, so muss von dem Bürgermeister, oder in Ermangelung eines solchen von der Regierung ein dritter Sachverständiger — ein Thierarzt — berufen werden, dessen Entscheidung massgebend ist.

Art. 10. Die Untersuchungskosten trägt der Interessent.

Auch die Kosten einer Nachuntersuchung werden von dem Letzteren bestritten, wenn das

Gutachten beider Sachverständigen sich deckt, entgegengesetzten Falles aber von der Kommune.

Die Gebühren müssen den Sachverständigen laut Tarif durch Vermittelung der Kommune oder der Regierung gezahlt werden.

Art. 11. Die Abschlachtung und Zerstückelung der für die menschliche Nahrung bestimmten Pferde (Esel, Maulesel, Maulthiere) darf nur in solchen Schlachtstätten geschehen, die absolut von den übrigen abgeschlossen sind.

Ausnahmsweise kann der Bürgermeister die Abschlachtung eines Pferdes (Esel, Maulthier, Maulesel) sofort gestatten, wenn in Unglücksfällen ein Transport des Thieres unmöglich geworden ist.

Der auf das Pferdefleisch von dem Sachverständigen gedrückte Stempel trägt den Vermerk: „Pferd!“ („Paard“).

§ 2.

Verkauf des frischen Schlachtfleisches, der Eingeweide, des Fettes und des frischen Blutes.

Art. 12 Es ist verboten der Verkauf, das Feilhalten und zum Verkauf Auslegen des Fleisches, der Eingeweide, des Fettes oder frischen Blutes von Schlachtthieren, welche, entgegengesetzt den vorstehenden Bestimmungen, in Belgien abgeschlachtet worden sind.

Diese Theile müssen überdies gut erhalten sein.

Art. 18. Das von auswärts eingeführte frische Fleisch darf nur in ganzen Viehstücken, in Halben oder in Vierteln eingeführt werden; den letzteren müssen die Lungen in natürlichem Zusammenhange anhaften.

Behufs Zulassung zum Verkauf muss dem importirten Fleisch, Kram, frischen Fett

1. ein von einem belgischen thierärztlichen Sachverständigen über die gute Beschaffenheit lautendes Attest beigegeben sein;
2. muss dasselbe mit einem besonderen nach Anleitung des Art. 6 vorgeschriebenen Stempel versehen sein, welcher den Vermerk trägt: „Von Auswärts‘ („Vreemd“).

Handelt es sich um Eingeweide oder Fett, so kann der Stempel auf deren Umhüllungen gesetzt werden.

Art. 14. Die Untersuchung des frischen, von auswärts eingeführten Fleisches kann von dem Sachverständigen entweder an der Grenze, oder am Bestimmungs- oder an irgend einem anderen Ort, ganz nach Wahl des Importeurs, vorgenommen werden.

Die Kosten trägt der Importeur nach dem festgesetzten Tarif. Etwaige Superrevisionen werden in Gemässheit der Art. 9 und 10 behandelt.

Art. 15. Der Verkauf des frischen Pferdefleisches (Esel, Maulthier) darf nur in Ständen stattfinden, die mit der Aufschrift „Pferdeschlächterei" (in grossen Buchstaben) versehen sind.

Nur ausnahmsweise und zwar in Unglücksfällen, wie sie das gegenwärtige Reglement vorgesehen hat, darf das bei einem Privatmanne geschlachtete und für gesund erklärte Fleisch in dessen Behausung zum Verkauf gestellt werden.

In Pferdeschlächtereien darf nur mit solchem Fleisch Handel getrieben werden.

§ 3.
Verkauf von Geflügel, Wildpret, Kaninchen (Lapins).

Art. 16. Der Verkauf von Geflügel, Wild und Lapins in den Hallen, auf den Märkten und bei Kaufleuten muss von den Sachverständigen ganz besonders überwacht werden.

Im Falle von Streitigkeiten muss nach Anleitung von Art. 9 und 10 verfahren werden.

§ 4.
Fabrikation oder Zubereitung der Nahrungsmittel, die von Schlachtfleisch, dessen Zubehör, Fett oder Blut herstammen.

Art. 17. Die Fabrikation oder Zubereitung des Schlachtfleisches, Eingeweide, Fettes oder Blutes oder deren Produkte, als da sind: Hackfleisch, Bratwurst, Schlackwurst, Cervelatwurst, Blutwurst, gesalzenes, geräuchertes oder gedörrtes Fleisch, Fleischkonserven, Fleischextrakt, Peptone, Speisefett, Margarine, verschiedene Fleischwaaren-Produkte, Kaldaunen, auch Erzeugnisse der Kochkunst — die zum Verkaufe gelangen sollen, — darf nur in solchen Lokalen erfolgen, die gesetzlich als solche (Schlächterei, Fleischverkaufsstätten, Wursthandel, Kaldaunenwäsche, Pökelanstalten, Fleischzubereitungs-Anstalten, Restaurants etc.) konzessionirt sind. Ausgenommen hiervon sind die Abdeckereien.

Nur ausnahmsweise kann es Privatleuten, die in ihrer Behausung Schweine schlachten, gestattet werden, sie dortselbst zum Verkauf durch Pökelung oder Räucherung zuzubereiten und dann nur unter der Bedingung, dass jedes zum Verkauf bestimmte Stück gleich nach dem Schlachten des Schweines den vorschriftsmässigen Stempel trägt.

Art. 18. Zur Zubereitung genannter Nahrungsmittel-Produkte in den dazu bestimmten Lokalitäten darf nur solches Fleisch, Kram, Fett etc. verwendet werden, das von Thieren herrührt, welche unter den gesetzlich in Belgien bestimmten Bedingungen geschlachtet oder eingeführt worden sind.

Selbstverständlich müssen das Fleisch nebst Zubehör etc., sowie auch alle zu Fabrikationszwecken benöthigten Stoffe in einem guten Zustande sein.

§ 5.
Verkauf von zubereitetem Fleisch, Fett, Eingeweiden etc.

Art. 19. Den Schlächtern, Fleischhändlern, Kaldaunenwäschern und den übrigen Händlern mit Nahrungsmitteln, einschliesslich der Hoteliers und Speisewirthe, ist es verboten, zu verkaufen, zum Verkauf zu stellen oder feil zu bieten: Fleisch (Kräme, Fett, Speck) etc., das, entgegengesetzt den Bestimmungen der Art. 17 und 18 zubereitet worden ist.

Art. 20. Die von Auswärts stammenden Fleischwaaren, wozu auch Speck und Schinken gehören, müssen vor dem Verkauf auf Kosten des Importeurs, wie es der genehmigte Tarif vorschreibt und in Uebereinstimmung mit Art. 14 von einem Sachverständigen untersucht werden.

Erachtet der Sachverständige die Waare geeignet für den menschlichen Genuss, so erhält jedes Stück oder dessen Umhüllung einen Stempel mit dem Vermerke: „Von Auswärts" („Vreemd").

Bei Gegengutachten muss nach Anleitung von Art. 9 und 10 verfahren werden.

Art. 21. Den Speisehändlern und allen anderen Händlern mit Nahrungsmitteln ist es verboten, zubereitetes Pferdefleisch ohne genaue Bezeichnung als solches zu verkaufen, oder in betrügerischer Absicht Pferdefleisch mit anderem Fleisch zu vermischen.

§ 6.
Transport von frischem oder zubereitetem Fleisch.

Art. 22. Fleisch, Eingeweide etc., sowohl in frischem, als auch im zubereiteten Zustande, müssen während des Transportes von einem Ort zum andern und während der Manipulationen in den Lokalen, in welchen ihre Zubereitung oder ihre Verkaufsbereitung bewirkt wird, von den Sachverständigen und der Ortspolizei beaufsichtigt werden.

Die Eigenthümer oder Aufseher dieser Produkte müssen jede Sendung mit dem Namen und Wohnort des Absenders und Empfängers versehen.

Art. 23. Die für die menschliche Nahrung bestimmten Fleischwaaren, Eingeweide u. s. w. dürfen von einem Ort nach dem andern versandt, müssen aber Stück für Stück gestempelt oder in ungetrennten Collis versandt werden, die einen von einem Sachverständigen aufgedrückten Spezialstempel tragen.

Die Gemeinden sind berechtigt, das bei ihnen eingeführte Schlachtfleisch, die Eingeweide, sowohl im frischen, als auch im zubereiteten Zustande, wie auch schon von Sachverständigen anderwärts nach vorstehendem Reglement untersucht worden war, einer erneuten Untersuchung zu unterziehen und mit einem Ergänzungsstempel zu versehen. Die Kosten dieser erneuten Untersuchung fallen der dieselbe veranlassenden Gemeinde zur Last.

§ 7.
Allgemeine und Uebergangs-Bestimmungen.

Art. 24. Uebertretungen gegen diese Bestimmungen werden nach den Art. 6 u. 7 des Gesetzes vom 4. August 1890 bestraft, insofern nicht die im Strafgesetzbuch vorgesehenen Strafen Platz greifen.

Art 25. Vorstehende Verordnung tritt am 1. Juli 1891 in Kraft.   (Schluss folgt.)

Rechtsprechung.

Das Zwangs- und Bannrecht der Abdecker betr.

Bekanntlich besteht in einer Anzahl von Gemeinden des Königreichs Preussen noch das Publicandum vom 29. April 1772 zu Recht, nach welchem Jedermann verpflichtet ist, das beim Schlachten „unrein" befundene Vieh (Schafe ausgenommen) dem Abdecker auszuliefern. Es war nun zweifelhaft, ob unter dem „unrein" befundenen Vieh auch trichinöse Schweine zu verstehen seien.

Das preussische Ober - Verwaltungsgericht hat diese Frage nach der „Milch - Ztg." in einem Erkenntniss vom 8. Oktober 1891 (III. 740) zu Gunsten der Abdecker bejaht und eine polizeiliche Verfügung als gesetzwidrig aufgehoben, durch welche einem Fleischer untersagt war, ein trichinös befundenes Schwein dem Abdecker, dem ein Zwangsrecht auf das in seinem Distrikte beim Schlachten unrein befundene Vieh zustand, auszuliefern. Zugleich wurde ausgesprochen, dass das Publicandum vom 22. April 1772 noch zu Recht bestehe, und dass der Anspruch des Abdeckers auf Ablieferung unreinen Viehs nicht lediglich privatrechtlicher Natur sei. Denn bei der Anlage von Abdeckereien und ihrer Ausstattung mit Privilegien unter Begründung von Zwangsrechten sei neben anderem das Ziel verfolgt worden, durch die unter Kontrole der Behörden gestellte Fortschaffung der gefallenen und beim Schlachten krank befundenen Thiere die Gesundheitsgefahr zu mindern und die Einwohner vor Epidemien zu schützen.*)

Fleischschau-Berichte.

Berlin. Bericht über die städtische Fleischschau für die Zeit vom 1. April 1890 bis 31. März 1891, erstattet von Direktor Dr. Hertwig.

*) Dieser Standpunkt hat im Jahre 1792 sicherlich der Berechtigung nicht entbehrt. Heute aber ist das Zwangs- und Bannrecht der Abdecker ein hygienischer Anachronismus. Die Gründe hiefür haben wir in dieser Zeitschrift schon mehrfach angegeben. Deshalb wäre die allgemeine Ablösung der Preussischen Abdeckerei-Privilegien sehr zu wünschen.   D. H.

Aus dem hochinteressanten Berichte entnehmen wir an dieser Stelle folgende statistische Angaben. Geschlachtet wurden:

124 593	Rinder	gegen 154 218	d. Vorj.,
115 431	Kälber	„ 116 005	„
371 943	Schafe	„ 430 362	„
472 859	Schweine	„ 442 115	„

Sa. 1 084 826 Thiere gegen 1 142 700 d. Vorj.

Es sind mithin im Berichtsjahre gegen das Vorjahr weniger geschlachtet worden 29 625 Rinder, 574 Kälber und 58 419 Schafe, mehr dagegen 30 744 Schweine.

Es wurden beanstandet und (mit Ausnahme der schwachfinnigen Thiere) vom Genusse ausgeschlossen:

1660 Rinder,
190 Kälber,
148 Schafe,
3901 Schweine,

Summa 5899 Thiere.

Die Krankheiten waren folgende:

1. Tuberkulose	3318	mal,
2. Käsige Lungenentzündung	14	„
3. Verschiedene Entzündungskrankheiten	84	„
4. Gelbsucht	118	„
5. Wassersucht	182	„
6. Blutige Beschaffenheit des Fleisches	34	„
7. Rothlauf	209	„
8. Schweineseuche	2	„
9. Nesselausschlag	7	„
10. Ekelerregende Beschaffenheit	240	„
11. Fibrome, Sarcome, Actinomycome, multiple Abscesse	10	„
12. Zahlreiche Finnen und hochgradige Tuberkulose	1	„
13. Finnen	1409	„
14. Echinokokken	3	„
15. Trichinen	170	„
16. Psorospermien	16	„
17. Strahlenpilze	16	„
18. Kalkkonkremente	49	„
19. Fäulniss	1	„
20. Blutvergiftung	4	„
21. Während des Absterbens geschlachtet	11	„
22. Knochenmarkerweichung	1	„

Summa 5899 Thiere.

Hierzu kommen noch die in den Stallungen verendeten Thiere und zwar:

1. an Rothlauf	101	Schweine,
2. an Schweineseuche	2	„
3. an Bauchfellentzündung	1	„
4. an Erstickung	1	„
an „	1	Schaf,
5. an Darmentzündung	1	„
an „	1	Kalb.

Sa.: 105 Schweine, 2 Schafe, 1 Kalb = 108 Thiere.

Ausserdem wurden 89446 O r g a n e konfiszirt, und zwar von Rindern 40215, von Kälbern 246, von Schafen 22066 und von Schweinen 26919.

T u b e r k u l o s e wurde festgestellt

1. bei Rindern   14397 mal = 11,5 pCt.
2. „ Kälbern   91 „   = 0,079 pCt.
3. „ Schafen   18 „   = 0,0048 pCt.
4. „ Schweinen 8513 „   = 1,16 pCt

Hiervon wurden beanstandet und zurückgewiesen 3332 ganze Thiere, ferner Rinderlungen 1383 (dies dürfte ein Druckfehler sein, da die Zahl der m o n a t l i c h in Berlin wegen Tuberkulose beanstandeten Lungen über 1000 beträgt. D. R.), Kalbslungen 52, Schaflungen 9 und Schweinelungen 5412, Rinderlebern 2496, Kalbslebern 36, Schaflebern 2, Schweinelebern 1402, schliesslich 2356 Brustfelle, 1287 Bauchfelle und 2418 andere Theile.

G e l b s u c h t wurde festgestellt bei 21 Rindern, 31 Kälbern, 43 Schafen und 150 Schweinen, d. i. im Ganzen bei 245 Thieren. Von diesen mussten 3 Rinder, 12 Kälber, 14 Schafe und 89 Schweine, welche i n s e h r h o h e m G r a d e mit der Krankheit behaftet waren, zurückgewiesen und beanstandet werden.

R o t h l a u f ist bei 457 Schweinen gefunden worden; hiervon wurden 209 dem Konsume entzogen.

Wegen m e t a s t a s i r e n d e r A k t i n o m y. k o s e wurden 3 Rinder zurückgewiesen.

C y s t i c e r c u s i n e r m i s fand sich bei 3 Kälbern und 263 Rindern, und zwar

208 mal in den Kaumuskeln,
30 „ „ „ Kaumuskeln und Herz,
3 „ „ „ Kaumuskeln, Herz und Zunge,
1 „ „ „ Kaumuskeln und Zunge,
2 „ „ „ zweibäuchigen Muskeln,
25 „ „ „ der ganzen Körpermuskalular.

E c h i n o k o k k e n. Beschlagnahmt wurden wegen Echinokokken die L u n g e n von 5792 Rindern, 4595 Schafen, 5063 Schweinen, die L e b e r n von 1938 Rindern, 2059 Schafen und 3785 Schweinen. Wegen L e b e r e g e l wurden zurückgewiesen die Lebern von 2183 Rindern, 3 Kälbern, 3278 Schafen und 83 Schweinen. Wegen F a d e n w ü r m e r endlich die Lungen von 88 Rindern, 8580 Schafen und 5574 Schweinen.

Vom 1. Dezember 1890 bis 31. März 1891 wurden g e k o c h t zum Verkauf zugelassen 70 Rinder und 156 Schweine, welche in schwachem und mittlerem Grade mit F i n n e n durchsetzt waren.

V o n a u s s e r h a l b wurden über die sechs Untersuchungsstationen der städtischen Fleischschau eingeführt: 128308 Rinderviertel, 133145 Kälber, 57235 Schafe und 92697 Schweine.

A u c h h i e r b l i e b d a s B e r i c h t s j a h r 1890/91 g e g e n d a s V o r j a h r z u r ü c k. Es wurden w e n i g e r untersucht 8766 Rinderviertel, 8739 Kälber, 10967 Schafe und 11963 Schweine.

Von dem eingeführten Fleische mussten auch dieses Jahr ganz erhebliche Mengen beschlagnahmt werden, insbesondere 208 Rinderviertel, 25 Schweine und 180 einzelne Theile wegen T u b e r k u l o s e, 45½ Schweine, 22 Rinderviertel, 8 Rinderköpfe wegen F i n n e n und 7 Schweine wegen T r i c h i n e n (!), trotzdem sämmtliche Schweine bereits am Orte der Schlachtung untersucht worden waren.

Zum Schlusse sei erwähnt, dass der stärkste Schlachttag der 23. März 1891 war mit 8553 Thieren.

Kleine Mittheilungen.

— Z u r s a n i t ä t s p o l i z e i l i c h e n B e u r t h e i l u n g d e r A k t i n o m y k o s e theilt uns Herr Professor O l a f S c h w a r z k o p f f in Minneapolis (Minnesota) Folgendes mit: In den thierärztlichen Journalen und der landwirthschaftlichen Presse ist seit mehr als zwei Jahren heftig darüber gestritten worden, ob die Aktinomykose der Rinder als eine sich von T h i e r zu T h i e r übertragende Krankheit anzusehen sei oder nicht. Als Beleg für die Theorie der direkten Ansteckungsfähigkeit führen ihre Befürworter an, dass die Krankheit nicht nur in gewissen nördlichen Staaten der Union häufig vorkomme, sondern sich auch in einigen Fällen von Thier zu Thier durch Kontakt übertragen habe. Es wurden ferner Obduktionsbefunde veröffentlicht, aus welchen die Tendenz der Krankheit zur Metastasenbildung und Verallgemeinerung ersichtlich sein sollte.

In Folge dessen sei es Regel einzelner thierärztlicher Behörden geworden, alle Rinder mit aktinomykotischen Geschwülsten, seien sie auch noch so geringfügig, zu verwerfen. Hiergegen hat Schwarzkopff öffentlich protestirt, und es wird nun die Angelegenheit zum zweiten Male gerichtlicher Prüfung unterliegen. Schwarzkopff wurde als wissenschaftlicher Vertreter der betheiligten Kreise berufen und gleichzeitig damit beauftragt, sich über die Auffassung der d e u t s c h e n Sachverständigen zu informiren unter Vorlegung nachstehender Fragen:

1. Ist die Aktinomykose der Rinder eine kontagiöse oder infektiöse Krankheit in dem Sinne, dass sie von Thier zu Thier oder vom Thier auf den Menschen übertragen werden kann?

2. Giebt es irgend einen Weg, die Krankheit ohne mikroskopische Untersuchung sicher festzustellen?

3. Sind alle Geschwülste am Kopfe und Halse die bezeichnete Krankheit?

4. Ist das Fleisch von Thieren, welche mit Akti-nomykose behaftet sind, ungeniessbar oder in irgend einem Grade gefährlich für den menschlichen Ge-nuss, wenn das Thier sonst fett und in gutem Zu-stand ist und keine andere Krankheitserscheinungen zeigt?
5. Wird das Fleisch von aktinomykotisch er-krankten Rindern auf deutschen Schlachthöfen oder Freibänken als Fleisch 4. Klasse verkauft?

Sämmtliche Fragen sind zu verneinen (vergl. auch S. 49 ds. Jahrganges „Ueber Aktinomykose"). ad 1. musste die Möglichkeit einer direkten Uebertragung theoretisch zwar zugegeben werden; indessen ist zu betonen, dass die Erfahrung gegen das Vorkommen direkter Uebertragungen spricht, ad 3. ist darauf hinzuweisen, dass ausser den Aktinomykomen am Kopfe und Halse auch Fibrome, Sarkome, Papillome und tuberkulöse Geschwülste vorkommen. ad 4. u. 5. dürfte in Deutschland allgemein so verfahren werden, dass bei lokaler Aktinomykose das Fleisch nach Entfernung der erkrankten Theile frei in den Verkehr gegeben wird, während man bei dem Vorhandensein von Metastasen, welche nur auf dem Wege der Blutbahn entstanden sein können, zur Beanstandung des ganzen Thieres schreitet.

— **Zur Frage der Aktinomyces - Infektion.** Grawitz demonstrirte im ärztlichen Verein zu Greifswald ein Kieferaktinomykom von Kalb. Beim Durchsägen des erkrankten Kiefers hatte er zufällig in der Tiefe der von Granulations-gewebe erfüllten Knochenhöhle mehrere lange Grannen einer Kornähre getroffen (leider ist nicht untersucht worden, von welcher Getreide-art. D. R.). Mit hoher Wahrscheinlichkeit kann auch hier die Uebertragung des Strahlenpilzes auf das Eindringen der Aehre zurückgeführt werden.

— **Die Gemeingefährlichkeit der Milch euter-tuberkulöser Kühe** wird durch folgende hochtraurige Beobachtung in's rechte Licht gestellt. Nach einem Berichte von Ollivier in der Académie de médicine zu Paris erkrankten in einem Damen-pensionate 12 Damen an Tuberkulose. Hier-von starben 5. Weckte schon der Umstand, dass die erkrankten und gestorbenen Damen von gesunden Eltern stammten und vorzugsweise die Erscheinungen der Darmtuberkulose dargeboten hatten, den Verdacht an Nahrungsmittelinfektion, so sollte derselbe seine volle Bestätigung durch die Schlachtung einer Kuh finden, welche jahre-lang als Milchspenderin für das Pensionat ge-dient hatte, bei der sachverständigen Unter-suchung aber sich nicht blos mit Tuberkulose der Eingeweide, sondern auch des Euters behaftet zeigte. Und dabei wird immer noch die Fett-bestimmung der Marktmilch über die hygienische Kontrolle der Milchkühe gestellt!

— **Der Rothlaufbazillus ist mit dem Bazillus der Mäuseseptikämie nicht identisch.** Preisz hat unter der Leitung von Johne in Dresden die Frage, ob der Rothlaufbazillus mit dem Bazillus der Mäuseseptikämie identisch sei, experimentell ge-prüft und hierauf verneint. Der wesentlichste Unterschied zwischen beiden Bazillenarten be-steht darin, dass der Rothlaufbazillus Schweine in 6—9 Tagen tödtet, wohingegen der Septikämiebazillus bei diesen Thieren nur eine umschriebene, unbedeutende und vorüber-gehende Hautentzündung hervorruft. („Veteri-narius" u. Centralblatt für Bakteriologie).

— **Ueber die Bildung von Schwefelwasserstoff durch krankheiterregende Bakterien unter be-sonderer Berücksichtigung des Schweinerothlaufs** theilen Petri und Maassen auf Grund ihrer Untersuchungen vorläufig mit, dass alle pathogene Bakterien, allerdings in nicht unerheblich ver-schiedenem Grade, dieses Gas zu erzeugen im Stande sind. Die einer anaëroben Züchtung zu-gänglichen Bakterien erzeugen unter O Abschluss ganz besonders reichlich H_2S.; deshalb halten Verf. namentlich mit Rücksicht auf die grosse Aehnlichkeit gewisser Erscheinungen der H_2S Vergiftungen mit septikämischen Bakterien-krankheiten, die Vermuthung hier gerechtfertigt, dass der Schwefelwasserstoff, bekannt-lich ein giftiges Gas, bei Bakterienkrankheiten, insbesondere beim Schweinerothlauf, „eine bis dahin fast gänzlich verkannte, wichtige Rolle spielt".

— **Zur Beurtheilung der positiven Impfresultate mit tuberkulösem Material** lieferte Schnirer (Wiener med. Presse 1890 Nr 1) einen sehr interessanten Beitrag. Er vermochte mit dem Spülwasser bestaubter Trauben, welche offen an der Strasse feilgehalten wurden, bei einem Meerschweinchen Tuberkulose zu erzeugen. Das tuberkulöse Ma-terial stammte sehr wahrscheinlich aus dem Sputum poliklinischer Patienten, welche die Strasse, in welcher die Trauben zum Verkaufe standen, passirten. Das Sputum konnte bei der Sommertemperatur leicht trocknen und mit dem Strassenstaub auf die Trauben gelangen. Bemer-kenswerth ist vorstehender Versuch für uns des-halb, weil in demselben durch Verimpfung von Traubenspülwasser ein positives Impfresultat erzielt wurde, welches bei zahlreichen Versuchen mit dem Fleischsafte tuberkulöser Rinder nicht erzielt werden konnte

— **Ueber das Fleisch von Spitzebern** berichtete Brebeck-Bonn in der letzten Generalversamm-lung des Vereins Rheinpreussischer Thierärzte. B. hat Fleischtheile und Hoden von 5 Spitzebern ge-kocht, gebraten und davon gegessen, ohne hierbei einen unangenehmen Geruch wahrzu-nehmen. Solches Fleisch hat er dementsprechend als vollwerthig verkaufen lassen. (Wahr-scheinlich hat es sich in diesen Fällen um Spitz-eber mit funktionsuntüchtigen Hoden ge-handelt. D. H.)

— **Für die bei der Trichinenschau in Berlin übrigbleibenden Fleischproben** bezahlt der Abnehmer für das Jahr 1891/92 einen Preis von 4300 M. Der Erlös kommt der Unterstützungskasse der Berliner Schlächtergesellen zu Gute.

— **Das Dänische Nahrungsmittelgesetz,** welches am 1. Oktober 1891 in Kraft trat, bestraft jeden, welcher betrügerisch Nahrungsmittel verfälscht oder nachahmt oder verdorbene Nahrungsmittel behufs Verdeckung der verdorbenen Beschaffenheit besonders behandelt oder wissentlich solche Nahrungsmittel feilbietet, mit Gefängniss.

— **Zur Erhöhung der Verdaulichkeit sterilisirter Milch** empfiehlt Koplick (42. amerik. mediz. Kongress) den Zusatz von Pankreatin.

— **Behufs leichterer Verdaulichkeit der Kuhmilch** bei Kindern empfehlen Arthus und Pagès (Mém. d. l. Société de biologie, 1890, T. II) den Zusatz von Calciumcarbonat und -Phosphat. Hierdurch beschleunige sich einerseits die Gerinnung, während andererseits das elastische Gerinnsel leichter zerfalle.

— **Molkenbrennerei.** Nach der „Deutsch. Molkerei-Zeitung" wurde kürzlich die erste Molkenbrennerei nach dem Verfahren von Dr. Spiro und Stübe in Oestersum bei Hildesheim in Betrieb gesetzt Die Molke wird zusammen mit etwa ¹/₁₀ Raumtheil Rübenmelasse und Bierhefe einer 2 bis 3tägigen Gährung ausgesetzt und dann auf einer einfachen Blase abgebrannt. Bei dem Versuchsbrennen soll die Ausbeute zwischen 4 und 5 pCt. Alkohol betragen haben.

— **Standesangelegenheit.** Das Reichsgericht verurtheilte durch Entscheidung vom 17. September 1891 die Militärbehörde, dem Oberrossarzt a. D., welcher der Oberpostdirection als Posthalterei-Rossarzt in Berlin angestellt wurde, die ihm zustehende Pension auszubezahlen. Die Militärbehörde hatte mit Bezugnahme auf § 57, Nr. 2 des Reichsbeamtengesetzes vom 31. März 1873 die Ausbezahlung verweigert, wogegen das Reichsgericht in Uebereinstimmung mit dem Königlichen Kammergericht zu Berlin entschied, dass nach Lage der von der Oberpostdirection genehmigten Vertrages von einer Beamtenqualität des „Posthalterei-Rossarztes" keine Rede sein könne. § 57, Nr. 2 beregten Gesetzes sei nur anwendbar, wenn es sich um den Wiedereintritt eines Pensionärs in den Reichs- oder Staatsdienst als Beamter handle. („B. T. W.")

Tagesgeschichte.

— **Oeffentliche Schlachthäuser.** Das städtische Schlachthaus zu Marienwerder wurde am 11. Februar eröffnet. In Wurzen wurde von der dortigen Fleischerinnung der Bau eines Innungsschlachthauses beschlossen.

— **Freibänke** werden errichtet in Neisse, Bunzlau und in Haynau (Schlesien).

— **Auf dem Centralschlachthofe zu Berlin ist** seit Monatsfrist eine sehr bemerkenswerthe Neuerung in Kraft getreten. Ausser dem Fleische von finnigen Thieren wird nunmehr auch das Fleisch von Schweinen, welche wegen multipler Hämorrhagien, wegen Urticaria, ferner wegen Psorospermien oder Kalk-Konkremente beanstandet werden, in gekochtem Zustande in den Verkehr gegeben. — Gleichzeitig wurde daselbst die Beschlagnahme sämmtlicher Uteri angeordnet, weil dieselben von skrupellosen Schlächtern zur Herstellung von Würsten Verwendung gefunden haben.

— **In Lübeck** wurden 4500 Mark für die Beschaffung eines Rohrbeck'schen Fleisch-Desinfektors verfügt. In Aussicht genommen ist die Aufstellung eines solchen Apparats in Leipzig.

— **Das Grossherzogliche Staatsministerium von Oldenburg** hat unter dem 13. November 1891 eine Bekanntmachung, betr. das Verfahren beim Schlachten erlassen, welche im Allgemeinen mit der Meiningen'schen Verordnung (siehe S. 32 dies. Jahrg.) übereinstimmt. Abweichend von letzterer aber gestattet die Oldenburger Bekanntmachung das Schlachten der Schafe ohne vorhergegangene Betäubung.

— **Erlass einer Fleischschau-Ordnung für die Provinz Hessen-Nassau.** An Stelle der zum Theil recht veralteten Bestimmungen über den Verkehr mit Fleisch soll nach einem dem Herrenhause vorliegenden, vom Provinzialrathe bereits genehmigten Entwurfe eine Polizeiverordnung treten, welche der Oberpräsident für die ganze Provinz zu erlassen hätte. Der Entwurf schlägt die obligatorische Beschau der zur menschlichen Nahrung bestimmten Pferde, Rinder und Schafe (letzterer jedoch nur beim Schlachten behufs Veräusserung) vor, ferner die Bildung von Schaubezirken und die Anstellung von empirischen Schlachtviehbeschauern in Orten, in welchen Thierärzte nicht zugegen sind.

— **Für den Regierungsbezirk Arnsberg** ist am 1. Januar 1892 eine neue Polizeiverordnung, betr. die Untersuchung des Schweinefleisches auf Trichinen und Finnen, in Kraft getreten. Hiernach muss für sämmtliches Schweinefleisch und alle Schweinefleischwaaren der Nachweis der bereits im Inlande stattgehabten Untersuchung erbracht werden. Kann dieser Nachweis nicht geliefert werden, oder stammt das Fleisch aus ausserdeutschen Ländern, so hat Untersuchung an Ort und Stelle vor dem Verkaufe stattzufinden.

— **Trichinenfunde in amerikanischem Schweinefleisch** wurden neuerdings wiederum in Leipzig, Altona, Posen und Koblenz gemacht. Die in Leipzig und Posen gefundenen Trichinen sollen noch nicht abgestorben gewesen sein. Aus Elberfeld wird berichtet, dass fast in jeder Sendung amerikanischen Specks Trichinen entdeckt werden.

— **Nachträgliche Untersuchung des amerikanischen Schweinefleisches auf Trichinen** wurde im Königreich Sachsen durch Ministerialbekanntmachung vom 22. Januar verfügt. — Im Königreich Preussen ist diese Angelegenheit noch nicht einheitlich geregelt; dagegen findet z. Z. zwischen den Ministern und den Bezirks-Regierungen ein Schriftwechsel hierüber statt. — Das Medizinalamt zu Bremen macht durch Anzeige vom 30. Januar darauf aufmerksam, dass alles zum Verkauf gestellte Schweinefleisch durch den zuständigen Sachverständigen mikroskopisch untersucht werden müsse mit alleiniger Ausnahme desjenigen Fleisches, welches an Händler zum Wiederverkauf veräussert werde.

— **Trichinosis.** Nach der „Allg. Fleisch.-Ztg." sind in Mohrungen (Ost-Preussen) 5 Personen an Trichinosis erkrankt. — Desgleichen liegt in Dembicz b. Schroda die Familie eines Schmiedes an Trichinose darnieder. Dieser hatte ein Schwein geschlachtet, in unglaublicher Verblendung sich aber etwas Fleisch von einem Schlächtermeister geben und dieses an Stelle der Proben von seinem eigenen Schweine untersuchen lassen.

— **Fleischvergiftung.** In Piesenkam (Bayern) erkrankten Mitte Juni 1891 eine Reihe von Personen an Brechdurchfall, Krämpfen u. s. w. nach dem Genusse von Blut- und Leberwürsten, sowie des Fleisches einer nothgeschlachteten Kuh. Ein Mann erlag der Erkrankung. Die Untersuchung ergab, dass die Kuh an chronischer Magen-, Darm- und Blasenentzündung gelitten hatte. Die Nothschlachtung hatte, wie wir der „Allg. Fleisch. Ztg." entnehmen, der Metzger und Fleischbeschauer (!) S. besorgt und selbst aus den Därmen, dem Blut und Fleisch der nothgeschlachteten Kuh die Würste angefertigt. S. wurde mit 3 Monaten Gefängniss und 90 Mk. Geldbusse bestraft, weil er trotz der offenkundigen Erkrankung nicht die Entscheidung des zuständigen Thierarztes angerufen hatte.

— **Erklärung.** Nachträglich bin ich von Theilnehmern der Naturforscher-Versammlung zu Halle a. S. darauf aufmerksam gemacht worden, dass eine förmliche Wahl des 2. Schriftführers nicht stattgefunden habe, sondern dass die Uebertragung dieses Amtes lediglich durch den Vorsitzenden der Versammlung erfolgt sei. Meine prinzipielle Auffassung in der fraglichen Angelegenheit ist keine andere geworden. Ich halte es auch heute noch im Interesse des Standes für hochbetrübend, wenn über eine Sache, wie die in No. 2 und 3 dieser Zeitschrift besprochene, so hinweggegangen wird, wie dieses in Halle a. S. bei der Uebertragung des Amtes des 2. Schriftführers geschah. Dagegen bedauere ich es sehr, durch meine Notiz in No. 2 und 3 auch denjenigen Theilnehmern der Naturforscher-Versammlung zu Halle a. S. zu nahe getreten zu sein, welche bei der „Wahl" des 2. Schriftführers nicht betheiligt waren und auch nachträglich ihre Billigung zu derselben nicht ausgesprochen haben.

Personalien.

Die Wahrnehmung der Fleischbeschau in Blankenburg wurde dem Kreisthierarzt Trolldenier übertragen. Thierarzt Apffel in Reichenbach (Schles.) wurde zum Schlachthof-Thierarzt daselbst gewählt.

Schlachthaus-Inspektor Liebe von Pleschen wurde in gleicher Eigenschaft in Spandau und Schlachthaus-Verwalter Marschner von Schmalkalden als Schlachthaus-Inspektor in Naumburg (Saale) angestellt.

Vakanzen.

Ratibor, Guhrau, Oberhausen, Pasewalk, Kattowitz (Nähere Angaben hierüber siehe in Heft 1—5).

Brandenburg: Schlachthof-Inspektor zum 1. Juli (Besoldung 3000, steigend bis 4000 M. freie Wohnung und Heizung; keine Privatpraxis) Meldungen an den Magistrat.

Mannheim: Thierarzt für veterinärpolizeiliche Untersuchung und Fleischbeschau (Freie Wohnung. Keine Privatpraxis. Gehaltsansprüche anzugeben). Bewerbungen an den Stadtrath.

Neumarkt (Schles.): Schlachthof-Verwalter (1500 M., freie Wohnung und Heizung. Privatpraxis bedingungsweise). Bewerbungen an den Magistrat.

Schmalkalden: Schlachthaus - Verwalter zum 1. Juli (Anfangsgehalt 1500 M., freie Wohnung und Heizung, sowie Antheil an der Trichinenschau. Privatpraxis gestattet. 2000 M. Kaution verlangt). Gesuche bis 10. März an den Bürgermeister.

Burg (b. Magdeburg): Thierarzt zur Untersuchung des Schlachtviehes (Einnahme angebl. ungefähr 5000 M.). Meldungen bis 15. März an den Magistrat.

Pleschen: Schlachthof-Inspektor zum 1. Mai (1500 M. Gehalt, freie Wohnung und Heizung). Bewerbungen bis 15. März an den Magistrat.

Stettin: Schlachthof-Direktor zum 15. Mai oder 1. Juni (Gehalt 4000, steigend bis 5000 M., freie Wohnung und Heizung). Meldungen bis 28. März beim Magistrat.

Besetzt: Reichenbach, Blankenburg, Spandau, Naumburg, Ibbenbüren.

Verantwortlicher Redakteur (excl. Inseratentheil): Dr. Ostertag. — Verlag und Eigenthum von Richard Schoetz in Berlin.
Druck von W. Büxenstein, Berlin.

Zeitschrift

für

Fleisch- und Milchhygiene.

Zweiter Jahrgang.   April 1892.   Heft 7.

Original-Abhandlungen.

(Nachdruck verboten.)

Ueber die sanitätspolizeiliche Beurtheilung des Fleisches rothlaufkranker Schweine.

Von

Prof. Dr. Ostertag.

Bei keiner anderen Krankheit macht sich hinsichtlich der sanitätspolizeilichen Beurtheilung des Fleisches unter den Sachverständigen ein solcher Widerstreit der Ansichten geltend, wie bei dem Stäbchenrothlauf der Schweine. Eine drastische Illustration dieser Thatsache sind die Gutachten, welche pro foro über die beregte Frage abgegeben werden. Die „Auszüge aus gerichtlichen Entscheidungen zum Nahrungsmittelgesetz"[1]) berichten über 51 Strafprozesse, zu welchen der Rothlauf der Schweine Veranlassung gab. Hiervon war in 38 Fällen das Vorhandensein des Rothlaufs als erwiesen angenommen worden. In diesen 38 Fällen aber wurde das Fleisch rothlaufkranker Schweine 25 mal als ein gesundheitsschädliches und 9 mal als ein verdorbenes Nahrungsmittel angesehen. In 4 Fällen widersprachen sich die Gutachten der Sachverständigen direkt. Die Verschiedenheit der Gutachten und deren Begründung möge aus nachfolgenden Beispielen erhellen:

(1) „Der Sachverständige, Sanitätsrath Dr. B. begutachtete, dass der Genuss des Fleisches von rothlaufkranken Schweinen man absolut gesundheitsschädlich sei."

(4) „Der Sachverständige (Oberrossarzt) gab sein Gutachten dahin ab, dass der Rothlauf soweit vorgeschritten gewesen sei, dass der Genuss des Fleisches die menschliche Gesundheit zu beschädigen geeignet war."

[1]) Beilagen zu den „Veröffentlichungen des Kais. Gesundheitsamtes".

(5) „Es wurde für gerichtskundig erklärt, dass das Fleisch von Schweinen, welche an Rothlauf erkrankt sind, die menschliche Gesundheit zu beschädigen geeignet ist."

(8) Dem Gutachten des Kreisphysikus, dass er alles Fleisch rothlaufkranker Schweine für gesundheitsschädlich halte, entgegen acceptirte die Strafkammer das Gutachten von Prof. Dieckerhoff, dass das Fleisch von rothlaufkranken Schweinen, so lange es frisch und nicht in Fäulniss übergegangen sei, der menschlichen Gesundheit nicht nachtheilig sei."

(13) „Der Sachverständige (Departementsthierarzt) begutachtete, dass durch den Rothlauf die Consistenz des Fleisches verändert, dasselbe ekelerregend geworden und als verdorben zu bezeichnen sei."

(18) „Ob ein Versuch vorgelegen habe, kam nicht in Frage, da nach einem eingeholten Gutachten der K. Preuss. wissenschaftlichen Deputation für das Medizinalwesen vom 6. November 1889 nicht bewiesen ist, dass der Genuss des Fleisches rothlaufkranker Schweine geeignet ist, die menschliche Gesundheit zu beschädigen."

(31) Gutachten des Sachverständigen, Kreisthierarztes. „Der Genuss des Fleisches von mit Rothlauf behafteten Thieren erzeuge je nach der Disposition des Individuums Verdauungsstörungen, unter Umständen sogar Blutvergiftung."

(46) „Die Sachverständigen, Bezirksthierarzt und Fleischbeschauer, erklärten, Fleisch von rothlaufkranken Schweinen, roh genossen, sei für die menschliche Gesundheit höchst schädlich; bei gekochtem derartigem Fleische sei die Gesundheitsschädlichkeit nur eine relative."

Die angeführten Beispiele genügen, um die Divergenz der sachverständigen Beurtheilung des Fleisches rothlaufkranker Schweine zu kennzeichnen. Da es aber in praxi, namentlich bei der Beurtheilung vor Gericht, von der einschneidendsten Bedeutung ist, ob der Sachverständige

Fleisch als gesundheitsschädlich oder nur als verdorben betrachtet, so kann angesichts der weitverbreiteten Annahme einer gesundheitsschädlichen Beschaffenheit des Fleisches rothlaufkranker Schweine gar nicht oft genug darauf hingewiesen werden, dass diese Annahme jeglicher Begründung entbehrt. Deshalb glaube ich nichts Ueberflüssiges zu thun, wenn ich nachstehendes Gutachten veröffentliche.

„Gutachten in der Untersuchungssache gegen den Metzger und Schweinehändler N N. in S., Vergehen gegen das Nahrungsmittelgesetz betreffend.

Der Untersuchungsrichter des Kgl. Landgerichts in S. richtete durch Note vom 13. Febr. 1892 an den Unterzeichneten das Ersuchen, die Frage zu begutachten, „ob das Fleisch eines an Rothlauf verendeten Schweines in dem Fall, beim Stechen des verendeten Schweines das Blut noch lief, als ein verdorbenes oder als ein die menschliche Gesundheit zu beschädigen geeignetes Nahrungsmittel (vgl. § 10, Ziff. 2; § 11; § 12, 1; § 14 des Reichsgesetzes vom 14. Mai 1879) anzusehen ist."

Diesem Ersuchen entspreche ich wie folgt:

Gutachten:

Das Fleisch eines an Rothlauf verendeten Schweines ist als ein „verdorbenes" Nahrungsmittel im Sinne des § 10, Ziff. 2 des Reichsgesetzes vom 14. Mai 1879 anzusehen Hierbei ist es ganz ohne Belang, dass „beim Stechen des verendeten Schweines" das Blut noch lief.

Gründe.

Der Rothlauf der Schweine ist eine ansteckende Krankheit. Der ansteckende Charakter dieser Schweinekrankheit beruht darauf, dass dieselbe durch kleinste Lebewesen, die sogenannten Rothlaufbazillen, erzeugt wird. Die Ansteckungsfähigkeit des Schweinerothlaufs ist aber keine allgemeine, d. h. sämmtliche Thiergattungen betreffende, sondern eine beschränkte. Durch Versuche ist festgestellt worden, dass der Schweinerothlauf zwar auf kleinere Thiere, nämlich Mäuse, Kaninchen und Tauben überimpfbar ist, Rinder, Schafe, Hunde und Katzen dagegen für die Krankheit nicht empfänglich sind. Wie der Mensch sich gegen die Einimpfung der Rothlaufbazillen verhält, konnte aus naheliegenden Gründen durch exacte Impfversuche nicht ermittelt werden. Indessen ist durch hundert- und tausendfältige Erfahrung die Thatsache festgestellt worden, dass der Genuss des Fleisches von an Rothlauf erkrankten und selbst daran krepirten Schweinen ohne Nachtheil für die Gesundheit der Geniessenden war. Die Beweiskraft dieser durch Erfahrung festgestellten

Thatsache wird durch die Angabe in das rechte Licht gestellt, dass nach den statistischen Erhebungen im Grossherzogthum Baden allein von 1875—1884 40 052 an Rothlauf erkrankte Schweine geschlachtet und ohne jeglichen Nachtheil verzehrt worden sind.

Dieser Umstand wurde bereits Ende der fünfziger Jahre, als man den Rothlauf der Schweine fälschlicherweise noch für eine Milzbrandform ansah, von erfahrenen Thierärzten nachdrücklichst betont (vergl. Friedberger-Fröhner, Pathologie u. Therapie, II, S. 897).

Für die Beurtheilung der Frage, ob Rothlauffleisch die menschliche Gesundheit zu beschädigen geeignet ist oder nicht, ist es hierbei prinzipiell ganz ohne Belang, ob die betreffenden Thiere nothgeschlachtet wurden oder eines natürlichen Todes gestorben sind. Das Wesentliche ist die Nichtübertragbarkeit der Rothlaufbazillen auf den Menschen durch Fleischgenuss. Ausserdem besteht der hauptsächlichste Unterschied zwischen dem Fleische eines kurz vor dem Tode abgestochenen und eines krepirten Thieres lediglich darin, dass das Fleisch letzterer Thiere noch seinen vollen Blutgehalt besitzt, während bei ersteren eine geringere oder stärkere Ausblutung stattgefunden hat. Schliesslich liegen aber gerade für den Stäbchenrothlauf der Schweine Beobachtungen vor, welche zeigen, dass auch das Fleisch an Rothlauf krepirter Schweine ohne Nachtheil von Menschen genossen worden ist.

Ganz nebensächlich für die Beantwortung der vorgelegten Frage ist der Umstand, dass „beim Stechen des verendeten Schweines" das Blut noch lief. Denn durch das „Stechen eines verendeten Thieres" wird die Qualität des Fleisches als Nahrungsmittel nicht im geringsten verändert. Günstigstenfalls kann bei einem Thiere eine nennenswerthe Menge Blutes noch entleert werden, wenn das Stechen unmittelbar nach dem Aufhören des Lebens erfolgt. Diese Menge beträgt aber stets nur einen kleinen Bruchtheil des beim gewerbsmässigen Schlachten sich entleerenden Blutes, und dieselbe stammt aus den grossen Gefässstämmen, welche angestochen werden, während das Blut in den kleinen Gefässen — Kapillaren und Anfängen der Venen — erhalten bleibt. Ganz gering ist die Blutmenge, welche dann gewonnen wird, wenn das „Kaltschlachten" erst einige Zeit nach dem Tode vorgenommen wird. Dieses ist selbst beim Rothlauf der Schweine der Fall, bei welchem das Blut nach dem Eintritt des Todes nur unvollständig gerinnt und daher leichter, als bei anderen Todesursachen durch nachträgliches Anschneiden oder Anstechen der grösseren Gefässe auszulaufen befähigt ist. Das „Stechen nach dem Tode" ist nur ein Scheinmanöver, darauf abzielend, ein krepirtes Thier als ein noch vor dem Tode abgestochenes erscheinen zu lassen. m. a. W. einen künstlich herbeigeführten Tod anstatt des natürlichen vorzutäuschen.

Wenn somit das Fleisch eines an Rothlauf verendeten Schweines — gleichgiltig ob beim Stechen des verendeten Schweines das Blut noch lief — als ein die menschliche Gesundheit zu beschädigen geeignetes Nahrungsmittel nicht angesehen werden kann, so besitzt es andererseits alle Merkmale eines verdorbenen, und zwar, wie hervorgehoben werden soll, eines so hochgradig verdorbenen Nahrungsmittels, dass es die Qualität als Nahrungsmittel für Menschen vollständig verloren hat.

Gegen den Genuss des Fleisches von krepirten Thieren besteht bei den meisten Menschen in Kulturstaaten eine unüberwindliche Abneigung. Hierzu kommt, dass bei Schweinen, welche an Rothlauf erkrankt sind, das Fleisch höchst auffällige Abweichungen von der normalen Beschaffenheit aufweist. Das Fleisch im engeren Sinne, die Muskulatur, ist dunkelgrauroth und abnorm weich; ähnlich sind Herz, Leber und Nieren beschaffen. Das Fett besitzt statt der schneeig weissen eine abnorme, in den verschiedensten Nuancen bis zum dunklen Purpurroth wechselnde Farbe. Schliesslich fliesst aus allen Theilen beim Einschneiden Blut ab.

Zum Schlusse möge die Bemerkung Platz finden, dass das Fleisch rothlaufkranker Thiere die Eigenschaft des Fleisches krepirter Thiere, rasch in Fäulniss überzugehen, in hohem Grade besitzt. Wenn das Fleisch von an Rothlauf verendeten Schweinen bereits in Fäulniss übergegangen ist, oder die Erscheinungen beginnender Fäulniss zeigt, muss es aus diesem Grunde als ein gesundheitsschädliches Nahrungsmittel angesehen werden. Der Uebergang des fraglichen Fleisches in Fäulniss müsste aber thatsächlich festgestellt sein. Angaben über eine solche Feststellung sind jedoch in der Note des Herrn Untersuchungsrichters, der zufolge dieses Gutachten abgegeben worden ist, nicht enthalten.

Prof. Dr. Ostertag."

Statistische Beiträge zu dem Vorkommen thierischer Parasiten bei Schlachtthieren.

Von
Georg Mejer-Crefeld,
Schlachthofthierarzt.

Die Einführung der obligatorischen Fleischbeschau, bezw. die genaue Untersuchung der Organe unserer Schlachtthiere haben uns belehrt, dass die Ausbreitung verschiedener Krankheiten, besonders solcher, welche lange Zeit bestehen können, ohne zum Tode zu führen, oder auch nur auf den Ernährungszustand der betreffenden Thiere irgendwelchen sichtbaren Einfluss auszuüben, eine viel grössere ist, als früher angenommen wurde. Es lehren uns dieses die Schlachthofberichte, und ich erinnere hier nur an die statistischen Angaben in diesen Berichten über das Vorkommen der Tuberkulose bei Rindern und Schweinen. Wenn wir nun auch über diese Krankheit ein ziemlich genaues Bild, wenigstens in Bezug auf ihre Häufigkeit, erhalten haben, so trifft dieses für andere Erkrankungen durchaus nicht zu. Es ist dieses vor allen Dingen bei solchen Krankheiten nicht der Fall, die nur ein Organ oder nur einen Theil eines Organes betreffen, wie Abscesse und Parasiten u. a. Findet man z. B. in einer Leber oder Lunge einen kleinen Abscess oder wenige Echinokokken, so wird der krankhafte Theil herausgeschnitten, der betreffende Fall wird aber nicht notirt und kann so in den Jahresberichten auch keine Erwähnung finden. Diese Betrachtung veranlasste mich im Jahre 1890 genauere statistische Aufzeichnungen über das Vorkommen von Parasiten in den auf dem Leipziger Schlachthof geschlachteten Thieren zu machen. Ich schrieb mir zu diesem Zweck jeden Fall genau auf, in welchem ich Echinokokken in den Lungen und Lebern der dort geschlachteten Schweine und Schafe fand, zog später, als die Einfuhr ungarischer Schweine nach dem Leipziger Schlachthof wieder gestattet war, auch diese in den Kreis meiner Untersuchungen und dehnte dieselben schliesslich auch auf das Vorkommen von Strongylus paradoxus in den Lungen der Landschweine, sowie der Bakonyer (ungarische Schweine) aus. Da ich in einigen mir zugänglichen Statistiken über Parasiten unserer Hausthiere fand, dass nur eine geringe Zahl von Thieren zur Untersuchung gelangt war, *) beschloss ich, meine Untersuchungen längere

---

*) Ich erinnere hier an O. Schoene: Beitrag zur Statistik der Entozoen im Hunde, I.-D., Leipzig, welcher 100 Hunde auf Entozoen untersuchte, ferner an Blumberg: „Ueber das Vorkommen von Parasiten bei den Haussäugethieren in Kasan", Deutsche Zeitschrift für Thiermedicin Bd. X; Zahl der untersuchten Thiere: 93 Pferde, 33 Rinder, 8 Schafe, 6 Ziegen, 5 Schweine und 138 Hunde.

Zeit fortzusetzen und untersuchte Schafe und Landschweine vom Mai 1890 bis April 1891, ungarische Schweine vom September 1890 bis zum Januar 1891; und die Lungen auf Strongylus paradoxus vom Oktober 1890 bis Februar 1891.

Bevor ich meine Resultate anführe, möchte ich die Auszüge aus verschiedenen Schlachthofberichten über die Zahl der wegen Echinokokken verworfenen Organe voranschicken.

Nach den Berichten über die Ergebnisse der städtischen Fleischbeschau in Berlin für das Jahr 1. April 1888/89 und 1889/90 wurden in Berlin verworfen wegen Echinokokken

von 479 124 Schweinen 5910 Lungen, 5285 Lebern
" 442 115 " 6523 " 5078 "
" 338 798 Schafen 5041 " 3363 "
" 430 362 " 5479 " 2752 "

Es sind demnach in Berlin 1,85 pCt. sämtlicher Lungen und 1,12 pCt. sämtlicher Lebern von Schweinen, sowie 1,37 pCt. bezw. 0,79 pCt. der Lungen bezw. Lebern von Schafen als mit Echinokokken behaftet beschlagnahmt und vernichtet worden.

In Lübeck wurden nach dem Jahresbericht für städtische Gemeindeanlagen für das Jahr 1887

von 17 943 Schweinen
45 Lung. = 0,25 pCt. u. 32 Leb. = 0,18 pCt.
von 5937 Schafen
1233 Lung = 20,77 pCt. u. 224 Lb. = 3,77 pCt.

verworfen. In demselben Bericht finden wir sodann Seite 35, dass die verworfenen 45 Lungen und 32 Lebern von 52 Schweinen stammten, und die 1233 Lungen und 224 Lebern von 1240 Schafen, so dass 0,29 pCt. der geschlachteten Schweine und 20,89 pCt. der Schafe mit Echinokokken behaftet waren.

Nach dem 6. und 7. Bericht der Direktion des Schlacht- und Viehhofes der Fleischerinnung in Chemnitz wurden

von 29 536 Schwein. 53 = 0,18 pCt. im Jahre 1889
" 43 778 " 46 = 0,11 pCt. " " 1890
(davon waren 19 004 ungarische Schweine)
von 12 722 Schafen 19 = 0,18 pCt. im Jahre 1889
" 13 298 " 21 = 0,16 pCt. " " 1890
mit Echinokokken behaftet gefunden.

Seit Eröffnung des städtischen Schlachthofes in Leipzig im Juli 1888 wurden daselbst, nach Ausweis der Schlachtbücher, wegen Echinokokken vernichtet von:

Datum	Zahl der untersuchten Schweine	Lungen	Lebern	Lungen und Lebern	Sa.	pCt.
1888	25 527	6	196	3	205	0,803
1889	55 979	10	395	13	418	0,747
1890	66 622	7	208	10	225	0,34
1891 bis 31. Juli)	49 550	4	120	—	124	0,25

Datum	Zahl der untersuchten Schafe	Lungen	Lebern	Lungen und Lebern	Sa.	pCt.
1888	15 518	58	41	23	122	0,79
1889	34 389	62	24	90	176	0,51
1890	39 444	72	35	75	182	0,46
1891 (bis 31. Juli)	22 132	48	28	20	96	0,43

Es können diese Zahlen kein genaues Bild über die Häufigkeit des Vorkommens der Echinokokken geben, da sie nur angeben, wieviel Organe wegen dieser Parasiten beschlagnahmt und vernichtet worden sind. Die Differenz zwischen diesen Zahlen und den von mir gefundenen ist eine ganz erhebliche, da ich, wie gesagt, bei meinen Untersuchungen auch das Vorhandensein eines einzelnen Echinokokkus aufgezeichnet habe.

Ich fand bei Landschweinen Echinokokken im

Monat	Zahl d. Untersuchten	in Lunge	in Leber	in Lunge und Leber	Sa.	pCt.
1890 Mai .	580	—	12	1	13	2,24
Juni . . .	612	1	23	1	25	4,08
Juli . . .	562	—	28	1	29	5,16
August . .	564	1	20	1	22	3,90
September .	653	—	20	—	20	3,06
Oktober .	505	1	15	—	16	3,17
November .	284	—	20	3	23	8,19
Dezember .	247	—	11	3	14	5,67
1891 Januar .	389	—	12	—	12	3,08
Februar .	364	—	12	—	12	3,29
März . . .	236	—	5	—	5	2,12
April . . .	170	—	5	—	5	2,94
Summa	5166	3	183	10	196	3,79

Bei Schafen fand ich Echinokokken im

Monat	Zahl d. Untersuchten	in Lunge	in Leber	in Lunge und Leber	Sa.	pCt.
1890 Mai . .	101	13	1	2	16	15,84
Juni	801	95	3	25	123	15,36
Juli . . .	684	90	2	24	116	16,96
August . . .	419	33	5	21	59	14,08
September .	588	41	—	7	48	8,16
Oktober . .	457	42	3	11	56	12,25
November .	276	22	—	3	25	9,03
Dezember .	251	22	—	12	34	13,55
1891 Januar .	267	19	1	7	27	10,11
Februar .	298	24	—	7	31	10,40
März . . .	174	20	—	8	28	16,09
April . . .	199	15	2	11	28	14,07
Summa	4515	436	17	138	591	13,09

Die Untersuchung der ungarischen Schweine ergab Echinokokken im:

Monat	Zahl d. Untersuchten	in Lunge	in Leber	in Lunge und Leber	Sa.	pCt.
1890 Septemb.	53	1	7	—	8	15,09
Oktober. . .	406	51	27	28	106	26,11
November . .	188	19	12	8	39	20,75
Dezember . .	101	6	1	6	13	12,87
1891 Januar .	95	2	7	6	15	15,87
Summa	843	79	54	48	181	21,47

Vergleichen wir zunächst die Zahlen aus den angeführten Schlachthofberichten mit meinen Resultaten, so ergeben sich allerdings gewaltige Differenzen, und nur diejenigen aus Lübeck übertreffen die von mir gefundene Procentzahl in Bezug auf die Häufigkeit der Echinokokkenkrankheit bei Schafen. Dass die übrigen Berichte soweit hinter dem meinigen zurückbleiben, hat seinen Grund, wie gesagt, darin, dass jene nicht die Häufigkeit der Echinokokken, sondern lediglich die Zahl der verworfenen Organe angeben.

Wenn wir nun obige Tabellen in Bezug auf die Resultate in den einzelnen Monaten ansehen, so bemerken wir, dass die Häufigkeit des Vorkommens der Echinokokken eine sehr ungleichmässige ist. So finden wir bei Schweinen im Monat Mai 2,24 pCt., im Juni 4,08 pCt. und im Juli 5,16 pCt. der untersuchten Thiere mit Echinokokken behaftet. Die Procentzahl fällt dann von 3,90 im August auf 3,06 bezw. 3,17 im September und Oktober und erreicht ihren Höhepunkt plötzlich im November mit 8,19 pCt., um dann allmählich bis auf 2,12 pCt. im März zu fallen. Noch grösser ist der Unterschied, und nicht minder schwankend, in den einzelnen Monaten bei Schafen. Hier folgen auf 15,39 pCt. im Juni, 16,96 pCt im Juli, die dann plötzlich von 14,08 pCt. im August auf 8,16 pCt. im September herabsinken. Nach Schwankungen zwischen 9 pCt. und 13,55 pCt. finden wir dann im März den zweithöchsten Procentsatz von 16,09 pCt. Nicht weniger gross sind die Schwankungen in den einzelnen Monaten bei ungarischen Schweinen.

Man könnte nun versuchen, aus der Thatsache, dass ich im Juli bezw. November die meisten Erkrankungen an Echinokokken bei Schweinen, und im Juli bezw. März die meisten bei Schafen gefunden habe, einen Schluss auf die Zeit oder auf die Art der stärksten Invasion zu ziehen; ich würde einen solchen Versuch indessen für falsch halten, da es sich bei den von mir untersuchten Thieren nicht um solche handelt, die aus einem bestimmten Bezirk stammen. Der Leipziger Schlachthof kann seinen Bedarf an Schlachtthieren selbstredend nicht aus der nächsten Umgebung von Leipzig oder aus dem Königreich Sachsen allein decken, er muss vielmehr den grössten Theil aus Thüringen und der Provinz Sachsen, besonders aber von den Viehhöfen in Berlin, Magdeburg und Hamburg, und somit aus den verschiedensten Theilen des Deutschen Reiches, von der Weser bis an die galizische Grenze, beziehen. Es liess sich in Folge dessen auch nicht feststellen, aus welchen Gegenden die untersuchten Thiere in den einzelnen Monaten stammten. Ueberhaupt kann ja diese Statistik nichts anderes besagen, als dass in der Zeit vom Mai 1890 bis April 1891 von auf dem Leipziger Schlachthof geschlachteten Thieren so und so viel Procent Schafe bezw. Schweine von mir als mit Echinokokken behaftet gefunden worden sind.

Was das Vorkommen der Echinokokken in den verschiedenen Organen betrifft, so habe ich diese Parasiten wiederholt, sowohl in der Milz, als auch im Herzen und den Nieren angetroffen, doch war dieses verhältnissmässig so selten der Fall und stets in Gesellschaft einer Invasion der Lunge oder Leber, dass ich diesen Befund statistisch nicht verwerthen konnte. Interessant ist es, dass bei Schafen Echinokokken bedeutend häufiger in den Lungen als in den Lebern gefunden werden und nicht, wie Röll (Lehrbuch der Pathologie und Therapie II. Bd., Wien 1885, pag 22) angiebt, umgekehrt. Bei Landschweinen finden wir hingegen unseren Parasiten bei weitem häufiger in den Lebern als in den Lungen, hier waren 3,81 pCt. sämtlicher Lebern, hingegen nur 0,26 pCt. der Lungen mit Echinokokken behaftet; bei Schafen war das Verhältniss 12,71 pCt. der Lungen zu 3,73 pCt. der Lebern; bei ungarischen Schweinen 14,79 pCt. der Lungen zu 12,03 pCt. der Lebern. Auf welche Ursachen es zurückzuführen ist, dass bei Schafen und ungarischen Schweinen die Lungen so häufig mit Echinokokken durchsetzt sind, und viel häufiger als die Lebern, wage ich nicht zu entscheiden. Wenn die Wanderung dieser Parasiten in den Blutbahnen erfolgt, so wäre es doch auffällig, dass die Organe der Brusthöhle, beziehentlich die Lunge, häufiger erkrankten als die Leber. — Dass unsere Entozoen bei Schafen und ungarischen Schweinen häufiger als bei unseren Landschweinen zu finden sind, lässt sich leicht daraus erklären, dass erstere als mehr oder weniger im Freien lebende Thiere viel öfter Gelegenheit haben, mit den Eiern der Taenia Echinococcus beschmutztes Futter aufzunehmen, als die mehr im Stall gehaltenen Landschweine.

Die Grösse der Echinokokken schwankte zwischen der eines Hirsekorns und eines Gänseeies; oft findet man die verschiedensten Grössen in einem und demselben Organe. In den verschiedenen Monaten lässt sich in Bezug auf die Grösse der Parasiten kein Unterschied wahrnehmen; in jedem Monat kommen grössere und kleinere zu Gesicht, so dass sich über die Zeit der grössten Invasion kein bestimmter Monat festsetzen lässt. — Die Zahl der in den einzelnen Organen gefundenen Parasiten schwankt ebenfalls bedeutend. Bald finden sich nur ein oder wenige Echinokokken, bald durchsetzen sie das Parenchym der Organe, besonders der Leber, in Hunderten von Exemplaren. Wenn in einem solchen Fall die einzelnen Echinokokken heranwachsen (man findet sie nicht selten bis hühnereigross), so muss das Organparenchym mehr und mehr schwinden, bis es nur noch in ganz schmalen und dünnen Streifen die einzelnen

Blasen von einander trennt. Trotzdem findet man auch in einem solchen Fall nur höchst selten, dass die betreffenden Thiere abgemagert wären oder sonstwie in ihrem Gesundheitszustand gelitten hätten. Ich möchte hier nur einen Fall anführen:

Im Juni 1890 wurde auf dem Leipziger Schlachthof, ein gut genährtes, ca. ½ Jahr altes Schaf geschlachtet, dessen Lunge vollständig von Echinokokken durchsetzt war; in der Leber zählte ich 135 Echinokokken von der Grösse einer Wallnuss; das Leberparenchym war auf ein Minimum reduzirt. Lunge und Leber dieses Thieres wogen 3 kg, das ausgeschlachtete Schaf nur 18 kg. Das Thier war, wie gesagt, gut genährt und zeigte keine Spur von Kachexie.

Ich möchte hier noch anfügen, dass ich nur bei kleinen Echinokokken einen dicken Eiter als Blaseninhalt gefunden habe, häufiger, namentlich in den Lungen finden sich breiartige Kalkmassen, in der Regel aber besteht der Inhalt aus jener bekannten wasserhellen Flüssigkeit, in welcher unter Umständen die Brutkapseln schwimmen. Verwachsungen, wie Röll schreibt, zwischen Leber und Zwerchfell, die durch Echinokokken hervorgerufen waren, habe ich nicht gesehen; sehr häufig sind übrigens derartige Verwachsungen durch Cysticercus tenuicollis veranlasst.

Was nun die sanitätspolizeiliche Seite der Echinokokkenfrage betrifft, so ist es selbstredend, dass die Echinokokken vernichtet werden, wenn es auch nicht unbedingt nöthig erscheint, dass diese Vernichtung durch Feuer geschieht, da die allenfalls vorhandenen Brutkapseln und die Embryonen in ihrem Innern auch an der Luft durch Eintrocknen oder Fäulniss bald unschädlich gemacht werden. Auf jeden Fall ist aber darauf zu achten, dass diese Parasiten nicht von Hunden gefressen werden können. — Kommen Echinokokken vereinzelt in Organen vor, so dass sie herausgeschnitten werden können, dann ist es nicht nothwendig, die Organe in toto zu verwerfen; sind sie indessen stark durchsetzt von diesen Parasiten, so müssen sie als ekelerregend völlig beseitigt werden.

Zum Schluss möchte ich noch hinzufügen, dass ich zwar wiederholt, bei Schafen sowohl als bei Schweinen, den Echinococcus racemosus gesehen habe, aber nur einmal beim Schaf den bei Rindern verhältnissmässig häufig vorkommenden Echinococcus multilocularis (auf dem Leipziger Schlachthof fand ich, dass ca. 7 pCt. aller mit Echinokokken behafteter Rinder den Echinococcus multilocularis beherbergten). Diese beim Schaf gefundene Varietät, wenn man so sagen darf, ähnelte mehr dem multiloculären Echinococcus des Menschen als dem des Rindes; die einzelnen Blasen waren klein, bis 2 mm Durchmesser und waren in eine bindegewebige Grundsubstanz, nicht in ein einfaches Fächergerüst eingebettet, wie bei dem des Rindes.

Statistisches über das Vorkommen von Strongylus paradoxus. — Anschliessend an obige Untersuchungen über Echinokokken, untersuchte ich, wie gesagt, von Oktober 1890 bis Februar 1891 die Lungen zahlreicher auf dem Leipziger Schlachthof geschlachteter Schweine, und zwar wiederum die der ungarischen getrennt von denen unserer Landschweine, auf das Vorkommen des Strongylus paradoxus, und kam hierbei zu folgenden Resultaten:

Monat:	Landschweine			ungarische Schweine		
	Zahl d. Unter- suchten Lungen	er- krankte Lungen	pCt.	Zahl d. Unter- suchten Lungen	er- krankte Lungen	pCt.
1890. Oktbr.	945	151	15,98	382	192	50,26
November	319	54	16,93	201	100	49,75
Dezember	247	71	28,75	101	67	66,34
1891. Jan.	399	88	22,05	110	52	47,27
Februar	302	57	18,87	24	15	62.50
Summa	2212	421	19,03	819	426	52,02

Aus diesen Untersuchungen geht hervor, dass Strongylus paradoxus sehr häufig in den Lungen unserer Landschweine zu finden ist, dass die ungarischen Schweine aber besonders von diesen Entozoen heimgesucht werden, und viel häufiger als unsere Landschweine. Dass diese Thatsache davon abhängt, dass jene mehr im Freien leben, ist sehr wahrscheinlich. — Ueber

die Schwankungen der Häufigkeit in den einzelnen Monaten will ich keine Betrachtung anstellen, da dieselben jedenfalls dieselben Ursachen haben, wie sie oben bei den Echinokokken erwähnt wurden.

Ob die Schweine durch massenhafte Invasion dieser Parasiten erkranken können, oder ob letztere ihren Wirthen lebensgefährlich werden können, lässt sich auf Schlachthöfen, auf denen die Schlachtthiere nur einer sehr kurzen Beobachtungszeit unterliegen, natürlich nicht feststellen. Ich fand bei meinen Untersuchungen, dass diese Parasiten in sehr grosser Zahl und durch die ganze Lunge verbreitet sein können, so dass sie schon bei geringem Druck in dicken Bündeln, bis zur Stärke eines kleinen Fingers, über die angeschnittenen Lungenspitzen hervorquellen, ohne dass man beim Durchfühlen eine krankhafte Veränderung in den Lungen entdecken könnte. Andrerseits giebt Bollinger (nach Zürn: Die Schmarotzer u. s. w. I. Theil, Seite 265) als Todesursache für zwei junge, plötzlich verstorbene Schweine das massenhafte Vorkommen von Pallisadenwürmern und deren Brut in den feinern Bronchien und dem Lungengewebe an. Jedenfalls sind diese Parasiten nur dann gefährlich, wenn sie in sehr grossen Massen und bei jungen Thieren vorkommen.

In Bezug auf die Fleischbeschau wäre es rathsam, da selbst bei gewissenhaftester Untersuchung bei zahlreichen Schlachtungen sehr leicht die eine oder andere erkrankte Lunge übersehen werden kann, und da eine von Würmern durchsetzte Lunge doch mindestens ekelhaft ist, die Lungenspitzen, den Lieblingssitz von Strongylus paradoxus, sämmtlicher geschlachteter Schweine zu vernichten. Der dem Fleischer sowie dem Nationalwohlstand hierdurch zugefügte Schaden wäre ein so minimaler, dass er absolut nicht in Betracht gezogen werden kann.

Referate.

v. Speyr, Massenerkrankung nach Genuss verdorbenen Fleisches.

(Korrespondenzblatt f. Schweizer Aerzte, 1891, 24.)

In der kantonalen Irrenanstalt Waldau bei Bern erkrankten am 15. August 1891 86 Patienten und Wärter unter den Erscheinungen der Uebelkeit, des Erbrechens, der Diarrhoe und zum Theil des starken Kollapses. Die erste Erkrankung trat bereits 2 Stunden nach Genuss des Fleisches ein. Der Verlauf der Erkrankung war kurz, $1/2 — 3/4$ Tag, in einigen Fällen nur wenige Stunden. 3 Männer waren $3 — 3^{1}/_{2}$ Tage krank.

Sämmtliche Erkrankte hatten Fleisch genossen, welches von einer am 6. August wegen multipler Abscesse an den Füssen geschlachteten Kuh stammte und acht Tage in Pökellake gelegen hatte. Frisch scheint das Fleisch nicht schädlich gewirkt zu haben. Ferner sagt der Verf.: „Der grösste Theil des gesalzenen Fleisches wurde gleich am 14. August gegessen: einige Personen fühlten sich schon damals unwohl. Der Rest wurde bei dem warmen Wetter in Eis gelegt und am 15. August um 11½ Uhr Mittags dem Wartepersonal und um 12 Uhr sämmtlichen Kranken ausser den Pensionären vorgesetzt.“

Dieses auf's Eis gelegte Restfleisch war es, welches die Massenerkrankung unmittelbar im Gefolge hatte. Ohne Zweifel hat es sich demnach um eine postmortale Zersetzung des Fleisches gehandelt, für welche vielleicht in Folge der Krankheit der Kuh besonders günstige Bedingungen gegeben waren.

Im Anschluss an diese Massenerkrankung berichtet Verf. noch über eine ähnliche aus dem Jahre 1887. Es erkrankten zahlreiche Personen an Durchfall auf den Genuss von „Fleischgehäck“. Ein Patient starb nach zweitägiger Krankheit. Das giftige Fleischgehäck stammte von einer Kuh, welche 4 Tage zuvor wegen „chronischer, rheumatischer Lähmung des einen Hinterbeins“ geschlachtet worden war. Das Fleisch dieser Kuh wirkte nur in Form des Gehäcks giftig. In jeder anderen Zubereitung war es unschädlich.

Morot, Ueber die Wirkung der Fütterung der Schlachtthiere mit Bockshorn.

(Le Bulletin agricole, 1892, Janvier.)

Das Bockshorn (Trigonella foenum graecum), welches bei uns lediglich als Medikament Verwendung findet, wird nach Verf. in Südfrankreich, Italien und anderen südlichen Ländern als Futterpflanze angebaut. Es liefert ein frühes und üppiges Grünfutter, welches den Appetit anregt, die Thiere vorzüglich ernährt und rasch mästet. Ein Nachtheil der Bockshornfütterung aber ist, dass das Fleisch der Thiere einen höchst unangenehmen Geruch und Geschmack annimmt, welcher an Schweinemist erinnert und das Fleisch ganz unverkäuflich machen kann. M. berichtet nun über Versuche von Mallet-Toulouse, welche hauptsächlich die Frage betrafen, ob der spezifische Geruch des foenum graecum sich definitiv in den Geweben der Schlachtthiere festsetzt oder nach einer gewissen Zeit aus denselben verschwindet. Mallet's Feststellungen gipfeln in folgenden Sätzen:

1. Ein einziges Futter von foenum graecum in grünem Zustande verzehrt, genügt, um dem Fleische den spezifischen Geruch der Pflanze mitzutheilen.

2. Dieser Geruch verschwindet völlig in 4 Tagen nach dieser ausnahmsweisen Fütterung.

3. Das riechende Prinzip eliminirt sich rascher, wenn die Pflanze erst Blüten getrieben hat, als wenn sich schon Schoten und Körner gebildet haben. Aber auch im letzteren Falle genügt es, die Fütterung mit Bockshorn 14 Tage vor dem Verkaufe des gemästeten Thieres auszusetzen, damit das Fleisch seinen normalen Geruch und Geschmack wieder erlange.

4. Die Eliminirung des riechenden Stoffes geschieht hauptsächlich durch die Haut, wenn die blühende Pflanze verfüttert werde, durch die Milch, den Harn und den Koth dagegen, wenn es bereits zur Schotenbildung gekommen ist.

Folglich ist auch das Fleisch von Kälbern mehr gefährdet durch die Milch von Kühen, welche reifes Bockshorn zu fressen erhalten, als von solchen, welche mit der blühenden Pflanze gefüttert werden.

Wasserfuhr, die Kosten der Trichinen-schau in Berlin.

(Hygienische Rundschau 1892, 3).

Verf. hält bekanntermassen die Trichinenschau für eine höchst überflüssige Massregel. Denn die Trichinose sei eine Gefahr, gegen welche jeder verständige Mensch sich leicht schützen könne. Es sei noch kein einziger Fall vorgekommen, in welchem Jemand an Trichinose erkrankt wäre, nachdem er trichinöses, aber gut gekochtes oder gut geräuchertes Schweinefleisch genossen hatte. Die Trichinenschau, welche für Berlin beinahe $1/2$ Million koste, komme daher nur denjenigen Leuten zu Gute, welche eine leicht zu befolgende Vorsicht nicht beobachten.

(Die von dem Verfasser gegen die Trichinenschau immer auf's Neue vorgebrachten Einwände entbehren an und für sich durchaus nicht der Begründung, werden aber durch die Thatsachen schlagend widerlegt. Die Trichinenschau ist in Mittel- und Norddeutschland leider eine nothwendige Massregel, solange, wie Hertwig treffend hervorgehoben hat, die Zubereitung des Schweinefleisches mehr nach dem Geschmacke des Konsumenten, als nach dem Thermometer geschieht.

Das konsumirende Publikum wird seitens der Behörden von Zeit zu Zeit darauf aufmerksam gemacht, dass gründliches Kochen der beste Schutz gegen Trichinosis ist.' 'Aber in dieser Hinsicht giebt es eben zu wenig „verständige" oder wohl besser gesagt vorsichtige Menschen, und nichts zeigt besser als die Geschichte der Trichinosis, dass das Publikum in hygienischen Dingen bevormundet sein will. D. R.)

Willach, Distomenbrut in den Lungen des Pferdes.

(Archiv f. wissensch. u. prakt. Thierheilkd., XVIII Bd., H. 1, 2.)

In der Pferdelunge finden sich nicht selten verkäste oder verkalkte, von binde-gewebigen Kapseln umschlossene Knötchen, welche zu einer Verwechslung mit Rotz Veranlassung geben können. Gegen Rotz spricht aber in allen diesen Fällen, abgesehen von dem wesentlich verschiedenen mikroskopischen Verhalten, das Fehlen anderweitiger rotziger Veränderungen und die vollkommene Integrität der Bronchialdrüsen.

Die Aetiologie dieser nichtrotzigen Lungenknötchen scheint eine verschiedene zu sein. Martin hat in einem Falle mycelhaltige Pilzfäden in den Knötchen nachweisen können. Einen überraschenden Befund hat W. bei Untersuchung eines ähnlichen Falles erhalten. In der Lunge befanden sich sehr viele Knötchen von der Grösse eines gequollenen Sagokorns. Die Knötchen besassen eine bindegewebige Kapsel und z. T. Kalkeinlagerungen; den Hauptinhalt bildeten Eiterkörperchen. „In jedem Knötchen aber lagen ausserdem wenige oder viele (über ein Dutzend) eigenthümliche blattförmige Körper von unregelmässig ovaler Gestalt, von 0,35 mm Längen- und 0,20 mm Breitendurchmesser. Hier und da traf man auf mit einem Deckel versehene Parasiteneier oder solche Eier, von denen der Deckel bereits abgesprungen war. Von den Eiern war nur die Schale vorhanden, der Zellinhalt liess sich nicht mehr feststellen."

Auf Grund ihres Aussehens und der Beschaffenheit der Eier hält Verf. die beschriebenen Gebilde für Distomenbrut, ohne die Frage zu entscheiden, ob sie dem in der Leber des Pferdes vorkommenden Distomum hepaticum oder einem vielleicht noch unbekannten Trematoden zuzählen sind.

Maljean, Ueber ein einfaches Mittel, gefrorenes Fleisch zu erkennen.

(Rec. de med. vét. 1892. 8)

Für England und Frankreich spielt die Einfuhr gefrorenen Fleisches aus Amerika eine grosse Rolle. Da aber der Handelswerth solchen Fleisches geringer ist, als derjenige frischen Fleisches, so ist es in der That wichtig, Unterschleifen mit demselben vorzubeugen. M. macht nun auf folgende Mittel zur Erkennung gefrorenen Fleisches aufmerksam. 1. erhält das Fleisch, welches direkt aus den Kühlkammern an die Aussenluft gebracht worden ist, eine feuchte schmierige Oberfläche in Folge Kondensation des Wasserdampfes der warmen Luft. Hierdurch wird die Fäulniss ungemein begünstigt. (Gefrorenes Fleisch sollte daher in vollkommen trockener Luft aufgethaut werden.) 2. Die rothen Blutkörperchen, welche durch Abkratzen der Oberfläche gewonnen werden, sind entfärbt, deformirt und schwimmen in einem grünlichen Serum. Wenn das Fleisch gefroren war, findet man kein einziges normales Blutkörperchen mehr, weil die Kälte dieselben auflöst. Das Hämoglobin tritt in das Serum und findet sich dort in Form unregelmässiger, gelblich-brauner Krystalle. Diese sind häufig schon mit blossem Auge sichtbar, jedenfalls aber bei einfacher mikroskopischer Untersuchung.

Maugold, Ueber den multilokulären Echinokokkus und seine Tänie.

(Berl. klin Wochenschr. 1892, 2/3).

Der früher wohl allgemein anerkannten sog. mechanischen Entstehungstheorie des Echinokokkus multilocularis stellten sich bezüglich des Menschen in neuerer Zeit gewichtige Stimmen gegenüber, welche den E. m. für eine besondere Art der E. erklärten. Ref. glaubte dieses nach seinen Befunden bei den Schlachtthieren (cfr. I, S. 119.) auch für die Thiere annehmen zu müssen, denn der E. m. ist gerade bei den Thieren der klassischen Echinokokkenländer ungemein selten. Klemm wollte 1882 die Richtigkeit der neueren Ansicht durch einen gelungenen Thierversuch bewiesen haben. Dieser Versuch wurde aber nicht für einwandsfrei gehalten. Hierauf gab Vogler (1885) an, an den Haken charakteristische Merkmale zwischen E. hydatidosus und multilocularis gefunden zu haben. Verf. bestätigt dieses: „Die Gesammtlänge der Multi-

locularishaken verhält sich zu der der Unilokularishaken wie 19—18 : 16, die Länge des Wurzelfortsatzes wie 10 : 7.“

Ausserdem ist es dem Verf. gelungen, aus einem E. m. bei 2 Hunden vereinzelte Tänien zu züchten, welche sich durch die Gestaltung der Haken von der Tänie des unilokulären Echinokokkus unterscheiden (grössere Länge und verhältnissmässig schwache Krümmung der Haken, langer und dünner hinterer Wurzelfortsatz, knaufförmig vorspringendes Wurzelende.) Nach Verfütterung des tänienhaltigen Darmes des einen Hundes an ein junges Schwein konstatirte M. 4 Monate nach der Fütterung „2 etwa haselnussgrosse, weissliche, von der Lebersubstanz sich abhebende Herde“, welche bei genauerer Untersuchung als multiloculäre Echinokokken betrachtet werden mussten.

Damit, sagt Verf., ist zum ersten Mal aus Tänia Echinokokkus multilocularis der dazu gehörige spezifische E. multilocularis gezüchtet worden.

Lähr, Ueber subkutane Rupturen der Leber und der Gallengänge und die sekundäre gallige Peritonitis.

(J. D München 1890.)

Auf Grund eigener Beobachtungen an 4 Fällen und des Studiums der einschlägigen Litteratur kommt Verf. zu dem Schlusse: „Auch ein bedeutender Gallenerguss in die Bauchhöhle nach gleichzeitiger Eröffnung von grösseren Gallenwegen hat durchaus keine ungünstige Prognose. In einer durch den Reiz der Galle hervorgerufenen, zu einer bindegewebigen Organisation des Exsudates führenden Peritonitis und gleichzeitiger Resorption der ausgetretenen Galle liegt ein Weg zur Heilung. Erst das lange Anhalten des Gallenergusses und des dadurch beständig auf das Peritoneum ausgeübten Reizes scheint einen ungünstigen Ausgang herbeizuführen.“

(Gallige Peritonitis wird zuweilen auch in den Schlachthäusern bei Schafen beobachtet, bei welchen Leberegel eine künstliche Kommunikation zwischen einem Gallengang und dem Cavum peritonei hergestellt haben. D. R.)

Rosenberg, Ein Befund von Psorospermien (Sarcosporidien) im Herzmuskel des Menschen.
(Zeitschr f. Hygiene u. Infektionskrankh. XI. 3.)

Ganz allgemein wurde bislang angenommen, dass Psorospermien beim Menschen nicht vorkommen. 3 Fälle, welche der russische Gelehrte Lindemann 1863 veröffentlicht hatte, fanden die Anerkennung der Autoren nicht. Aus diesem Grunde theilt Verf. den Befund „eines zweifellosen Miescher'schen Schlauchs" im Herzen des Menschen mit. Es handelte sich um eine 5 mm lange und 2 mm breite Cyste, welche eine mohnsamengrosse Tochtercyste aufwies. Beim Zerzupfen der letzteren wurden runde, eiförmige, nierenartige u. a. Gebilde bemerkt, welche Verf. als Gregarinen ansah. Nach der Klassifikation von Blanchard rechnet R. den gefundenen Schlauch zu dem Genus Sarcocystis und heisst ihn „S. hominis".

Dieser Einzelfall gehört aber zu den grössten Raritäten in der menschlichen Pathologie gegenüber dem massenhaften Vorkommen der sog. Psorospermien in der Muskulatur der Schafe und Schweine.

Cohn u. Neumann, Ueber den Keimgehalt der Frauenmilch.
(Virchow's Archiv, Bd 126, S. 139.)

Lehmann hat bekanntlich auf der letzten Versammlung des deutschen Vereins für öffentliche Gesundheitspflege in Leipzig der bis dahin allgemeinen Annahme, die Milch komme keimfrei aus der Milchdrüse, widersprochen. Verf. betonen dasselbe. Sie theilen mit, dass die Frauenmilch unter normalen Verhältnissen gewöhnlich Eiterbakterien enthält. In über ³/₄ der Fälle war die Milch eine Reinkultur des Staphylokokkus albus (Eindringen von aussen). Die vorgefundenen Bakterien bewirken aber weder Zersetzung der Milch noch Schädigung der Säuglinge.

(Der Staphylokokkus albus wird überhaupt äusserst selten als selbstständiger Eitererreger angetroffen. D. R.)

Ilkewitsch, Entdeckung von Tuberkelbazillen in der Milch mittels der Zentrifuge.
(Münch. Mediz. Wochenschr. 1892, 5.)

Die neue Methode des Verf. beruht auf der von Bang und Scheurlen nachgewiesenen Fähigkeit der Zentrifugalkraft, Tuberkelbazillen in der Milch „an die Wand zu drücken." Zur Ausführung seiner Methode bedient sich Verf. eines modifizirten Laktokrits, mittels dessen man bis zu 3600 Umdrehungen in der Minute erzielen kann. Das für die Aufnahme der Milch bestimmte Probirglas besteht aus Kupfer; der Boden desselben ist durch ein eingeschliffenes Näpfchen ersetzt, in welches nach beendigter Untersuchung ein kupfernes Kügelchen herabgelassen wird, um den in dem Näpfchen angesammelten Bodensatz zu bedecken. Im Uebrigen schildert Verf. sein Verfahren folgendermassen:

„Nachdem ich 20 ccm der Milch abgemessen, bringe ich dieselbe durch verdünnte Citronensäure zur Gerinnung, entferne dann die Molken durch Filtriren, löse das erhaltene Kasein in mit phosphorsaurem Natron versetztem Wasser, in welchem das Niedersieben der Bazillen leichter stattfindet, und setze endlich zu der erhaltenen Lösung 6 ccm mit Wasser gemischten Schwefeläther hinzu, um die Fettkörperchen aus dem Emulsionszustande in den Zustand freier Fetttröpfchen zu versetzen. In diesem Zustande büsst nämlich das Fett die Fähigkeit ein, die Tuberkelbazillen mit sich nach oben zu reissen, was es in hohem Grade thut, so lange es sich im Emulsionszustande befindet. Die Auflösung der Fettkügelchen durch Aether wird noch beschleunigt durch 10 bis 15 Minuten dauerndes Schütteln der Mischung in einem Glascylinder."

Hierauf wird das Ganze in ein breites Glas gegossen, und die unter dem Fett befindliche Lösung durch einen Hahn abgelassen und mit verdünnter Essigsäure bis zum Erscheinen der ersten Gerinnung versetzt. Das mit dieser Mischung beschickte Probirröhrchen wird ¹/₄ Stunde der Zentrifugirung ausgesetzt. Hierauf wird das Kupferkügelchen an einem Faden in das Näpfchen herabgelassen, und der Bodensatz des letzteren auf 2 Objektivträger vertheilt. So gelingt es, Tuberkelbazillen in der

Milch auch dann noch nachzuweisen, wenn die Methode der Thierimpfung keine Resultate mehr giebt.

Plaut, Ueber die Beurtheilung der Milch nach dem Verfahren der Säuretitrirung.
(Archiv f. Hygiene XIII, 2. Ref. n. Hyg. Rundsch. 1892, 5.)

Für die Beurtheilung der Zersetzung der Milch besitzen wir zwei Hilfsmittel: 1. Keimzählung, 2. Säurebestimmung. Letztere ist schneller ausführbar und empfiehlt sich daher mehr, als erstere. Die Milch zeigt eine Zeit lang ungefähr denselben Säuregehalt, wie unmittelbar nach dem Melken — Inkubationsstadium der Milch nach Soxhlet —. Soxhlet verlangt, dass die Verkaufsmilch im allgemeinen sich noch im Inkubationsstadium befinde, die Kindermilch dagegen möglichst im Beginn desselben. Zur Säurebestimmung bedient sich S. folgenden Verfahrens: 50 cc Milch werden mit 2 cc einer 2 prozentigen alkoholischen Phenolphtaleinlösung versetzt und mit ¼ Normalnatronlösung bis zur eben auftretenden, bleibenden Rothfärbung titrirt.

P. prüfte die Angaben von Soxhlet mittels des angeführten, nur insofern modifizirten Verfahrens, dass er statt Natronlösung Barytlösung verwendete, nach und konnte dieselben vollkommen bestätigen. Wenn die Milch einen Säuretiter aufweist, welcher etwa 20 mg höher ist, als derjenige frischer Milch, so ist man berechtigt anzunehmen, dass die Milch sich nicht mehr im Inkubationsstadium befindet.

Schmidt-Crossen, Erbrechen nach dem Genuss des Euters einer mit Veratrum album behandelten und nothgeschlachteten Kuh.
(Berl. Thierärztl. Wochenschr. 1891, Nr. 32.)

Fröhner und Knudsen *) haben bekanntlich die Unschädlichkeit des Fleisches vergifteter Thiere nachgewiesen. Fröhner hat aber in einer späteren Arbeit **) dar-

*) Vergl.'ds. Zeitschr. I S. 25/26.
**) Ibidem 176/77.

auf aufmerksam gemacht, dass die Milch ganz anders zu beurtheilen sei, als das Fleisch, weil das Euter als Ausscheidungsorgan an der Eliminirung des Giftes sich in bedeutendem Grade betheilige. Diese Sonderstellung des Euters unter den Organen vergifteter Thiere wird durch eine hochinteressante Beobachtung des Verfassers bestätigt. Eine Familie von 7 Köpfen erkrankte an Uebelkeit und Erbrechen unmittelbar nach dem Genuss des Euters einer Kuh, welche Tags zuvor 4,5 g. Veratrum album erhalten hatte. Ueber Schädlichkeit des Fleisches war, wie zu erwarten stand, nichts in Erfahrung zu bringen.

Scala u. Alessi, Uebertragung von Krankheiten durch künstliche Butter.
(Zeitschr. f. Nahrungsmitteluntersuchung, Hygiene u. s. w. 1892, 1.)

Die Kunstbutter schliesst grosse Gefahren für die menschliche Gesundheit in sich, wenn dieselbe aus Fett von Thieren hergestellt wird, welche an infektiösen Krankeiten gelitten haben. Bekanntlich wird die Kunstbutter dadurch gewonnen, dass die thierischen Fette auf 40—50° erwärmt, und die bei dieser Temperatur schmelzenden Bestandtheile abgepresst werden. Thatsächlich widerstehen aber die Bazillen des Milzbrandes, der Staphylokokkus pyogenes aureus, der Streptokokkus pyogenes, die Bazillen des Rotzes einer Temperatur von 40—50° während einer Einwirkung von 2 Stunden und einer solchen von 30° während 24 Stunden.

Das Filtriren der Butter ist aber von grosser Wichtigkeit für die Virulenz der Bakterien. So gehen die pyogenen Streptokokken und die Rotzbazillen in filtrirter Butter zu Grunde. Die Milzbrandbazillen bleiben in nichtfiltrirter Butter 46 Tage und länger virulent, in filtrirter kaum 28 Tage. Milzbrandsporen büssen ihre Virulenz in nichtfiltrirter Butter nicht ein, in filtrirter dagegen nach 30 Tagen. Ebenso bleibt der Streptokokkus pyogenes in unfiltrirter Butter pathogen.

Während nun die Milzbrandbazillen niemals den Tod von Versuchsthieren herbeiführten, starb eines an Tuberkulose.

(Letztere Krankheit scheint bei der Häufigkeit ihres Vorkommens bei Rindern die grösste Gefahr der Kunstbutter zu bedingen, wenn nicht sämmtliche Rohmaterialien vor ihrer Verwendung durch Sachverständige geprüft werden. D. R.)

Durch Sieden der Kunstbutter werden die Gefahren beseitigt. Ausserdem geben Verf. den Rath, die Margarine erst nach 40tägiger Lagerung in Gebrauch zu nehmen.

Rivolta, Die Tuberkulose der Vögel.
(Nach einemRef. des Schweizer Archiv fürThierheilk. 1891. H. 2)

R. konnte bei Hühnern durch Einimpfung von Menschentuberkulose keine Infektion erzeugen. Das in die Bauchhöhle von Vögeln verbrachte menschliche Virus hielt sich aber monatelang infektionstüchtig, trotzdem es daselbst keine Reaktion hervorrief.

Die Uebertragung von Vogeltuberkulose auf 6 Meerschweinchen bewirkte, abgesehen von 2 oder 3 kleinen Abscessen an der Impfstelle, keine Erkrankung. Anderen ist Infektion gelungen, indessen nur in äusserst mildem Grade. Bei Kaninchen erzeugte Hühnertuberkulose subacute virusreiche Abscesse; Verallgemeinerung aber trat äusserst langsam ein. (Rinder- und Menschentuberkulose haften im Gegensatze zur Vogeltuberkulose leichter beim Meerschweinchen als beim Kaninchen).

Die Hühnertuberkulose, sagt R., wird durch ein Virus erzeugt, das, obwohl es in der Form, in dem Verhalten gegen Reagentien und in den anatomischen Läsionen, mit demjenigen der Menschen- und Rindertuberkulose Aehnlichkeit besitzt, von diesem in anderer Beziehung verschieden ist. Man darf daher die Hühnertuberkulose nicht als identisch mit jener des Menschen und des Rindes ansehen.

Maffucci, Die Hühnertuberkulose.
(Zeitschr. f. Hygiene und Infektionskrankb. XI, 3.)

Das Facit einer umfassenden, sorgfältigen Untersuchung, bezüglich deren Einzelheiten auf das Original verwiesen werden muss, giebt M. in folgenden Sätzen wieder:

„Der Bazillus der Geflügeltuberkulose unterscheidet sich von dem der Säugethiertuberkulose in folgenden Punkten:

1. er erzeugt nicht die Tuberkulose bei den Meerschweinchen und selten allgemeine Tuberkulose beim Kaninchen,

2. Die Kulturen haben auf verschiedenen Nährböden ein anderes Aussehen, als die der Säugethiertuberkulose,

3. die Entwickelungstemperatur schwankt zwischen 35—45° und die Sterilisationstemp. ist 70°,

4. der Bazillus zeigt bei 45 und 50° in den Kulturen lange, dicke und verzweigte Formen,

5. der Bazillus behält noch nach 2 Jahren sein vegetatives und pathogenes Vermögen,

6. die Zerstörung des Bazillus erzeugt eine Substanz, die für das Meerschweinchen giftig ist, wenig giftig für das ausgewachsene Huhn,

7. der von diesem Bazillus erzeugte Tuberkel ist bei den Hühnern ohne Riesenzellen.

Der Bazillus der Säugethiertuberkulose unterscheidet sich von dem der Hühnertuberkulose in Folgendem:

1. er ruft bei Meerschweinchen, Kaninchen, aber nicht bei den Hühnern die Tuberkulose hervor,

2. seine Kulturen sehen anders aus, als die der Hühnertuberkulose,

3. er kultivirt sich bei 30—40°,

4. er widersteht nicht der Temperatur von 65° während 1 Stunde,

5. er ändert seine Form bei 43—45° nicht in den Kulturen,

6. er verliert bei 45° nach wenigen Tagen sein vegetatives Vermögen,

7. die alten feuchten Kulturen von einem Jahre lassen sich schwer auf andere Nährböden und Thiergewebe übertragen,

8. die Zerstörung des Bazillus bildet eine giftige Substanz für das Meerschweinchen und manchmal für das ausgewachsene Huhn,

9. der Tuberkel der Säugethiere besitzt meistens die Riesenzelle."

Hauser, Ueber das Vorkommen von Proteus vulgaris bei einer jauchig-phlegmonösen Eiterung.
(Münch. med. Wochenschr. 1892, 7)

In dem exquisit jauchigen Sekret einer schweren phlegmonösen Entzündung der Hand wies H. nur sehr spärliche Streptokokken, daneben aber zahlreiche theils kokkenähnliche, theils mehr ovale Bakterien nach, welche sich durch die Kultur als Proteus vulgaris entpuppten.

Verf. notirt vorstehenden Fall bes. deshalb, weil er zeigt, dass der Proteus, der verbreitetste Fäulnisserreger, sich in Gemeinschaft mit Eiterregern auch im lebenden Gewebe zu halten vermöge und dann eine Art Mischinfektion hervorrufe, welche zu jauchiger Abzessbildung führe. Der Prozess sei so zu erklären, dass durch die Streptokokkeninvasion zunächst eine Nekrose des Gewebes erfolge, welche dem Proteus es ermögliche, sich zu vermehren. Verf. erinnert hierbei an die bekannten Versuche von Monti, aus welchen hervorgeht, dass Streptokokken, welche normalen Thieren gegenüber ihre Virulenz bereits eingebüsst haben, dieselbe wieder erhalten, wenn man den Thieren, und zwar an einer beliebigen Stelle die Stoffwechselprodukte von Proteuskulturen injizirt. Wenn diese Beobachtungen auf den Menschen übertragen werden dürften, handle es sich im vorliegenden Falle um eine förmliche Symbiose zwischen Streptokokkus und Proteus: „Die Streptokokken wuchern im lebenden Gewebe und ermöglichen durch ihre nekrotisirende Wirkung die Proteusvegetation; letztere aber schwächt durch die von ihr erzeugten Gifte die Widerstandsfähigkeit des Gewebes und erleichtert dadurch ihrerseits wieder das Vordringen der Streptokokken, welche hierbei gleichzeitig eine Steigerung ihrer Virulenz erfahren."

Kobert, Ueber den Nachweis von Fermenten und Giften im Blute.

(Wiener med. Blätter 1891/41 und Deutsch. Mediz. Zeitung 1892/16.)

Nach Versetzen des Blutes mit chemisch reinem Zinkstaub fallen nach K. nur das Hämoglobin, nicht aber die übrigen Eiweissstoffe einschliesslich der Tox albumine aus. Damit aber die Zinkfällung gelinge, müssen folgende Bedingungen erfüllt sein:

1. Neutralität des Blutes, 2. Freisein von Methämoglolin (wird durch 24stündiges Stehen erreicht), 3. fünffache Verdünnung mit Wasser, 4. die Menge des Zinkstaubes muss mindestens die Hälfte des Gewichts vom ursprünglichen Blute ausmachen, 5. das Gemisch ist gut umzuschütteln, 6. das Zink muss möglichst rein sein.

Toxalbumine werden von alkaloid-ähnlichen, nicht eiweissartigen Substanzen dadurch getrennt, dass man 2 Proben mit Zinkstaub versetzt und eine derselben ausserdem noch mit Ferrocyankalium und Essigsäure. Bei der Anwesenheit von Toxalbuminen zeigt nur die erste Probe giftige Eigenschaften, während beim Vorhandensein von Alkaloiden u. s. w. beide sich giftig erweisen. In letzterem Falle kann das Gift nach der Methode von Dragendorff isolirt werden.

Wolff-Cleve, Ueber einen Fall von akuter Leukämie beim Kalbe.

(Berl. Thierärztl. Wochenschr. 1892/11.)

Verf. beschreibt einen Fall von echter Leukämie, welche bei Rindern im Gegensatz zur sog. Pseudoleukämie ungemein selten ist. Aus der Beschreibung ist nachstehender wesentlichster Befund zu entnehmen:

Intra vitam: Symmetrische Vergrösserung sämmtlicher palpabler Lymphdrüsen. Aus der Jugularis entleertes Blut zeigt milchähnliches Serum. Post mortem: Vergrösserung auch der inneren Lymphdrüsen und der Thymus. In letzterer, sowie in allen Lymphdrüsen, mit Ausnahme der Gekrösdrüsen, punktförmige Hämorrhagien. Blutungen finden sich überhaupt massenhaft in der Haut, Unterhaut, in den Schleimhäuten und unter den serösen Häuten. Die Leber ist stark vergrössert und von marmorirtem Aussehen. Ebenso ist die Milz vergrössert. Die Nieren sind von zahlreichen miliaren hanfkorngrossen Knötchen durchsetzt. Das Herz ist „im Zustande beginnender, fettiger Degeneration". Verhältniss der weissen Blutkörperchen zu den rothen während des Lebens 1:13, nach dem Tode 1:11.

Amtliches.

Reg.-Bez. Bromberg, Verfügung an die Magistrate. Die Hauptaufgabe der öffentlichen Schlachthäuser, neben der Gesundheitspflege auch das volkswirthschaftliche Interesse zu wahren, scheint vielfach nicht genügend beachtet zu werden. Während in einzelnen Schlachthäusern unter sehr zahlreichen Schlachtthieren kaum Beanstandungen vorgenommen sind, wie die Anlage ergiebt, ist in anderen mit der Beanstandung von Fleisch in umfangreicherer Weise vorgegangen. Dass die bei den Schlachtthieren auftretenden Krankheiten dieses ungleiche Verhältniss bedingen, ist nicht wahrscheinlich, denn das allgemeine prozentuale Verhältniss der kranken zu den gesunden Schlachtthieren steht dem entgegen; vielmehr scheint dieser Umstand in erster Linie auf die Auffassung des jeweiligen Leiters des Schlachthauses zurückzuführen zu sein.

Eine weitere Ursache der umfangreicheren Beanstandung von Fleisch ist darin zu suchen, dass dasselbe nur in vollwerthiges und gesundheitsschädliches unterschieden wird. Die Erfahrung hat aber gelehrt, dass diese beiden Deklarationen nicht ausreichen, um den obengenannten Aufgaben Rechnung zu tragen. Es kann eine dritte Deklaration nicht entbehrt werden, welche dasjenige Fleisch umfasst, dessen Herkunft nicht tadelfrei ist, oder dem durch besondere Präparation die gesundheitsschädlichen Eigenschaften entzogen sind, ohne den Nährwerth zu beeinträchtigen. Es ist dies das sogenannte minderwerthige Fleisch, dessen Verkauf in einigen Schlachthäusern unter polizeilicher Aufsicht (Freibank) geschieht. Ich erkenne an, dass dieses Verfahren, wenn es auch nicht völlig einwandsfrei ist, doch einen Ausweg schafft, um das volkswirthschaftliche Interesse neben dem hygienischen zu wahren.

Wie die Anlage II ergiebt, sind die mit dem Dr. Rohrbeck'schen*) Apparate angestellten Sterilisationsversuche mit Fleisch auf dem Centralschlachthofe zu Berlin sehr günstig ausgefallen. Mittelst dieses Apparats ist es möglich, Fleischtheile selbst in grösseren Stücken derart auch im Innern zu erhitzen, dass nicht nur alle thierischen Parasiten, sondern auch alle Infektionskeime organischer Natur zerstört werden, ohne dass der Nährwerth oder der Geschmack des Fleisches leidet und ohne dass ein Verlust (selbst der Brühe) eintritt. Ein grosser Theil desjenigen Fleisches, welches demnach nur bedingungsweise zum Konsum zugelassen werden kann oder welches ohne besondere Präparation gesundheitsschädlich wirkt (Parasiten z. B.) wird durch die Behandlung mit dem Rohrbeck'schen Apparate der menschlichen Nahrung erhalten.

*) Folgen Ausgaben über den Apparat D. H.

Auch dem gesundheitsschädlichen Fleische kann durch die Behandlung mit dem Rohrbeck'schen Apparate die gesundheitsschädliche Eigenschaft genommen werden, so dass dasselbe unbedingt zu technischen Zwecken oder Düngemitteln verwerthet werden kann.

Ich ersuche demnach die Magistrate ergebenst, neben der Fürsorge für die Gesundheitspflege auch die Ausbeute der fleischlichen Nahrungsmittel zu fördern und solche Einrichtungen zu treffen, welche beiden Bedingungen Rechnung tragen. Die Benutzung des Rohrbeck'schen Apparates in Verbindung mit einer Freibank dürften dem Zwecke am meisten entsprechen.

Einem Berichte hierüber sehe ich innerhalb 8 Wochen entgegen und ersuche ein Exemplar der Uebersicht (Anlage I) der Schlachthausverwaltung zur Kenntnissnahme zu überweisen.

Der Regierungspräsident.
(gez.) von Tiedemann.

Swinemünde. Polizei-Verordnung, betreffend die Zuweisung und Zulassung von im öffentlichen städtischen Schlachthause zu Swinemünde geschlachtetem Vieh oder in demselben untersuchten, von auswärts eingeführten frischen Fleisches auf die sogenannte Freibank.*)

Auf Grund des § 5 des Gesetzes über die Polizei-Verwaltung vom 11. März 1850 und der

---

*) Obige Freibank-Verordnung, welche ebenso wie die für Stolp erlassene (vergl. No. 4 d. Z.), unter Berücksichtigung der vom Herausgeber d. Zeitschr. an die Rastenburger Verordnung geknüpften Bemerkungen (vergl. S. 108, 1. Jahrg.) aufgestellt wurde, hat sich bis jetzt sehr gut bewährt. Namentlich ist der Umstand, dass der Verkäufer den Preis selbst festzusetzen ermächtigt wurde, als ein Uebelstand bis jetzt in gar keiner Weise empfunden worden. Das rohe gekochte Fleisch findet nach der gefälligen Mittheilung des Herrn Schlachthof-Inspektor Dümmel guten Absatz. Selbst die Bouillon konnte zu 10 Pf. pro Liter verkauft werden. Die Preise für rohes Fleisch betrugen 25—45 Pf., für gekochtes 20 Pf., der beste Beweis, dass sich die Preise für das Freibankfleisch auch ohne obrigkeitliche Intervention von selbst regeln. Auf Vorschlag von Herrn Dümmel wurden zwei Abänderungen im vorstehenden Entwurfe nachträglich aufgenommen. Die erste betrifft den ausschliesslichen Verkauf des Freibankfleisches durch einen Schlachthaus-Angestellten, die zweite die jedesmalige Beibringung eines thierärztlichen Attestes bei Nothschlachtungen. D. H.

§§ 143 und 144 des Gesetzes über die „allgemeine Landesverwaltung vom 30. Juli 1883 wird hiermit unter Zustimmung des Magistrats und mit Genehmigung des Königlichen Regierungs-Präsidenten zu Stettin die nachfolgende Polizei-Verordnung erlassen.

§ 1.

Auf dem städtischen Schlachthofe wird eine Verkaufsstelle zum Verkaufe „nichtbankwürdigen" Fleisches eingerichtet. Die Verkaufsstelle steht unter polizeilicher Kontrolle, wird mit der Aufschrift

„Freibank"

versehen, und es darf nur dort nicht bankwürdiges Fleisch feilgeboten werden, und zwar sowohl solches, welches auf dem hiesigen Schlachthof ausgeschlachtet, als auch solches, welches von auswärts eingeführt und bei der Untersuchung als nicht bankwürdig befunden worden ist.

§ 2.

Der Verkauf des Fleisches auf der Freibank findet unter Aufsicht eines Polizeibeamten oder des Schlachthof-Inspektors zu der vom Magistrat festzusetzenden Tageszeit durch den Eigenthümer oder einen Bevollmächtigten desselben gebührenfrei statt.

Falls es nach dem Urtheil des Schlachthof-Inspektors nöthig erscheint, das nicht bankwürdige Fleisch im Schlachthause in einem dazu hergerichteten Kessel gar zu kochen, so hat der Eigenthümer die Heizungskosten an die Schlachthaus-Verwaltung zu entrichten.

Der Eigenthümer des Fleisches bezw. der Verkäufer hat für die gründliche Reinigung des Verkaufslokals sofort nach beendigtem Verkauf zu sorgen. Das am Schlusse der Verkaufszeit nicht verkaufte Fleisch bleibt unter Verschluss des Schlachthaus-Inspektors.

§ 3

Das auf der Freibank zum Verkaufe kommende Fleisch muss in Quantitäten bis zu 500 Gramm herab und darf nicht in grösseren Quantitäten als 5 Kilogramm an einen einzelnen Käufer abgegeben werden.

An Fleischer, Fleischverkäufer, Wurstmacher Gast- und Speisewirthe, wie überhaupt an solche Personen, welche aus dem Verkauf von Fleisch ein Gewerbe machen, dürfen Fleisch und Eingeweidetheile aus der Freibank nicht abgegeben werden.

Solche Personen dürfen Fleisch oder Eingeweidetheile, welche aus der Freibank herrühren, auch durch Beauftragte nicht erwerben.

§ 4

Den Preis des Fleisches kann der Eigenthümer oder Verkäufer selbst bestimmen.

Der so bestimmte Preis, sowie derjenige Umstand, bezw. die Krankheit, wegen deren das Fleisch als nicht bankwürdig erkannt wurde und die Gattung und das Geschlecht des Thieres, von welchem das Fleisch kommt, müssen durch eine deutlich beschriebene, im Verkaufslokale leicht sichtbare Tafel den Käufern bekannt gemacht werden.

§ 5

Als nicht bankwürdiges Fleisch wird insbesondere anzusehen sein, bezw. nach stattgehabter Untersuchung zum Verkauf auf die Freibank überwiesen werden:

I. Fleisch von gesunden Thieren:
a) wenn dieselben zu alt und in Folge dessen stark abgemagert sind.
Fleisch von zu jungen Thieren, so namentlich von Kälbern, Schafen und Ziegenlämmern, welche noch nicht 8 Tage alt sind, ist überhaupt vom Verkaufe auszuschliessen;
b) Fleisch, welches einen unangenehmen Geruch oder eine auffällige Farbe angenommen hat, ohne gesundheitsschädlich zu sein, wie z. B. das Fleisch von alten Ebern und Ziegenböcken. Dasselbe ist vor dem Verkauf stets als Eber- oder Bockfleisch zu bezeichnen.

II. Fleisch von kranken Thieren;
a) welche mit Tuberkulosis behaftet sind, sofern dieses Fleisch nicht nach dem ministeriellen Erlasse vom 15. September 1887 bezw. in den daselbst nicht namhaft gemachten Fällen nach der jedesmaligen Entscheidung der Sachverständigen als gesundheitsschädlich anzusehen ist;
b) welche an Lungenseuche gelitten haben, mit Ausnahme der Lungen, welche gemäss § 89 der Instruktion vom 24. Februar 1881 zum Reichsviehseuchengesetz vom 23. Juni 1880 mindestens 1 m tief zu vergraben sind;
c) welche in so geringem Grade mit Finnen behaftet sind, dass das Fleisch derselben noch bedingungsweise hierselbst in gar gekochtem Zustande zur menschlichen Nahrung verwendet werden kann;
d) welche nothgeschlachtet wurden zufolge von Trommelsucht, von Schlundverstopfung, Verletzungen und anderen örtlichen Krankheiten, wenn die Nothschlachtung spätestens 12 Stunden nach Beginn des Leidens erfolgte; ferner welche zufolge von Geburtshindernissen spätestens 6 Stunden nach begonnenem Geburtsakte nothgeschlachtet wurden.

§ 6.

Die Entscheidung darüber, ob das Fleisch als nicht bankwürdig auf die Freibank zu verweisen ist, bezw. zu derselben überhaupt zuzulassen ist erfolgt durch den Schlachthof-Inspektor.

§ 7.

Das für die Freibank bestimmte Fleisch wird

als nicht bankwürdig gestempelt und unter Aufsicht des Schlachthof-Inspektors gestellt.

§ 8.

Gehört Fleisch, welches vermöge seiner Qualität auf die Freibank verwiesen werden musste, Jemandem, welcher nicht gewerbsmässiger Schlächter, Fleischhändler, Wurstmacher, Gast-Schank- oder Speisewirth ist, so kann es gegen eine schriftliche Versicherung des Eigenthümers, dass er es lediglich im eigenen Haushalt verwende, abgestempelt demselben herausgegeben werden. Der Schlachthof-Inspektor hat hiervon in jedem einzelnen Falle der Polizei-Verwaltung sofort schriftliche Anzeige zu machen.

§ 9.

Zuwiderhandlungen gegen die vorstehenden Bestimmungen werden mit Geldbusse bis zu 30 Mark bestraft.

§ 10.

Diese Polizei-Verordnung tritt mit dem Tage der Veröffentlichung derselben durch das hiesige amtliche Kreisblatt in Kraft.

Swinemünde, den 22. Juni 1891.

Die Polizei-Verwaltung.

Zugestimmt
Swinemünde, den 22. Juni 1891.

Der Magistrat.

Der Regierungs-Präsident
zu
Stettin.

Pr. A. III/VIII 1910.

Stettin, den 6. August 1891.

Der mir mit dem gefälligen Bericht vom 3. v. Mts. d. Js. No. 2200 vorgelegten Polizei-Verordnung, betreffend Zuweisung nicht bankwürdigen Fleisches auf die sogenannte Freibank, ertheile ich bezüglich der darin festgesetzten Strafandrohung meine Genehmigung.

Der Regierung-Präsident.
In Vertretung: von Puttkamer.

Fleischschau-Berichte.

Stolp. Statistische Zusammenstellung über den Schlachthofbetrieb in der Zeit vom 1. Oktober 1890 bis dahin 1891.

Vom 1. Oktober 1890 bis dahin 1891 wurden m hiesigen Schlachthofe geschlachtet: 20 Pferde, 112 Bullen, 217 Ochsen, 974 Kühe = 1303 Rinder, 1777 Kälber, 2843 Hammel, 15 Ziegen = 6947 Wiederkäuer, 4349 Schweine und 17 Ferkel = 11 423 Thiere. Von diesen wurden beanstandet: 39 Rinder wegen Tuberkulose und zwar 7 mit Euter- und 1 mit Knochen-Tuberkulose; 1 Rind wegen ekelerregender Beschaffenheit des Fleisches in Folge von Kalbefieber und 1 wegen Bauchfellentzündung, 42 Schweine wegen Tuberkulose, worunter 7 mit Knochen-Tuberkulose; 5 Schweine wegen Rothlauf, 10 wegen Finnen,

3 wegen Trichinen, 3 wegen wässriger Beschaffenheit des Fleisches in Folge von Strahlenpilzen und 1 wegen ebensolcher in Folge von Abscessen, ferner 1 Hammel wegen Tuberkulose und 2 Kälber wegen wässriger Beschaffenheit des Fleisches (unreif) Summa 108 Thiere; von diesen wurden 34 Rinder 33 Schweine und 1 Hammel nach Verbrennen der krankhaften Theile gekocht dem Konsum freigegeben.

Lokale Tuberkulose wurde beim Rind 275 Mal vorgefunden, d. h. 24 pCt. aller geschlachteten Rinder waren mit Tuberkulose behaftet. Dementsprechend wurden verworfen 273 Lungen, 32 Lebern, 24 Milzen, 51 Brustfell- und 34 Bauchfellüberzüge, 3 Herzen, 14 Uteri. Beim Schwein wurde lokale Tuberkulose 57 Mal festgestellt, also bei 2,3 pCt. aller geschlachteten Schweine und dementsprechend verworfen, 57 Lungen, 21 Lebern, 17 Brustfell- und 2 Bauchfellüberzüge und 3 Herzen. Vom Kalb wurde 3 Lungen und 2 Brustfellüberzüge mit Tuberkulose behaftet gefunden. Wegen Echinokokkusblasen wurden verworfen vom Rind 40 Lungen, 7 Lebern, vom Schaf 49 Lungen, 7 Lebern und vom Schwein 23 Lungen, 16 Lebern. Wegen Egel 129 Rinder-, 40 Hammel- und 3 Schweinelebern. Wegen Fadenwürmer 33 Hammel- und 179 Schweinelungen. Wegen verschiedener entzündlicher Zustände vom Rind 104 vom Kalb 6, vom Hammel 37, vom Schwein 139 und vom Pferd 4 Organe. In Summa 1407 Organe, welche sämmtlich verbrannt wurden.

Von ausserhalb wurden geschlachtet zur Untersuchung eingebracht 2 Pferde, 1320 Rinderviertel, 1492 Kälber, 1568 Hammel, 1037 Schweine 2 Ferkel, 5 Ziegen und 5 Wildschweine. Summa 4438 Thiere; ausserdem 1 Rinderbraten, 9 Hammel- resp. Kalbskeulen, 5 Schweineschinken und 8 Fleischproben vom Schwein. Es wurden verworfen wegen Tuberkulose 8 Rinderviertel und 3 Schweine, 4 Rinderviertel wegen ekelerregender, 5 Kälber wegen wässriger (unreif), 1 wegen fauliger Beschaffenheit des Fleisches, 2 Hammel wegen Bauchfellentzündung, 2 Schweine wegen Gelbsucht, 2 wegen Rothlauf und 1 wegen wässriger Beschaffenheit des Fleisches in Folge von Strahlenpilzen = 28 Thiere.

Von den mitgebrachten Organen wurden wegen Tuberkulose verworfen vom Rind 32 Lungen, 3 Lebern und 1 Brustfellüberzug, vom Schwein 3 Lungen. Wegen Echinokokkusblasen vom Rind 15 Lungen, 6 Lebern; vom Schwein 3 Lungen, 2 Lebern wegen Egel 18 Rinder- und 13 Hammel-Lebern wegen Fadenwürmer 27 Schweinelungen. Wegen verschiedener entzündlicher Zustände wurden verworfen 20 Organe vom Rind, 6 vom Kalb, 7 vom Hammel, 55 vom Schwein und 4 von der Ziege. In Summa 244 Organe.

Gewogen wurden 116 Rinder, 345 Kälber, 2452 Schweine und 218 Hammel. Summa 3131 Thiere. Dr. Schwarz.

— **Jahresbericht der Schlacht- und Viehhof-Verwaltung Freiburg i. B.** für das Jahr 1891, erstattet vom Schlachthofverwalter Metz.

Der Bericht verzeichnet zunächst die an allen Schlachthöfen zu Tage getretene Erscheinung, dass die Zahl der Schlachtungen im Berichtsjahre gegenüber den Vorjahren nicht unerheblich zurückgegangen ist. Die Zahl der Schlachtungen betrug 5826 Stück Grossvieh und 28 948 Stück Kleinvieh gegenüber 7889 Stück Grossvieh und 32 711 Stück Kleinvieh i. J. 1888.

Hiervon wurden vom Konsume gänzlich ausgeschlossen: 16 Rinder wegen allgemeiner Tuberkulose, 1 Kuh wegen Septicämie nach der Geburt, 1 Kuh wegen Pyämie nach der Maul- und Klauenseuche, 1 Kuh wegen Krebskachexie, 2 Kühe wegen pyämischer Nephritis, 1 Kuh wegen septischer Peritonitis, 3 Kühe wegen Wassersucht, ferner je 1 Kalb wegen Agonie, wegen Nabel- und septischer Gelenkentzündung, wegen Wassersucht, wegen Icterus, 1 Schaf wegen Lungenentzündung und Abzehrung, 3 Schweine wegen hochgradigen Rothlaufs, je 1 Pferd wegen Gangräna pulmonum, wegen Leber- und Nierenentzündung und endlich wegen wässeriger Beschaffenheit des Fleisches.

Als nicht bankwürdig wurden erklärt 1 Ochse wegen Aktinomykose der Haut am Kopfe und Hals, 7 Rinder wegen lokaler Tuberkulose, 1 Kuh wegen chronischer Peritonitis, 1 Kuh wegen Sarkoms der Leber und 1 Rind wegen Darmentzündung. Ferner 54 Kälber wegen Unreife, 4 wegen Nabelentzündung, 2 wegen Nierenentzündung, je 1 wegen Pleuritis, wegen Fraktur, wegen Darmentzündung, je 1 Schaf wegen Lungenvereiterung sowie wegen Abmagerung und endlich 1 Pferd wegen Fraktur mit ausgedehnter Blutunterlaufung.

An einzelnen Organen wurden u. a. beanstandet bei Grossvieh 187 Lungen und 26 Lebern wegen Tuberkulose, 71 Lungen und 32 Lebern wegen Abscesse, 58 Lungen und 14 Lebern wegen Echinokokken, 218 Lebern wegen Egel, 36 Rinderhauben wegen lokaler Entzündung, 5 Kiefer und je 10 kg Ochsenfleisch und Ochsenhaut wegen Aktinomykose. Bei Kleinvieh u. a. 456 Schafslungen wegen Fadenwürmer, 197 Schafslebern und 18 Ziegenlebern wegen Egel, 2 Schafslungen, 16 Schafs- und 7 Schweinslebern wegen Echinokokken.

Der Fleischkonsum betrug pro Kopf und Jahr 67,16 kg gegenüber 80,86 kg im Jahre 1888.

Freiburg i. B. ist im Besitze einer Kühlanlage nach dem System Fixary (Ammoniakkompression). Die Temperatur im Kühlraume betrug durchschnittlich 8° R. Die Miethe pro Quadratmeter war im Jahre 1891 auf 40 Mark festgesetzt.

Ausserdem besitzt der Schlachthof zu F. eine Fleischhackerei, bestehend aus 5 Hackmaschinen, auf welchen 104 039 kg Fleisch gehackt wurden.

Bücherschau.

— **Friedberger und Fröhner**, Lehrbuch der speziellen Pathologie und Therapie der Hausthiere. 3. verbesserte und vermehrte Auflage. Stuttgart 1892. Verlag von Ferdinand Enke.

Referent fühlt sich nicht berufen, eine Kritik des vorliegenden Werkes zu schreiben. Dieses kommt erfahreneren Praktikern zu. Nicht versäumt aber sei es, auch an dieser Stelle die Thatsache zu verzeichnen, dass das Lehrbuch der speziellen Pathologie und Therapie der Hausthiere im Verlaufe von 6 Jahren 3 starke Auflagen und damit einen Erfolg erreicht hat, wie er in der thierärztlichen Bibliographie in ähnlicher Weise noch nicht bekannt geworden ist. Diese Thatsache scheint dem Referenten die beste Kritik des Werkes zu sein. Aber nicht nur in Deutschland hat das Werk allgemeinste Verbreitung gefunden. Es ist bereits eine französische und russische Ausgabe desselben erschienen, und weitere Uebersetzungen sind in Vorbereitung. Auch eine solche kosmopolitische Bedeutung dürfte ein deutsches thierärztliches Buch kaum zuvor erreicht haben.

Ausser den durch die Fortschritte der Wissenschaft bedingten Verbesserungen weist die 3. Auflage der Pathologie und Therapie von Friedberger-Fröhner gegenüber den beiden ersten noch eine werthvolle Bereicherung dadurch auf, dass auch die ältere und älteste französische Litteratur vollständige Aufnahme gefunden hat.

— **Hoffmann**, Thierärztliche Chirurgie. 1892. Verlag von Schickhardt u. Ebner (K. Wittwer). Lieferung 9.

Die vorliegende Lieferung des schon mehrfach hier genannten Werkes umfasst die allgemeinen chirurgischen Massregeln (Kauterisation, Abquetschen, Abbinden, Eiterbänder, Injektion, Wasseranwendung, Transplantation, Elektrotherapie, Massage, Ableitende Methode und Zwangsmittel zum Halten), ferner die Krankheiten der Muskeln, Sehnen, Sehnenscheiden, Gelenke und Nerven, der Gefässe und zum Schlusse die Krankheiten der Knochen.

Die 10. Lieferung, mit welcher die thierärztliche Chirurgie von Hoffmann ihren Abschluss erreicht, wird zu Ostern erscheinen.

Kleine Mittheilungen.

— **Einen Triumph der Fleischschau in Berlin** stellte die Erörterung dar, die nach dem „Schw. M." am Mittwoch Abend in der Berliner Medizinischen

Gesellschaft über die Finnenkrankheit des menschlichen Auges stattfand. Den einleitenden Vortrag hielt Prof. Dr. Hirschberg. Die in Rede stehende Finne ist ausschliesslich der Cysticercus cellulosae. Berlin hatte nächst Sachsen und Thüringen seit langen Jahren erfahrungsmässig die grösste Anzahl von Finnenerkrankungen des Auges. Prof. Hirschberg hat an seinem reichen Krankenmaterial für Berlin in den 16 Jahren von 1869—1885 unter 60 000 Augenkranken 70 mal Finnen beobachtet. Ihr Sitz ist in der Tiefe des Auges, entweder hinter der Netzhaut oder im Glaskörper. Bleiben sie unerkannt, so führen sie schliesslich die Erblindung des betreffenden Auges herbei. Seit 9 Jahren besteht nun die Fleischschau, die als mustergiltig bezeichnet werden muss. In Berlin sind auf dem städtischen Fleischschauamt unter 3 Millionen untersuchter Schweine 14 000 mal Finnen beobachtet worden, das ist ein Verhältniss von 1 zu 200. In den letzten 6 Jahren hat nun Prof. Hirschberg unter 46000 Augenkranken nur in zwei Fällen Finnen gefunden, von denen einer sogar noch aus Sachsen stammte. Das kann keine zufällige Erscheinung sein, sondern muss im Zusammenhang mit der zeitlich zusammenfallenden Einführung der Fleischschau stehen, welche die auffallende Besserung herbeigeführt hat. Angesichts dieser Thatsache, sagte H., kann man nicht umhin, die Fleischschau für eine der segensreichsten Einrichtungen zu erklären. — Geheimrath Schweigger, Direktor der Berliner Universitätsklinik, bestätigte Prof. Hirchbergs Angaben vollkommen. In weniger auffallendem Masse, aber doch deutlich erkennbar, fand auch Virchow die Abnahme der Finnen bei Vergleichung der Sectionsbefunde von 1875 bis 1891. Von den in dieser Zeit bei Leichen gefundenen 126 Finnen des Bandwurmes sassen 101 im Gehirn, während der Anatom wenig Gelegenheit hat, sie im Auge zu suchen. Noch viel deutlicher tritt die Abnahme der Finnen hervor bei Vergleichung ihres Fundes im Hirn mit der Gesammtzahl aller untersuchten Gehirne. Das Verhältniss hat sich von 1 zu 31 auf 1 zu 280 verringert. Geheimrath Lewin, Leiter der Klinik für Hautkrankheiten der Charité, bemerkte das seltenere Vorkommen der Finnen in der Haut, wo sie jetzt kaum noch beobachtet werden.

In hohem Grade ist auch die Abnahme der Echinokokken bemerkenswert. Bis zum Jahre 1888 hat Virchow 5—9 mal Echinokokken im Laufe des Jahres feststellen können. Vom Jahre 1888 aber sank die Zahl der Fälle in Berlin auf 3—1 herab.

— **Fleischbeschau und Helminthiasis der Hunde.** Deffke hat in seiner schönen Arbeit „Die Entozoen des Hundes" (Berliner Archiv, XVII. Bd.), den Nachweis erbracht, dass die Zahl der mit Entozoen behafteten Hunde in Berlin bedeutend zurückgegangen ist, seitdem daselbst die obligatorische Fleischbeschau eingeführt wurde. Während in Island fast alle Hunde Entozoen aufweisen, sind in Berlin nur 62 p Ct. (!) damit behaftet. Diesen Unterschied führt D. hauptsächlich auf das seltene Vorkommen der 3 grossen Tänien des Hundes, namentlich der Tänia marginata (aus dem bei den Schlachtthieren sehr häufigen Cysticercus tenuicollis sich entwickelnd) zurück. Krabbe fand die T. marginata in Island bis zu 75pCt., Schöne in Sachsen bis zu 27 pCt., Deffke in Berlin jedoch nur bei 7pCt. der sezirten Hunde. Vor Einführung der Fleischbeschau sind jedoch, soweit man aus den noch vorhandenen Spezialberichten und Krankheitsgeschichten ersehen kann, die grossen Tänien recht häufig Gegenstand der Behandlung gewesen. Mit ziemlicher Sicherheit, sagt D., lässt sich demnach behaupten, dass nur durch die vorzüglich geordnete Fleischschau in Berlin die Bandwürmer beim Hund daselbst seltener geworden sind.

— **Schlachtviehbetäubungsapparate.** Schlachthausdirektor Kögler in Chemnitz hat den Kleinschmidt'schen Federbolzen-Apparat in der Weise abgeändert, dass er die Feder desselben wegliess und einen erheblich kürzeren Cylinder anwendete; das Herausschnellen des Bolzens wird bei dem Kögler'schen Apparate, wie bei dem vom Fleischermeister Hempel in Gera konstruirten, durch eine kleine Schraube verhindert. Die Pufferfeder des Kleinschmidt'chen Apparates hatte den Nachtheil, dass ihre Verwendung einen bedeutend kräftigeren Schlag erforderte, während die Länge des Cylinders (19,5 cm) das feste Aufsetzen des Apparates auf die Stirn erschwerte. Der Kögler'che Apparat entbehrt dafür des Schutzes der Bolzenschneide und des selbsthätigen Zurückschnellens des Bolzens. Beides ist aber nach K. unwesentlich; der Apparat habe sich während eines 1 jährigen Gebrauches gut bewährt. Kögler verwendet dieselbe Verbindung des Bolzens mit dem Cylinder, wie bei dem Betäubungsapparat für Schweine, auch bei den Schlachtmasken für Rinder und verhütet dadurch das Herausspringen des Bolzens bei Fehlschlägen.

— **Zur Trichinenschau.** Hin und wieder tauchen Nachrichten auf, dass dieser oder jener Trichinenschauer schon über 10000 Schweine untersucht und noch niemals Trichinen gefunden habe. Die Möglichkeit eines solchen Vorkommnisses auch bei gewissenhaftester Berufserfüllung muss zugegeben werden. Den oben genannten Nachrichten aber, aus welchen in der Regel ganz unzutreffende Schlüsse gezogen werden, möge nachstehende Notiz entgegengehalten sein, welche wir Herrn Dep.-Thierarzt Kühnert-Gumbinnen verdanken. Hiernach hat der Trichinenschauer Kramer seit dem Jahre 1866—1884 14566 Schweine untersucht und 41 trichinöse ermittelt. Seit der Eröffnung des Schlachthofes in Gumbinnen hat K., neben 2 anderen Trichinenschauern fungirend, von 39 trichinös befundenen 29 entdeckt, somit während seiner 26jährigen Berufsthätigkeit als Trichinenschauer 70 trichinöse Schweine ermittelt.

— **Sog. fischige Schweine.** Aus K ö n i g s b e r g i. Pr. wird berichtet, dass ein Theil des in jüngster Zeit zu Markt gebrachten Fleisches derart fischig schmecke, dass es entweder gar nicht oder nur mit s t a r k e n G e s c h m a c k s - k o r r i g e n t i e n genossen werden könne. Die Heimath der Schweine sei die Gegend von L a b i a u, in welcher d i e M ä s t u n g m i t S t i n t e n durchweg üblich sei. Um ganz sicher zu gehen, unterwerfe die Schlachthofverwaltung verdächtiges Fleisch jedesmal einer K o c h - probe, bevor sie dasselbe zum Verkehr zulasse.

— **Fleischverbrauch in den verschiedenen Ländern.** Nach Aufstellungen des englischen statistischen Amtes stellt sich der Fleischkonsum pro Kopf und Jahr

in Australien	auf	111,6 kg
„ den Vereinigten Staaten	„	54,4 „
„ Grossbritannien	„	47,6 „
„ Frankreich	„	33,6 „
„ Deutschland	„	31,3 „
„ Russland	„	21,8 „
„ Oesterreich	„	29,0 „
„ Belgien und in den Niederlanden	„	31,3 „
„ Schweden und Norwegen	„	39,5 „
„ Spanien	„	22,2 „
„ Italien	„	10,4 „

— **Amerikanisches Schweineschmalz.** Wie in anderen Städten (Berlin, Breslau, Karlsruhe) hat auch die Lebensmitteluntersuchungsanstalt zu A u g s b u r g grossartige V e r f ä l s c h u n g e n des amerikanischen Schweineschmalzes mit B a u m w o l l s a m e n ö l festgestellt. In M ü n c h e n erwiesen sich von 110 Proben nicht weniger als 77 gefälscht. Im chemischen Laboratorium von Meike u. Wimmer in Stettin gelangten im Jahre 1890 zahlreiche Proben Schweinefett zur Untersuchung; u n g e f ä h r 7 0 % w a r e n m i t B a u m w o l l s a m e n ö l v e r s e t z t.

— **Verfälschungen mit Baumwollsamenöl.** Der Baumwollsamenöl-Ring verfügte in der letzten Saison über 20 Mill. Gallonen Oel. Davon wurden 60% zur V e r f ä l s c h u n g von S c h w e i n e f e t t benutzt 20 % wurden ausgefasst, der Rest dagegen wurde in den Minen zu verschiedenen Zwecken, wie z. B. als Schmieröl für Maschinen, verwendet (Hegers Zeitschrift f. Nahrungsmitteluntersuchung u. s. w.).

— **„Künstliche Frauenmilch"** sucht nach einem patentirten Verfahren Dr. Rieth-Berlin aus Kuhmilch in der Weise herzustellen, dass er derselben Eiweiss zusetzt, welches beim Kochen nicht gerinnt. Gewöhnliches Eiweiss gerinnt bekanntlich beim Kochen und schliesst dadurch seine Verwendung in Kindermilch aus. R. giebt an, das

nicht mehr gerinnende Eiweiss dadurch zu gewinnen, dass er völlig reines Eiweiss über die Siedetemperatur des Wassers erhitzt.

(Deutsch. Molk.-Ztg. 1892, 2.)

— **Aphthenseuche und Käserei.** Landolt in Neapel räth, die Milch von aphthenseuchekranken Kühen vollständig von der Käserei fernzuhalten, da dieselbe Käse liefere, welche eine ganz rissige Beschaffenheit annehmen und im Geschmack sehr schlecht werden.

Typhusepidemie nach Milchgenuss. v. Mering-Halle sprach nach der „Münch. Mediz. Wochenschrift" auf der 64. Versammlung deutscher Natur. forscher und Aerzte über eine Typhusepidemie in den beiden Gefängnissen zu S t r a s s b u r g, welche er auf den Genuss von Milch zurückführt. Es liess sich nachweisen, dass nur solche G e - fangene erkrankten, welche Milch aus den Gefängnisskantinen bezogen hatten, und es war ferner festzustellen, dass in den Dörfern, aus welchen die Milch stammte, Typhusfälle vorgekommen waren. Früher war Typhus in beiden Anstalten nur sehr vereinzelt aufgetreten. Die Epidemie erlosch bald mit dem Verbot des Milchgenusses.

Zur Milchfettbestimmung. Besana schlägt für die Fettbestimmung der Zentrifugen- oder Magermilch, bei welcher die gewöhnlichen, einfachen Methoden wegen des geringen Fettgehalts (0,2 bis 0,3 pCt.) Fehler bis zu 0,1 pCt. ergeben, die Zählung der Fettkügelchen vor. Deren Zahl wäre mit einen experimentell zu bestimmenden Koefficienten zu multipliziren. Dieser Koeffizient sei um so leichter festzustellen, als in der Zentrifugenmilch nur die kleineren, ziemlich gleich grossen Milchkügelchen zurückbleiben. Besana wünscht die Konstruktion eines besonderen Apparates zur Zählung der Fettkügelchen, wogegen Prof. K o b e r t [darauf aufmerksam macht, dass der Zeiss-Thoma'sche Apparat zum Zählen der Blutkörperchen auch zur Fettkügelchenzählung geeignet sei.   (Chemiker-Zeitung).

Zum Nachweise von Bakterien in fettreichen Substraten empfiehlt Arens (Zentralblatt für Bakteriol., Bd. XI, Nr. 1) gesättigte alkoholische, mit Chloroform versetzte Methylenblaulösung. Verf. verfährt beispielsweise mit Milch folgendermassen: Eine Oese Milch wird auf dem Deckglase mit einer Oese destillirten Wassers verdünnt, angetrocknet und durch nicht zu starkes Erhitzen fixirt. Das Deckglas verbringt man hierauf in ein Uhrglas mit Chloroformmethylenblau, d. h. 12—15 Tropfen gesättigten alkoholischen Methylenblaus, welchem 3—4 ccm Chloroform zugesetzt sind, färbt unter Hin- und Herbewegen des Deckglases 4—6 Minuten, lässt das Chloroform verdunsten, spült mit Wasser ab und untersucht. In frischer Milch erscheinen hierbei n u r die Bakterien dunkelblau, während man in geronnener Milch daneben blassblaue Kaseinflöckchen bemerkt. Ausser für Milch hält Verf. sein Verfahren auch zum Nachweis von Bakterien in Rahm und Wurst, sowie in anderen fettreichen Substanzen für geeignet.

Tagesgeschichte.

— **Oeffentliche Schlachthäuser.** Der Bau ist beschlossen worden in Waren, Salzwedel, Dirschau und Quedlinburg. In Angriff genommen ist der Bau des städt. Centralschlachthofes zu Gera. Die Eröffnung findet statt: in Labiau und Grossenhain (1. April dieses Jahres) und in Magdeburg (1. Januar 1893).

— **Freibänke.** Die Errichtung von Freibänken wurde verfügt für das Herzogthum Gotha und obrigkeitlich dringend empfohlen für den Preuss. Reg.-Bez. Bromberg.

— **Ein Rohrbeck'scher Desinfektor** wurde auf dem Schlachthof zu Neisse aufgestellt und bereits in Gebrauch genommen.

— **Ortspolizeiliche Verfügungen.** Die Stadtverordneten-Versammlung zu Zeitz bestimmte, dass fernerhin auch die Privatschlachtungen im städtischen Schlachthause vorgenommen werden.

— **Zwischen dem Deutschen Reiche und Oesterreich-Ungarn** ist durch Vertrag vom 6. Dezember 1891 ein Viehseuchen-Uebereinkommen getroffen worden (siehe Reichsgesetzblatt 1892, 2).

— **Durch Ministerialverfügung vom 22. Dezember 1891** ist für das gesammte Herzogthum Gotha obligatorische Fleischbeschau eingeführt worden. Die Verfügung legt jeder Gemeinde die Verpflichtung auf, einen Fleischbeschauer und einen Vertreter desselben zu bestellen. Ferner bestimmt sie die Unterscheidung: 1. bankwürdigen, 2. nichtbankwürdigen, 3. ungeniessbaren Fleisches. Das nichtbankwürdige Fleisch ist auf Freibänken zu verkaufen, das ungeniessbare unschädlich zu beseitigen.

— **Die Fleischvergiftung zu Kirchlinde,** bei welcher, wie S. 183, I berichtet, 50—60 Personen schwer erkrankten und eine starb, hatte jüngst ihr gerichtliches Nachspiel. Das Thier hatte an einer „Hinterleibsentzündung" gelitten. Der Angeklagte, welcher das Fleisch trotz des thierärztlichen Verbots verkauft hatte, wurde zu 15 Monaten Gefängniss verurteilt.

— **Die Trichinose in Mühlrädlitz,** welche 6 Opfer forderte (vergl. S. 223, I) wurde nach der Annahme des Gerichtshofes durch eine Pflichtverletzung des Trichinenschauers verschuldet. Gegen den letzteren wurde wegen fahrlässiger Tödtung auf 1 Jahr Gefängniss erkannt.

— **Zur Frage der Kadaververarbeitung** theilt uns die Direktion der Podewils'schen Fäkalfabriken München mit, dass in Augsburg bereits seit 10 Jahren Kadaver nach dem System Podewils verarbeitet werden. Ueber die Besonderheiten

des Verfahrens wird im nächsten Hefte berichtet werden.

— **Sitzung des Deutschen Landwirthschaftsraths.** Diese hervorragende Körperschaft hat im vergangenen Jahre durch ihre Verhandlungen und weiteren Bemühungen die Errichtung von Freibänken in Norddeutschland wesentlich gefördert. Die diesjährige Sitzung befasste sich nun gleichfalls mit sehr wichtigen Fragen der Fleischbeschau. Oekonomierath v. Langsdorff-Dresden referirte über die Nothwendigkeit gesetzlicher Massnahmen zur Abwehr und Einschränkung der Tuberkulose (Obligatorische Fleischbeschau, veterinärpolizeiliche Untersuchung tuberkuloseverdächtiger Bestände, Tödtung der krankheitsverdächtigen Thiere, Entschädigung u. s. w.) Zum Schlusse wurden folgende Resolutionen angenommen:

1. Prof. Orth-Berlin: „*Der Deutsche Landwirthschaftsrath beschliesst, dem Herrn Reichskanzler und den deutschen Bundesregierungen die diesjährigen Verhandlungen, betreffend Massnahmen zur Bekämpfung der Tuberkulose des Rindviehs zur Kenntnissnahme zu übersenden und die Bitte auszusprechen, zu veranlassen, dass die dazu noch erforderlichen Untersuchungen vollständig durchgeführt und möglichst bald so weit gefördert werden, um praktisch gegen diese verheerende Krankheit unserer Hausthiere vorgehen zu können.*"

2. Frhr. v. Hammerstein-Metz: „*Der deutsche Landwirthschaftsrath beschliesst: Zur weiteren Abwehr der durch die Tuberkulose und andere Krankheiten des Rindviehs verursachten wirthschaftlichen Schäden ist eine allgemeine Versicherung des Rindviehs in ganz Deutschland dringend wünschenswerth.*"

3. v. Hammerstein und Prof. Dr. Schütz-Berlin: „*Der deutsche Landwirthschaftsrath beschliesst, an die Staatsregierung die Bitte zu richten, durch amtliche Versuche festzustellen zu lassen, ob das Tuberkulin zur Erkennung der Tuberkulose am lebenden Thiere auch in der Praxis brauchbar ist.*"

Den letzten Gegenstand bildete die Verhandlung über den Rothlauf der Schweine. Es sprachen B. Below-Saleske, v. Hövel-Herbeck und Prof. Dr. Schütz-Berlin. Sehr bemerkenswerth sind Mittheilungen des Letztgenannten über neue Impfversuche, welche seit einiger Zeit an der thierärztlichen Hochschule in Berlin an Schweinen, Rindern, Pferden, u. s. w. gegen Rothlauf und andere Thierseuchen unternommen worden sind. Als Impfstoff diente Jodtrichlorid, und es stellte sich die Thatsache heraus, dass nicht sowohl diese Impfung selbst, als vielmehr die Impfung mit dem Blute derart geimpfter Thiere von auffallender Wirkung ist. Sie erzeugt Heilung bei erkrankten und Immunität bei gesunden Thieren. Wenn diese Ergebnisse sich bestätigen sollten, so dürfte schon, wie Redner

ausführt, das nächste Jahr eine grosse Um-
wälzung im Seuchengesetze bringen. Am Schlusse
der Debatte wurde folgende Resolution angenommen: Der deutsche Landwirthschaftsrath
beschliesst zu erklären: *„Mit Hinblick auf die
amtlich blossgestellten grossen Verluste durch die
Rothlaufseuche erscheint nunmehr eine reichs-
gesetzliche Regelung hier unabweisbar und
zwar nach der Richtung, dass a) die Rothlaufseuche
der Schweine unter die Anzeigepflicht in Gemässheit des Gesetzes vom 23. Juni 1880 fällt;
b) eine Entschädigung für die am Rothlauf gefallenen, wie auch polizeilich getödteten Thiere dem
Eigenthümer gezahlt werde; c) hinsichtlich der
Entschädigung die obligatorischen Versiche-
rungsverbände unter voller Schonung der einschlägigen Verhältnisse und Einrichtungen der
Einzelstaaten wie auch besonders von deren Provinzen etc. ins Leben gerufen werden; d) und um
die Inanspruchnahme der beamteten Thierärzte auf
ein thunlichst geringes Mass zu begrenzen, die
Bestimmungen der §§ 11. und 15. des Gesetzes vom
23. Juni 1880 auch auf den Rothlauf auszudehnen
sind."* (Nach der „Voss. Zeitg.")

— **Die Freibankfrage in Oesterreich.** Die letzte
Sitzung des thierärztlichen Monatsabends in Wien
beschäftigte sich in eingehender Weise mit der
Freibankfrage. Der erste Referent, Herr Toscano, trug nach dem Bericht der „Monatsschr.
d. Vereins d. Thierärzte in Oesterreich", kein
Bedenken, die Idee der Freibänke als eine recht
gute zu bezeichnen, glaubte aber, dass dieselbe in der Praxis zweckdienlich unausführbar
sei; denn 1. sollen dieselben einen Missbrauch
seitens der Speisewirthe und Wurstmacher zeitgen
und 2. zu Misshelligkeiten führen, weil die Unterscheidung zwischen bankwürdigem und nicht
bankwürdigem Fleische sehr schwer sei. Referent
bezieht sich auch auf Berlin und auf Urtheile der
daselbst thätigen Direktoren Dr. Hertwig und
Hausburg. Im Gegensatz hierzu sprechen sich
Herr Januschke-Göding und Herr Postolka
für die Errichtung von Freibänken bezw. freibankähnlichen Einrichtungen aus, ebenso im
Laufe der Diskussion die Herren Dr. Lechner,
Wittmann, v. Miorini und Dr. Czokor. Der
Beifall, welcher namentlich den Ausführungen des
Herrn Postolka aus der Mitte der Versammlung
gespendet worden ist, liess erkennen, dass letztere
ganz auf dem Boden des Freibankprinzips steht.
Der Herausgeber dieser Zeitschrift hat zu
wiederholten Malen seinen Standpunkt in der
beregten Frage dargelegt, dass ohne Freibank
eine befriedigende Regelung der Fleischbeschau nicht denkbar sei. Es kann also
hier auf ein näheres Eingehen auf die Materie
verzichtet werden. Indessen sei in thatsäch-

licher Hinsicht zu den Argumenten, welche der
erste Referent, Herr Toscano, gegen die Freibank vorgeführt hat, folgendes bemerkt: 1) Der
Direktor des Viehhofs in Berlin, Herr Hausburg, ist kein tierärztlicher Sachverständiger.
2. Der Direktor der Fleischschau. Herr Dr.
Hertwig, hat schon mehrere Male Veranlassung
genommen, die irrthümliche Anschauung zu
widerlegen, als ob er ein Gegner der Freibänke sei. 3. besteht in Berlin bereits eine
freibankähnliche Einrichtung, welche in
Kurzem eine erhebliche Erweiterung erfahren wird.

Wenn endlich gesagt wird, die Scheidung des
Fleisches in bankwürdiges und nicht bankwürdiges mache Schwierigkeiten, so muss dieses für
vereinzelte, an der Grenze stehende Fälle zugegeben werden. Aber selbst hier ist die Entscheidung viel leichter, als wenn es sich, wie
bei fehlender Freibank, um die Feststellung
handelt: bankfähig oder zu vernichten? Denn
im letzteren Falle haben wir eine haarscharfe
Grenze, im ersteren dagegen ein breites
Grenzgebiet zwischen bankwürdigem und zu
vernichtendem Fleische.

Personalien.

Der bisherige Schlachthaus-Inspektor Jacobs
in Spandau ist als kommissarischer Kreisthierarzt in Neuenahr, Thierarzt Schwarz endgiltig
als Schlachthaus-Verwalter in Flatow, Kreisthierarzt Schulte-Freckling in Tecklenburg
als Schlachthof-Verwalter in Ibbenbüren, Schlachthaus-Inspektor Schuberth von Neumarkt in
gleicher Eigenschaft in Ratibor, Oberrossarzt a. D.
Ibscher in Krossen als Schlachthaus-Inspektor
in Guhrau, Schlachthof-Verwalter Rauer von
Herford als Schlachthof-Inspektor in Oberhausen,
Thierarzt Fichtner in Brüssow als Schlachthaus - Thierarzt in Pasewalk und Thierarzt
Michaelis in Bremen als Schlachthof-Verwalter
in Neumarkt angestellt worden.

Vakanzen.

Kattowitz, Brandenburg, Mannheim,
Schmalkalden, Burg, Pleschen, Stettin
(Nähere Angaben hierüber siehe in Heft 5 und 6).
Herford: Schlachthof-Verwalter zum 1. Mai
(1800 M. Gehalt, das alle 2 Jahre um 100 M.
steigt, bis 2400 M., freie Wohnung und Heizung).
Bewerbungen beim Magistrat.
Magdeburg: Oberthierarzt am Schlachthof
zum 1. November (3600 M. und 2jähriger Probe-
dienst. Zeugniss als beamteter Thierarzt).
Meldungen bis 15. April an den Magistrat.
Besetzt: Schlachthaus-Thierarzt-Stellen in
Ratibor, Guhrau, Oberhausen, Pasewalk und
Neumarkt.

Verantwortlicher Redakteur (excl. Inseratentheil): Dr. Ostertag. — Verlag und Eigenthum von Richard Schoetz in Berlin.
Druck von W. Büxenstein, Berlin.

Zeitschrift

für

Fleisch- und Milchhygiene.

Zweiter Jahrgang.   **Mai 1892.**   Heft 8.

Original-Abhandlungen.

(Nachdruck verboten.)

Der jüngste Tuberkulose-Erlass für das Königreich Preussen,

besprochen

von

Prof. Dr. Ostertag.

In dem Erlasse des Kgl. Preussischen Kultusministeriums vom 31. Dezember 1891, welcher, an den Regierungspräsidenten zu Minden gerichtet, die Aufhebung der bekannten Tuberkulose-Verfügung vom 5. Mai 1891 zur Folge hatte, war die Ankündigung enthalten, dass demnächst gemeinverständliche Vorschriften über die Beurtheilung und Verwerthung des Fleisches von tuberkulösen Rindern herausgegeben werden würden. Diese Ankündigung ist inzwischen zur That geworden. Unter dem 26. März 1892 erschien folgender Erlass:

„Die über die Beurtheilung der Geniessbarkeit und Verwerthung des Fleisches von perlsüchtigem Schlachtvieh erlassenen Bestimmungen vom 15. September 1887 (Min.-Bl. f. d. inn. Verw. 204) haben in neuester Zeit wiederum zu irrthümlicher Auffassung Veranlassung gegeben. Wir ordnen deshalb unter Aufhebung dieses Erlasses, sowie der in Fach-Zeitschriften abgedruckten Verfügungen vom 22. Juli 1882 und 27. Juni 1885 und des Erlasses vom 11. Februar 1890 (Min.-Bl. f. d. inn. Verw. S. 94) zur Nachachtung für die Betheiligten Folgendes an:

Eine gesundheitsschädliche Beschaffenheit des Fleisches von perlsüchtigem Rindvieh ist der Regel nach dann anzunehmen, wenn das Fleisch Perlknoten enthält oder das perlsüchtige Thier, ohne dass sich in seinem Fleisch Perlknoten finden lassen, abgemagert ist.

Dagegen ist das Fleisch eines perlsüchtigen Thieres für geniessbar (nicht gesundheitsschädlich) zu halten, wenn

das Thier gut genährt ist und

1. Die Perlknoten ausschliesslich in einem Organ vorgefunden werden, oder

2. falls zwei oder mehrere Organe daran erkrankt sind, diese Organe in derselben Körperhöhle liegen und mit einander direkt oder durch Lymphgefässe oder durch solche Blutgefässe verbunden sind, welche nicht dem grossen Kreislauf, sondern dem Lungen- oder Pfortader-Kreislauf angehören.

Da nun in Wirklichkeit eine perlsüchtige Erkrankung der Muskeln äusserst selten vorkommt, da ferner an der Berliner Thierärztlichen Hochschule und an mehreren preussischen Universitäten in grossem Maßstabe Jahre lang fortgesetzte Versuche, durch Fütterung mit Muskelfleisch von perlsüchtigen Thieren Tuberkulose bei anderen Thieren zu erzeugen, im wesentlichen ein negatives Ergebniss gehabt haben (Gutachten der Wissenschaftlichen Deputation für das Medizinalwesen vom 1. Dezember 1886, Eulenberg's Vierteljahrschrift für gerichtliche Medizin und öffentliches Sanitätswesen Bd. 47 S. 307 ff) somit eine Uebertragbarkeit der Tuberkulose durch den Genuss selbst mit Perlknoten behafteten Fleisches nicht erwiesen ist, so kann das Fleisch von gut genährten Thieren, auch wenn eine der unter Ziffer 1 und 2 bezeichneten Erkrankungen vorliegt, in der Regel nicht als minderwerthig erachtet, und der Verkauf desselben nicht unter besondere polizeiliche Aufsicht gestellt werden.

Vom nationalökonomischen Standpunkte ist es wünschenswerth, derartiges Fleisch, welches einen erheblich höheren Nährwerth, als dasjenige von alten abgetriebenen und mageren etc. Rindern hat, dem freien Verkehr zu überlassen, und zwar um so mehr, als eine gleichmässige Beurtheilung solchen Fleisches aller Orten mit Rücksicht auf die zur Zeit nur mangelhafte Fleischschau in vielen Gegenden und bei dem Mangel jeglicher Fleischschau in einem grossen Theile des Landes nicht möglich ist.

Solches Fleisch ist daher in Zukunft dem freien Verkehr zu überlassen; in zweifelhaften Fällen wird die Entscheidung eines approbirten Thierarztes einzuholen sein.

Ob das Fleisch von perlsüchtigem Vieh für verdorben zu erachten ist und der Verkauf desselben gegen die Vorschrift des § 367 Ziffer 7 des Strafgesetzbuchs oder gegen die Bestimmungen des Nahrungsmittelgesetzes vom 14. Mai 1879 (R.-G.-Bl. S. 145) verstösst, fällt der richterlichen Entscheidung anheim.

Berlin, den 26. März 1892.

Der	Der Minister
Minister des Innern.	für Landwirthschaft, Domänen
Herrfurth.	und Forsten.
	von Heyden.
Der Minister	Der Minister für Handel
der geistlichen, Unter-	und Gewerbe.
richts- und Medizinal-	In Vertretung:
Angelegenheiten.	Magdeburg.
Bosse.	

An sämmtliche Königlichen Regierungs-Präsidenten und den Königlichen Polizei-Präsidenten hier."

Es bedarf für den Sachverständigen keines besonderen Hinweises, welche Vorzüge der vorstehende, nunmehr siebente Erlass in dieser Sache vor seinen sechs Vorgängern besitzt und welchen Fortschritt in der gleichmässigen Regelung des Verkehrs mit dem Fleische tuberkulöser Thiere er bedeutet. Leider haben sich aber nicht alle Hoffnungen erfüllt, welche aus den Kreisen der Fleischbeschau ausübenden Thierärzte an das Erscheinen dieses Erlasses geknüpft worden sind.

Die geringste Enttäuschung ist es, wenn auch der jüngste Tuberkulose-Erlass von „perlsüchtigem" Schlachtvieh und von „perlsüchtiger" Erkrankung der Muskeln spricht. Die Redaktion des Erlasses ist hierbei nur einer Tradition treu geblieben, welche sich durch alle Erlasse über die beregte Materie hindurchzieht. Schon mehr vermissen wir, dass auch der Erlass vom 26. März 1892 lediglich Direktiven für die Beurtheilung des Fleisches von perlsüchtigem Rindvieh giebt und nicht gleichzeitig die Tuberkulose des Schweines in Betracht zieht.

Ein Widerspruch in dem Märzerlasse ist es, wenn im Absatz 4 gesagt ist, eine Uebertragbarkeit der Tuberkulose durch den Genuss selbst mit Perlknoten behafteten Fleisches sei nicht erwiesen, da der Absatz 2 den Passus enthält „Eine gesundheitsschädliche Beschaffenheit des Fleisches von perlsüchtigem Rindvieh ist der Regel nach dann anzunehmen, wenn

das Fleisch Perlknoten enthält." Dieser Widerspruch ist übrigens weniger für die Praxis der Fleischbeschau, als für die Beurtheilung pro foro von Belang.

Ferner hat bereits Schmidt-Mülheim, anlässlich der Besprechung des Ministerial-Erlasses vom 15. September 1887 darauf hingewiesen, dass es unbegründet sei, bei der Beurtheilung der Erkrankung mehrerer Organe einen Nachdruck darauf zu legen, dass dieselben einer Körperhöhle angehören. Denn es sei als erwiesen zu betrachten, dass der tuberkulöse Prozess auf dem Wege der Lymphbahnen nach der Brusthöhle sich fortpflanzen könne.

Endlich muss es noch als ein Mangel angesehen werden, dass auch der letzte Tuberkulose-Erlass nur die beiden Extreme der Ausbreitung des tuberkulösen Prozesses in Berücksichtigung zieht, nämlich das Vorhandensein von „Perlknoten" im Fleische einerseits und die Erkrankung eines bezw. zweier und mehrerer Organe, welche direkt mit einander verbunden sind, andererseits. Ueber die grosse Anzahl von Fällen, welche zwischen diesen beiden Extremen liegen, enthält der Erlass keinen, auch nur in Form einer Andeutung gehaltenen Anhaltspunkt. Hier hat demgemäss nach wie vor der Sachverständige je nach Lage des Einzelfalles zu verfahren.

Alle die gemachten Ausstellungen treten aber in ihrer Bedeutung völlig zurück gegenüber den bedeutenden Vorzügen, welche der jüngste Tuberkulose-Erlass für das Königreich Preussen vor seinen Vorgängern besitzt. Vor Allem ist die Fassung eine klarere geworden. Der Schlusspassus des Erlasses vom 15. Sept. 1887 „Im Uebrigen — darf", welcher verschiedene, für die Praxis durchaus nicht belanglose Deutungen zuliess, ist beseitigt worden. Sodann enthält der letzte Tuberkulose-Erlass klipp und klar den ungemein wichtigen Grundsatz ausgesprochen, dass das Fleisch von gutgenährten tuberkulösen Thieren bei Lokaltuberkulose in der Regel nicht dem freien Verkehre zu entziehen sei. Schliesslich ist in dem Erlasse die Forderung, nur den Thierarzt als Sachverständigen in Fleischbeschau-Angelegenheiten heranzuziehen, offiziell anerkannt worden; denn er besagt: „in zweifelhaften Fällen wird die Entscheidung eines approbirten Thierarztes einzuholen sein".

Der Schlusspassus „Ob das Fleisch von perlsüchtigem Vieh für verdorben zu erachten ist u.s.w.", beugt einer missbräuchlichen Anwendung des Erlasses in dem Sinne, dass alle mit Lokaltuberkulose, auch mit stark ausgebreiteter, behafteten Thiere bei gutem Ernährungszustand zum freien Verkehre zuzulassen seien, vor. Er erinnert den Sachverständigen daran, dass er, unbeschadet der in dem Erlasse im Allgemeinen gegebenen Anhaltspunkte, im Einzelfalle zu prüfen habe, ob das Fleisch nicht als verdorben im Sinne des Strafgesetzbuches oder des Nahrungsmittelgesetzes zu betrachten sei. Allerdings dürfte dieser Hinweis in seiner Form nicht ganz korrekt sein. Denn der Richter fällt zwar das Urteil, aber erst auf Grund des sachverständigen Gutachtens. Ob also Fleisch von tuberkulösen Thieren als verdorben bezw. gesundheitsschädlich anzusehen ist, fällt zunächst der sachverständigen Begutachtung und erst in zweiter Linie, je nach Ausfall dieser Begutachtung, der richterlichen Entscheidung anheim

Ueber Schlachtvieh-Versicherungen.

Von
Dr. Ströse-Göttingen
Schlachthausdirektor.

Das Versicherungswesen besitzt zweifelsohne eine hohe soziale Bedeutung. Der Staat unterstützt dasselbe nicht nur kräftig, sondern er hat sogar selbst Zwangsversicherungen — bekanntlich auch eine Viehversicherung — eingerichtet. Noch wenig verbreitet, weil neueren Datums, sind Schlachtvieh-Versicherungen.

Ich habe mich in letzterer Zeit etwas eingehender mit diesen Einrichtungen beschäftigt, weil ich den Entschluss gefasst hatte, am Göttinger Schlachthause eine

Schlachtvieh-Versicherung ins Leben zu rufen. Unter Mitwirkung verschiedener Interessenten und Sachverständiger[*]) habe ich denn auch einen Entwurf für Statuten ausgearbeitet, welcher augenblicklich noch dem landwirthschaftlichen Hauptvereine zur Begutachtung vorliegt.

Auf die Zweckmässigkeit der Schlachtvieh-Versicherungen ist schon des öfteren von kompetenter Seite hingewiesen worden. In einem pro memoria, welches ich meiner vorgesetzten Behörde, dem Magistrate der Stadt Göttingen, eingereicht habe, machte ich hierüber etwa folgende Ausführungen:

Nicht nur für die Viehproduzenten und Viehhändler, das Schlächtergewerbe und den Fleischexport, sondern auch für die Volksernährung würde eine solche Einrichtung, welche nach meiner unmassgeblichen Ansicht von den vorzugsweise interessirten landwirthschaftlichen Vereinen ausgehen müsste, von hoher Bedeutung sein.

Die Stadt selbst hat insofern ein Interesse an der Errichtung einer Schlachtvieh-Versicherung, als durch dieselbe die Beschaffung von Schlachtvieh für den hiesigen Konsum und auch für den Export ganz erheblich erleichtert würde. Der Werth des Fleisches als Nahrungsmittel ist ja ein so hoher, dass es dringende Pflicht ist, alle Mittel aufzubieten, durch welche der Fleischkonsum gefördert werden kann.

Es ist Erfahrungsthatsache, dass der Verkauf von Schlachtvieh nach denjenigen Städten, welche eine obligatorische Fleischschau ohne eine Schlachtvieh-Versicherung besitzen, ungemein erschwert ist. Die Viehhändler und Produzenten scheuen sich, Vieh nach solchen Orten zu verkaufen, und den Schlächtern und Händlern ist es daher nur unter grösseren Geldopfern möglich, das für den Konsum erforderliche Vieh zu beschaffen. Es ist mir von mehreren Grossgrundbesitzern und

*) Den Herren Kollegen, welche mich bei diesem Unternehmen durch Uebersendung von Statuten und Ertheilung von Rathschlägen unterstützt haben, spreche ich an dieser Stelle meinen ergebensten Dank aus. Der Verfasser.

Rittergutspächtern bekannt, dass dieselben ihr Vieh nur nach solchen Orten verkaufen, welche entweder keine obligatorische Fleischschau oder aber eine Schlachtvieh-Versicherung besitzen. Dieser Umstand dürfte mit dazu beitragen, also die Fleischpreise hierorts verhältnissmässig recht hohe sind.

Die Vortheile, welche sich durch eine Schlachtvieh-Versicherung der Landwirthschaft bieten, sind ganz bedeutende. Den Hauptschaden, welcher durch Beanstandungen von Schlachtvieh entsteht, trägt ja der Landwirth, da derselbe gesetzlich für alle erheblichen und verborgenen Fehler der von ihm verkauften Thiere zu haften hat. Zwar kommt ihm in zahlreichen Fällen der Nutzen der Freibank zu gute, allein dieser ist doch nicht ein sehr grosser, da der Erlös vom Freibank-Verkaufe nur etwa die Hälfte des Werthes beträgt, welchen die betreffenden Schlachtthiere in gesundem Zustande haben würden. Ist aber eine Schlachtvieh-Versicherung eingerichtet, so hat sich der Landwirth nach dem Verkaufe um nichts mehr zu kümmern; er erhält den vollen Kaufpreis entweder vom Schlächter oder aus der Versicherungskasse, gleichgiltig, ob das fragliche Thier ganz verworfen oder für minderwerthig erklärt wird.

Dass auch die Schlächter ein hervorragendes Interesse an einer Schlachtvieh-Versicherung haben, geht schon daraus hervor, dass sie hier in Göttingen eine Versicherung für Schweine gegen Trichinen- und Finnengefahr gegründet haben, in der Absicht, den Vieheinkauf zu erleichtern. Als Prämie, welche die Lieferanten zu zahlen haben, wird hier 1 Mk. für jedes zu schlachtende Schwein erhoben. Aus dieser Versicherung ziehen die Schlächter einen nicht unwesentlichen Gewinn heraus, weil die Prämie entschieden viel zu hoch bemessen ist. Durch eine zweckmässig eingerichtete, von den Viehproduzenten ausgehende Versicherung würde diesem Unwesen sofort ein Ende gemacht sein."

Endlich wird auch der Schlachthaus-

thierarzt die Versicherung mit Freuden begrüssen. Diesen kommt es oft hart an, unbemittelten Viehbesitzern durch Beanstandungen pekuniären Schaden zufügen zu müssen; schwer wird es ihm häufig, streng nach den Grundsätzen der wissenschaftlichen Fleischkunde zu verfahren, ohne Ansehen der betheiligten Personen. Wenn nun auch das Urtheil des Thierarztes dadurch nicht abgeändert werden kann und darf, dass er weiss, das vorliegende Schlachtvieh ist versichert, so wird er doch in diesem Falle mancher Unannehmlichkeiten, denen er sich sonst so leicht durch Beanstandungen von Schlachtvieh auszusetzen hat, enthoben.

Bei der Begründung einer Schlachtvieh-Versicherung wird man sich zunächst über diejenigen gesetzlichen Bestimmungen zu unterrichten haben, welche das Versicherungswesen betreffen. Die meiste Sicherheit bietet zur Zeit zweifelsohne die Genossenschaft mit unbeschränkter Haftpflicht. Als solche ist beispielsweise die ganz musterhaft durch Herrn Kollegen Teske eingerichtete Casseler Schlachtvieh-Versicherung begründet. Nach Ansicht des Direktors Teske ist eine genossenschaftliche Organisation aber zu umständlich. Dieser Ansicht schliesse ich mich voll und ganz an, nachdem ich mich über den Geschäftsgang der Genossenschaft informirt habe.

Es käme dann die einfache Societät, bei welcher keine organisirte Vertretung geschaffen ist, in Frage. Bei grösserem Betriebe erscheint dieselbe jedoch nicht ausreichend.

Zur Zeit liegt nun aber, wie ich in Erfahrung gebracht habe, den gesetzgebenden Körperschaften ein Gesetzentwurf, betreffend die Bildung von gesellschaftlichen Vereinigungen mit beschränkter Haftpflicht vor, welcher anscheinend ohne wesentliche Abänderungen die Billigung aller Parteien finden dürfte. Auf Grund dieses Entwurfes wird sich eine Organisation schaffen lassen, welcher die angeführten Mängel nicht anhaften.

Da sich aber nicht voraussehen lässt

wann dies Gesetz in Kraft treten wird, habe ich empfohlen, in Göttingen zunächst eine freie Vereinigung zu begründen. Zu diesem Entschlusse bin ich gekommen durch eine gütige Mittheilung des Herrn Kollegen Rohr zu Greifswald. Dort besteht seit mehreren Jahren eine Versicherung nach diesem Prinzipe, die sich gut bewährt hat.

Von wem hat die Versicherung auszugehen?

Da, wie erwähnt, den Produzenten, wie auch den Schlächtern und den Konsumenten Vortheile durch die Schlachtvieh-Versicherung erwachsen, lässt sich diese Frage nicht ohne Weiteres beantworten. In der That gehen die Versicherungen in den verschiedenen Städten denn auch von ganz verschiedenen Kreisen aus. So liegt beispielsweise in Leipzig die Schlachtvieh-Versicherung in den Händen des Magistrates, in Greifswald zweier landwirthschaftlicher Vereine, in Dresden der Fleischer und Händler, in Bromberg und Stolp der Fleischer-Innung; in Kiel besitzt ein Privatmann eine Schlachtvieh-Versicherung.

Die ersten, welche hier in Göttingen der Versicherung beitreten, werden die Landwirthe und Viehhändler sein. Die Mitglieder der hiesigen Schlächter-Innung haben vorläufig ihren Beitritt verweigert.

Hauptsache bei der Verwaltung der Viehversicherung ist, dass dieselbe eine streng ordnungsmässige und möglichst wenig kostspielige wird. Die Hauptarbeit muss durch die Beamten des Schlachthauses besorgt werden. Der Geschäftsgang wird hier voraussichtlich folgender sein:

Das Mitglied bezeichnet das zu versichernde Thier mit einem Stempel, und zwar bei Grossvieh mit einem Brennstempel am Horn, bei Schweinen mit einem Stichstempel in der Gegend des Schulterblattes. Auf dem Schlachthofe wird dasselbe vom Thierarzte auf seinen Gesundheitszustand untersucht. Kranke oder krankheitsverdächtige Thiere werden zurückgewiesen, über gesunde, respektive

anscheinend gesunde, wird ein Schein ausgestellt, auf Grund dessen die Versicherung angenommen und die Prämie an den Kassirer entrichtet wird. Auf demselben Scheine wird über die Zahlung quittirt. Der Kassirer, respektive Buchhalter trägt die Position in ein Einnahme-Journal ein, welchem ein Ausgabe-Journal gegenüber steht. Darauf wird die Einnahme, wie auch die Ausgabe in ein Manual übertragen, in welchem besondere Titel für die verschiedenen Viehgattungen, für die Freibankerlöse etc. und die verschiedenartigen Ausgaben (Remunerationen für die Beamten, Bureanbedürfnisse, Verkaufsunkosten u. s. w.) enthalten sind. Nach dem Manuale wird die Jahresrechnung aufgestellt.

Das Nähere über die innere Einrichtung der Versicherung enthält der für Göttingen angefertigte Entwurf der Statuten.

Ich lasse denselben hier wörtlich folgen.

Satzungen des Schlachtviehversicherungs-Vereins für den Bezirk des Schlachthauses zu Göttingen.

§ 1.

Die Unterzeichneten errichten unter dem Namen „Schlachtviehversicherungs-Verein Göttingen" eine Vereinigung zu dem Zwecke, die Mitglieder derselben gegen gewisse Schäden und Verluste, welche ihnen als Viehbesitzer durch Krankheiten des Schlachtviehes und zwar des Rindviehes und der Schweine erwachsen, zu schützen.

§ 2.

Die Mitgliedschaft kann erwerben jeder Besitzer von Schlachtvieh, welcher seinen Wohnsitz in einem Umkreise von 40 km von Göttingen hat.

§ 3.

Zum Erwerb der Mitgliedschaft bedarf es der Aufnahme. Diese kann durch jedes Vorstandsmitglied geschehen. Sie erfolgt durch Einzeichnung in die Mitgliederliste nach Zahlung des vom Vorstande statutenmässig festgesetzten Eintrittsgeldes. Lehnt das Vorstandsmitglied die Aufnahme ab, so kann der Abgewiesene Berufung an den Gesammtvorstand ergreifen, welcher endgültig entscheidet.

Als Legitimation erhält jedes Mitglied eine Mitgliedskarte.

§ 4.

Das Eintrittsgeld wird von einer von der

Generalversammlung jährlich zu wählenden Kommission von 5 Mitgliedern festgesetzt.

Der höchste Betrag des Eintrittsgeldes soll vorläufig 30 ℳ, der niedrigste 1 ℳ. betragen.

§ 5.

Jedes Mitglied hat das Recht mittelst Aufkündigung seinen Austritt aus dem Vereine zu erklären.

Der Austritt kann nur am Schlusse des Jahres erfolgen; die Kündigung hat mindestens ein Vierteljahr vorher zu geschehen.

§ 6.

Der Verein wird nach aussen und innen durch einen Vorstand vertreten.

Derselbe besteht aus:

1. dem jeweiligen Direktor des städtischen Schlachthauses zu Göttingen, als Vorsitzendem,
2. einem Landwirthe,
3. einem Schlachter,
4. und 5. zwei für die beiden letzteren Mitglieder zu wählenden Stellvertretern.

Die unter 2—5 bezeichneten Vorstandsmitglieder werden von der Generalversammlung auf je 1 Jahr gewählt. Wiederwahl ist zulässig. Sitzungen des Vorstandes finden nach Bedarf statt.

§ 7.

Der Vorsitzende des Vorstandes leitet die Verwaltung des Vereins, beruft die Generalversammlungen und die Sitzungen des Vorstandes und führt in beiden den Vorsitz.

In dringenden Fällen kann der Vorsitzende selbstständige Anordnungen im Vereinsinteresse treffen; dieselben unterliegen der nachträglichen Genehmigung des Vorstandes.

Der Vorstand wählt aus seiner Mitte einen Stellvertreter des Vorsitzenden.

Die Beisitzer unterstützen den Vorsitzenden in seinen Obliegenheiten.

§ 8.

Der Vorstand ernennt einen Rendanten, welcher die Kassen- und Buchführung zu besorgen hat.

Der Rendant ist für prompte Einziehung der Versicherungsprämien und der Eintrittsgelder verantwortlich; er hat die Entschädigungsbeträge auf Anweisung des Vorsitzenden auszuzahlen.

Am Schlusse eines jeden Vierteljahres hat der Rendant einen Rechenschaftsbericht und am Schlusse des Jahres die Jahresrechnung abzulegen.

Letztere ist dem Vorsitzenden bis zum 1. Februar einzureichen.

Ferner hat der Rendant alle ihm vom Vorsitzenden übertragenen schriftlichen Arbeiten im Interesse des Vereins zu besorgen.

Für die Kassen- und Buchführung werden Anweisungen vom Vorstande gegeben.

Die Remuneration des Rendanten setzt der Vorstand fest.

§ 9.

Der Vorstand hat durch mindestens zwei seiner Mitglieder am 1. jeden Monats eine ordentliche und so oft es zweckmässig erscheint eine ausserordentliche Kassenrevision vornehmen zu lassen.

§ 10.

Die Rechte, welche den Vereinsmitgliedern in den Angelegenheiten des Vereins zustehen, werden in der Generalversammlung durch Beschlussfassung der erschienenen Mitglieder ausgeübt.

Jedes Mitglied hat e i n e Stimme.

Durch Bevollmächtigte kann das Stimmrecht nicht ausgeübt werden.

§ 11.

Die ordentlichen Generalversammlungen finden im Februar jeden Jahres statt.

Ausserordentliche Generalversammlungen sind zu berufen, sobald der Vorstand es für nöthig hält oder 10 Mitglieder einen dahingehenden Antrag unter Angabe der Gründe stellen.

Die Einladung zu den Generalversammlungen muss schriftlich mindestens 8 Tage vorher geschehen.

§ 12.

Der Beschlussfassung in den Generalversammlungen unterliegen insbesondere:

1. Abänderung dieses Statuts,
2. Wahl des Vorstandes,
3. Genehmigung der Bilanz,
4. Abnahme der Rechnung und Dechargirung des Rechnungführers,
5. Entlastung des Vorstandes wegen dessen Geschäftsführung.

§ 13.

Die Abstimmung erfolgt bei Wahlen durch Stimmzettel.

Wahl durch Zuruf kann stattfinden, wenn dieselbe beantragt und dagegen Widerspruch nicht erhoben wird.

In allen anderen Angelegenheiten erfolgt die Abstimmung durch Aufstehen und Sitzenbleiben.

§ 14.

Die Beschlüsse in der Generalversammlung werden, soweit dieses Statut nichts anderes vorschreibt, mit einfacher Stimmenmehrheit gefasst.

§ 15.

Jedes Mitglied ist verpflichtet, sämmtliche Stück Rindvieh und Schweine, welches es im Schlachthause zu Göttingen schlachten lässt, zu versichern.

Für jedes nicht versicherte Stück Vieh ist im Falle der Uebertretung dieser Vorschrift eine Konventionalstrafe von 20 ℳ., im Wiederholungsfalle eine solche von 40 ℳ. zu zahlen.

Wird eine Uebertretung zum dritten Male konstatirt, so ist das betreffende Mitglied aus dem Vereine auszuschliessen.

§ 16.

Die Versicherungsprämien werden von der Generalversammlung jährlich festgesetzt und betragen vorläufig für das Stück:

a) Ochsen und Bullen 4 ℳ.,
b) Kühe und Rinder 5 ℳ.,
c) Schweine 1 ℳ.

Für die Höhe der Prämien ist demnächst massgebend der Stand der Kasse.

Die Prämie ist in jedem Falle vor dem Schlachten des versicherten Thieres zu zahlen.

§ 17.

Die Versicherung erstreckt sich auf gänzlich verworfene und für minderwerthig erklärte ganze Thiere, sowie auf die vier Fleischviertel, nicht aber auf innere Körpertheile oder Extremitäten.

§ 18.

Bei angenommener Versicherung wird bei Mitgliedern stillschweigend der Verkäufer von jeder gesetzlichen oder verabredeten Gewährleistungspflicht befreit, während der Käufer im Falle der Beanstandung des versicherten Thieres die Entschädigung allein erhält und sich damit begnügen muss.

§ 19.

Die Versicherung des Viehstückes muss nachgewiesen werden:

a) durch eine vom Vorsitzenden oder dessen Stellvertreter auszustellende Bescheinigung, welche gleichlautend ist mit der im Bescheinigungsbuche befindlichen Eintragung und eine Quittung über die bezahlte Prämie enthält;
b) durch einen Brennstempel, welcher beim Rindvieh am Horn, bei Schweinen am rechten Hinterschenkel anzubringen ist.

Die Brennstempel werden vom Vorstand beschafft und den Mitgliedern zum Selbstkostenpreise überlassen.

§ 20.

Falls ein Mitglied als Käufer die Versicherung eines Stückes Vieh auf seine Kosten vornimmt, so erhält das Mitglied gegebenen Falls zwar die Entschädigung, muss aber auf Kosten der Vereinskasse die etwa vorliegenden gesetzlichen Gewährsmängel zur Entschädigung einklagen und die erstrittene Summe zur Vereinskasse abführen.

In zweifelhaften Fällen entscheidet darüber, ob die Klage angestrengt werden soll oder nicht, der Vorstand.

Zuwiderhandlungen gegen die Bestimmungen dieses Paragraphen haben den Verlust der Entschädigung zur Folge.

§ 21.

Sobald der Direktor des städtischen Schlachthauses oder dessen Stellvertreter ein zur Versicherung angemeldetes Stück Vieh vor der Schlachtung desselben als krank oder krankheits-

verdächtig bezeichnet, bleibt die Versicherung auf jeden Fall ausgeschlossen.

§ 22.

Ist ein versichertes Thier gänzlich verworfen oder für minderwerthig erklärt, so erhält der Versicherer den vollen Kaufpreis, welcher für das fragliche Thier verabredet ist, sowie auch die gezahlte Schlachtgebühr bezw. städtische Steuer als Entschädigung aus der Versicherungskasse gezahlt.

Sind mehrere Viehstücke zusammengekauft oder verkauft und lässt sich der Werth des oder der beanstandeten Thiere im Einzelnen nicht ohne Weiteres feststellen, so werden die betreffenden Stücke von 2 Vorstandsmitgliedern nach Massgabe der jeweiligen Marktpreise und der Qualität der Thiere abgeschätzt.

Diese Schätzung ist massgebend unter Ausschluss des Rechtsweges.

Auf Verlangen hat der Versicherer eine vom Käufer und Verkäufer unterschriebene Bescheinigung über die Höhe des Verkaufspreises beizubringen.

Bei wahrheitswidrigen Angaben verfallen beide Theile in eine Konventionalstrafe von je 300 ℳ., welche in die Vereinskasse fliesst.

Der aus der Verwerthung der beanstandeten Thiere oder Theile desselben erzielte Erlös fliesst in die Vereinskasse.

§ 23.

Von jedem Entschädigungsfalle hat der Vorsitzende oder dessen Stellvertreter sofort den übrigen Vorstandsmitgliedern Anzeige zu machen.

Der Vorstand entscheidet endgültig darüber, ob der Entschädigungsbetrag gezahlt werden soll oder nicht.

Ebenso hat derselbe bei theilweiser Beanstandung eines versicherten Viehstückes den Betrag endgültig festzustellen, welcher als Entschädigungsbetrag gelten soll.

§ 24.

Es wird ein Reservefonds gebildet, welcher zur Deckung eines aus der Bilanz sich ergebenden Verlustes zu dienen hat.

Derselbe wird gebildet durch die Eintrittsgelder, die Strafgelder und einen Theil des jährlichen Reingewinns.

Welcher Betrag vom Reingewinn dem Reservefonds zugeschrieben werden soll, bestimmt die Generalversammlung.

Der Reservefonds soll auf die Summe von 3000 ℳ. gebracht und auf diesem Stande erhalten werden.

§ 25.

Das Rechnungsjahr fällt mit dem Kalenderjahre zusammen.

§ 26.

Die Auflösung des Vereins kann nur von einer zu diesem Zwecke besonders berufenen

Generalversammlung mit dreiviertel der vertretenen Stimmen beschlossen werden.

Nach beschlossener Auflösung ist von derselben Generalversammlung eine aus 5 Mitgliedern bestehende Liquidationskommission zu wählen und sind die Modalitäten der Liquidation festzusetzen

Es ist nicht zu leugnen, dass die Schlachtvieh-Versicherung für das Schlächtergewerbe leicht gewisse Nachtheile mit sich bringen kann. Nach der Stadt, in welcher eine Versicherung besteht, werden die Händler, vielleicht auch gewisse Schlächter, Vieh zu bringen versuchen, welches äusserlich zwar gesund erscheint, das aber doch Fehler besitzt, die der Viehbesitzer durch längere Beobachtung des Thieres feststellen konnte. Besonders die Tuberkulose dürfte hier geeignet sein, eine Rolle zu spielen. Werden solche Thiere geschlachtet, so wandern sie leicht auf die Freibank, und wenn diese zu stark benutzt wird, schadet man dem Schlächtergewerbe, welches die städtische Behörde doch, wie jedes andere Gewerbe zu schützen verpflichtet ist.

Hier kann nur grosse Genauigkeit und Vollständigkeit bei der Untersuchung im lebenden Zustande Abhilfe schaffen. Geht der Schlachthausthierarzt mit Strenge vor, so werden sich die Händler und Schlächter wohl hüten, solches verdächtige, billig eingekaufte Vieh zur Versicherung anzumelden.

Den grössten Nutzen werden die Schlachtvieh-Versicherungen aber dann erst gewähren, wenn an jedem deutschen Schlachthofe eine solche Versicherung besteht. Die Schlachthausthierärzte würden sich daher ein grosses Verdienst erwerben, wenn sie sich der Sache annähmen und jeder Kollege in seinem Kreise Anregung zur Errichtung eines Schlachtvieh-Versicherungs-Vereines geben wollte.

Fütterungs-Versuche mit amerikanischen Trichinen.

Von

Josef Klaphake-Crefeld
Thierarzt.

Im November und Dezember vorigen Jahres wurden im hiesigen Schlachthofe verschiedene Sendungen amerikanischen Schweinefleisches untersucht und einige Speckseiten, beziehungsweise Schinken als trichinenhaltig beschlagnahmt.

Die Trichinen waren verkapselt, liessen jedoch noch keine Spur von Verkalkung erkennen. Das an den Speckseiten haftende Muskelfleisch zeigte die bei dem amerikanischen Fleische in Folge der Einwirkung des Salzes charakteristische Verfärbung. Weniger verändert waren die Schinken, indem die mittleren und tiefen Schichten des Fleisches zwar stark gesalzen, der Farbe und Konsistenz nach jedoch kaum von frischem Fleische zu unterscheiden waren.

Aus diesem Grunde glaubte ich mit Bestimmtheit annehmen zu können, dass die Trichinen wenigstens in der Nähe der Knochen noch lebten und eine Infektion zu verursachen im Stande seien. Um die Infektionsfähigkeit festzustellen, machte ich an vier Kaninchen folgende Versuche: Am 21. Dezember erhielten drei Kaninchen je 1 g Fleisch, und zwar Nr. I Schinken (tiefe Schicht), Nr. II Schinken (oberflächliche Schicht), Nr. III Fleisch von einer Speckseite. Nr. IV diente als Kontrollthier. Das Fleisch war mit Wasser zu einem dicken Brei verrieben und wurde von den Thieren anfangs widerwillig, später aber, wahrscheinlich des Salzes wegen, gern aufgenommen. Am folgenden Tage bekamen die Thiere wieder je 1 g des entsprechenden Fleisches. Abzüglich des bei der Fütterung verloren gegangenen hatte jedes Thier etwa 1,5 g Fleisch erhalten, wenn auch die Trichinen eben nicht sehr zahlreich waren (in den Präparaten der Trichinensucher etwa in jedem Gesichtsfelde eine), so hielt ich 1,5 g doch für genügend, eine Infektion herbeizuführen.

Bis zum 25. Januar wurden die Kaninchen beobachtet, ohne dass sie etwas Besonderes gezeigt hätten. An diesem Tage verfütterte ich wieder ein Quantum des entsprechenden Fleisches, um eventuell Darmtrichinen zu finden, fand jedoch bei der 8 Tage darauf erfolgten Schlachtung weder im Darm, noch im Fleische die sicher erwarteten Parasiten.

In den nächsten 8 Tagen erhielt das vierte Kaninchen 6mal je 2—3 g Fleisch aus der Tiefe des oben benutzten Schinkens. Die vier Wochen nach der letzten Fütterung erfolgte Untersuchung war wieder erfolglos.

Es dürfte danach zweifellos sein, dass die hier gefundenen Trichinen abgestorben waren. Unter Berücksichtigung der ebenfalls erfolglosen Versuche in anderen Städten (neuerdings in Koblenz) ist es sehr wahrscheinlich, dass das in Amerika übliche Verfahren beim Einsalzen des zum Versand bestimmten Fleisches bei gehöriger Aufmerksamkeit geeignet ist, die Trichinen während der Ueberfahrt mit Sicherheit zu tödten. Meines Erachtens würden die amerikanischen Trichinen Europa überhaupt nicht lebend erreichen, wenn die grösseren Fleischstücke — Schinken — durch tiefe Einschnitte der Einwirkung des Salzes mehr zugänglich gemacht würden.

Referate.

Bérenger - Féraud, Ueber das häufige Auftreten der Bandwürmer in Frankreich seit einem halben Jahrhundert.

(Revue vétérinaire 1892. No 4.)

Verf. erbringt für Frankreich den statistischen Nachweis, dass die Zahl der Tänienfunde in den Küsten-Hospitälern von 0,20 °/oo im Jahre 1865 auf 14,50 °/oo 1890 gestiegen sei, desgleichen in den Bürgerhospitälern von Paris von 2,60 °/oo 1866 auf 6,14 °/oo im Jahre 1890. Gleichzeitig habe sich die Tänia saginata, deren Cysticercus bekanntlich beim Rinde vorkomme, an Stelle des Einsiedlerbandwurms gesetzt. Letzterer sei im Gegensatz zu früher ungemein selten, erstere dagegen äusserst häufig geworden.

(Die von B. ermittelten Zahlen sind interessante Belege für die segensreiche Wirkung der Fleischbeschau hinsichtlich der Ausrottung von Bandwurmbrut. Das Seltenerwerden der Schweinefinnen ist, wie Leblanc in der Sitzung der Académie de médecine hervorhob, lediglich eine Folge der sanitätspolizeilichen Massregeln. Auf die Rinderfinne ist anscheinend in Frankreich bis jetzt noch nicht geachtet worden. Die aus derselben hervorgehende Tänia saginata wird in demselben Grade spärlicher auftreten, als die Fleischbeschau den Lieblingssitzen der Rinderfinnen ihre Aufmerksamkeit zuwendet. D. R.)

Boström, Untersuchungen über die Actinomykose des Menschen.

(Ziegler's Beiträge Bd. II.)

Im Anschlusse an 12 eigene Beobachtungen menschlicher Aktinomykose giebt B. eine eingehende Schilderung der morphologischen und biologischen Eigenthümlichkeiten des Strahlenpilzes. Leider kann hierauf an dieser Stelle nicht eingegangen werden. Dagegen verdient besondere Hervorhebung, was B. über die Entstehung der menschlichen Aktinomykose ausführt. Er hält es für mehr als fraglich, dass beim Menschen jemals schon eine Infektion durch Genuss aktinomykotischen Fleisches zu Stande gekommen sei. Vielmehr sei es im höchsten Grade wahrscheinlich, dass der Mensch ebenso wie das Rind durch Pflanzentheile, welche Aktinomyceskeime an sich tragen, infizirt werde. Denn B. fand in 5 Fällen beim Menschen, in welchen er hierauf untersuchte, regelmässig Getreidegrannen in dem erkrankten Gewebe. Schon vorher konnten von Soltmann, Bertha, Lanow und Schartau Aktinomycesfälle auf das Verschlucken von Aehren, Stroh oder Grannen mit Sicherheit zurückgeführt werden.

Uebertragungsversuche mit aktinomykotischem Material auf Kälber, Schweine, Meerschweinchen und Kaninchen führten zu einer örtlichen Reaktion, indessen nicht zu einer Vermehrung des Pilzes. Dieses Ergebniss steht somit in vollem Einklange mit demjenigen zahlreicher, von anderen Forschern angestellter Versuche, welche im günstigsten Falle eine Transplantation, nicht aber eine Infektion ergeben haben.

Siegel, die Mundseuche des Menschen (Stomatitis epidemica), deren Identität mit der Maul- und Klauenseuche der Hausthiere und beider Krankheiten gemeinsamer Erreger.
(Deutsche Med. Wochenschr., 1891. No. 49.)

Vom Herbst 1888 bis Mitte 1891 herrschte in Rixdorf und Britz (b. Berlin) eine epidemische Stomatitis von sehr auffallendem Verlaufe. Inkubationszeit 8—10 Tage. Prodromi: Schüttelfröste, allgemeines Unbehagen, Schwindelanfälle, selbst epileptische Krämpfe, Obstipation. Das Fieber steigt selten über 39,5°. Nach 3—8 Tagen hochgradiges Zungenödem, roth-bläuliche Schwellung des Zahnfleisches mit grosser Neigung zu Blutungen, foetor ex ore. Zu diesen Symptomen gesellen sich in den meisten Fällen kleine Bläschen am Zungenrande und an den Lippen, welche platzen und feuchte Geschwüre hinterlassen. Ausserdem tritt, namentlich bei Frauen und Kindern ein Exanthem am Unterarm oder Unterschenkel, bisweilen auch am ganzen Körper auf. Die Erscheinungen bilden sich nach 1—2 Wochen zurück. Die Rekonvalescenz dagegen dauert 4—8 Wochen (allgemeines Schwächegefühl und rheumatische Schmerzen).

Die Mundseuche trat in grosser Ausdehnung auf. Vom März bis September 1889 notirte sich Verf. allein 300 Fälle. Von den Erkrankten erlagen 1889 in Britz 113, 1890 21 Personen der Krankheit. Aus den Eingeweiden von 7 Leichen isolirte Verf. ein 0,5 μ langes, sehr zartes Bakterium, welches er als Erreger der Seuche anspricht. Dasselbe verflüssigt Gelatine nicht und ist für Kaninchen, Meerschweinchen, Mäuse, Hunde und Katzen nicht pathogen. Bei 4 Schweinen dagegen gelang es Verf., bei der Impfung in die Maulschleimhaut Krankheitserschei-

nungen hervorzurufen, welche von Sachverständigen sofort als Maul- und Klauenseuche erkannt worden seien. Zwei Schweine starben nach 48 Stunden. Zwei Kälber starben nach 14 Tagen. Ebenso erwiesen sich Tauben empfänglich. In den Eingeweiden der Versuchsthiere fanden sich die Stomatitisbakterien in Reinkultur.

Hiernach schien dem Verf. die Identität der Mundseuche des Menschen mit der Maul- und Klauenseuche klar zu sein. Dem Ref. scheint dieses nicht so; denn ganz abgesehen von einer grossen Anzahl naheliegender Einwände muss hervorgehoben werden, dass Verf. den Nachweis seiner Bakterien in den Organen mit natürlicher Aphthenseuche behafteter Thiere schuldig geblieben ist. Die vom Verf. angeführte Thatsache, dass unter sämmtlichen Erkrankten die mit Vieh in Berührung kommenden die leichtesten Veränderungen aufgewiesen haben sollen, entzieht sich vorläufig einer wissenschaftlichen Erklärung. Allein es scheint nicht exakt begründet, wenn Verf. auf Grund dieser angeblichen Thatsache sagt: „Das Verhältniss zwischen Mundseuchebakterium und Maulseuchebakterium — letzteres ist noch gar nicht entdeckt D. R.. — scheint mir demnach ein ähnliches zu sein, wie zwischen Variola- und Vaccineerreger".

A. Eber, Versuche mit Tuberculinum Kochii bei Rindern zu diagnostischen Zwecken.
(Zentralblatt f. Bakteriologie Band XI, No. 9/10.)

Verf. hat sich die sehr dankenswerthe Aufgabe gestellt, die in verschiedensten Zeitschriften zerstreuten Mittheilungen über Tuberculinimpfungen bei Rindern zu sammeln und kritisch gesichtet zusammenzustellen. Mit Recht sind hierbei nur diejenigen Versuche berücksichtigt worden, bei welchen entweder während des Lebens in den Ausscheidungs- bezw. Absonderungsprodukten Tuberkelbacillen nachgewiesen wurden, oder bei denen eine genaue Untersuchung der geschlachteten Thiere stattfand. Nach Verf. sind bis zum 1. Februar

d. J. insgesammt 247 obigen Bedingungen entsprechende Versuche mit Tuberkulin bei Rindern angestellt worden. 134 Versuchsthiere zeigten deutliche Fieberreaktion, und von diesen erwiesen sich 115 = 85,82 pCt. tuberkulös, 19 = 14,18 pCt. dagegen waren frei von Tuberkulose.

Von den 113 Rindern, welche nicht reagirt hatten, waren 101 = 89,38 pCt. nicht tuberkulös und 12 = 10,62 pCt. mit Tuberkulose behaftet.

Hiernach ist die grosse Bedeutung des Tuberkulins als Hilfsmittel bei der Feststellung der Rindertuberkulose während des Lebens zweifellos. Als Dosis empfiehlt E. bei mittelgrossen Thieren 0,4 — 0,5 ccm Tuberkulin, verdünnt mit der 5 bis 10 fachen Menge $\frac{1}{2}$ prozentigen Karbolwassers. Erwähnt sei noch, dass in den besprochenen Versuchen die charakteristische Reaktion meist in der 6. bis 18. Stunde nach der Injektion eintrat und 3 bis 12 Stunden anhielt.

Lorenz, Beobachtungen über die Mikroorganismen des Schweinerothlaufs und verwandter Krankheiten.

(Archiv f. wiss. u. prakt. Thierheilk., XVIII. B., H. 1 u. 2.)

Verfasser ist es gelungen, aus den pathologischen Produkten einer im Hessischen unter dem Namen „Backsteinblattern"*) bekannten Schweinekrankheit Mikroorganismen zu züchten, welche in ihren morphologischen und kulturellen Eigenschaften sehr grosse Aehnlichkeit mit den Bacillen des Schweinerothlaufs und der Mäusesepticämie besitzen. Lediglich in der Ausbreitung des Stichkanals in Stichkulturen, welcher kleiner ist als bei Mäusesepticämie und breiter als bei Rothlauf, hat Verf. einen Unterschied gefunden. Die Bacillen selbst lassen im Körper der Versuchsthiere einen Unterschied nicht erkennen. In Kulturen dagegen sind die neugefundenen die stärksten. Der neue Bazillus tödtet

---

*) Die „Backsteinblattern" entsprechen dem „Fleckenrothlauf" anderer Gegenden. In der wissenschaftlichen Nomenklatur wurde die Krankheit mit dem Namen „Urticaria" belegt. D. Ref.

Mäuse und Tauben, ebenso wie derjenige des Schweinerothlaufs und der Mäusesepticämie. Hinsichtlich seines Verhaltens gegenüber Kaninchen aber ist hervorzuheben, dass er für dieses viel gefährlicher ist als die beiden anderen Mikroorganismen. Schliesslich verdient bemerkt zu werden, dass Verf. die fraglichen Bacillen nur in den bekannten hämorrhagischen Herden der Haut und Unterhaut, nicht aber in den Eingeweiden oder im Blute nachweisen konnte.

Verf. gelangt auf Grund mannigfacher Erwägungen und thatsächlicher Beobachtungen zu der Vermuthung, 1. dass die Bacillen der „Backsteinblattern" nur modificirte Rothlaufstäbchen seien, 2. dass es nach Verimpfung der Urticariabacillen, wie Ref. der Kürze halber die Mikroorganismen der „Backsteinblattern" bezeichnen möchte, und der Mäusesepticämiebacillen gelingen könne, das Schwein gegen Rothlaufinfektion zu schützen. Die Versuche, welche über diese Fragen entscheiden werden, sind noch nicht abgeschlossen. Deshalb sei an dieser Stelle nur das Wesentlichste aus den Mittheilungen des Verf. wiedergegeben.

ad 1 hat L. bei der Untersuchung eines an Impfrothlauf eingegangenen Schweines Bacillen gefunden, welche erst nach monatelang fortgesetztem Ueberimpfen auf künstliche Nährböden die charakteristische „gläserbürstenähnliche" Stichkultur lieferten, nachdem sie im Anfang geschlossene, kugelige Kolonien gebildet hatten. Dieses spricht für eine Mutabilität im Wachsthum der Rothlaufbacillen. Indessen ist es Verf. nicht gelungen, die Rothlaufstäbchen der Reihe nach in die der „Backsteinblattern" und Mäusesepticämie überzuführen. Theoretisch wird aber nach Verf. die Möglichkeit einer solchen Umzüchtung durch die Thatsache gestützt, dass der Rothlauf eine stationäre Krankheit sei. Dieses Stationärbleiben lasse sich nicht lediglich durch mangelhafte Beseitigung der Ansteckungsstoffe erklären. Ebenso berechtigt erscheine die Vermuthung, dass in den betreffenden Gegenden die Bedingungen besonders günstig seien, um aus dem überall vorhandenen, saprophytisch lebenden Bacillus der Mäusesepticämie den virulentesten Rothlauf herauszubilden.

ad 2 sagt L., es sei noch nicht beobachtet worden, dass ein und dasselbe Thier die „Backsteinblattern" und den Rothlauf acquirirt habe, obwohl beide Krankheiten in gewissen Gegenden nebeneinander vorkommen. Und in der That ertrugen drei Schweine, welche natürliche „Backsteinblattern" überstanden hatten, die Inokulation einer Bouillonkultur von Schweinerothlauf ohne jede Störung. Verf. hebt aber hervor, dass er Kontrolleimpfungen mit letzterer Kultur an andern Schweinen nicht gemacht habe.

Bei Kaninchen zeigte es sich, dass vorausgegangener Stäbchenrothlauf gegen Urticaria-Bacillen immunisirt. Ebenso immunisirte Mäusesepticämie gegen „Backsteinblattern". In einem Falle schliesslich wurde ein mit Mäusesepticämie vorgeimpftes Kaninchen auch gegen Rothlauf immun.

Bei Schweinen wurden folgende Versuche ausgeführt. 3 Stück (A, B, C), je 4 Wochen alt, erhielten eine Vorimpfung von Mäusesepticämie, ein 4. dagegen (D), 7 Wochen alt, von „Backsteinblattern". Alle 4 Schweine erkrankten nicht. (Merkwürdigerweise entstanden beim 4. Schweine auch keine „Backsteinblattern," wie man hätte erwarten sollen. D. R.) 14 Tage später wurde B und D mit Mäusesepticämie, C mit „Backsteinblattern" nachgeimpft. Auch hierauf trat eine Reaktion nicht ein, ebenso wie A und B mit Rothlaufkultur ohne Erfolg nachgeimpft wurden. Eine Kontrolleimpfung im letzteren Falle geschah ebenfalls nicht. (Ausserdem waren Schwein A und B zur Zeit der Rothlaufimpfung erst ca. 10 Wochen alt, also in einem für Rothlauf noch wenig empfänglichen Alter. D. R.)

Zum Schlusse möchte Ref. hervorzuheben nicht unterlassen, dass seit längerer Zeit Untersuchungen in ähnlicher Richtung auch von anderer Seite angestellt werden, über welche nunmehr wohl bald ebenfalls Mittheilungen zu gewärtigen sein dürften.

Das Laktokrit.
Referat von Dr. Bujard.

Der von de Laval im Jahre 1887 eingeführte Apparat zur Bestimmung des Fettgehaltes der Milch war schon in tausenden von Fällen Gegenstand einer eingehenden Prüfung auf seine Leistungsfähigkeit. Die Gehaltsermittlung des Milchfettes geschieht auf physikalischem Wege und hat vor den chem. Untersuchungsmethoden den Vortheil, dass die Bestimmungen bei einigem Geschick und nach einiger Uebung von Jedermann leicht selbst ausgeführt werden können. Das Laktokrit (Milchbeurtheiler) ist sowohl für Kraft- als auch für Handbetrieb eingerichtet und besteht aus einer Stahlscheibe mit Spindel, ähnlich der an der de Laval'schen Separator - Trommel, sowie aus 12 mit graduirten Glasröhren versehenen Untersuchungsröhren. Das Prinzip dieser Methode ist, die Milch mit schwefelsäurehaltiger Essigsäure oder, wie neuere Versuche ergeben haben, besser mit salzsäurehaltiger Aethyliden - Milchsäure zu versetzen, um die Eiweissstoffe in Lösung zu bringen, damit dem Fett die Möglichkeit geboten ist, sich durch Erwärmen und darauf stattfindender Separirung klar abzusondern und zwar so, dass es in ein feines Glasrohr aufsteigt, in welchem die Menge desselben an der an dem Glasrohr angebrachten Grad-Eintheilung (1 Grad = 0,1pCt. Fett d. h. = 1 gr. Fett im Liter Milch) genau abgelesen werden kann. Das Verfahren ist kurz folgendes:

Je 10 ccm der zuvor gut umgerührten Milchproben werden mit 10 ccm salzsäurehaltiger Milchsäure (oder der oben erwähnten Essigsäuremischung) in einem Reagenzglasse gemischt, mit einem Kork und dem darin steckenden Glasrohr versehen, geschüttelt und 7—8 Minuten in ein kochendes Wasserbad gestellt. Während die Proben kochen, wird inzwischen die Laktokritscheibe mit ca. 40° C. warmem Wasser oder mit Dampf erwärmt. Die betreffenden Reagenzgläser werden dann aus dem Wasserbad genommen und gründlich geschüttelt. Der Kork wird rasch entfernt und das Gefäss des einen Untersuchungsrohrs sofort gefüllt. Unmittelbar darauf wird das betreffende Untersuchungsrohr senkrecht in das gefüllte Gefäss hineingedrückt; die überfliessende Flüssigkeit spritzt dann senkrecht durch das kleine an dem oberen Ende des Untersuchungsrohrs sichtbare Loch hinaus, das Untersuchungsrohr wird sodann in eines der Löcher der in den Separatorstativ eingesetzten Laktokritscheibe hinein geschoben, deren Vertiefung mit warmen Wasser gefüllt wird. Während der Zentrifugirung muss stets eine gleiche Anzahl Gläser sich gerade gegenüber in der Scheibe befinden. Die Scheibe wird nun in Rotation versetzt und nach 3 bis 5 Minuten ist die Probe fertig. Durch direktes Ablesen der Anzahl von Graden, welche das klar abgesonderte Fett in den Untersuchungsröhren einnimmt, erfährt man sofort den Fettgehalt.

Grössere Abweichungen als 0,05 der gleichen Milch dürfen bei einiger Uebung nicht vorkommen. Nach den Angaben verschiedener Autoren, welche sich mit der Vornahme vergleichender Milchfett-Bestimmungen eingehend befasst haben, ist die Fettbestimmung mittels des Laktokrits ebenso zuverlässig, wie die chemischen Methoden. Als ein Mangel der Methode wurde geltend gemacht, dass das Essigsäuregemisch (95 Theile Eisessig und 5 Theile konzentirte Schwefelsäure) nicht ganz ohne Einwirkung auf das Fett bleibe, so dass de Laval diesem Verhalten Rechnung tragend, für fettarme Milch Korrektionszahlen aufstellte, um die Laktokritbestimmungen mit den durch die chemische Analyse erhaltenen Werthen in Uebereinstimmung zu bringen. Nachdem nun eine mit Salzsäure versetzte Aethyliden-Milchsäure in denselben Quantitäten unter Berücksichtigung der Gradeintheilung der Laktokritröhren anstatt des Essigsäuregemisches mit Erfolg zur Lösung der Eiweissstoffe angewendet worden ist, hat Professor Nilson die Methode einer sehr eingehenden vergleichenden Prüfung mit den chemischen Methoden unterzogen und hierbei in Uebereinstimmung mit andern Forschern gefunden, dass mittels der Lak-

tokritproben ebenso genau der Fettgehalt von Milch ermittelt werden kann, als durch die exakten gewichtsanalytischen Methoden. Der genannte Autor hat das Verfahren mit verschiedenen Aetherextraktionsmethoden, wobei die verschiedenen Milcheintrocknungsmittel wie Bimsstein, gekörnte Fayence-Thonmasse und Fliesspapier angewandt worden sind, verglichen. Der Verfasser stellt seine hierbei gefundenen Resultate in mehreren Tabellen zusammen. (Chem. Ztg. 1891. S. 649). Für Massenbestimmungen ist die Laktokritmethode von ausserordentlichem Werthe, und der Vortheil des Verfahrens liegt auch darin, dass Jedermann die Untersuchung nach einiger Uebung ausführen kann. Indessen auch bei dieser Methode muss beim Arbeiten Pünktlichkeit beobachtet werden, da auch bei dieser Methode Fehlerquellen sich ergeben können, wie z. B., wenn infolge zu starken Umschüttelns Luftblasen in die Milch hineingekommen sind, wenn das Füllen der Messröhren verzögert worden ist, wenn die Proben bei eintretendem Stillstand der Laktokritscheibe aus ihrer Lage gebracht sind, und wenn die Mischung von Milch und Säure nach der Erhitzung nicht kräftig genug geschüttelt worden ist. Dass das Laktokrit für Milch von 5 und mehr Prozent Fettgehalt nicht mehr angewandt werden kann, vermindert den Werth dieses Apparates nicht, denn abgesehen davon, dass solche Milch selten ist, kann sicher durch entsprechende Verdünnung der Milch mit einer bestimmten Menge Wassers abgeholfen werden. Bezüglich des Kostenpunktes ist zu bemerken, dass z. B. die Untersuchungen mit dem Handlaktokrit 5—6 mal billiger kommen, als die Soxhlet'sche Methode.

Amtliches.

Königreich Sachsen. Erlass des Ministeriums des Innern, betr. die unschädliche Beseitigung tuberkulöser und ungeniessbarer Theile von Schlachtthieren.

Aus Anlass der im Jahre 1888 über das Vorkommen der Tuberkulose bei Rindern veranstalteten statistischen Erhebungen ist angezeigt worden, dass tuberkulöse Theile und ungeniessbares Fleisch geschlachteter kranker Rinder behufs Beseitigung zuweilen auf Düngerhaufen geworfen und dort vergraben werden. Da auf diese Weise die Krankheitskeime mit dem Dünger auf die Felder, Wiesen und Futterpflanzen gelangen und von hier aus zur Ansteckung gesunder Thiere führen können, erscheint es erforderlich, die betreffenden Kreise auf die mit dem beregten Verfahren verbundene Gefahr aufmerksam zu machen und auf Abstellung desselben hinzuwirken. Auch empfiehlt es sich zugleich, darauf hinzuweisen, dass die fraglichen Fleischtheile u. s. w. am zweckmässigsten durch Feuer oder Chemikalien vernichtet werden.

Den Kreishauptmannschaften wird daher anheimgestellt, dieserhalb das Erforderliche an die Verwaltungsbehörden ihrer Regierungsbezirke zu verfügen.

Dresden, am 16 Januar 1890.

Ministerium des Innern.

Königreich Sachsen. Das K. Ministerium des Innern erliess eine Verordnung, das Betäuben der Schlachtthiere betreffend In derselben wird zur thunlichsten Abschneidung von Quälereien der Thiere beim Schlachten Folgendes verordnet: 1. Beim Schlachten aller Thiere, mit Ausnahme des Federviehes, muss der Blutentziehung die Betäubung vorausgehen. Ausgenommen bleiben die wegen Unglücksfälle und plötzlicher Erkrankungen nothwendig werdenden Nothschlachtungen, sobald sich die Betäubung nach den thatsächlichen Verhältnissen nicht ausführen lässt. 2. Beim Rinde soll die Betäubung unter Benutzung der Schlachtmaske ausgeführt werden, soweit nicht beim Jungvieh die ungenügende Entwicklung des Schädels eine Ausnahme erfordert. 3. Bezüglich der Betäubung der Schweine, Kälber und Schafe durch Stirn- oder Genickschlag wird den Schlächtern die Auswahl der Betäubungsapparate überlassen, doch werden als solche die Holzkeule für Kälber, der Bolzenapparat für Schweine und der Schlagbolzenhammer oder ein stumpfer Keilhammer für Schafe empfohlen. 4. Alle Schlachtungen, mit Ausnahme nicht aufzuschiebender Nothschlachtungen, dürfen unter Verantwortlichkeit des Schlächters nur von des Schlachtens durchaus kundigen Personen, oder doch nur unter deren Aufsicht und Mithilfe, niemals aber allein von Lehrlingen ausgeführt werden. 5. Alles Schlachten hat in geschlossenen, dem Publikum nicht zugänglichen Räumen stattzufinden. Nur wo solche nicht in genügender Weise zur Verfügung stehen, darf das nichtgewerbsmässige Schlachten im Freien geschehen, ist aber auch dann derart vorzunehmen, dass es nicht von öffentlichen Strassen, Wegen oder Plätzen aus zu sehen ist. Beim gewerbsmässigen Schlachten ist die Anwesenheit

von Personen unter 16 Jahren, mit Ausnahme der Fleischer-Lehrlinge und Gehülfen, verboten. 6. Zuwiderhandlungen gegen vorstehende, mit dem 1. Oktober dieses Jahres in Wirksamkeit tretende Bestimmungen werden mit Geldstrafe bis zu 150 Mk. oder Haftstrafe geahndet. 7. Die Ortspolizeibehörden haben die Schlächter auf die vorstehenden Bestimmungen und darauf aufmerksam zu machen, dass sie auf den Schlachthöfen Gelegenheit haben, die verschiedenen Betäubungsarten und Betäubungsinstrumente kennen zu lernen. (Es ist sehr bemerkenswerth, dass dem rituellen Schächten in obiger Verordnung eine Ausnahmestellung nicht eingeräumt wird. D. H.)

Haynau i. Schl. Polizei-Verordnung, betreffend die Zuweisung und die Zulassung von nichtbankwürdigem (minderwerthigem) Fleische von geschlachteten Thieren auf die Freibank [*]).

. Auf Grund der §§ 5 und 6 des Gesetzes über die Polizei-Verwaltung vom 11. März 1850 und der §§ 143 und 144 des Gesetzes über die allgemeine Landes-Verwaltung vom 30. Juli 1883, sowie im Anschluss an den Gemeindebeschluss über die Errichtung eines städtischen Schlachthauses vom 5. Juni 1888 und des Regulativs von demselben Tage, betreffend die Untersuchung frischen Fleisches, wird hiermit unter Zustimmung des Magistrats für den Gemeindebezirk der Stadt Haynau verordnet was folgt:

§ 1. Auf dem städtischen Schlachthofe hierselbst wird eine Verkaufsstelle zum Verkauf von nicht bankwürdigem (minderwerthigem) Fleisch eingerichtet. Die Verkaufsstelle steht unter Aufsicht des Schlachthaus-Thierarztes (Walters) und wird mit der Aufschrift „Freibank" versehen. Es darf nur an dieser Stelle nicht bankwürdiges (minderwerthiges) Fleisch feilgeboten werden, und zwar sowohl solches, welches im öffentlichen Schlachthause zu Haynau ausgeschlachtet, als auch solches, welches von auswärts eingeführt und als nicht bankwürdiges (minderwerthiges) bei der Untersuchung durch den Schlachthaus-Thierarzt befunden wird.

§ 2. Der Verkauf des Fleisches auf der Freibank findet unter Aufsicht des Schlachthaus-Aufsehers zu der von der Schlachthaus-Verwaltung festzusetzenden Tageszeit durch den Eigenthümer oder dessen Bevollmächtigten gebührenfrei statt.

Der Eigenthümer des Fleisches bezw. der

---

[*]) Trotzdem obige Verordnung in den wesentlichsten Punkten mit den in dieser Zeitschr. bereits veröffentlichten Verordnungen von Stolp und Swinemünde übereinstimmt, soll auch diese noch zum Abdruck kommen, da sie in mehreren Punkten sehr zweckmässige Modifikationen aufzuweisen hat. D. H.

Verkäufer desselben hat für die gründliche Reinigung des Verkaufslokals sofort nach beendigtem Verkaufe Sorge zu tragen.

Das am Schlusse des Verkaufes nicht verkaufte Fleisch bleibt unter Verschluss der Schlachthaus-Verwaltung.

§ 3. Das auf der Freibank zum Verkauf kommende Fleisch muss in Quantitäten bis zu 250 g herab und darf nicht in grösseren Portionen als 5 kg an einzelne Käufer abgegeben werden.

Zum Wiederverkauf dürfen Fleisch und Eingeweidetheile aus der Freibank weder verabreicht noch bezogen werden.

An Fleischer, Fleischhändler, Wurstmacher, Gast-, Schank- oder Speisewirthe, sowie an Personen überhaupt, welche aus dem Verkaufe von Fleisch ein Gewerbe machen oder welche Kostgänger halten, dürfen Fleisch und Eingeweidetheile nicht abgegeben werden.

Solche Personen dürfen Fleisch- und Eingeweidetheile, welche aus der Freibank herrühren, überhaupt nicht erwerben.

Ebensowenig ist es statthaft, dass ein und dieselbe Person mehrere Male hintereinander an demselben Tage die höchste Portion von 5 kg Fleisch aus der Freibank erwirbt.

§ 4. Den Preis des nicht bankwürdigen (minderwerthigen) Fleisches kann der Eigenthümer bezw. dessen Bevollmächtigter bestimmen, jedoch muss derselbe vor dem Beginn des Verkaufes dem Schlachthaus-Thierarzt (Verwalter) mitgetheilt werden und muss sich stets unter dem niedrigsten Marktpreise bewegen.

Der so bestimmte Preis, sowie derjenige Umstand bezw. die Krankheit, derentwegen das Fleisch als nicht bankwürdig (minderwerthig) erklärt wurde, ferner der Name des Eigenthümers des Einbringers, die Gattung und das Geschlecht des Thieres, von welchem das Fleisch stammt, müssen durch eine deutlich beschriebene, im Verkaufslokale leicht sichtbare schwarze Tafel den Käufern bekannt gemacht werden.

§ 5. Als nicht bankwürdiges (minderwerthiges) Fleisch wird insbesondere anzusehen sein bezw. nach stattgehabter Untersuchung zum Verkauf auf der Freibank überwiesen werden:

1. das Fleisch von gesunden Thieren:
   a) wenn dieselben sehr alt und infolge dessen stark abgemagert oder zu jung sind; so namentlich das Fleisch von jungen Kälbern, Schaf- und Ziegenlämmern. Es muss in diesem Falle das Urtheil des Schlachthaus-Thierarztes von Fall zu Fall abgegeben werden;
   b) Fleisch, welches einen unangenehmen Geruch oder eine auffällige Farbe besitzt oder angenommen hat, ohne ge-

sundheitsschädlich zu sein, z. B. das Fleisch von alten Ebern, Binnenebern oder Ziegenböcken, geringgradige Gelbsucht u. s. w.

Das Fleisch von alten Ebern, Binnenebern und Ziegenböcken ist vor dem Verkauf stets als Eber- oder Bockfleisch zu bezeichnen.

2. Das Fleisch von kranken Thieren:
   a) welche mit der Tuberkulose behaftet sind, sofern dieses Fleisch nicht nach dem ministeriellen Erlass vom 15. September 1887 bezw. in den daselbst nicht namhaft gemachten Fällen nach der jedesmaligen Entscheidung des Schlachthaus-Thierarztes als gesundheitsgefährlich anzusehen ist;
   b) welche an der Lungenseuche gelitten haben, mit Ausschluss der Lungen, welche gemäss § 80 der Instruktion vom 24. Februar 1881 zum Reichsgesetz, betreffend die Abwehr und Unterdrückung von Viehseuchen, vom 23. Juni 1880 mindestens ein Meter tief zu vergraben oder zur verbrennen sind;
   c) welche durch die Invasion von Parasiten, als Leberegeln, Magen-, Lungen- und Blasenwürmern in ihrem Wohlbefinden gestört sind und in ihrem Ernährungszustande gelitten haben;
   d) welche nothgeschlachtet wurden und zwar infolge von Trommelsucht, Schlundverstopfung, Verdauungsstörungen, verschluckten Fremdkörpern, Verletzungen und anderen örtlichen Krankheiten, ferner, welche zufolge unüberwindlicher Geburtshindernisse spätestens zwölf Stunden nach begonnenem Geburtsakte oder wegen übler Folgen desselben nothgeschlachtet wurden; in allen diesen Fällen (sub d) hat jedoch der Besitzer bezw. der Einbringer über Anfang und Dauer der Krankheit ein Zeugniss des behandelnden Thierarztes beizubringen, aus welchem ersichtlich sein muss, ob die eingeleitete Behandlung und die verabreichten Medikamente auf die Beschaffenheit, Dauerhaftigkeit, den Geschmack und Geruch des Fleisches von nachtheiligem Einfluss gewesen sind oder nicht.

In der Abwesenheit eines Thierarztes muss durch Zeugniss der Ortsobrigkeit der Anfang und die Dauer der Krankheit bescheinigt werden.

3. Gekochtes bezw. im Dampfdesinfektor durchhitztes Fleisch von kranken Thieren. Alles Fleisch, welches dieser Prozedur des Kochens oder der Durchhitzung bis 100° C. im Dampfdesinfektor

ausgesetzt werden soll, muss unter Aufsicht des Schlachthaus-Thierarztes (Verwalters) in kleine Stücke zerlegt und so durchkocht bezw. durchhitzt zum Verkauf auf die Freibank zugelassen werden. Dahin gehört:

a) Fleich, welches von gut genährten und noch jungen Thieren herrührt, welche an umfangreicher Tuberkulose litten, sofern noch keine tuberkulösen Veränderungen in den Skelett-Drüsen bestehen;

b) Fleisch von Thieren, welche an Rothlauf in dem Anfangsstadium erkrankt oder mit der Strahlpilzkrankheit bekaftet sind, sowie Fleisch, welches hochgradig mit Prorospermien (Mischerschen Schläuchen) durchsetzt oder schwachfinnig befunden wird;

c) überhaupt alles Fleisch, welches nach dem Ermessen des Schlachthaus-Thierarztes durch diese Prozedur seine gesundheitsschädlichen Eigenschaften mit absoluter Gewissheit verliert und von Thieren herrührt, welche nicht zu alt sind und in einem guten Ernährungszustande sich befinden;

d) für die Prozedur des Kochens ist die im Gebühren-Tarif ausgesetzte Gebühr zu entrichten (vid. Gebühren-Tarif sub E).

§ 6. Die Entscheidung darüber, ob das Fleisch als nicht bankwürdig (minderwerthig) auf die Freibank zu verweisen bezw. zu derselben zuzulassen sei, erfolgt durch den Schlachthaus-Thierarzt.

In streitigen Fällen entscheidet § 18 Absatz 2 der Schlachthaus-Ordnung.

§ 7. Das für die Freibank bestimmte Fleisch wird als nicht bankwürdig (minderwerthig) abgestempelt und bleibt unter Aufsicht der Schlachthaus-Verwaltung.

§ 8. Gehört das Fleisch, welches infolge seiner Qualität auf die Freibank verwiesen werden musste, Jemanden, welcher nicht gewerbsmässiger Fleischer, Fleischhändler, Wurstmacher, Gast-, Schank- oder Speisewirth ist, bezw. Personen, welche nicht aus dem Handel mit Fleisch ein Gewerbe machen, und welche nicht Kostgänger halten, so kann es gegen eine schriftliche Versicherung des Eigenthümers bezw. dessen Bevollmächtigten, dass er es lediglich im eigenen Haushalte bezw. in seiner Gutswirthschaft und für seine Arbeiter verwenden werde, abgestempelt demselben herausgegeben werden.

§ 9. Auf die Freibank darf dagegen nicht verwiesen werden:

1. das Blut von Thieren, welche nach jüdischem Ritus geschächtet oder seitens der Fleischer nach Betäubung derselben

mittels des Halsschnittes ausgeblutet werden;

2. das Blut der beanstandeten Thiere;

3. die Fleischproben der Trichinenbeschauer.

§ 10. Wer den vorstehenden Bestimmungen zuwiderhandelt, verfällt, wenn nach den allgemeinen Landesgesetzen nicht eine höhere Strafe verwirkt ist, in eine Geldstrafe bis zu 30 Mark, an deren Stelle im Unvermögensfalle entsprechende Haft tritt.

§ 11. Diese Polizei-Verordnung tritt mit dem Tage der Verkündigung in Kraft.

Haynau, den 8. September 1891.

Versammlungs-Berichte.

Protokoll der 3. Versammlung der Schlachthausthierärzte des Reg.-Bez. Arnsberg am 6. März d. J. im Börsensaale des Schlachtviehhofes zu Dortmund.

Es waren anwesend die Kollegen: Kredewahn-Bochum, Koch-Hagen, Albert-Iserlohn, Bullmann-Witten, Clausnitzer-Dortmund, Goldstein - Hohenlimburg, Hertz - Gelsenkirchen, Meyer - Hörde, Oberschulte - Lüdenscheid, Schieferdecker - Siegen, Tracht - Altena, Wysocky-Lippstadt, und als Gast Herr Kreisthierarzt Bombach aus Dortmund.

Nachdem der 1. Vorsitzende Kredewahn die Anwesenden begrüsst und herzlich willkommen geheissen, wurde die Sitzung mit geschäftlichen Mittheilungen: Vorlesung der Protokolle der zwei vorhergegangenen Sitzungen, sowie Vertheilung des behördlich genehmigten Vereinsstatuts, eröffnet und sodann dem Kollegen Schieferdecker zu Punkt 1 der Tagesordnung das Wort ertheilt. Das dem Vortrage des Kollegen Schieferdecker zu Grunde gelegte Thema lautete:

„Ueber das Vorkommen der Finnen beim Rinde und die Beurtheilung des Fleisches finniger Rinder."

Redner gab zunächst eine genaue Beschreibung der Finnen im Allgemeinen und dann des Näheren auf die Rinderfinne ein. Er erwähnte die im Jahresbericht 1869 enthaltenen Mittheilungen Gerlach's über die Rinderfinne, ferner die verdienstvollen Arbeiten von Leuckart, Perroncito, Zürn, Pütz und in neuester Zeit von Hertwig und Laboulbène. Als besonders wichtig wurden die Berichte und Mittheilungen Dr. Hertwig's über die städtische Fleischschau in Berlin, sowie die von diesem Forscher veröffentlichten statistischen Zusammenstellungen und Versuche eingehend besprochen. Nachdem Redner die in letzter Zeit aus verschiedenen Schlachthäusern mitgetheilten Fälle über das Vorkommen der Rinderfinnen erwähnt hat (Zeitschrift für Fleisch- und Milchhygiene), wurde die Art und Weise der Infektion besprochen und hierauf die von verschiedenen Forschern vorgenommenen Versuche, die Finnen abzutödten, berührt, aus denen hervorgeht, dass die Rinderfinne durch eine Temperatur von 50° C. sicher getödtet wird und diese Temperatur bei etwa 3 kg schweren Fleischstücken nach 3 stündigem Kochen erreicht werden kann. Bezüglich der Verwendbarkeit des Fleisches von finnigen Rindern wurde die gutachtliche Aeusserung der technischen Deputation für das Veterinärwesen vom 12. Mai 1890 angezogen, wonach das Fleisch solcher Thiere nur nach vorher unter Polizei - Aufsicht vorgenommener Garkochung zum Verbrauch zugelassen werden darf, und dem sich auch die wissenschaftliche Deputation für das Medizinalwesen in ihrem Gutachten vom 18. Juni 1890 anschliesst. Hierbei hob Redner mit Recht hervor, dass dieses gargekochte Fleisch nur unter Angabe des Thatbestandes als minderwerthig auf der Freibank verkauft werden dürfe. Die zum Garkochen solchen Fleisches auf grossen Schlachthöfen zur Verwendung kommenden Apparate, wie der Becker-Ulmann'sche Dampfkochapparat und der Dr. Rohrbeck'sche Desinfektor sollen, wie Redner betont, nach den Angaben von Duncker in Berlin vorzügliche Resultate liefern, doch im Preise so hoch sein, dass kleinere und mittlere Schlachthöfe dieselben nicht beschaffen können. Nach der Ansicht des Redners dürften sich nur die gut genährten Rinder zur Verwerthung im gargekochten Zustande eignen, die magern dagegen wegen ihres geringen Nährwerthes besser vom Konsum auszuschliessen sein.

Im Anschluss an diesen interessanten Vortrag wurde von den Versammelten die Frage der Rinderfinne in forensischer Beziehung erörtert. Es wurde darauf hingewiesen, dass der Schlachthausthierarzt leicht in die Lage komme, ein motivirtes Gutachten darüber abgeben zu müssen, wie lange das Bestehen der Finnenkrankheit zurück datirt werden könne. Nun sei dieses nach den Veröffentlichungen Dr. Hertwig's in der Ostertag'schen Zeitschrift für Fleisch- und Milchhygiene im 7. und 8. Hefte des ersten Jahrgangs dem Praktiker erheblich leichter gemacht, da hier an der Hand guter Zeichnungen die Entwickelung der Rinderfinne genau beschrieben sei, so dass derartigen Gutachten eine wissenschaftliche Basis nicht fehle.

Bezüglich der Unschädlichmachung der Rinderfinne im Fleisch wurde das Garkochen, sei es nach einfachem Zerlegen und nachherigem Garkochen im gewöhnlichen Verfahren, oder in dem für grössere Schlachthöfe zu empfehlenden Rohrbeck'schen Dampfkochapparat als erforderlich und zweckmässig empfohlen.

Punkt 2 betraf Besprechung der, für den Regierungsbezirk Arnsberg erlassenen Polizei-Verordnung vom 23. Oktober 1891, betreffend Neuregelung der Trichinen- und Finnenschau. Es wurde durch diese Besprechung ein mehr einheitliches Verfahren in der Führung der Schlacht- und Beschaubücher, sowie in der Behandlung ermittelter trichinöser oder finniger Fleischprodukte erwartet. Geringgradig finnig befundene Schweine, welche bisher nach der Ministerial - Verfügung vom 16. Februar 1876 bedingungsweise noch zum Genuss zugelassen wurden, sofern das Auskochen unter polizeilicher Aufsicht erfolgte, dürfen vom 1. Januar d. J. ab im Reg.-Bez. Arnsberg nur noch technisch ausgenutzt, oder müssen, falls hiervon kein Gebrauch gemacht wird, durch Verbrennen vernichtet werden.[*)]

Im Anschluss hieran wurden die, für die mikroskopische Fleischbeschau am geeignetsten befundenen Mikroskope und Hülfsapparate, Objektträger und Deckgläser, Kompressorien etc. besprochen.

Nachdem die Sitzung etwa 3 Stunden gedauert, wurde dieselbe vertagt, um nach beendetem Mittagsmahl fortgesetzt zu werden.

Punkt 3 betraf die Vorlage eines Fragebogens, welcher den Zweck hat, die im Verein zu haltenden Vorträge rechtzeitig sicher zu stellen und die Fragen, worüber der Einzelne Auskunft zu erhalten wünscht, kennen zu lernen.

Der Fragebogen zirkulirt bei den 16 Mitgliedern des Vereins, befindet sich 5 Tage bei jedem Mitgliede und enthält hinter dem Namen des Einzelnen die Rubriken:

1. Ist bereit Vortrag zu halten über:
2. Wünscht Auskunft über die Frage:

Die Zeiteintheilung ist so getroffen, dass der ausgefüllte Bogen Anfangs Juni wieder an den 1. Vorsitzenden zurückgelangt ist.

Als nächster Versammlungsort wurde aus Zweckmässigkeitsgründen wieder Hagen gewählt und zwar soll die Versammlung auf den 3. Juli anberaumt werden.

Der 4. Punkt der Tagesordnung: Mittheilungen aus der Praxis und Verschiedenes konnte wegen vorgerückter Zeit nicht mehr verhandelt werden.

Unter Führung des Kollegen Claussnitzer fand zum Schluss noch eine Besichtigung der grossartigen Schlacht- und Viehhof - Anlagen Dortmunds statt, auch wurden den berühmten Brauereiprodukten der grössten Stadt Westfalens noch einige Stunden an der Quelle gewidmet.

Die Mitglieder des Vereins verabschiedeten sich Abends mit dem wiederholt ausgesprochenen Bewusstsein, einen für die Schlachthauspraxis erspriesslichen und anregenden Tag verlebt zu haben.

---

*) Aus welchen Gründen ein solch' rigoroses Verfahren? D. R.

Fleischschau-Berichte.

— **Fleischbeschau im Königreich Sachsen.** Nach dem Bericht über das Veterinär-Wesen im Königreich Sachsen für das Jahr 1890 wurden geschlachtet 31 168 Ochsen, sonstige Rinder über 150 kg 155 593 und unter 150 kg 3629 Stück, ferner 678 882 Schweine, gegen das Vorjahr 45 948 Thiere = 5 pCt. des vorjährigen Betrages weniger.

Von den Berichten der einzelnen Schlachthöfe beansprucht derjenige des Schlachthofdirektors **Hengst** in **Leipzig** ganz besonderes Interesse. In Leipzig betrug die Schlachtung: 20 367 Rinder, 51 489 Kälber, 39 332 Schafe, 114 Ziegen und 66 767 Schweine. Von diesen Thieren wurden

	vom Konsum ausgeschlossen:	auf die Freibank verwiesen:
Rinder	125 (0,61 pCt.),	539 (2,65 pCt.),
Kälber	23 (0,04 „),	62 (0,12 „),
Schafe	7 (0,01 „),	15 (0,04 „),
Schweine	175 (0,25 „).	449 (0,68 „).

Zur Ausschliessung vom Konsum gab bei Rindern in 120 Fällen Tuberkulose die Verananlassung (108 mit allgemeiner Tuberkulose und 12 mit ausgebreiteter Tuberkulose und Abmagerung). Einmal führten Rinderfinnen in grosser Zahl zur Verwerfung. Von den Kälbern wurden 13, von den Schafen 5 und von den Schweinen 128 wegen allgemeiner Tuberkulose vom Verkehre gänzlich ausgeschlossen. Bei Schweinen sind ausserdem noch hervorzuheben 28 Fälle von starker Finneninvasion.

Als Gründe zur Verweisung auf die Freibank sind genannt:

a) bei Rindern: lokale Tuberkulose (463 Mal), Pleuritis chron., Peritonitis chron., Icterus, eiterige Metritis, Scheidenvorfall, Verletzungen der Geburtswege, „Zellgewebswassersucht", Abscesse an verschiedenen Organen, vereinzelte Finnen (17 Mal),[*] Abmagerung, Transportbeschädigung, Klauenerkrankung.

b) bei Kälbern: lokale Tuberkulose, Icterus, Leberentzündung, Nierenentzündung, Ascites, chronischer Blasenkatarrh, chronische Nabelvenenentzündung, Abscesse in verschiedenen Organen, Transportbeschädigungen, Unreife.

c) bei Schafen: Icterus, Peritonitis, multiple Abscesse, Tympanitis, Transportbeschädigung.

d) bei Schweinen: lokale Tuberkulose (343 Mal), chronische Pleuritis und Pericarditis, Gastro-Enteritis, chron. Nephritis, Abscesse in verschiedenen Organen, Wassersucht, Rothlauf (27 Mal), Bräune, Icterus, multiple Blutungen in der Muskulatur (6 Mal), Finnen in ge-

---

[*] In Leipzig sind mithin im Jahre 1890 18 Fälle von Rinderfinnen festgestellt worden.

ringer Zahl (26 Mal), Psorospermien, Kalkkonkremente, chronische Hautentzündung, Hautbrand, Urticaria, Hautausschlag, Transportbeschädigung und Cryptorchismus (6 Mal).

In der städtischen Freibank zu Leipzig wurden verkauft 610 Rinder (einschliesslich 65 bankwürdiger), 62 Kälber, 196 Schafe (einschl. 183 bankwürdiger und 477 Schweine (einschl. 19 bankwürdiger), zusammen 1345 Thiere und 33 einzelne Theile. Fleischgewicht 227 925 kg, Eingeweidegewicht 13 001 kg. Reinerlös 257 995 ℳ.

Jahresbericht über die Ergebnisse der Fleischbeschau in Dresden im Jahre 1891, erstattet von Sanitätsthierarzt Dr. Edelmann.

Geschlachtet wurden 1891: a) in den Schlachthäusern 16 525 Rinder, 66 491 Schweine, 40 536 Kälber und 26 901 Hammel; b) im Nothschlachthause 4 Rinder, 217 Schweine, 32 Kälber und 28 Hammel Dieses entspricht einer Mehrschlachtung von 2802 Kälbern und einer Wenigerschlachtung von 275 Rindern, 3900 Schweinen und 700 Hammeln gegenüber dem Vorjahre. Die grosse Differenz in den Schweineschlachtungen ist darauf zurückzuführen, dass 1890 22 139 ungarische und galizische Schweine behufs Abschlachtung eingeführt wurden. 1891 dagegen nur 6520.

Beanstandungen waren vorzunehmen:

Bei 4974 Rindern = 30 pCt. der geschlachteten Rinder,

Bei 355 Kälbern = 0,8 pCt. der geschlachteten Kälber,

Bei 2517 Schweinen = 3,7 pCt. der geschlachteten Schweine,

Bei 1325 Schafen = 4,9 pCt. der geschlachteten Schafe.

Als zum Genusse für Menschen ungeeignet wurden beschlagnahmt und vernichtet:

75 Rinder (71 Tuberkulose, 1 jauchige Gebärmutterentzündung, 1 jauchige Bauchfellentzündung, 1 Krebsgeschwulst und Bauchfellentzündung, 1 Blutvergiftung),

122 Schweine (65 Tuberkulose, 27 Finnen 13 Trichinen, 12 Rothlauf, 1 Kalkeinlagerungen in der Muskulatur, 1 Geschwülste, 3 jauchige Bauchfellentzündung),

14 Kälber (8 Tuberkulose, 1 mehrfache Abscesse, 2 Unreife, 2 Gelbsucht, 1 Blutvergiftung),

7 Schafe (4 Gelbsucht, 1 mehrfache Abscesse, 1 Harnblasenzerreissung, 1 eitrige Bauchfellentzündung).

Der Freibank wurden überwiesen:

189 Rinder (175 Tuberkulose, 3 ausgebreitete Quetschungen, 1 Rothfärbung des Fettes, 2 Bauchfellentzündung, 1 grosse Abscesse, 2 fieberhafte Veränderungen der inneren Organe, 1 Bauchwassersucht, 1 Nierenentzündung mit ausgedehnten Quetschungen, 2 Finnen, 1 Wässerigkeit des

Fleisches), 6 Rinderköpfe, 60 Rinderzungen wegen Maulseucheveränderungen,

268½ Schweine (124 Tuberkulose, 89 Finnen, 25 Rothlauf, 6 Nesselausschlag, 2 Gelbsucht, 10 urinöser Geruch des Fleisches, 8 Darmentzündung, 2 Bauchfellentzündung, 1 Nieren- und Blasenentzündung, 1 zahlreiche Muskelblutungen, 4½ ausgebreitete Quetschungen, 1 Hautausschlag), 6 Schweinskeulen wegen Beinbrüche, 1 Hinterviertel wegen wässeriger Beschaffenheit des Fleisches,

19 Kälber (5 eitrige Nierenentzündung, 1 Unreife, 1 Leberentzündung und Abscesse, 2 eitrige Nabelentzündung und Leberabscesse, 1 Blasengeschwüre, 1 grosse eiternde Wunde, 5 lokale Tuberkulose, 2 Gelbsucht, 1 Leberabscesse),

8 Schafe (6 Gelbsucht, 1 Bauchfellentzündung, 1 starke Quetschungen), ausserdem einzelne kleine Mengen von Rind- und Schweinefleisch.

Von einzelnen Organen wurden beanstandet und vernichtet:

Bei Rindern:

2667 Lungen (2288 Tuberkulose),
1320 Lebern (218 Tuberkulose),
172 Milzen (135 Serosen-Tuberkulose)
85 Magen (77 Tuberkulose),
85 Darmkanäle (84 Tuberkulose),
68 Euter,
21 Herzen,
32 Nieren,
4 Zungen,
16 Unterkiefer,
1 Kopf,
173 verschiedene Theile,

Summa 4644 Organe bezw. Theile.

Bei Schweinen:

754 Lungen (511 Tuberkulose),
745 Lebern (310 Tuberkulose),
157 Milzen (135 Tuberkulose),
188 Gekröse (176 Tuberkulose),
132 Magen-Darmkanäle (116 Tuberk.),
32 Nieren,
22 Herzen,
1 Zunge,
1 Magen,
1 Harnblase,
1 Ohr (Elephantiasis),
8 Unterschenkel (Frakturen),
24 Klauen (Klauenseuche),
54 verschiedene Theile,

Summa 2120 Organe.

Bei Kälbern:

33 Lungen (7 Tuberkulose),
71 Lebern (10 Tuberkulose),
13 Milzen,
197 Nieren (Pyelonephritis),
8 Magen-Darmkanäle,

Summa 322 Organe.

Bei Schafen:

736 Lungen (16 Tuberkulose),
540 Lebern,
7 Nieren,
5 Milzen,
1 Herz,
21 verschiedene Theile,

Summa 1310 Organe.

Eingebrachtes Fleisch:

Von ausserhalb eingeführt wurde a) Rindfleisch: 447 ganze, 363 halbe und 191 Viertelrinder, sowie 6642,5 kg in Stücken; b) Schweinefleisch: 9 ganze Schweine und 166,5 kg in Stücken; c) Kalbfleisch: 28 ganze Kälber, 3 halbe und 796,5 kg in Stücken; d) Schöpsenfleisch: 8 ganze Schöpse und 82,5 kg in Stücken und endlich e) 4 junge Ziegen.

Beschlagnahmt und vernichtet: 2 Kälber wegen Gelbsucht, 1 Kalb wegen Unreife.

Als hierselbst unverkäuflich zurückgewiesen:

16 ganze Rinder, 3 mal ³/₄, 1 mal ½ und 1 mal ¼ Rind, sowie 2 grössere Stücke Rindfleisch, davon: 7 ganze Rinder, ¼, ³/₄, ²/₄, ½ Rind wegen mangelnder Zeugnisse, 8 ganze Rinder ³/₄ und ½ Rind wegen Tuberkulose, 2 ganze Rinder wegen Abmagerung, 3 ganze Rinder wegen wässeriger Beschaffenheit des Fleisches, 1 ganzes Rind wegen fieberhafter Veränderung des Fleisches,

3 Kälber wegen Unreife, 1 Kalb wegen Abzehrung.

Von den beanstandeten Thieren wurden mithin:

	a) Vernichtet.		b) der Freibank überwiesen.	
Rinder .	75 Stück	=0,45pCt.	189 Stück	=1,14pCt.
Schweine	122 „	=0,18 „	268 „	=0,40 „
Kälber . .	14 „	=0,04 „	19 „	=0,05 „
Hammel .	7 „	=0,03 „	8 „	=0,08 „

Auf der Freibank gelangten nach Kilogrammen berechnet zum Verkauf: 54958 kg Rindfleisch, 24233 kg Schweinefleisch, 571 kg Kalbfleisch und 171 kg Hammelfleisch.

Besonderes Interesse beansprucht zum Schlusse die von Herrn Dr. Edelmann aufgestellte Tuberkulosestatistik.

Die Tuberkulose wurde beobachtet:

Bei Rindern in 2387 Fällen = 14,4pCt. der geschlachteten Rinder,

Bei Schweinen in 730 Fällen = 1,09pCt. der geschlachteten Schweine,

Bei Kälbern in 19 Fällen = 0,05pCt. der geschlachteten Kälber,

Bei Schafen in 19 Fällen = 0,07pCt. der geschlachteten Schafe.

Hinsichtlich der Ausbreitung der Tuberkulose ist folgendes zu bemerken: Die Tuberkulose betraf in 1920 Fällen ein Organ, in 150 Fällen mehrere Organe einer Körperhöhle bezw. die Serosen der betreffenden Körperhöhle in grösserer Ausdehnung, in 248 Fällen mehrere Körperhöhlen; sie war generalisirt in 62 Fällen und betraf zugleich das Euter in 7 Fällen.

In Bezug auf das Geschlecht der tuberkulösen Rinder wurde die Krankheit konstatirt:

Bei 1154 Kühen, d. i. in 48,3 pCt. aller beobachteten Fälle,

Bei 786 Ochsen d. i. in 32,9 pCt. aller beobachteten Fälle, und

Bei 447 Bullen, d. i. in 18,7 pCt. aller beobachteten Fälle.

Von 6872 geschlachteten Ochsen waren tuberkulös 786 = 11,4 pCt.,

Von 4678 geschlachteten Kühen waren tuberkulös 1154 = 24,6 pCt.,

Von 4975 geschlachteten Bullen waren tuberkulös 447 = 8,9 pCt.

Was die Verwerthung des Fleisches tuberkulöser Rinder anlangt, so waren von den 2387 tuberkulösen Rindern 2141=89,65pCt. bankwürdig, 175 = 7,28pCt. wurden der Freibank überwiesen und 71=2,97pCt. mussten als ungeeignet zur Nahrung für Menschen vernichtet werden.

Kleine Mittheilungen.

— **Ueber einen bakteriologischen Befund bei Maul- und Klauenseuche** theilt Schottelius (Zentralblatt für Bakteriologie 1892, Nr. 3 u. 4) mit, dass er in den punktförmigen Blutungen des Epicards einer rasch an Aphthenseuche verendeten Kuh, sowie unter gewissen Kauteln im Aphtheninhalte einen eigenthümlichen Mikroorganismus gefunden habe. Derselbe wächst langsam in Ko!onien, welche aus merkwürdigen Bildungen sich zusammensetzen. Es sind nämlich kürzere und längere Reihen von sehr verschieden grossen, rundlichen Gebilden, welche zwar im Ganzen kugelig sind, von denen viele jedoch, namentlich die an den Enden stehenden, Ausstülpungen zeigen, die sich der Form nach wie die beweglichen Ausläufer der weissen Blutkörperchen verhalten. Schottelius nennt diese Gebilde zum Unterschied von den Streptokokken Streptocyten. Kälber und Jungrinder zeigten bei Application von 1 ccm einer 8 Tage alten Bouillonkultur bereits nach 12 Stunden leichtes Fieber, verminderte Fresslust und Husten, Erscheinungen, welche 2—3 Tage anhielten. Aphthen traten nicht auf, und Schweine reagirten bei der Impfung mit den Streptocyten überhaupt nicht.

— **Ueber Pyelo - Nephritis der Rinder** theilt Hertwig (Jahresbericht pro 1890/91) mit, dass dieselbe nicht selten zur Beobachtung gekommen sei, aber nur bei 2 Kühen Grund zur Beanstandung gegeben habe. Bei denselben waren die Nieren um das Doppelte vergrössert, das Nierenbecken und Harnleiter bedeutend erweitert und mit Eiter angefüllt. In der Schleimhaut des Nierenbeckens befanden sich zahlreiche flache Geschwüre

mit Blutungen. Die Markschicht der Nieren war mit trüben, grauen Streifen stark durchzogen und enthielt ziemlich viele, kleine Abscesse. Die Thiere waren abgemagert, die Muskulatur schlaff und wässerig, mit zahlreichen Hämorrhagien durchsetzt. Sie entwickelten beim Erwärmen über Feuer einen stark urinösen Geruch. In Ausstrichpräparaten konnten die von Enderlen und Höflich gefundenen Nierenbazillen in grossen Mengen nachgewiesen werden.

— **Finnen im Speck.** Dlugay-Beuthen berichtet hierüber in No. 11/1892 der B. T. W. Die Finnen befanden sich, wie der Herausgeber sich selbst überzeugen konnte, in einem Fettgewebe und nicht etwa in fettinfiltrirten Muskeln.

— **Ueber Pseudotuberkulose der Hasen** berichteten auf dem II. Tuberkulosekongress zu Paris Mégnin und Mosny. Die Krankheit trat epizootisch auf und war durch tuberkuloseähnliche Läsionen in den verschiedensten Organen charakterisirt. Die Knötchen wiesen aber weder Riesen- nach epithelioide Zellen auf, sondern waren rein entzündlichen Charakters. Aus den Knötchen isolirten Verfasser einen obligat anaëroben Bazillus, welcher sich an den Polen gut färbte, im Zentrum dagegen nicht, und dessen Inokulation bei Meerschweinchen dieselbe Krankheit hervorrief, wie bei den Hasen.

— **Pseudotuberkulose, bedingt durch eine pathogene Cladothrix,** beschreibt Eppinger (Ziegler's Beiträge z. path. Anatomie u. s. w. 1890, Bd. 9.) E. fand in einem chronischen Gehirnabscess die von ihm so benannte Cladothrix asterioides (wegen der Sternform des Wachsthums auf künstlichen Nährböden.) Bei Meerschweinchen und Kaninchen erzeugt sie eine infektiöse Allgemeinerkrankung, die Pseudotuberculosis cladothrichica.

— **Die Zahl der Pferde, welche in öffentlichen Schlachthäusern Preussens** vom 1. April 1890 bis 31. März 1891 geschlachtet worden sind, betrug 53 281, ausserdem 1 Esel. Als zur menschlichen Nahrung ungeeignet wurden gänzlich verworfen 518, theilweis verworfen 2406 Pferde. Tuberkulös befunden wurden 40, rotzkrank 8 Pferde. Die Zahl der vorhandenen Rossschlächtereien betrug 431. Die meisten Pferde wurden in Berlin geschlachtet, nämlich 8471. Mehr als 5000 wurden geschlachtet in dem Regierungsbezirk Breslau und Schleswig, mehr als 3000 in den Regierungsbezirken Magdeburg, Merseburg, Arnsberg, Düsseldorf — also durchweg dichtbevölkerten Bezirken, während in den östlichen Provinzen sehr wenig Pferde zur Nahrung der Bevölkerung verwandt wurden. Weniger als 100 Pferde wurden geschlachtet in Gumbinnen, Köslin, Bromberg, Lüneburg, Aurich und Koblenz. Gar keine Pferde sind geschlachtet worden im Regierungsbezirk Posen.

— In Paris haben im vergangenen Jahre nach der „Voss. Ztg." 184 Pferdeschlächter

21 231 Pferde, 275 Esel und 61 Maulthiere ge-schlachtet, welche zusammen 4 700 000 kg Fleisch ergeben haben dürften. Der Mittelpreis ist 0,45 Fr. das Pfund; Lummer (Filet) kostet 1 Fr., die andern Stücke kosten 0,70, 0,50 bis herab zu 0,15 Fr. das Pfund. Gar viel dieses Fleisches wird auch in billigen Wirthshäusern verspeist. Ueber 100 000 der 6—700 000 Pariser Haushaltungen essen Pferdefleisch, la bidoche (von bidet, Mähre), wie der Kunstausdruck lautet.

— **Hundeschlachtungen** scheinen nach einem amtlichen Schriftstücke des Magistrats in München so zahlreich geworden zu sein, dass die Behörde Massnahmen treffen will, welche nicht nur den Verkehr mit Hundefleisch regeln, sondern auch die Besitzer von Hunden vor den diebischen Gelüsten der gewerbsmässigen Hundeschlächter schützen sollen. Ein Theil der geschlachteten Hunde war nämlich erwiesenermassen gestohlen. Das Hundefleisch soll nicht nur zu Fälschungen bei der Wurstfabrikation verwendet, sondern auch namentlich von den zu Tausenden in München arbeitenden Italienern als Leckerbissen gegessen werden.

— **Curiosum.** Kürzlich wurde bei der Unter-suchung eines auf dem Berliner Central-Schlacht-hofe geschlachteten Ochsen von verhältniss-mässig günstigem Nährzustand neben einer, offenbar traumatischen, geringfügigen Peritonitis noch Tuberkulose der Lunge, Leber und Mesenterialdrüsen festgestellt. In der Lunge und Leber waren ferner noch zahlreiche, bis wallnuss-grosse Echinokokken zu bemerken. Eine ge-nauere Untersuchung der Lunge ergab die An-wesenheit vereinzelter, haselnussgrosser Herde, die mikroskopisch deutlich als Aktinomykome erkannt werden konnten. In den Mesenterial-drüsen fanden sich neben den zum Theil ver-kästen, zum Theil verkalkten Tuberkeln noch zahlreiche grüne Pentastomum-Herde, und bei der Untersuchung der Nieren noch Sarkome. Ausserdem liess die äussere Betrachtung des geschlachteten Thieres grössere, blutig-sulzige Infiltrationen der Subkutis und der Anschnitt des innern Flügelmuskels (innern Kaumuskels) die Anwesenheit von Finnen (Cysticercus inermis) erkennen. Mehr pathologische Zustände und Veränderungen kann man füglich bei einem Thiere nicht verlangen! P. Falk-Berlin.

— **Beitrag zur Frage der Milchfehler.** Aus einer widerlich ranzig riechenden Milch isolirte Jensen einen Mikroorganismus, welcher in Form beweglicher, kurzer, dicker Stäbchen auftretend, sich befähigt erwies, normalen Milchproben jenen widerlichen Geruch und Geschmack zu verleihen, ohne deren Aussehen selbst nach 20 Stunden zu verändern. Jensen nennt diesen Mikroorganis-mus Bacillus lactis foetidus. (Nach einem Ref. des Monatsh. f. prakt. Thierheilk., III, 5.)

— **Ueber Haltbarkeitsversuche mit pasteurisirter** Milch berichtet Lunde (vgl. Ref. in den Monatsh. f prakt. Thierheilk. III, 5.) folgendes: a) die Halt-barkeit der Milch aus der Zentrifuge wird nur in geringem Grad erhöht, wenn sie nicht nach-träglich gekühlt wird; b) Besonders nachtheilig für die Haltbarkeit der pasteurisirten Milch war ein längeres Stehen bei 30—50 ° C.; c) Pasteu-risiren der Milch aus der Zentrifuge bei 70—75° und darauf folgende Abkühlung auf 25° oder niedriger erhöht die Haltbarkeit derselben sehr bedeutend.

— **Neues Färbverfahren der Tuberkelbacillen in der Milch.** Alessi empfiehlt folgendes Ver-fahren: Zu einem Tropfen der zu untersuchenden Milch werden auf einem Deckgläschen 2-3 Tropfen 1 proz. Sodalösung gebracht; das Gemisch wird langsam über der Lampe erwärmt. Während der Erwärmung verseift das Fett der Milch, und es bildet sich in Folge dessen ein feines Seifen-häutchen, in welchem nach den üblichen Schnell-färbemethoden die Tuberkelbacillen leicht nach-gewiesen werden können.

— **Neuer Milchflaschenverschluss.** Dr. Stutzer-Bonn beschreibt im „Centralblatt f. allg. Gesund-heitspflege" (XI, 1) den Gummikappen-verschluss von Ollendorf. Die Gummikappe besitzt auf der oberen Aussenseite einen dicken Ansatz, in welchem sich ein sehr schmaler Spalt befindet. Auf diese Weise wird die Gummikappe zum selbstthätigen Ventil: Bei der Er-hitzung entweichen die Gase durch den Spalt, welcher beim Herausnehmen der Flaschen aus dem Dampftopfe in Folge des Saugdruckes der erkaltenden Flüssigkeit sofort gewaltsam zusammengedrückt wird. Der dicke Gummi-ansatz wird theilweise in den Hals der Flasche gedrückt und bildet dadurch, wie bei dem neuen Verschlusse von Soxhlet, ein vorzügliches Kontrollemittel für die andauernde Wirksamkeit des Verschlusses. Stutzer fand den Verschluss nach 6 Monaten noch völlig wirksam.

Tagesgeschichte.

— **Der Regierungs - Präsident zu Arnsberg** hat aus Anlass der Fleischvergiftung in Altena, bei welcher bekanntlich nach dem Genusse des Fleisches eines nothgeschlachteten Pferdes eine Anzahl Personen, darunter ein Arbeiter tödlich, erkrankte, auf die Gefahren hingewiesen, welche unter Umständen mit der leichtfertigen Zulassung solchen Fleisches zum Genusse verbunden sind. Die Verfügung nimmt an, das fragliche Pferd habe an Hämoglobinämie gelitten und be-stimmt daher, dass von jetzt an das Fleisch der mit genannter Krankheit behafteten noth-geschlachteten Pferde von der Zulassung zum Genusse für Menschen gänzlich aus-geschlossen werde.

In denjenigen Fällen aber, lautet die Ver-fügung weiter, in welchen das betreffende Pferd zwar zur Genesung gekommen ist, jedoch eine theilweise Lähmung geringeren Grades zurückbehalten hat und wegen der Unbrauchbarkeit bezw. Entwerthung des Thieres die Abschlachtung desselben nachträglich in Frage kommt, liegt die Gefahr der Uebertragung der ursprünglichen Krankheit nicht mehr vor. Es darf daher unter solchen Umständen und falls dieses nicht aus anderweitigen Gründen verboten ist, der Genuss des Fleisches des abgeschlachteten Thieres gestattet werden.

(Anmerk. des Herausgebers: Nach allen unseren Kenntnissen über das Wesen der Hämoglobinämie des Pferdes ist es nicht wahrscheinlich, dass diese Krankheit selbst Gesundheitsschädlichkeit des Fleisches bedinge. Indessen kann letztere eintreten, wenn sich sekundär in Folge von Decubitus septische Prozesse ausgebildet haben.)

— **Thierärztliche Atteste für das von auswärts eingebrachte Fleisch** betr. Das Schöffengericht zu Kreuznach hatte nach einer Mittheilung des Herrn Schlachthausinspektors Zell die Zulässigkeit einer polizeilichen Verordnung, die Einfuhr auswärts geschlachteten frischen Fleisches an die Bedingung einer thierärztlichen Bescheinigung über die Schlachtung zu knüpfen, bestritten. Das Schöffengericht befand sich aber hiermit im Widerspruche mit einer Entscheidung des Reichsgerichts vom 27. Januar 1888 (Bd. 17, S. 95) und einem Urtheile des Kgl. Kammergerichts (siehe S. 161, I d. Ztschr.), weshalb das Schöffengerichtsurtheil durch das Landgericht aufgehoben wurde.

— **Gegen die unbedachtsame Benutzung von Natureis** richtet eine Verfügung des Potsdamer Regierungspräsidenten Grafen Hue de Grais, in welcher es heisst: Durch Untersuchungen im kaiserlichen Gesundheitsamte ist festgestellt worden, dass das in Berlin zu wirthschaftlichen Zwecken in den Handel kommende Eis, selbst bei gutem Aussehen, oft zahlreiche in ihrer Entwicklungsfähigkeit nicht veränderte, gesundheitsgefährliche Kleinwesen (Mikroorganismen) enthalten hat. Es ist dadurch wahrscheinlich geworden, dass die häufiger beobachteten Krankheiten nach dem Genusse von Getränken, welche durch Hineinwerfen von Eisstückchen gekühlt wurden, weniger durch die Kälte des Getränkes, als durch die im Eis vorhandenen Krankheitserreger verursacht worden sind. Dieselben Nachtheile können durch feste Nahrungsmittel, welche durch Liegen auf solchem Eise gekühlt worden sind, entstehen. Es empfiehlt sich daher, mittels öffentlicher Belehrungen darauf aufmerksam zu machen, dass der Genuss von Getränken und anderen Nahrungsmitteln, welche in der vorerwähnten Weise mit Eis gekühlt sind, gesundheitsgefährlich ist. Es ist aber auch nothwendig, Vorkehrungen dahin zu treffen, dass das in den Handel gelangende Roheis nicht aus Gewässern gewonnen werde, welche durch zufliessende Unreinlichkeiten oder andere Umstände in gesundheitlicher Beziehung von bedenklicher Beschaffenheit sind, insbesondere nicht aus Sümpfen, Teichen, Gräben und kleinen dicht bei bebauten Ortschaften liegenden Seen, sowie aus Flüssen an und dicht unterhalb bebauter Ortschaften. Es ist Sache der Ortspolizeibehörden, nach Lage der örtlichen Verhältnisse dieserhalb in geeigneter Jahreszeit besondere Verbote zu erlassen und nach Umständen alljährlich zu wiederholen.

— **Vergehen gegen § 12 des Nahrungsmittelgesetzes.** Wegen gewerbsmässigen Verkaufs des Fleisches hochgradig tuberkulöser Kühe, dessen gesundheitsschädliche Beschaffenheit ihm bekannt war, wurde der Bankfleischer Beyer aus Bischofswerda zu 1 Jahr 6 Monaten Zuchthaus, 5jährigem Ehrenrechtsverlust und Zulässigkeit von Polizeiaufsicht verurtheilt.

— **Auf der diesjährigen Versammlung des Deutschen Vereins für öffentliche Gesundheitspflege,** welche vom 8.—11. September in Würzburg, unmittelbar vor der am 12. Sept beginnenden Naturforscher- und Aerzteversammlung in Nürnberg, abgehalten werden wird, referirt Oberregierungsrath Dr. Lydtin über „Verwerthung des wegen seines Aussehens oder in gesundheitlicher Hinsicht zu beanstandenden Fleisches einschliesslich der Kadaver kranker, getödteter oder gefallener Thiere".

Personalien.

Thierarzt Wilckens, bisher Assistent am Veterinärinstitut in Giessen, als Polizei-Thierarzt in Burg bei Magdeburg angestellt

Vakanzen.

Kattowitz, Brandenburg, Mannheim, Schmalkalden, Pleschen, Stettin, Herford, Magdeburg. (Nähere Angaben hierüber si he in Heft 5—7).

Rostock (Meckl.): Schlachthof-Inspektor zum 1. Mai (Gehalt bei freier Wohnung und Heizung 2700, steigend bis 3300 M.). Bewerbungen beim Polizeiamt.

Labes: Thierarzt für Fleischschau (Einnahme etwa 1200—1500 M. und Privatpraxis). Auskunft durch die Polizei-Verwaltung.

Schwelm: Thierarzt zur Durchführung der Fleischschau. Näheres beim Magistrat.

Neustettin: Schlachthof-Inspektor zum 1. Juli (Gehalt bei freier Wohnung und Heizung 2100 M.). Bewerbungen bis 20. Mai an den Magistrat.

Besetzt: Stelle des städtischen Thierarztes in Burg.

Verantwortlicher Redakteur (excl. Inseratentheil): Dr. Ostertag. — Verlag und Eigenthum von Richard Schoetz in Berlin.
Druck von W. Büxenstein, Berlin.

Zeitschrift
für
Fleisch- und Milchhygiene.

| Zweiter Jahrgang. | Juni 1892. | Heft 9. |

Original-Abhandlungen.
(Nachdruck verboten.)

Ein Beitrag zur Actinomycosis der Rinder-zungen.

Von
F. Henschel und P. Falk,
städt. Thierärzten zu Berlin.

Bei der Untersuchung der auf dem hiesigen Zentral-Schlachthof geschlachteten Rinder bemerkten wir schon seit längerer Zeit, dass die Zungenschleimhaut

Fig. 1.

sehr vieler, namentlich solcher Thiere, welche das zweite Lebensjahr überschritten hatten, stets an derselben Stelle Excoriationen verschiedensten Umfangs zeigte.

Diese Excoriationen treten regelmässig in der Mittellinie der Zungenrückenfläche auf und zwar an der Stelle, wo die Zunge sich zu der wulstartigen Erhöhung des Zungenrückens erhebt (a der Fig. 1 u. 2).

Die Grösse der Excoriationen ist verschieden. Sie ist in den meisten Fällen von der Flächenausbreitung eines silbernen Zwanzigpfennigstückes; sie kann aber die eines silbernen Fünfmarkstückes erreichen. Die Form ist rundlich bis oval, im letzteren Falle meist quer zur Zunge gelegen. Die Farbe ist grauweiss bis graugelb und braungelb, meist ein schmutziges Weissgelb. Die der Epidermis beraubte Schleimhaut ist an dieser Stelle getrübt, rauh und mit zahlreichen kleinen Vertiefungen versehen, in denen Haare, Holzsplitter und Futterpartikelchen, wie Grannen u. a. stecken. Die excoriirte Stelle erscheint ziemlich scharf von der gesunden Schleimhaut abgesetzt, oft mit einem narbenähnlichen, glatten, glänzenden Wall ganz oder zum Theil umgeben. Hin und wieder ist die gesammte Excoriation narbig ausgeheilt.

Fig. 2.

Gefunden wird die beschriebene Veränderung, wie erwähnt, namentlich bei älteren Thieren (wir haben sie jedoch manchmal auch bei sehr jugendlichen Individuen beobachtet) und zwar gleicherweise beim Stall- wie beim Weidevieh.

Die Entstehung dieser Excoriationen glauben wir folgendermassen erklären zu dürfen. Man betrachte zwei Zungen, von denen die eine in noch warmem Zustande aus dem aufgehängten Kopfe des frischgetödteten Thieres „herausgeschnitten" wurde, (Fig. 1) wogegen die andere bis zum vollständigen Eintritt der Starre in natürlicher Lage und Verbindung im Kopfe verblieb. (Fig. 2).

Die erstere erscheint durch die beim

„Herunterschneiden" erfolgte Zerrung schmal und gestreckt. Die Rückenfläche der Zungenspitze geht allmählich, nicht scharf, in die wulstartige Erhöhung des Zungenrückens über, und die Excoriation liegt zur einen Hälfte auf dem ebenen Theil, zur anderen auf dem Anfang des Rückenwulstes. Die im Zustand der Starre aus dem Kopf gelöste Zunge sieht dagegen viel kürzer und gedrungener aus und der Anfang der wulstartigen Erhöhung ist auf die ebene Vorderfläche der Zungenspitze gleichsam vorgeschoben. Bei dieser Art von Zungen sieht man öfter als bei den ersteren, bei welchen im noch körperwarmen und weichen Zustand durch die Manipulation des Schleimabstreifens vermittelst eines Messers die Fremdkörper leichter entfernt werden können, Pfröpfe von filzartig verflochtenen Haaren, Futtertheilchen u. s. w. zwischen Wulst und Rückenfläche der Schleimhaut wie in einer Art Tasche fest eingeklemmt liegen.

Allem Anschein nach kommt die beschriebene typische Zungenaffection der Rinder durch die eigenthümliche Art der Futteraufnahme dieser Thiere zu Stande. Bei der Futteraufnahme macht die Zungenspitze des Rindes, wie der übrigen Wiederkäuer, welche aber für Actinomykose nicht prädisponirt sind, eine Seitwärtsbewegung, bei welcher es an der Grenze des sich bewegenden und des fixirten Zungentheiles — und dieses ist gerade die in Vorstehendem gekennzeichnete Stelle — leicht zur Einklemmung rauher Futtertheile und damit zur Entstehung oberflächlicher oder tieferer Verletzungen kommen kann.

Fig. 3.

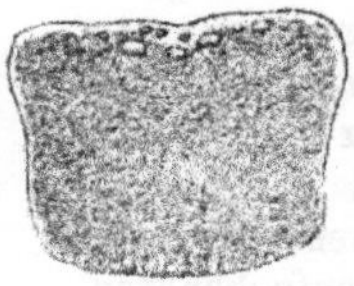

Querschnitt.

Beim Durchschnitt durch diese Schleimhautstelle sieht man sofort, dass das Epithel fehlt und dass eine von dem Rande her beginnende Epithelneubildung bei den fortwirkenden Ursachen der Excoriation ihr Ziel nicht erreicht. Ausser diesen einfachen Epithelverlusten der Zungenschleim-

haut findet man nun in den meisten Fällen auf dem Durchschnitt noch kleine stecknadelkopf- bis erbsen-, ja bohnengrosse derbe, weisse oder gelbliche Knoten, die entweder in der Schleimhaut selbst oder aber im Zungengewebe liegen. (Fig. 3 und 4).

Diese Knoten machen den Eindruck von Fibromen, enthalten aber im Centrum geringe gelbe, mitunter feste, sandartige, mitunter auch käsige und eitrige Massen, in denen man unschwer typische Actinomycesrasen nachweisen kann. Häufig findet man neben diesen, meist stark verkalkten Actinomycesrasen noch kleinste Fremdkörper pflanzlicher Natur (Grannentheilchen?) in den gelben, käsigen Centren.

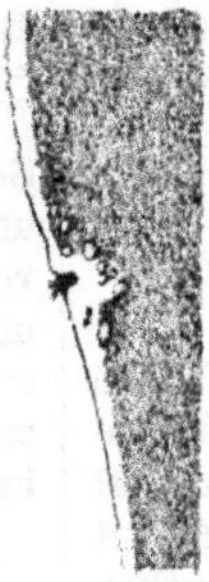

Fig. 4.

Längsschnitt.

Neben diesen vorwiegend bindegewebigen Knoten kommen auch noch Abscesse an derselben Stelle vor, die einen sehr zähen, weissen Eiter in grösserer Menge enthalten und eine sehr starke, derb-fibröse Kapsel besitzen. In diesem Eiter lässt sich ebenfalls Actinomyces nachweisen. Nie fanden wir jedoch, weder in diesen Abscessen, noch in den fibromartigen Knötchen bei Anwendung der gebräuchlichen Tuberkelbazillenfärbungen Tuberkelbazillen, auch in den Fällen nicht, wo die betreffenden Zungen von Rindern herrührten, welche an allgemeiner Tuberkulose gelitten haben.

Schon oben hoben wir hervor, dass in den kleinen Vertiefungen sich Futtertheilchen, Haare u. s. w. finden. Diese Fremdkörper sitzen oft ziemlich fest, und imponiren häufig durch ihre grosse Menge dem Untersucher. Man findet nämlich nicht selten ein wahres Konvolut miteinander verfilzter Haare und Futtertheilchen, die in bis zeigefingerdicken Strängen sich durch die Schleimhaut bis in das Zungengewebe gebohrt haben. Diese verfilzten Pfropfen verursachen dann grössere Abscesse, welche das Gemeinsame haben, dass sie ziemlich starke, derb-fibröse Wandungen besitzen. Der Inhalt der Abscesse ist ein häufig stinkender, weisslicher Eiter. In der Regel haben wir auch, namentlich in dem der Wandung adhärirenden Eiter, bei genauer Untersuchung vereinzelte Aktinomycesrasen in diesen Abscessen nachweisen können, nur eine geringe Anzahl mussten wir des negativen mikroskopischen Ergebnisses sowohl, wie auch ihrer Erscheinung wegen als einfache Abscesse nicht aktinomykotischer Natur ansprechen. Nicht selten bilden sich diese Abscesse zu längeren, fistulösen, mit übelriechendem, dünnflüssigem, weisslichem Eiter erfüllten Gängen aus, die sich bis nach dem Zungengrunde hin erstrecken können.

Auf Grund der zahlenmässigen Erhebungen, die wir an den von uns untersuchten Rindern gemacht haben, sind wir in der Lage, folgende Angaben machen zu können: Von 985 Rindern des verschiedensten Alters und Geschlechts fanden wir 90 Fälle (9,1 pCt.) mit Excoriationen behaftet und von diesen waren 71 Stück (7,2 pCt.) mit deutlichen Actinomycesaffektionen behaftet. Dabei sind andere als von den in Rede stehenden Excoriationen ausgehende aktinomykotische Erkrankungen der Zunge (von Bissnarben ausgehende Aktinomykose, Holzzunge u. s. w.) nicht mitgerechnet. Wir wollen schliesslich nicht unterlassen zu erwähnen, dass weitaus die grösste Anzahl der auf dem Berliner Zentral-Schlachthof geschlachteten Rinder Niederungsvieh ist.

Was die Beurtheilung der mit den vorbeschriebenen Affektionen behafteten Zungen vom sanitätspolizeilichen Standpunkt aus betrifft, so kann es keinem Zweifel unterliegen, dass beim Vorhandensein von Knötchen und Abscessen, welche auf die Infektionsstelle oder deren Umgebung beschränkt sind, die Zungen nach Entfernung der erkrankten Stellen zum Genuss zuzulassen sind. Sorgfältiges Abtasten nach sekundären Herden der noch lebenswarmen Zungen ist aber unbedingtes Erforderniss. Ist dagegen die Knötchen-

bildung eine excessive, sind die Abscesse durch grossen Umfang und übelriechenden Inhalt ausgezeichnet, sind ferner die Zungen- und Hinterkieferlymphdrüsen actinomykotisch oder in anderer Weise sekundär verändert, so ist eine solche Zunge dem Verkehr zu entziehen und zu verwerfen.

Stets muss aber eine solche Excoriation, wie oben beschrieben, auch wenn sie noch so klein und unscheinbar ist, nach unseren Erfahrungen den Verdacht erwecken, dass in der Tiefe sich actinomykotische Herde oder grössere Abscesse befinden, und es ist daher bei der Untersuchung der geschlachteten Rinder, ganz abgesehen von andersartigen Erkrankungen der Zunge, jenen Excoriationen von Seiten der Fleischschau ausübenden Kollegen Beachtung zu schenken.

Die Fleischbeschau auf dem Lande und Vorschläge zu deren Verbesserung.

Von
Joseph Lebrecht,
Distrikts-Thierarzt in Weismain (Oberfranken).

Die allgemeine Fleischbeschau, wie sie in Bayern eingeführt ist, muss dem Prinzipe nach als eine der vorzüglichsten hygienischen Einrichtungen bezeichnet werden. Nicht nur die Stadt geniesst die Vorzüge einer regelmässigen Fleischkontrolle, sondern auch das Land. Bekanntlich wurde die Ausführung der Fleischbeschau in Bayern bestimmt durch oberpolizeiliche Vorschriften, welche von jedem Kreise (= Preuss. Reg.-Bezirk) besonders erlassen worden sind. Die ausführenden Organe dieser Vorschriften sind die Fleischbeschauer. Dieselben zerfallen in

1. Wissenschaftlich gebildete Fleischbeschauer, d. s. die Thierärzte,

2. Empirische Fleischbeschauer, welche sich aus den verschiedensten Ständen rekrutiren.

Der Fleischbeschau auf dem Lande haften nun leider trotz der im Allgemeinen guten Vorschriften erhebliche Mängel an. Diese sind hauptsächlich durch die unvermeidliche Verwendung empirischer Fleischbeschauer, deren schlechte Bezahlung, schlechte Ausbildung und Fortbildung bedingt. Auf diese Mängel nun, welche ich bei meiner ausschliesslichen Landpraxis nur zu häufig zu beobachten Gelegenheit habe, möchte ich in Nachstehendem kurz hinweisen und gleichzeitig Massnahmen zur Abstellung derselben in Vorschlag bringen.

Dass die empirischen Fleischbeschauer auf dem platten Lande unvermeidlich sind, darüber dürfte kaum eine Verschiedenheit der Meinungen bestehen. Das Institut muss also bestehen bleiben; allein es ist dringend geboten, Mittel und Wege zu schaffen, um möglichst intelligente Leute für dieses Fach zu gewinnen. Vorläufig ist dieses wegen der schlechten Bezahlung der Fleischbeschauer fast unmöglich. Die Beschautaxe beträgt nach der Verordnung für Oberfranken vom 23. Juni 1881 für die Beschau eines Stück Grossvieh 24 Pfennige und für jedes Stück Kleinvieh 12 Pfennige! Nun hat mich die Erfahrung gelehrt, dass die Fleischbeschauer auf dem Lande — ausgenommen bei den verhältnissmässig selten vorkommenden Schlachtungen von Grossvieh — überhaupt nichts bekommen und sich geradezu schämen, für zwei Gänge und die Zeitversäumniss 12 Pf. zu fordern. Von mehreren Fleischbeschauern, bei denen ich nach dem Grunde dieser Verhältnisse forschte, erhielt ich die Antwort: „Freiwillig geben mir die Leute nichts und wegen 12 Pf. mag ich nicht fordern.“ In einem Orte A. hat es sich trotz Widerspruch des Fleischbeschauers zum Brauch herausgebildet, die Taxe von 24 und 12 Pf. auf 20 und 10 Pf. herunterzudrücken. — Woher die Begeisterung für den Fleischbeschauerstand bei dieser schlechten Belohnung kommen soll, ist mir ein Räthsel.

Hierzu kommt noch, dass die Leute einen Eid auf die Instruktion geleistet haben und somit eine ebenso grosse Verantwortung tragen, wie die die Fleischbeschau ausübenden Thierärzte. Die Empiriker sind sich allerdings meist der hohen Verantwortlichkeit ihres Berufes garnicht bewusst.

So sagte mir z. B. ein Fleischbeschauer in M., den ich zur Rede stellte, weil er bei einer Nothschlachtung keinen Thierarzt zur Beschau beizog: Bei Lebzeiten habe allerdings das betr. Thier einige Tage nichts gefressen und sei deshalb geschlachtet worden. Er habe am todten Thiere aber keine krankhafte Veränderung bemerkt und deshalb es nicht für nöthig erachtet, einen Thierarzt hinzuzuziehen. Häufig werden solche Unterlassungen von Fleischbeschauern damit entschuldigt, dass sie die Bitten des durch den Verlust schwer betroffenen Eigenthümers vorschieben, den Schaden durch die Fleischbeschaukosten nicht noch zu vermehren.

Oefters ist es mir bei geringen Anständen vorgekommen, dass die Fleischbeschauer sagten: „Einnahmen habe ich von der Fleischbeschau nicht, deshalb ist es mir am liebsten, sie nehmen mir das Amt“. Nach meiner bescheidenen Meinung ist alles daran zu setzen, dass die Beschaugebühren erhöht, bezw. dass jede Gemeinde von der Verwaltungsbehörde angehalten wird, dem empirischen Fleischbeschauer ein angemessenes Fixum zu bewilligen. Ausserdem wären die Gebühren für die bei den Nothschlachtungen hinzuzuziehenden Thierärzte auf die Distriktskasse zu übernehmen.

Noch ein wunder Punkt kommt in der beregten Frage in Betracht. Die Anstellung des empirischen Fleischbeschauers geschieht in der Regel in der Art, dass derselbe, nachdem er von dem Bezirksthierarzt mit dem Inhalt der oberpolizeilichen Vorschriften bekannt gemacht wurde und 2—3mal der Ausübung der Fleischbeschau anwohnen durfte, vom Bezirksamt eidlich verpflichtet wird. Das ist die Regel. Nur in grösseren Orten besucht der Fleischbeschauerkandidat auf eigene Kosten etliche Tage ein unter thierärztlicher Leitung stehendes Schlachthaus, um sich für seinen Beruf vorzubereiten.

Wenn die allgemeine Fleischschau richtig ausgeführt werden soll, ist es absolut unerlässlich, dass alle empirischen Fleischbeschauer einen Vorbereitungskursus von mindestens vierwöchentlicher Dauer an einem öffentlichen, unter thierärztlicher Leitung stehenden Schlachthause durchmachen. Es zeugt von einer völligen Verkennung der thatsächlichen Verhältnisse, wenn man sagt: Der Fleischbeschauer braucht nur das Normale zu kennen, für die Beurtheilung des Pathologischen ist der Thierarzt da. Der ungenügend ausgebildete Empiriker weiss gar nicht, was pathologisch ist und urtheilt daher auch in Fällen erheblicher Abweichung selbst, weil er sie für normal hält. Wie viele gesundheitsschädliche, z. B. tuberkulöse Eingeweide mögen auf diese Weise trotz Fleischbeschau in den Verkehr kommen!

Ferner ist die Litteratur für empirische Fleischbeschauer bis jetzt noch wenig umfangreich. Dieses ist zu bedauern, weil den Empirikern durch eine populäre Litteratur Gelegenheit geboten würde, sich fortzubilden. Allerdings müsste es Sache der Gemeinden sein, solche Werke anzuschaffen, solange die Fleischbeschauer fast keine Einnahmen aus ihrer Thätigkeit haben.

Ein weiterer Mangel ist die Ueberwachung der Fleischbeschauer bezw. die Kontrolle der Fleischbeschaubücher. Der Bürgermeister muss zwar allmonatlich das Fleischbeschaubuch mit seiner Unterschrift versehen; allein dieses genügt nach meiner Meinung nicht. Das einzig Richtige wäre es, wenn die Bezirksthierärzte beauftragt würden, alljährlich gelegentlich der Hundevisitation oder der Stierkörung sämmtliche Fleischbeschaubücher zu kontrolliren. Auf diese Weise käme manches ans Tageslicht, was bei der jetzigen Einrichtung, bei der die Kontrolle im Belieben des Thierarztes steht, verborgen bleibt. Speziell die entlegenen Ortschaften eines Bezirkes fühlen sich frei von jeglicher Aufsicht, weil der Thierarzt selten dorthin kommt.

Schliesslich wäre noch manches zur Fleischschau-Instruktion selbst zu bemerken. Dieses kann aber, angesichts der, wie verlautet, bevorstehenden Abänderung der Instruktion unterlassen werden. Einen Wunsch möchte ich allerdings für die neue Instruktion, nicht unterdrücken: Sie möchte für Thierärzte und empirische Fleischbeschauer getrennt herausgegeben werden. Denn je mehr Paragraphen, um so mehr Irrthümer. Und es giebt immerhin Leute, die absichtlich oder unabsichtlich Paragraphen, die bloss für den Thierarzt gelten, zur Erweiterung ihrer Funktion für sich anwenden.

Ein Beispiel aus der Praxis soll auch dieses illustriren.

Ein Fleischbeschauer in N. stellte für einen Ochsen, der wegen Eindringens eines verschluckten Drahtes von der Haube durch das Zwerchfell in den Herzbeutel nothgeschlachtet worden war, einen Beschauschein aus. Auf meinen Vorhalt, dass er hierzu nicht befugt sei, zog der Fleischbeschauer den Paragraphen der Instruktion an, welcher besagt, dass bei Nothschlachtungen in Folge Erstickungsgefahr durch verschluckte Fremdkörper ein Thierarzt zur Beschau nicht erforderlich ist. — Natürlich klärte ich den Fleischbeschauer dahin auf, dass der Paragraph Erstickungsgefahr durch — beispielsweise — verschluckte Kartoffeln oder Rüben meine.

Ich schliesse mit dem Wunsche, dass die Fleischbeschau möglichst bald durch ein Reichsgesetz geregelt werde, und dass bis zu dieser Regelung die massgebenden Thierärzte, sowie thierärztlichen Vereine geeignete Schritte thun, die grossen Mängel der Fleischbeschau auf dem Lande zu beseitigen.

Ueber Strahlenpilze in der Muskulatur von Wiederkäuern.

von
Direktor Dr. Hertwig—Berlin.

Ende des Monats April d. J. wurden in den öffentlichen Schlachthäusern in Berlin bei der thierärztlichen Untersuchung der geschlachteten Thiere 7 Hammel gefunden, deren Fleisch durch hochgradige wässerige Beschaffenheit und Veränderung der Farbe auffiel. Die sonst dunkelrothe Farbe der Muskulatur bei Hammeln war blassroth geworden und zeigte einen starken Stich in's Gelbe und in's Graue. Auf der Oberfläche der aus verschiedenen Körperstellen herausgenommenen Fleischstückchen sah man deutlich eine grosse Anzahl grau-weisser, mattglänzender Muskelfasern.

Da dieser Befund genau dasselbe Bild

darstellte wie ihn im stärkeren Grade mit Duncker'schen Strahlenpilzen durchsetztes Schweinefleisch darbietet, so entstand sofort der Verdacht, dass auch die vorliegenden Veränderungen auf das Vorhandensein dieser Parasiten zurückzuführen' seien. Die mikroskopische Untersuchung machte die Vermuthung zur Gewissheit. Bei derselben bemerkte man bei 50facher Vergrösserung zwischen den normalen Muskelfasern solche, welche zusammengezogen waren, eine unregelmässige wellige Gestalt angenommen hatten und bisweilen in ihrem ganzen Verlauf nur an einzelnen Stellen breiter waren als die normalen Muskelfasern, und bei durchfallendem Licht dunkelbraun gefärbt erschienen. In denselben befanden sich in ungleicher Entfernung von einander scharf umschriebene, dunkle Körper von runder oder länglich runder Gestalt, welche in der Mitte vertieft und etwas heller waren. Bei starker Vergrösserung (über 300) konnte man erkennen, dass die dunkelgefärbten Stellen in den Muskelfasern aus einem stark lichtbrechenden Inhalte von feinen Fetttröpfchen, zerfallener Muskelsubstanz und und kleinen mikrokokkenartigen Körpern bestand, zwischen welchen keulenförmige Pilzfäden zerstreut gelagert waren. Die Querstreifung der Muskelfasern war in einem mehr oder weniger grossen Um-

fange zerstört, oft vollständig geschwunden. Die Muskelfasern zeigten häufig Querrisse und vollständige Zerreissungen.

Die bei 50facher Vergrösserung bemerkten, — oben erwähnten — dunklen, scharf umschriebenen runden oder länglich runden Körper sind mit Bestimmtheit als Strahlenpilzrasen zu erkennen. In der Mitte derselben befindet sich das Mycel als ein dichtes Flechtwerk von sehr feinen, zarten Fäden, von dem sich die birnenförmigen Keulen strahlenartig ausbreiten. In der Umgebung der Pilzrasen ist das Sarkolemma verdickt und befinden sich ganz erhebliche Ablagerungen von Granulationszellen. Die vorgefundenen Pilzrasen waren theils frisch, theils verkalkt. Dieselben waren so ausserordentlich zahlreich vorhanden, wie sie im Schweinefleischnoch nicht gefunden waren, ausserdem waren sie in die gesammte Muskulatur eingewandert.

Die Färbung der Pilze gelang vorzüglich mit Cochenille, Lithion - Cochenille unter nachträglicher Behandlung mit einer Alkohol - Salzsäure - Mischung, und mit Hämotoxylin mit Weigert'scher Salzlösung (Plaut). Ueber die Heimath der qu. Hammel war bedaulicher Weise keine Auskunft zu erhalten, so dass Ermittelungen über die Fütterung der Thiere, speziell über das verfütterte Heu oder über die Weiden nicht angestellt werden konnten.

Referate.

Eine Massenerkrankung nach Genuss von Fleischwaaren.

(Korrespondenzbl. d. ärztl. Vereine d. Grossherzogt. Hessen, 1891, Nr. 6.)

Im hessischen Kreise Friedberg erkrankten Ende November 1890 plötzlich 21 Personen, lauter Angehörige oder Bedienstete eines Gutspächters, theils schwer an Brechdurchfall, theils leicht an Magenstörungen mit Diarrhoe. Bemerkenswerth ist, dass die zuerst aufgetretenen Erkrankungen schwerer waren, als die später auftretenden. Die Erkran-

kungen schwererer Art zeichneten sich durch plötzlich auftretende Durchfälle oder durch Brechdurchfall mit grosser, rasch zunehmender Müdigkeit bis zu gefahrdrohendem Kollapse aus. Die Durchfälle waren ausserdem mit Kolikschmerzen verbunden. Bei den leichter Erkrankten wurden Müdigkeit, Ziehen im Körper, Benommenheit des Kopfes, Frösteln, Appetitmangel bis zur Appetitlosigkeit, mehr oder weniger starkes Leibschneiden mit Durchfall beobachtet. Temperaturmessungen wurden nicht regelmässig vorgenommen, eine

Steigerung aber bis zu 39,5 pCt. am 3. Erkrankungstage bei einer schwerer Betroffenen ermittelt.

Der Bericht hebt hervor, dass der Verlauf der Erkrankung auch bei den Schwerkranken ein auffallend rascher gewesen sei. Selbst bei den bedrohlichsten Erscheinungen war nach 3 Tagen Besserung des Befindens eingetreten. Betheiligung innerer Organe, namentlich der Milz, Lungen und Nieren, wurde ebensowenig beobachtet, wie das Auftreten eines Exanthems. Ein Todesfall kam nicht vor.

Sämmtliche Erkrankte mit nur zwei Ausnahmen gehörten dauernd dem Haushalte des genannten Gutspächters an und hatten innerhalb der kritischen Tage ihre Beköstigung aus der Küche desselben erhalten. Die Ergebnisse der Nachforschungen über die Ursache der in Frage stehenden Massenerkrankung lassen wir wegen ihrer Wichtigkeit für die Fleischbeschau nachstehend wörtlich folgen, wobei hervorgehoben werden soll, dass eine Verschleppung der Krankheit trotz der hierzu gebotenen Gelegenheit nicht stattgefunden hat.

„Im weiteren Verlaufe der ätiologischen Nachforschungen wurde ermittelt, dass unter dem Viehstande des Gutes die Maul- und Klauenseuche herrschte; man hatte am 14 November — am 24. November traten die ersten Erkrankungen bei Menschen auf. D. R. — eine von dieser Seuche befallen gewesene Kuh, die vier Wochen zuvor, anfangs leicht, später schwer, zugleich mit Euterentzündung, erkrankt war und nach abgelaufener Krankheit, während welcher keinerlei Arzneibehandlung vorkam, eine Klaue verloren hatte, aber einen guten Ernährungszustand darbot, geschlachtet. Die am 12. und 13. von dem Veterinärarzte besichtigte, zur Schlachtung nicht beanstandete Kuh war von dem übrigens alsbald nach diesem Geschäft plötzlich an Apoplexie verstorbenen Kreisveterinärarzt G., durch welchen somit nähere nachträgliche Ermittelungen nicht zu erlangen waren, am 16. besichtigt und nach der hierüber ausgestellten Bescheinung über die wegen Klauenbruchs stattgehabte Schlachtung für sonst gesund befunden worden, so dass dem Verkaufe des Fleisches in sanitätspolizeilicher Beziehung nichts im Wege stehe; auch der von dem Fleischbeschauer des Ortes ausgestellte Schlachtschein bestätigt, dass das in Rede stehende Thier nach den äusseren Merkmalen gesund befunden sei, und dass dasselbe nach der Schlachtung insbesondere an den Eingeweiden und am Fleische nichts Krankhaftes erkennen liess. Nach der Schlachtung war der Thierkörper ausgenommen worden, unzerlegt in die Scheunentenne verbracht und dort geviertelt bei einer Aussentemperatur von 6—8° R. aufgehängt worden. Vom 16. November ab waren bis zum 21. wiederholt grössere Portionen als Kochfleisch bezw. mit Suppe und einigemal im gebratenen Zustande ohne nachtheilige Folgen gegessen worden, andere Stücke waren als Salzfleisch konservirt worden.

Am 17. November waren ferner 2 Schweine auf dem Gutshofe geschlachtet worden, die nach den Bescheinigungen des Fleischbeschauers weder vor noch nach dem Schlachten etwas krankhaftes dargeboten hatten. Die hiervon gewonnenen Fleischstücke wurden mit dem in der Salzlake bereits befindlichen Kuhfleisch aufbewahrt, auch einzelne noch restirende Fleisch- und Knochenstücke der am 14. geschlachteten Kuh zugefügt. Im Uebrigen wurde aus einer Mischung von Schweine- und Kuhfleisch, aus Eingeweiden und Blut, Wurst und auch Cervelatwurst hergestellt. Cervelatwurst wurde nicht, die übrige Wurst theils frisch, theils leicht geräuchert, am 17. und den folgenden Tagen gegessen.

Die am 23. November für das Gesinde hergerichtete Mittagsmahlzeit bestand im Wesentlichen aus Suppe und gekochtem Misch-Salzfleisch, als Abendessen wurde geräucherte und gekochte Mischwurst, die am 17. bereitet war, gereicht. Die Mittagskost am 24. November bestand aus Hirsensuppe, die aus am 21. nachträglich der Salzlake, also auf kurze Zeit eingelegten Knochen- und Fleischtheilen der am 14. geschlachteten Kuh gekocht war, und aus letzteren selbst. Die Familie des Gutspächters hatte sich an diesen Tagen an der für das Gesinde bereiteten Mahlzeit nicht betheiligt, jedenfalls von dem konservirten Fleische nicht genossen, an den vorhergehenden Tagen wiederholt gebratenes und auch frisch gekochtes Kuhfleisch verzehrt.

Nachdem die Erkrankungen im Laufe des Nachmittags des 24. November bei den Gesinde vorgekommen waren, lag zunächst die Annahme nahe, dass in dem später der Salzlake zugelegten Kuhfleische das schädliche Agens zur Entwicklung gekommen sei, und es schien diese Annahme um so begründeter, als ein Arbeiter, der seinen zur Kommunion gehenden Bruder, der als Knecht auf dem Hofe diente, an diesem Tage vertrat und nur an einer Mahlzeit, nämlich am Mittag des 23. November Theil genommen hatte, am 25. leicht erkrankte. Diesem Falle gegenüber steht ein anderer, ebenfalls von erheblicher ätiologischer Bedeutung, der ausschliesslich auf die

Infektion mit Mischwurst hinweist. Ein Dienstmädchen des Hofes war seit 10 Tagen wegen einer Entzündung an der Hand in ihrer Eltern Wohnung geblieben; sie wurde von ihrer Schwester im Dienste vertreten, und diese brachte von der am 23. Abends zur Mahlzeit gegebenen Mischwurst mit nach Hause, die von der vorher im Uebrigen ganz gesunden Schwester und zwar erst am 26. Abends verzehrt wurde. Sie erkrankte in der darauf folgenden Nacht schwer und in gleicher Weise wie die übrigen Dienstleute und die Familie des Pächters des Hofes. Der Umstand, dass auch dieser Wurst Fleisch von der am 14. November geschlachteten Kuh beigemischt war, liess indessen auch hier die Vermuthung nicht ausgeschlossen erscheinen, dass das schädliche Agens in dem Kuhfleisch gegeben gewesen sei, das, wenn auch nicht sofort, doch im weiteren Verlaufe seiner Aufbewahrung im frischen oder konservirten Zustande die schädliche Eigenschaft angenommen konnte."

Der Berichterstatter des Korrespondenzblattes bemerkt zu diesen Ermittelungen, bedeutsam sei der wohl erst nachträglich hervorgetretene Umstand, dass die bei der Bereitung der sog. Mischwurst verwendete Schweineleber, das bakteriologisch verdächtigste Organ, roh zugemischt wurde, während die übrigen Bestandtheile schon vorgekocht waren: die Kochung der Lebersubstanz konnte somit leicht eine unvollkommene sein.

Gaffky-Giessen hat die diarrhoischen Entleerungen einer Patientin, welche nach Mischwurstgenuss erkrankt war, ferner Proben des in Lake aufbewahrten Kuh- und Schweinefleisches, endlich Proben der aus Kuh- und Schweinefleisch nebst Schweineblut bestehenden Mischwurst, sowie der aus $^2/_3$ Kuhfleisch und $^1/_3$ Schweinefleisch angefertigten Cervelatwurst bakteriologisch untersucht. Gaffky isolirte aus den Dejecten der Patientin und aus der Cervelatwurst einen Mikroorganismus, welcher mit dem von Gaffky und Paak bei einer Rossfleischvergiftung[*]) gefundenen Wurstbacillus in jeder Hinsicht übereinstimmt. Der Mikroorganismus, ein kurzes, bewegliches Stäbchen, tödtet per os Meerschweinchen und Mäuse schon in geringer Menge. Nähere Mittheilungen

[*] Vergl. S. 41 des 1. Jahrg. dieser Zeitschr.

über den Befund wird Gaffky an anderer Stelle veröffentlichen.

Reisz, Sieben Fälle von Wurstvergiftung (Botulismus).
(Wien. med. Presse 1891, 49 u. Hyg Rundschau 1892, 8).

Eine aus 7 Köpfen bestehende Familie erkrankte nach dem Genusse einer Leberwurst, welche „dumpfig roch und sauer schmeckte." Die Krankheitserscheinungen waren abdomineller und nervöser Natur. Am stärksten erkrankten diejenigen Personen, welche die Wurst roh (d. h. nicht gebraten) verzehrt hatten. Ein Patient starb nach 7 Tagen. Die Rekonvaleszenten waren noch lange mit Dyspnoe und Schlingbeschwerden behaftet.

Schwaimair, Primäre Lymphdrüsentuberkulose.
(Göring's Wochenschr. 1892, Nr. 20.)

Verf. berichtet, dass von 781 in der Zeit vom 1. Dezember 1891 bis 1. Mai 1892 im Schlachthause zu Aschaffenburg untersuchten Rinderlungen 41 Stück = 5,25 pCt. mit primärer Tuberkulose der Lymphdrüsen behaftet gewesen seien. Die betr. Lungen, welche sorgfältig untersucht wurden, hätten keine Veränderungen gezeigt. Erkrankt wáren entweder die Bronchial- und Mediastinaldrüsen zugleich oder, was noch häufiger der Fall war, nur eine dieser Lymphdrüsen.

Schw. illustrirt die grosse Wichtigkeit der primären Lymphdrüsentuberkulose für die Statistik. Von den 781 Stück waren im Ganzen 122 Stück = 15,62 pCt. tuberkulös, ohne Berücksichtigung der Fälle von primärer Lymphdrüsentuberkulose nur 10,37 pCt. Vom Standpunkte der Fleischbeschau, sagt Verf. zum Schlusse, seien Lungen, deren Lymphdrüsen frische Eruptionen zeigen, zu verwerfen, während Lungen, deren Drüsen nur geringe und ältere Veränderungen aufweisen, eventuell freigegeben werden könnten. [*])

[*] Sämmtliche Lungen, deren Lymphdrüsen tuberkulös sind, müssen, wie Hartenstein bereits hervorhob, vom Verkehr ausgeschlossen werden, weil die bestehende Lymphdrüsen-

Preisz und Guinard, Pseudotuberkulose beim Schafe.

(Recueil de méd. vét. 1892, No. 5.)

Die beiden Nieren eines auf dem Schlachthofe getödteten Schafes waren mit harten und verkalkten Knötchen übersät, welche mit Tuberkeln die grösste Aehnlichkeit besassen. Der Koch'sche Bazillus konnte in den Knötchen nicht nachgewiesen werden. Durch Verimpfung an Kaninchen und Meerschweinchen erzielten aber die Verfasser regelmässig positive Resultate: rasche Generalisation kleiner tuberkelähnlicher Knötchen, welche in grosser Menge sehr feine und kurze, an den Enden abgerundete Bakterien enthielten. Derselbe Mikroorganismus liess sich auch in den Knötchen der Schafsnieren nachweisen.

Der von P. und G. beschriebene Fall ist der erste derartige beim Schafe. Verf. erklären sich bei dem derzeitigen Stande unserer Kenntnisse über Pseudotuberkulose ausser Stande, zu entscheiden, ob ihr Fall identisch sei mit dem von Nocard beim Huhn, von Courmont beim Ochsen und Hayem beim Menschen beobachteten Fällen von tuberkuloseähnlicher Erkrankung. Sie neigen zu der Ansicht hin, die bazillären Pseudotuberkulosen seien unter sich nicht identisch, sondern werden durch verschiedene Mikroben bedingt.

Kuhn, Morphologische Beiträge zur Leichenfäulniss.

(Arch. f. Hyg. XIII,1. Ref. und Hyg. Rundsch. II, 2.)

In der Regel fanden sich in faulenden Fleischgemischen nur 2 Fäulnisserreger, der Proteus vulgaris (gelatineverflüssigend) und P. Zenkeri (festwachsend). Beide erzeugen in gleicher Weise Gestank, Ammoniak, Schwefelwasserstoff und alkalische Reaktion. Hervorgehoben zu werden verdient, dass nach 30 bis 50 Tagen die

tuberkulose beweist, dass Tuberkelbazillen das Lungengewebe passirt haben, und die sichere Ermittelung, namentlich kleinerer tuberkulöser Herde in der Lunge äusserst schwierig ist. Kleine Knötchen können aber trotz umfangreicher Lymphdrüsentuberkulose in dem Parenchym zugegen sein.   D. R.

beiden Proteusarten aus den Fäulnissgemischen stets verschwunden waren, ohne von anderen Fäulnissbakterien abgelöst zu werden.

Die fäulnisshemmende Wirkung von Zuckerzusätzen zu Fleisch ist nach Verf. dadurch zu erklären, dass die Gährwirkung vorwaltet und in Folge dessen Säure entsteht, welche den Proteus selbst in kurzer Zeit vernichtet

Perroncito, Ueber die Verwerthung des Fleisches von tuberkulösem Schlachtvieh.

(Zentralbl f. Bakteriologie. Bd. XI, No. 14.)

Der verdienstvolle Verf. hat in den Jahren 1889/91 an einer respektablen Anzahl von Meerschweinchen, Kaninchen und Schweinen, sowie an 2 Rindern Versuche über die Virulenz des Fleisches von tuberkulösen Rindern angestellt. Dieselben hatten aber, ebenso wie bereits 1874/75 von demselben Autor inszenirte Versuche, ein durchaus negatives Resultat. P. verwandte zu seinen Experimenten das Fleisch von Rindern, welche im Schlachthause zu Turin wegen „beträchtlicher Verbreitung der Krankheit" mit Beschlag belegt worden waren. Das Fleisch wurde zum Theil verfüttert, zum andern Theile dagegen wurden mit dem ausgepressten Fleischsafte subkutane und intraperitoneale Impfungen vorgenommen.

In 3 Versuchsreihen mit Ferkeln liess P. Fleisch von tuberkulösen Thieren verzehren, ohne dass die Thiere erkrankt wären. Mehr als 200 Kaninchen und ebensovielen Meerschweinchen wurde Fleischsaft in die Unterhaut der Bauchhöhle injizirt, ohne dass bei der Tödtung nach 1½ und mehr Monaten auch nur eine Spur von Tuberkulose zu finden gewesen wäre. Ebenso negativ war die subkutane Injektion von Fleischsaft bei 2 Rindern.

4 Ferkel italienischer Rasse, 6 Monate alt, wurden 4 Monate lang mit dem Fleische tuberkulöser Rinder genährt und blieben gesund. Eine Familie von 12 Ferkeln im Alter von 2 Monaten wurde 5 Monate hindurch mit solchem

Fleische gefüttert, ohne infizirt zu werden.

Zum Schlusse thut P. noch zweier Ferkel der Yorkshire Rasse Erwähnung, welche zuerst 3 Monate mit dem Fleische und später mit den spezifisch veränderten Organen tuberkulöser Rinder ernährt worden waren. Selbst diese beiden Thierchen blieben von tuberkulöser Erkrankung frei. P. weist auf den Widerspruch dieses Versuchsergebnisses mit der Häufigkeit der Spontantuberkulose bei den Schweinen hin. Indessen sind nach des Ref. Ansicht 2 Versuche doch zu wenig, um aus ihnen irgend einen bestimmten Rückschluss ziehen zu können.

Guillebeau, Beiträge zur Lehre von den Ursachen der fadenziehenden Milch.

(Landwirthschaftl. Jahrbuch der Schweiz 1891 und Zentralblatt für Bakteriologie Bd. XI., Nr. 14).

Verf. hat aus fadenziehender Milch einer Milchhandlung in der Nähe von Bern einen Kokkus isolirt, welchem die Fähigkeit innewohnt, die Milch fadenziehend zu machen. Verf. nennt diesen Kokkus Micrococcus Freudenreichi, während er einer ebenfalls aus Milch gezüchteten und mit derselben Eigenschaft begabten Bakterie den Namen Bacterium Hessii beilegt.

Der M. Freudenreichi ist rund, von 2 μ Durchmesser, meist vereinzelt, mitunter aber auch in Ketten auftretend. Er ist unbeweglich, bildet auf festen Nährböden gelbe, und zwar rein schwefelgelbe — schmutzig-gelbbraune Kolonien; die Gelatine wird verflüssigt. Besonders gut wächst der Milch-Kokkus in sterilisirter Milch. Wärmeoptimum etwas über 20⁰. Hiedurch unterscheidet er sich von dem Mikrokokkus, welchen Schmidt-Mülheim entdeckt hat; der von letzterem gefundene Spaltpilz gedeiht am besten bei 30—40⁰. Wie er sich zu den Mikroben von Hüppe verhält, ist wegen der kurzen Angaben über denselben nicht mit Bestimmtheit zu entscheiden. Der Weissmann'sche Kokkus verflüssigt Gelatine nicht.

Infektionsversuche mit dem Micro-coccus Freudenreichi fielen negativ aus; namentlich starb er, in die Milchcisterne einer Ziege verbracht, bald ab. Es ist deshalb anzunehmen, dass dieser Mikroorganismus nicht durch Euter-Erkrankungen, sondern als nachträgliche Verunreinigung in die Milch gelangt. Gegen Desinfizienten ist der Micrococcus Freudenreichi nur wenig resistent.

Bakterium Hessii macht den Rahm schwach fadenziehend. Es bildet Stäbchen von in der Regel 3—5 μ Länge und 1,2 μ Breite, besitzt grosse Beweglichkeit und verflüssigt die Gelatine; pathogen ist das Bakterium Hessii nicht. Auch dieser Mikroorganismus wird durch Hitze, sowie durch Kalkhydrat (0,5 pCt.) und Sodalösung (3 pCt.) leicht getödtet. Aus dem kulturellen Verhalten der fraglichen Bakterie verdient hervorgehoben zu werden, dass sie in sterilisirter Milch zuerst das Auftreten von Klümpchen im Rahm bedingt, welche nichts anderes als Butter sind. Diese Erscheinung ist nach Verfasser darauf zurückzuführen, dass der fadenziehende Schleim aus den die Fetttröpfchen umhüllenden Eiweisskörpern gebildet wird.

Das Bakterium Hessii tritt als neue, wohlcharakterisirte Art zu den bereits bekannten Bakterien der fadenziehenden Milch, nämlich dem Bacillus lactis viscosus (Adametz), dem Actinobacter du lait visqueux (Duclaux), dem Löffler'schen Bazillus der schleimigen Milch und endlich dem Bazillus viscosus I und II (van Laer).

Schomerus, Die Typhusepidemie zu Sittensen.

(Der ärztliche Praktiker 1891, Nr. 3 und 4.)

Im Kirchspiel Sittensen, Kreis Zeven, erkrankten in dem Hause eines Schmieds dessen Tochter am 27. Juli 1890 an Typhus abdominalis und bis zum 18. August in demselben Hause noch 4 andere Bewohner. Am 18. August wurde von der Krankheit eine Tagelöhnerin befallen, welche in der Sammel-Molkerei beschäftigt war. Hierauf folgten plötzlich sehr zahlreiche Erkrankungen, nicht allein in Sittensen, sondern auch in den umliegenden Dörfern.

Anfangs war eine Ursache für diese blitzartige Ausbreitung nicht auffindbar. Bald aber stellte es sich heraus, dass nur in solchen Dörfern und Häusern die Krankheit ausbrach, in welchen Magermilch aus der Molkerei verzehrt wurde. Ausserdem trat noch eine geringe Anzahl sekundärer Ansteckungen auf. Die Gesammtzahl der Erkrankten betrug 127.

Die Nachforschungen des Verfassers ergaben, dass in sämmtlichen Haushaltungen mit einer Ausnahme die Milch entweder immer oder doch zeitweise in ungekochtem Zustande genossen wurde. Der Grund der Typhusverschleppung durch Milch war allen Thatsachen nach in den hygienischen Verhältnissen zu suchen, welche jeder Beschreibung spotten. Verf. giebt an, dass Aborte nur in wenigen Häusern existirten; die meisten Bewohner verrichteten ihre Bedürfnisse unter freiem Himmel oder im Kuhstall hinter den Kühen. Namentlich wurde der Kuhstall von Typhuskranken benützt, welche sich noch im Hause herumzuschleppen vermochten. Auf diese Weise war allerdings die denkbar günstigste Gelegenheit zur Verunreinigung des Euters und der Milch mit Typhusbazillen gegeben.

Der Königliche Regierungs-Präsident zu Stade war nach dem Ausbruche der Typhusepidemie genöthigt, die unverzügliche Errichtung von Aborten unter Androhung einer Geldstrafe von 150 Mark anzuordnen.

Baum, Welche Gefahren erwachsen für den Menschen aus dem Genusse der Milch kranker Thiere? Wie kann diesen Gefahren auf gesetzlichem oder privatem Wege vorgebeugt werden?
(Berliner Archiv f. Thierheilkunde. XVIII Bd., 3. Heft.)

Die Arbeit des Verf. im Auszuge wiederzugeben, ist leider nicht möglich. Um so mehr möge aber auf das Studium des Originals hingewiesen sein, welches als eine werthvolle Bereicherung unserer Litteratur zu bezeichnen ist. Denn dasselbe enthält eine sehr sorgfältige Zusammenstellung sämmtlicher Beobachtungen und Untersuchungen über die Uebertragbarkeit von Infektionskrankheiten der Hausthiere auf den Menschen, sowie über die Ausscheidung giftiger Substanzen durch die Milch. Das Litteraturverzeichniss umfasst 231 Nummern.

Die Arbeit ist nach folgendem Plane aufgebaut. I Die Milch unserer Hausthiere (Bestandtheile, charakteristische Eigenschaften der Milch, Vorgang der Milchsekretion und Milch als Nährboden für Mikroorganismen). II. Infectionskrankheiten. A. Maul- und Klauenseuche (Beschaffenheit der Milch maulund klauenseuchekranker Rinder, Uebertragung der Krankheit durch Milch auf Thiere und Menschen, Vorbeuge gegen diese Gefahr). B. Tuberkulose (nach denselben Gesichtspunkten). C. Milzbrand. D. Tollwuth. E. Lungenseuche. III. Ausscheidung von giftigen Substanzen mit der Milch: Arsenik, Blei, Jod, Kupfer, Quecksilber, Tartarus stibiatus, Carbolsäure, Opium und Morphium, Colchicin. IV. Krankhafte Zustände der Melkthiere, bei denen die chemische Beschaffenheit der Milch wesentlich verändert ist: Alle Krankheiten des Verdauungskanals, alle fieberhaften Leiden. Als Anhang folgt: die Milch vor und nach dem Kalben. Den Schluss der Arbeit machen V. Massregeln zur Verhütung von Gefahren, welche dem Menschen durch den Genuss der Milch kranker Thiere drohen.

Gegen Uebertragbarkeit der Tuberkulose empfiehlt der Verf. folgende Massnahmen:

1. Die rohe Milch tuberkulöser Thiere ist vollkommen vom Gebrauche für Menschen und Thiere auszuschliessen.

2. Da das Kochen nicht immer die Virulenz zerstört, so ist auch die gekochte Milch tuberkulöser Thiere vom Verkaufe für den menschlichen Genuss auszuschliessen, dieselbe kann aber an die Thiere verfüttert werden.

3. Die Milch von der Tuberkulose verdächtigen Thieren darf nur im gekochten Zustande verwendet werden. Ueberhaupt sollte das Kochen

der Milch für alle Fälle die Regel sein, da auch bei scheinbar ganz gesunden Kühen die Milch Tuberkelbazillen enthalten kann.

4. Eine Verarbeitung der Milch tuberkulöser Thiere zu Milchprodukten ist zu verbieten, da sich auch letztere noch als infektiös erwiesen haben.

5. Jede Kuh, die als Milchkuh eingestellt werden soll, muss, ehe sie zu dem genannten Zwecke verwendet werden darf, mit Tuberculinum Kochii geimpft werden. Das letztere bezieht sich natürlich auch auf alle zur Zeit schon als Melkthiere verwendeten Kühe. In erster Linie gilt es für die in Milchkuranstalten aufgestellten Thiere. Zeigt das Impfthier in Folge der Impfung eine Temperaturzunahme um mindestens 0,6 ° C., so darf dasselbe nicht als Milchthier verwendet werden.

Amtliches.

Reg.-Bezirk Schleswig. Belehrung, betr. Vertilgung der Dasselfliege (Biesfliege, Rinderbremse).

Die vom Juni bis September schwärmende Dasselfliege setzt bekanntlich das weidende Vieh in grosse Unruhe. Abgesehen davon, dass beim Biesen die Thiere sich Verletzungen zuziehen können, wird sowohl der Fleischansatz als die Milcherzeugung durch jene Unruhe beeinträchtigt. Der Hautreiz, welchen die etwa 9 Monate in der Haut der Thiere sich aufhaltenden Larven verursachen, übt gleichfalls sowohl auf die Ernährung als auch auf die Milchabsonderung einen nachtheiligen Einfluss. Endlich wird der Werth der Häute der Thiere durch die in Folge der Ein- u. Auswanderung der Larven entstehenden Löcher vermindert. Das einzige Mittel zur Beseitigung des Uebelstandes ist die allmähliche Ausrottung der Dasselfliege. Zu dem Zwecke ist es nothwendig, auf das Vorkommen von Dasselbeulen sorgfältig zu achten und dieselben zu zerstören.

Dieselben sind mit Hülfe eines kleinen Messers auszudrücken, und es ist der Inhalt sorgfältig zu vernichten, da aus jeder unvernichtet gebliebenen Larve eine Fliege entstehen kann, welche wiederum durch Eierlegen sich vermehrt. Vor Austrieb des Viehes im Frühjahr muss sämmliches Rindvieh auf das Vorkommen von Dasselbeulen untersucht und während der Monate Juni bis September mit der Kartätsche thunlichst oft abgeputzt sowie überhaupt sorgfältig rein gehalten werden.

Dieses Verfahren wird zu möglichst ausgiebiger Anwendung empfohlen.
Schleswig, den 20. April 1891.
Der Regierungs-Präsident.

Reg.-Bez. Potsdam. Verfügung, betr. die Revision der Schlachthäuser.

Der Regierungspräsident von Potsdam hat

unter d. 31. März 1892 nachstehende Verfügung (I. 2380. 3) erlassen:

Es hat sich das Bedürfniss herausgestellt, den Betrieb der öffentlichen Schlachthäuser einer unparteiischen technischen Ueberwachung zu unterstellen. Euer Wohlgeboren ersuche ich deshalb ergebenst, die in Ihrem Amtsbezirk vorhandenen öffentlichen Schlachthäuser gelegentlich anderer Dienstreisen, mindestens aber einmal in jedem Kalender-Vierteljahr, einer eingehenden Besichtigung zu unterziehen. Die Besichtigung hat sich auf den gesammten Betrieb der Schlachthäuser zu erstrecken, insbesondere auf die Art der Ausführung von Schlachtungen, auf die Handhabung der Fleisch- und Trichinenschau, Führung der Beschaubücher, Reinhaltung der Schlacht- und Nebenräume, die Desinfektion der Schlachträume, Stallungen, Viehrampen, u. s. w. u. s. w. Die bei den Besichtigungen vorgefundenen Unzuträglichkeiten sind sogleich der Ortspolizeibehörde anzuzeigen. Findet sich bei der nächsten Besichtigung der Uebelstand nicht behoben, so ist mir Anzeige zu erstatten.

Ueber die Zahl der ausgeführten Besichtigungen, über alle bei denselben gemachten Beobachtungen, insbesondere auch über wahrgenommene Krankheiten der Hausthiere, soweit sie für die zweckmässige Regelung der Fleischbeschau von Werth sind, ist alljährlich zum 15. Februar dem Herrn Departementsthierarzt Bericht zu erstatten.

Oeffentliche Schlachthäuser sind zur Zeit im Betrieb in den Städten: Brandenburg, Spandau, Prenzlau, Eberswalde, Rathenow, Wittenberge, Pritzwalk; die Errichtung solcher Anstalten steht bevor in den Städten Neu-Ruppin, Perleberg, Angermünde, Potsdam. Nach erfolgter Inbetriebnahme der letzteren werden Euer Wohlgeboren Anzeige erhalten.

An die Herren Kreisthierärzte.

— **Belgisches Gesetz,** betr. die Verfälschung der Nahrungsmittel. (Schluss.)[*]

— **Ausführungsgesetz b)** betr. die Untersuchung des Schlachtfleisches. Bedingungen, unter welchen solche Personen, die die Approbation als Thierarzt nicht besitzen, die Fleischbeschau als Sachverständige ausüben dürfen.

Der Minister für Landwirthschaft, Industrie und öffentliche Arbeiten
verordnet
unter Bezugnahme auf Artikel 3 des Reglements vom 9. Febr. 1891 über den Handel mit Schlachtfleisch, also lautend:

„In den Kommunen, wo ein oder mehrere Thierärzte ihren Wohnsitz haben, oder in Kommunen, die unmittelbar an solche Ortschaften grenzen, sind die Untersuchungen

[*] Vergl. Heft 3 und 6.

vorzugsweise den praktizirenden Thierärzten zu übertragen.

Sind zum Zwecke der Untersuchungen Nicht-Thierärzte berufen, so haben diese die vom Minister erlassenen Bestimmungen zu erfüllen."

Art. 1. Nur solche Nicht-Thierärzte dürfen zur Ausübung einer sachverständigen Fleischbeschau berufen werden, die mit Erfolg eine theoretische und praktische Prüfung über nachfolgende Gegenstände bestanden haben:

a) In der Kenntniss der den Handel mit Fleisch und Fleischwaaren betreffenden Gesetze und Verordnungen, ganz besonders aber über das Gesetz vom 4. August 1890 und die allerh. Kabinets-Ordre vom 9 Febr. 1891;

b) in der Aufnahme eines Signalements der Schlachtthiere.

c) in der Kenntniss von der Benennung und Lage der verschiedenen Organe und der Körperregionen;

d) in der Wissenschaft von den Merkmalen eines gesunden und kranken Thieres vor und nach dem Schlachten;

e) über die Eigenschaften des frischen Fleisches nebst Zubehör, (Eingeweide) des Fettes oder Blutes, auch über deren verschiedene Zubereitungsarten, wie sie Art. 17 des Reglements vom 9. Febr. 1891 bezeichnet; ferner, ob derartige Esswaaren zum menschlichen Genuss geeignet sind oder nicht;

f) in der Kenntniss derjenigen durch das Reglement festgesetzten Krankheiten, bei welchen der nichtthierärztliche Sachverständige selbstständig verfügen darf und derjenigen Krankheiten, bei welchen er ohne Verzug die Zuziehung eines Thierarztes zu bewirken hat.

Art. 2. Die Prüfung findet in der Provinzial-Hauptstadt vor einer Kommission statt, die aus dem dem Minister für Landwirthschaft etc. beigegebenen Veterinär-Inspektor, dem Provinzial-Veterinär-Inspektor und einem von dem Minister bestimmten Thierarzte besteht.*)

Die Bestallung als sachverständiger Fleischbeschauer muss nach beiliegendem Schema ausgefertigt werden.

Art. 3. Kandidaten, die eine solche Bestallung zu erlangen wünschen, haben ein bez. Gesuch an die Abtheilung für Landwirthschaft, Industrie etc. zu richten.

Der Tag für derartige Prüfungen wird anderweit bekannt gemacht werden.

---

*) Das Belgische Gesetz enthält in der That viele bedeutende Vorzüge vor deutschen Verfügungen. Nicht die geringsten Vorzüge sind Artikel 4, sowie Artikel 2 des reproduzirten Ausführungsgesetzes. Dasselbe legt die Fleischbeschau gänzlich in die Hände der Thierärzte. D. H.

Art. 4. Professionirte Schlächter dürfen nicht mit dem Amt eines sachverständigen Fleischbeschauers betraut werden*).

Brüssel, den 25. Februar 1891.

Schema einer Bestallung als sachverständiger Fleischbeschauer.

Ministerium für Ackerbau, Landwirthschaft, Industrie und öffentliche Arbeiten, Abtheilung für Wohlfahrt, Hygiene u. s. w.

Wir, die Unterzeichneten, Mitglieder der Kommission behufs Prüfung solcher Personen, welche die Qualifikation als sachverständiger Fleischbeschauer auf Grund des Artikels 2 des Reglements vom 9. Februar 1891 betreffend den Handel mit Schlachtfleisch, zu erlangen wünschen, — bescheinigen dem Herrn

(Name, Vornamen, Wohnort)

dass er mit Erfolg die vorschriftsmässige Prüfung bestanden hat.

Ausgefertigt, ... den 189

Der Interessent.   Die Commission.

— Ausführungsgesetz, c) betr. die Untersuchung des Schlachtfleisches. Krankheiten, bei denen der nichtthierärztliche Sachverständige selbstständig verfahren darf. — Krankheiten, bei denen die Entscheidung eines Thierarztes erforderlich ist. — Nicht geniessbares Fleisch und Zubehör. Der Minister für Landwirthschaft etc.

verordnet

unter Bezugnahme auf Artikel 3 des Reglements vom 9. Februar 1891, betr. den Handel mit Fleischwaaren, also lautend:

„Wenn ein Sachverständiger, der nicht Thierarzt ist, einen abnormen Zustand konstatirt, so hat er ohne Verzug die Zuziehung des Thierarztes zu beantragen, der für diese Fälle gerichtlicherseits bestimmt ist, und zu gleicher Zeit den Bürgermeister zu benachrichtigen, um zweckentsprechende polizeiliche Massregeln zu ergreifen.

In gewissen, durch das Reglement festgesetzten abnormen Fällen kann aber auch der nichtthierärztliche Sachverständige ohne Zuziehung eines Veterinärs selbstständig verfahren."

Unter Bezugnahme auf Artikel 8 desselben Reglements, die von dem Ministerialerlass handelt, durch welchen die Fälle näher bezeichnet werden sollen, bei welchen Fleisch, Eingeweide unter allen Umständen für ungeniessbar zu erachten sind und nach Anhörung des der Central-Verwaltung beigeordneten Ober-Thierarztes,

was folgt:

Art. 1. Die abnormen Fälle, unter denen ein nichtthierärztlicher Sachverständiger ohne Zuziehung eines Thierarztes verfahren darf, sind folgende:

1. Quetschungen und Verwundungen,
2. Abscesse,
3. Cysten,
4. Steine, Würmer, Fremdkörper in den Organen,
5. Veraltetes Leiden eines innern Organes,
6. Verwachsungen oder Verlöthungen von Organen, die im natürlichen Zustande getrennt sind.

Die betreffenden Theile müssen für ungeniessbar erklärt werden.

A r t. 2. In allen andern abnormen Fällen hat der nichtthierärztliche Sachverständige die Hinzuziehung eines Thierarztes zu beantragen.

Hauptsächlich hat er sein Augenmerk auf die in Anlage A. gegenwärtiger Verordnung näher beschriebenen krankhaften Veränderungen zu richten.

Ausserdem hat er noch die Hinzuziehung eines Thierarztes in folgenden Fällen zu beantragen:

1. Bei Krankheitsanzeichen der Thiere vor dem Schlachten,
2. Wenn bei erfolgter Nothschlachtung eine Krankheit entdeckt wird,
3. Bei Schlachtungen von Pferden.

A r t. 3. In den in der Anlage B. gegenwärtiger Verordnung spezifizirten Fällen müssen stets das Fleisch bezw. dessen Eingeweide für ungeniessbar erklärt und vernichtet werden.

Brüssel, den 28. April 1891.

Der Minister.

gez. L é o n d e B r u y n.

Anlage A.

Die hauptsächlichsten Krankheitsfälle, bei denen die Hinzuziehung eines Thierarztes erforderlich ist:

1. Wenn sich bei den Wiederkäuern ziemlich ausgebreitete Geschwülste, die sich schnell ohne äusserlich bemerkbare Ursache vergrössern, an verschiedenen Theilen des Körpers oder auch nur an einem Ort, so hauptsächlich am Hals, an der Wampe, an der Brust, an den Seiten und auf dem Rücken zeigen bei gleichzeitiger Abgeschlagenheit des Thieres, so erweckt dies den Verdacht auf M i l z b r a n d.*)
2. Wenn sich nach Abnahme des Felles mehr oder weniger röthliche Flecke, blutigsulzige Infiltrationen an mehreren Stellen der Körperoberfläche, in und zwischen den Muskeln, in den grossen Körperhöhlen, auf den diese umkleidenden Häuten, auf dem Magen und den Därmen zeigen und noch Milzschwellung sich hinzugesellt, so leidet das Thier auch an Milzbrand*), aber an einer andern, als der vorher besprochenen Form.
3. Befinden sich bei einem Schweine rothe, blaue oder bräunliche Flecke, umschrieben oder zusammenfliessend, an verschiedenen Körperstellen, namentlich an den dünneren Hautstellen, auf der inneren Fläche der Hinterschenkel, an den Vordergliedmassen, auf dem Rüssel, an den Ohren, am Halse, unter der Brust oder dem Bauche, so ist höchstwahrscheinlich der R o t h l a u f zu konstatiren.
4. Bemerkt man bei demselben Thiere eine ausgebreitete Kehlgangs-Geschwulst von rother bis dunkelrother oder bläulicher Färbung, die von der Kehle bis zu den vorderen Gliedmassen, bis unter die Brust reicht, so hat man es höchstwahrscheinlich mit dem Milzbrand-Rothlauf*) mit der Milzbrand-Bräune, zu thun.
5. Zeigen sich bei dem Schafe kleine Flecke oder harte, auch zusammendrückbare rothe Erhabenheiten an den Stellen, wo die Haut fein und von Wolle entblösst ist, also: um die Augen und das Maul, innerhalb der Schenkel, an der Brust, auf dem Bauch, unter dem Schwanze, so sind wahrscheinlich die Schafpocken*) zu konstatiren.
6. Findet man beim Schafe an Körperstellen, die sonst mit reichlicher Wolle bedeckt sind, haarlose Stellen, auf denen Erhabenheiten, Krusten vorhanden sind, so ist das Thier der Schafräude*) verdächtig.
7. Bemerkt man an einem Rinde oder einer Ziege eine umschriebene oder diffuse Schwellung an einer oder der anderen Kinnlade mit oder ohne Zerstörung der Haut, so kann man es mit einer spezifischen parasitären Krankheit zu thun haben.
8. Trifft man bei dem Schweine oder den Wiederkäuern auf Bläschen oder wunde Stellen im Maule oder auf den Klauen oder in den Klauenspalten oder auf abgefallene Schuhe, so muss man das Vorhandensein der Maul- und Klauenseuche*) (Aphten) befürchten.

Bei dem Schafe kann das von der Klaue ausgehende Ausschuhen ein Zeichen der „Hinke"*) sein.
9. Bemerkt man auf der Haut Beulen, die entweder Luft oder eine stinkende, eitrige Beschaffenheit enthalten; Abscesse oder in und zwischen den Muskeln an mehreren Körpertheilen schwarze, chinesischer Tusche ähnliche Flecke; zwischen oder auf den Muskeln Knötchen, welche eiterartige oder kalkige Massen enthalten; eitrige oder käsige Körnchen in den Muskeln; sieht man im Schweinefleisch Bläschen von Erbsengrösse mit einem weisslich durchscheinen-

---

*) Eine Krankheit, bei der die Artikel 319, 320, 321 des Strafgesetzbuches und das Gesetz vom 30. Dezember 1882 zur Anwendung kommen.

den Körperchen; erscheinen mehrere Gelenkverbindungen krank, — — — so darf in allen diesen und den oben aufgeführten Fällen der Sachverständige nicht selbstständig verfahren, sondern muss die Heranziehung eines Thierarztes veranlassen.

10. Sind in oder auf den Lungen, auf dem Lungenfell, auf der Pleura, dem Bauchfell oder einem Baucheingeweide Knoten an Form, Umfang, Beschaffenheit und Farbe sehr verschieden, so kann man es mit einer sehr wichtigen Krankheit, nämlich der Tuberkulose (Poquette) zu thun haben.

Auch hier muss der Thierarzt bei dem Vorhandensein derartiger Gebilde, gleichgültig, an welchen Körpertheilen sie gefunden werden, jedesmal herbeigerufen werden.

Anlage B.

Zusammenstellung derjenigen Fälle, bei welchen das Fleisch resp. die Organe für ungeniessbar erklärt werden müssen.

1. Fleisch und Organe von Thieren, die
   a) an Cachexie, Wassersucht, gelitten haben und deren Fleisch infolge dessen mager, wässrig ist;
   b) nicht gehörig ausgeblutet haben, deren Fleisch also blutdurchtränkt ist;
   c) vergiftet worden sind und zwar durch Arsenik, Kupfer, Blei, Carbolsäure etc.; oder mit gewissen Arzneimitteln behandelt wurden: Ammoniak, Schwefeläther, Kampher, Asafötida, Brechnuss etc.

2. Solches frisches Fleisch oder solche verschiedene Zubereitungen desselben, wie sie in Artikel 17 des Reglements betr. den Handel mit schädlichem oder verdorbenem Fleisch aufgeführt worden sind.

3. Ranzig riechendes Fleisch.

4. Fleisch, das in Folge von Verletzungen blutig infiltrirt ist.

5. Fleisch von krepirten Thieren oder von Thieren, die an nachfolgenden Krankheiten gelitten haben:

A. Milzbrand;

B. 1. Tuberkulose — ohne Rücksicht auf den Nährzustand —
   a) Brust- und Bauchtuberkulose, also wenn der Sitz derselben zu gleicher Zeit in einem oder mehreren Brustorganen (Lungen, Brustfell, Herzbeutel, Lymphdrüsen), oder in einem oder mehreren Baucheingeweiden ist (Bauchfell, Lymphdrüsen, Eingeweide, Leber, Uterus, Milz, Nieren, Ovarien, Bauchspeicheldrüse);
   b) Brust- oder Bauchtuberkulose bei gleichzeitigem Vorhandensein von Tuberkeln an anderen Körpertheilen als in den Höhlen, wie in den Lymphdrüsen (retro-

pharyngeale, Bugdrüsen, Leistendrüsen, Brustdrüsen etc.) im Euter, in den Knochen, Gelenken, Hirnhäuten, Hoden, Muskeln;
   c) Disseminirte Tuberkulose der Lungen, des Brust- und Bauchfelles, der Leber oder der Mesenterialdrüsen;
   d) begrenzte Tuberkulose der Lungen oder des Herzbeutels oder einer grossen Fläche der Pleura;
   e) begrenzte Tuberkulose eines anderen Organs der Bauchhöhle oder über eine Fläche ausgebreitete des Bauchfells.

2. Tuberkulose, ob an einer oder an mehreren Stellen des Körpers, ob viel oder wenig Tuberkeln vorhanden — wenn das Thier in einem schlechten Nährzustande sich befindet.

C. Rotz und Wurm.

D. Wuth und Wuthverdacht;

E. Trichinosis;

F. Finnen beim Schwein, Kalb und Rind.

Bei Finnen darf der Speck, das Schmalz oder der Talg zur menschlichen Nahrung verbraucht werden, wenn er bei 100° C. ausgeschmolzen ist.

G. Pocken;

H. Rinderpest;

I. Pyaemie;

J. Septikämie;

K. Urämie;

L. Gelbsucht;

M. Kälber- (Füllen-) Lähme;

N. Rothlauf der Schweine unter den drei Formen:
   a) als wirklicher Rothlauf;
   b) als bösartige Brust-, Bauchseuche (Schweinecholera);
   c) als bösartige, infektiöse Lungenentzündung oder Schweinepest.

Ist erst die eine oder die andere dieser drei Formen im Entstehen, ist das Fettgewebe noch nicht gelblich infiltrirt oder sind die inneren Organe nur wenig ergriffen, und ist das Fleisch von gutem Aussehen, so kann es zum Genuss zugelassen werden.

O. Lungenseuche der Rinder*);

P. Brandige Entzündung eines oder mehrerer Eingeweide;

Q. Allgemeine Melanose;

R. Wassersucht;

S. Faulfieber des Pferdes;

T. Starrkrampf;

U. Bösartige Druse;

V. Hautwurm.

---

*) Diese Krankheit macht das Fleisch in den Fällen, wie sie das Ministerial-Rescript vom 6. Oktober 1883 und die Kab.-Ordre vom 20. September h. a. vorschreibt, ungeniessbar. Die Eingeweide, ausgenommen Zunge, Nieren, Talg müssen vernichtet werden. (Art. 66, 35 der Kab.-Ordre.)

Rechtsprechung.

Eine Ortspolizeiverordnung, welche für den Gemeindebezirk auch die Ablieferung des bei auswärtigen Gewerbetreibenden bestellten frischen Fleisches nur nach vorgängiger Untersuchung desselben im Gemeindeschlachthause und nach Erlegung der dort üblichen tarifmässigen Gebühr gestattet, ist ungiltig.

Urtheil des Kgl. Preussischen Kammergerichts vom 12. Juni 1890.

Aus den Gründen.

§ 1 der gedachten Polizeiverordnung schreibt vor: „Alles frische Fleisch, welches von auswärts in die Stadt Bielefeld eingeführt wird, ist, bevor es hier feilgeboten, verkauft oder nach vorheriger Bestellung abgeliefert wird, einer sachverständigen Untersuchung zu unterwerfen."

Eine so weite Ausdehnung des Schlachthauszwanges steht mit § 2, No. 2 des Gesetzes vom 9. März 1881 im offenbaren Widerspruche, denn dieser Paragraph hat nur dasjenige nicht im öffentlichen Schlachthause geschlachtete frische Fleisch im Auge, welches feilgehalten werden soll. Im öffentlichen Interesse kann zwar der Gewerbebetrieb mit frischem Fleisch auf Grund des § 6 unter f des Gesetzes vom 11. März 1850 auch durch Polizeiverordnungen einer polizeilichen Kontrolle unterworfen werden. Der Schlachthauszwang aber darf die durch das Gesetz vom 9. März 1881 gezogenen Grenzen nicht überschreiten.

Fleischschau-Berichte.

Bericht über die Fleischschau auf dem städtischen Schlachthofe zu Göttingen pro 1. April 1891/92, erstattet von Direktor Dr. Ströse.

Geschlachtet wurden Ochsen und Bullen 482, Kühe 558, Rinder 768, Schweine 8216, Kälber 5222, Schafe 3620, Ziegen 141, zusammen 19007 Thiere. Hiervon sind dem Konsume gänzlich entzogen worden a) Rinder 4 Stück wegen Tuberkulose, je 1 wegen Leukämie, Pyelonephritis, Echinokokken, Icterus und starker Abmagerung, Septicopyämie und septischer Peritonitis; b) Schweine 12 wegen allgemeiner Tuberkulose (darunter 3 mit Knochentuberkulose), 4 wegen Rothlaufs, je 1 wegen Schweineseuche und Trichinen, 2 wegen Finnen und 3 wegen anderer Krankheiten; c) Kälber je 1 Thier wegen Labmagendarmentzündung (in Folge von Maul- und Klauenseuche) und wegen Ruhr; d) Schafe je 1 wegen Erstickung und wegen Septicämie. Auf der Freibank wurden zu einem Preise von 20—50 Pf. verkauft 20 Rinder, 38 Schweine und 13 Kälber; Grund der Verweisung bei 11 Rindern Tuberkulose, 3 Finnen, 1 umfangreicher Abscess in der Muskulatur,

1 Schnitzelkrankheit, 1 Peritonitis, 1 Fremdkörperpneumonie, 1 Verletzungen, 1 Puerperalfieber; bei 8 Schweinen Rothlauf, 3 Finnen, 2 Schweineseuche, 16 Tuberkulose, 2 Gelbsucht, 2 Darmentzündung, 1 peritonealer Abscess, 1 Abscess in der Muskulatur; bei 3 Kälbern Darmentzündung, 3 schlechter Ernährungszustand, 2 Darmkatarrh, 2 Kälberlähme, 1 Icterus, 1 Nierenentzündung, 1 Nabel- mit metastatischer Lungenentzündung; bei 1 Schaf Abmagerung in Folge von Räude.

Endlich wurden zum Hausgebrauche zugelassen 5 Rinder, 18 Schweine, 3 Kälber 3 Schafe und 2 Ziegen.

Mit Tuberkulose waren behaftet 10 pCt. sämmtlichen Grossviehs und 1,354 pCt. der Schweine. Dr. Ströse sagt, die Ursache des geringen Tuberkuloseprozentsatzes bei Rindern dürfte darin zu finden sein, dass in G. viele junge Ochsen, Rinder und Bullen geschlachtet werden.

In der Stadt G. kamen während des Vorjahres 69,33 kg Fleisch auf den Kopf der Bevölkerung (gegen 31,3 kg Durchschnittskonsum in Deutschland).

— Jahresbericht der Schlachthausverwaltung Karlsruhe pro 1891, erstattet von dem Vorstande des Schlacht- und Viehhofes Bayersdörfer.

An Grossvieh wurden geschlachtet 9576 Stück, von welchen 88 der Freibank überwiesen (78 wegen Tuberkulose) und 25 vernichtet worden sind (23 wegen Tuberkulose). Organe von Grossvieh mussten dem Konsum entzogen werden 415, darunter 325 wegen Tuberkulose.

Von den 45190 Stück Kleinvieh (16889 Kälber, 1786 Schafe und Ziegen, 25390 Schweine, 1125 Ferkel und Kitzchen) wurden wegen verschiedener Krankheitszustände 82 der Freibank überwiesen und 38 für „ungeniessbar" erklärt. Einzelne Organe und Theile wurden konfiszirt 1386.

Ausserdem wurden 345 Pferde geschlachtet (9 vom Konsume ausgeschlossen).

Von auswärts wurden 299353 kg Fleisch eingeführt.

Dem Berichte ist weiter zu entnehmen, dass 343 Schweine ohne positiven Befund auf Trichinen untersucht worden sind. Der Fleischkonsum berechnete sich pro Kopf und Jahr auf rund 67 kg.

— Bericht über die städtische Fleischschau zu Rybnick im Betriebsjahre 1891/92. In dem öffentlichen Schlachthause sind in dem abgelaufenen Berichtsjahre geschlachtet worden:

723 Rinder gegen	634 des Vorjahres.	
2558 Schweine „	2141 „	„
1651 Kälber „	1839 „	„
270 Schafe „	434 „	„
12 Ziegen „	9 „	„

5214 Thiere gegen 4557 des Vorjahres.

Von diesen geschlachteten Thieren wurden beanstandet:

7 Rinder (wegen Tuberkulose);

49 Schweine (10 wegen Tuberkulose, 1 wegen multipler Blutungen, 1 wegen hämorrhagischer Darmentzündung, 16 wegen Rothlauf, 18 wegen Finnen, 1 wegen Kalkkonkremente, 1 wegen Kachexie, 1 wegen Trichinen);

5 Kälber (1 wegen Ulcus pepticum, 2 wegen Nabelentzündung, 1 wegen Fäulniss, 1 wegen septischer Kälberlähme).

Vollständig vernichtet mussten von diesen 61 Thieren werden:

2 Rinder, 23 Schweine und 3 Kälber = 28. Der Rest konnte zum Verkauf auf die Freibank zugelassen werden oder, wenn der Besitzer nicht Schlächter war, diesem zum Hausgebrauche herausgegeben werden. Ausser diesen ganzen Thieren mussten noch an einzelnen Organen vom menschlichen Genusse ausgeschlossen werden:

Lungen	283
Lebern	127
Ungeborene Früchte	257
Sonstige Theile	49
	716

Von auswärts eingeführtem Fleisch kamen im hiesigen Schlachthause zur Untersuchung: 125 Schweine, 17 Rinderviertel, von welchen der grösste Theil schon in anderen Schlachthäusern zur Untersuchung vorgelegen hatte. Zur menschlichen Nahrung ungeeignet wurde hiervon befunden: 1 Schwein wegen Fäulniss und 1 Schwein wegen Tuberkulose. Die Tuberkulose wurde unter Berücksichtigung der Erkrankung einzelner Organe im Ganzen konstatirt bei Rindern 54 und bei Schweinen 29 mal, das sind also 7,45 pCt. aller geschlachteten Rinder und 1,13 pCt. der Schweine. Hiervon mussten gänzlich vernichtet werden 2 Rinder und 6 Schweine, während der Rest zum Verkauf auf die Freibank zugelassen werden konnte oder zum freien Gebrauch herausgegeben wurde, wenn nur geringfügige Erkrankung des einen oder andern Organs vorlag. Von den erkrankten Schweinen gehörte die grösste Menge zu den aus Oesterreich-Ungarn eingeführten und zwar waren dieselben meistens generell tuberkulös erkrankt. Finnen wurden bei Rindern nur wenige Male und zwar jedesmal in der Einzahl im Masseter intern. gefunden. Derartig finnige Rinder müssen nach Verfügung des Herrn Regierungspräsidenten zu Oppeln nach Entfernung des befallenen Theiles zur freien Verwerthung herausgegeben werden. Bei Schweinen kamen dieselben jedoch recht häufig vor, fast alle waren sehr stark befallen.

Rothlauf trat nur im Anfange des Betriebsjahres auf. In den meisten Fällen konnte das Fleisch der hieran erkrankten Thiere noch zum Verkauf auf die Freibank zugelassen werden, während die schwerer und länger erkrankten, schon mit hochgradigen Veränderungen der Organe behafteten, vernichtet wurden.

Der Schlachthof-Verwalter:
Warncke.

— **Bericht über die Fleischbeschau in Karlsbad** für das Jahr 1891, erstattet von dem städtischen Thierarzt Messner.

In dem städtischen Schlachthofe wurden geschlachtet 831 Rinder, 4947 Kälber, 3597 Schafe, 177 Schweine und 99 Ziegen. Davon wurden beanstandet wegen Tuberkulose 113 Rinder (= 13,47 pCt.), 2 Kälber und 2 Schafe), vernichtet 2 Rinder, die beiden Kälber, ebenso die beiden Schafe. Aktinomykose wurde bei Rindern 10 Mal festgestellt. Bei zwei Schafen fand sich ausgebreitete Gregarinose.

Von ausserhalb sind eingeführt worden 650 000 kg Fleisch (roh oder zubereitet), 2448 Schweine, 1543 Kälber, 379 Schafe und 109 Ziegen. Hierbei mussten zahlreiche Beanstandungen vorgenommen werden, und zwar wegen Tuberkulose 400 kg Rindfleisch, 3 Kälber und ein Schaf, wegen Aktinomykose 7 Rinderzungen, wegen Finnen eine Rinderzunge und zwei Schweine, weil von nothgeschlachteten Thieren stammend 1770 kg u. s. w.

— **Bericht über die Schlachtvieh-Versicherungskasse in Dresden** für die Zeit vom 11. Mai bis Ende Dezember 1891. An Prämien wurden ursprünglich bezahlt 3 M. für Ochsen, Stiere und Bullen, 5 M. für Kühe und Kalben, vom 11. Juni an aber 4 M. für Ochsen und Stiere, 5 M. für Bullen, 6 M. für Kühe und Kalben. Hierbei erzielte die Versicherung männlicher Rinder einen Ueberschuss von über 9000 M., während bei der Versicherung der weiblichen Thiere 1759 M. verloren gingen. Seit 1. Januar 1892 betragen die Prämiensätze 3 M. für Ochsen, Stiere und Bullen, 6 M. dagegen für Kühe und Kalben.

Kleine Mittheilungen.

— **Die sogenannten Actinomyces musculorum suis** wurden jüngst auf dem Zentralschlachthofe zu Berlin auch bei Schafen gefunden, deren Fleisch wässerige Beschaffenheit zeigte.

— **Trichinenschau in Nürnberg.** Nach dem Berichte von Rogner (Göring's Wochenschrift) wurden in Nürnberg 1891 von 71 447 geschlachteten Schweinen 28 trichinöse gefunden. Von den letzteren stammten 22 Stück aus Preussen, 2 Stück aus Württemberg und 4 Stück aus Bayern. Bei 14 der trichinösen Schweine waren die Trichinen sehr zahlreich, bei 6 Stück in mittlerer und bei 8 Stück nur in sehr geringer Anzahl vorhanden.

— **Häufigkeit der Tuberkulose bei Schweinen aus Oesterreich-Ungarn.** Durch regelmässiges Anschneiden der oberen Halslymphdrüsen beim Schweine konnte ich einen wider Erwarten hohen Prozentsatz an Tuberkulose erkrankter Thiere in dem Schlachthause zu Rybnick feststellen (1891/92 1,13 pCt.). Die Mehrzahl dieser Thiere stammt aus Oesterreich-Ungarn und gehört der kleinen, nicht übermässig fetten, schwarzbraun bis ganz schwarz gefärbten Rasse an, welche zum Import kommt. Bei einem in den letzten Wochen angelangten Transporte waren von 44 Stück 21, also fast 50 pCt., tuberkulös.

Bei den fraglichen Thieren waren die oberen Halsdrüsen regelmässig erkrankt, bei der grösseren Zahl ausserdem die Bronchialdrüsen und nur bei dem kleineren Reste andere Organe, namentlich Leber und Milz, sowie die Mesenterialdrüsen. Nieren- und Darmerkrankungen wurden bei keinem Thiere konstatirt. Der Nährzustand war bei sämmtlichen Thieren ein guter, und während des Lebens war es trotz mehrtägiger Beobachtung nicht möglich, irgendwelche Krankheitserscheinungen nachzuweisen. Der letzte, so stark infizirte Transport stammte direkt aus der Kontumazanstalt zu Steinbruch, wo die Thiere geboren und sechs Monate gemästet worden waren. Warncke-Rybnick.

— **Actinomykose in Frankreich.** Nach einer Statistik von Redon wurden auf dem Markte la Villette bei 130 000 Rindern 95 Fälle von Aktinomykose gefunden (= 0,07 pCt.).

— **Zur Frage der Ziegentuberkulose** liefert Colin (Rev. vét. 1891, Nr. 11) einen experimentellen Beitrag. Er impfte eine erwachsene Ziege unter der Haut der Flanke mit 2 dünnen Scheiben eines Lungentuberkels von einer Kuh. Die Ziege erkrankte rasch an Tuberkulose, welche von der Impfstelle ausgehend die Lymphdrüsen ergriff und sich generalisirte.

Der Sächsische Veterinärbericht pro 1890 enthält einen Fall von spontaner Ziegentuberkulose. Die fragliche Ziege war einige Jahre als Milchziege gehalten worden und zeigte bei der Schlachtung Tuberkulose der Gekrösdrüsen, sowie der Leber und Lunge.

— **Virulente Tuberkelbazillen in einem verkalkten Tuberkel.** Haushalter-Nancy bewahrte einen von einem Pthisiker ausgehusteten, nussgrossen Pneumolithen ca. 1 Jahr lang auf und verimpfte hierauf Theile desselben nach vorausgegangener Oberflächendesinfektion intraperitonal an ein Meerschweinchen. 3 Monate später fand er bei dem Impfthiere tuberkulöse Lymphdrüsen im Abdomen und am Lungenhilus und etliche Tuberkel in der Lunge.

— **Bei der Hämaturie des Rindes,** welche gegenwärtig in Zentral-Frankreich grosse Verheerungen anrichtet, fand Detroye (Rev. vét. 1891, No. 12) Mikrokokken sowohl im Urin als auch in den hämorrhagischen Flecken der Blasenschleimhaut. Nach Verimpfung der (in sterilisirtem Urin) rein-gezüchteten Mikrokokken auf 7 Rinder vermochte D. bei 4 ausgesprochene Hämaturie hervorzurufen, während bei den 3 übrigen die Section den Beginn des Leidens erkennen liess. Ueber die Symptome und anatom. Veränderungen dieser Hämaturieform sagt D. Folgendes: Das Hauptsymptom des schleichenden Leidens ist Abgang blutigen Urins, hierzu gesellt sich verminderter Appetit und schliesslich Anämie mit allen ihren Erscheinungen. Die anatomischen Läsionen beschränken sich auf den Harnapparat, und zwar finden sie sich stets in der Blase, häufig in den Nieren, selten in den Ureteren und in der Urethra. Was die Veränderungen der Blase anbelangt, so bemerkt man auf deren Schleimhaut Varicen und Petechien, später proliferirende Processe und Geschwüre.

— **Morbus maculosus beim Rinde.** Bezirksthierarzt Albert-Brückenau beschreibt 2 Fälle von Morbus maculosus beim Rinde. Einer derselben führte zur Nothschlachtung. A. fand bei der Obduktion in der Subkutis, in fast allen Muskelpartien, im Euter, sowie unter den Auskleidungen der Brust- und Bauchhöhle massenhafte Petechien. Die bakteriologische Untersuchung des Falles durch Prof. Kitt ergab positives Resultat.

(Göring's Wochenschrift 1891, Nr. 52).

— **Verbreitung pathogener Bakterien ausserhalb des Thierkörpers.** Manfredi fand im Strassenschmutze zu Neapel durch Ueberimpfen

6 mal Staphylococcus pyogenes aureus
1 „ Streptococcus pyogenes
4 „ die Bazillen des malignen Oedems
2 „ Tetanusbazillen
3 „ Tuberkelbazillen.

— **Milchvergiftung.** In Glasgow erkrankte nach der „Chem. and drugg" (Hegers Zeitschr. f. Nahrungsmitteluntersuchung u. s. w.) angeblich eine grosse Anzahl von Kindern vorübergehend nach dem Genusse von Milch, welche von einer Kuh herrührte, die erst zwei Tage zuvor gekalbt hatte.

— **Muschelgift.** Macweeney will nach der „Apotheker-Zeitung" in den Schalen und Byssusfäden, sowie in der Leber giftiger Miesmuscheln Bakterien entdeckt haben. Bekanntlich hat Brieger in der Leber solcher Muscheln das ungemein giftige Mytilotoxin nachgewiesen. Nach M. ist das Mytilotoxin das Produkt eines Bacillus, welcher durch Impfung auf Kaninchen und Meerschweinchen übertragen diese in 24 Stunden tödtet.

— **Intoxikationen durch Fischgift.** Arustamoff-Astrachan berichtet in dem „Zentral-Bl. f. Bakteriologie u. Parasitenk." über 11 Fälle von Fischvergiftung beim Menschen, wovon 5 mit dem Tod endigten. Die genossenen Fische waren Lachs, Hausen und Stör. Als Erreger der Vergiftung glaubt A. spezifische Bakterien nachgewiesen zu haben, welche auch in Schnitten aus

Leber, Milz und Nieren des vergifteten Individuums zu sehen waren. Reinkulturen der fraglichen Bakterien tödteten Kaninchen, während sie bei Hunden und Katzen nur schwere Erkrankung hervorriefen. A. hebt besonders hervor, dass die gefundenen Bakterien von Fäulnissbakterien wohl zu unterscheiden seien. Die gesalzenen Fische zeigten selbst nach 4 monatlicher Aufbewahrung keine Fäulnisserscheinungen. Eigenthümlicherweise traten die Vergiftungserscheinungen erst 10—28 Tage nach Genuss der gesalzenen, rohen Fische ein und bestanden in allgemeiner Schwäche, erschwertem Athmen, Erweiterung der Pupille, Schlingbeschwerden, Stimmverlust, Harn- und Stuhlverhaltung.

— **Kadaver-Verarbeitungs-System Podewils.** Das seit 10 Jahren in Augsburg praktisch ausgeübte Verfahren besteht darin, dass die Thierleichen, in grosse Stücke zertheilt, in eine rotirende, heizbare Trommel gebracht werden. Diese Trommel wirkt als Hochdruckdämpfer, Trockenapparat und Pulverisirmaschine. Die Kadavertheile werden unter 5—6 Atmosphären Druck, entsprechend einer Temperatur von 150 bis 160° C. gedämpft und, nachdem das Fett mit der sog. Leimbrühe abgelassen ist, bis zur Trockene eingedampft und gleichzeitig pulverisirt. Die Leimbrühe kommt nach erfolgter Abscheidung des Fettes gleichfalls zur Trocknung. Der Verarbeitungsprozess geht ohne Berührung mit der Luft vor sich; die sich entwickelnden Dämpfe werden zu Wasser kondensirt und die unkondensirbaren Gase unter Feuer geleitet. Die eingebrachten Kadavertheile verlassen den Apparat als streubar-trockenes Kadavermehl.

Die Vorzüge dieses Verfahrens bestehen nach der Angabe des Entdeckers 1. in seiner vollkommenen Geruchlosigkeit für die Umgebung, 2. in der günstigen Einwirkung der Rotation der Trommel auf Zerreibung und Trocknung des Materials, 3. in der Mittrocknung des sog. Leimwassers, wodurch alle Belästigungen und Gefahren, welche diese Flüssigkeit mit sich bringe, ausgeschlossen seien.

Tagesgeschichte.

— **Oeffentliche Schlachthäuser.** Eröffnet wurde der Schlachthof in Labiau und Oberhausen; die Eröffnung steht bevor in Kattowitz und Eisenach (1. Juni), in Elbing (1. Oktober). Der Bau von Schlachthäusern wurde endgültig beschlossen in Gardelegen und Ziegenhals.

— **Schlachthofdirektoren.** Zum Direktor des neuerrichteten Schlacht- u. Viehhofs in Stettin wurde Herr Schlachthofinspektor Falk aus Bernburg gewählt. Ferner wurde die bisher von einem Verwaltungsbeamten bekleidete Schlachthofdirektorstelle in Braunschweig Herrn Schlachthofthierarzt Koch daselbst übertragen, zwei

erfreuliche Zeichen für die Anerkennung des Grundsatzes, dass nur Thierärzte zur Leitung von Schlacht- und Viehhöfen zu bestellen seien.

— **Im thierärztlichen Zentralverein für Sachsen, Thüringen und Anhalt** hielt Direktor Dr. Hertwig — Berlin einen Vortrag über Fleischbeschau, in welchem unter anderem der Rohrbeck'sche Desinfektionsapparat eine besondere Würdigung erfuhr. H. führte aus, dass durch die Behandlung in dem Desinfektor für Berlin alljährlich das Fleisch von 1000—1200 Rindern, sowie von 1700—1900 Schweinen, welches wegen Tuberkulose vorläufig noch der Abdeckerei überwiesen werden muss, dem Konsum erhalten werden könne. Ausser der Verwerthung des Fleisches tuberkulöser Thiere sei auch diejenige von trichinösen Schweinen nach vorgängiger Erhitzung im Desinfektor anzustreben.

— **Die Erwerbung Rohrbeck'scher Desinfektoren** wurde neuerdings beschlossen in Eisenach und Ziegenhals.

— **Wie ungenügend die Ueberweisung beanstandeten Fleisches an die Abdeckereien** ist, beweisen die nicht selten eintretenden Unterschleife, indem nicht selten Abdeckerei-Anstalten aus mit beschlagnahmtem Fleische betrieben werden. Neuerdings verlautet, dass der Abdecker in Elberfeld einen schwunghaften Handel mit dem Fleische krepirter Thiere betrieben habe. Angesichts solcher Vorkommnisse kann nicht oft genug die Forderung erhoben werden, die Schlachthöfe mit Einrichtungen zu versehen, welche die sofortige unschädliche Beseitigung bezw. technische Ausnutzung ermöglichen.

— **Ein Kafilldesinfektor** wird auf dem städtischen Schlachthofe in Karlsruhe aufgestellt werden.

Der erste von der Firma Rietschel & Henneberg (Berlin) gebaute Kafilldesinfektor befindet sich auf dem städtischen Schlachthofe zu Spandau versuchsweise für einige Wochen in Betrieb. Die städtischen Behörden daselbst haben in entgegenkommender Weise die Besichtigung durch Interessenten gestattet, und es können Eintrittskarten von der genannten Firma in Empfang genommen werden.

— **Ortspolizeiliche Verfügungen.** Die Stadtverordneten-Versammlung zu Sorau hat beschlossen, von auswärts Rinder und Schweine nur noch in Hälften, Kleinvieh aber nur ungetheilt zur Einfuhr zuzulassen. Ausserdem müssen Herz, Lunge, Leber, Milz und Nieren sich in natürlichem Zusammenhange mit dem einzuführenden Fleische befinden.

— **Ausdehnung der Trichinenschau auf Wildschweine** ist im Königreich Sachsen durch Erlass vom 22. Februar 1892 verfügt worden. — In Berlin ist bereits seit dem Inkrafttreten der neuen Verordnung ein trichinöses Wildschwein ermittelt worden.

— **Verordnung der Königl. Regierung zu Posen,** betr. die Bildung von Sanitätskommissionen. Durch die „Deutsche Viertelj.-Schr. f. öff. Gesundheitspflege" erfahren wir, dass die Regierung zu Posen durch Verordnung vom 18. Februar 1891 die Polizeiverwaltungen des Bezirks aufgefordert hat, zur Förderung der praktischen Hygiene S a n i t ä t s k o m m i s s i o n e n zu bilden. In den Sanitätskommissionen sollen immer ein oder mehrere Aerzte und der Polizeivorsteher als Mitglied betheiligt sein. Ferner seien zur Ueberwachung der Nahrungsmittel, insbesondere des Fleisch- und Milchverkehrs ein Thierarzt und ein Apotheker sehr wesentliche Mitglieder der Kommission.

— **Die Errichtung einer Schlachtviehversicherung** wurde vom landwirthschaftlichen Kreisverein in S o r a u beschlossen. Mit der Vorberathung sind 4 Gutsbesitzer und der Schlachthofvorsteher beauftragt worden.

— **Fleischbeschaukurse für die vom Militärdienst befreiten Lehrer** einzurichten, soll nach der „Allg. Fleischer-Ztg." die Militärverwaltung in M e t z die Absicht haben. Die genannte Zeitung vermuthet, dass die geplante Einrichtung den Zweck verfolge, Leute auszubilden, welchen im Kriegsfalle die Fleischbeschau für die Armee übertragen werden könne.

— **Züricher Zentralmolkerei.** Diese neugegründete Anstalt bezweckt die Versorgung von Zürich mit tadelloser Milch aus der Umgebung. Die Milchlieferung ist nach den Grundsätzen geregelt, welche der Herausgeber ds. Zeitschr. auf dem VII. internat. Kongress in London für die Regelung des Milchverkehrs mit Bezug auf übertragbare Krankheiten aufgestellt hat. Die Vorschriften über Milchlieferung stehen aber nicht nur auf dem Papier, sondern es ist zur Ueberwachung der Durchführung derselben ein thierärztlicher Inspektor bestellt. Demselben sind alle kranken und verdächtigen Thiere sofort zu melden; ausserdem liegt ihm die ständige Kontrole über Stall, Vieh, Futter, Wasser, Milchräume u. s. w. ob.

Die Errichtung solcher den hygienischen Anforderungen entsprechender Zentral-Molkereien kann nicht dringend genug zur Selbsthilfe empfohlen werden, bis die Behörden sich entschliessen, durch geeignete Massnahmen das Inverkehrbringen verdorbener und gesundheitsschädlicher Milch zu verhindern. Die bisher erlassenen Milch-Verordnungen entsprechen bekanntlich diesem Zwecke nicht.

— **Verbot der Milchlieferung bei Ausbruch ansteckender Krankheiten.** Die K. Regierung in B i e l e f e l d hat am 15. März verordnet, dass, um eine Verschleppung von Ansteckungsstoffen menschlicher Infektionskrankheiten, insbesondere von Typhus, Scharlach und Dyphtheritis durch Milch zu verhüten, aus solchen Milchwirthschaften und Häusern, in denen eine ansteckende Krankheit herrscht, Milch weder verkauft, noch an Sammelmolkereien abgeliefert werden darf. Ausnahmen von diesem Verbote sind nur nach zuvoriger Erlaubniss der Ortspolizeibehörde in denjenigen Fällen gestattet, in denen nach Lage der Verhältnisse (strenge Absonderung der Erkrankten, sowie Ausschluss aller Personen, die mit diesen in Berührung kommen, von dem Betriebe u. s. w. der Milch zu besonderen, nur zu diesem Zweck dienenden Räumen u. s. w.) jede Gefahr einer etwaigen Weiterverbreitung von Ansteckungsstoffen durch die Milch ausgeschlossen erscheint. (Deutsche Molkerei-Zeitung).

Personalien.

Schlachthausthierarzt H. W. K o c h wurde zum Direktor des städtischen Schlachthauses in Braunschweig, Schlachthausinspektor F a l k in Bernburg zum Direktor des Schlacht- und Viehhofes in Stettin, Schlachthof - Inspektor S c h r a d e r von Neustettin in gleicher Eigenschaft in Brandenburg, Oberrossarzt a. D. S c h m ö l e von Verden als Schlachthof-Verwalter in Herford, Schlachthof-Inspektor S i e b e r t von Brandenburg als Schlachthof-Inspektor in Rostock, Thierarzt B r e d e n f e l d von Sonnenburg zur Ausübung der Fleischschau in Labes und Thierarzt M a y zum Schlachthaus - Thierarzt in Brieg gewählt. Dem Veterinär der Reserve Günther von Dillingen wurde die Schlachthaus-Inspektorstelle in Münden übertragen.

Schlachthofverwalter S c h a d o w in Hirschberg wurde mit pensionsfähigem Gehalt von 3000 M. nebst freier Wohnung auf Lebenszeit angestellt.

Vakanzen.

M a n n h e i m, S c h m a l k a l d e n, P l e s c h e n, Magdeburg, Schwelm, Neustettin. (Nähere Angaben hierüber siehe in Heft 5—8.)

E l b i n g : Schlachthofinspektor zum 1. Oktober, 3000 M. Gehalt nebst freier Wohnung und Beleuchtung. Keine Privatpraxis. Nachweis der Befähigung zum beamteten Thierarzt.

M e n d e n : Schlachthaus-Thierarzt. Gesuche um Auskunft und Meldungen an den Bürgermeister.

L ü n e b u r g : Schlachthof - Inspektor zum 1. August (2400 M. Gehalt bei freier Wohnung und Feuerung). Bewerbungen an den Magistrat.

M ü n s t e r (Westf.): 2. Schlachthof-Thierarzt zum 1. August (Gehalt bei freier Wohnung etc. 2280 M.). Meldungen Unverheiratheter bis 20. Juni an Schlachthaus-Verwalter Ullrich.

B e s e t z t : Schlachthaus - Thierarzt - Stellen in Kattowitz, Braunschweig, Stettin, Brandenburg, Herford, Rostock und Labes.

Verantwortlicher Redakteur (excl. Inseratentheil): Dr. Ostertag. — Verlag und Eigenthum von Richard Schoetz in Berlin. Druck von W. Büxenstein, Berlin.

Zeitschrift

für

Fleisch- und Milchhygiene.

| Zweiter Jahrgang. | Juli 1892. | Heft 10. |

Original-Abhandlungen.

Nachtrag zu der Besprechung des letzten Tuberkulose-Erlasses für das Königreich Preussen

von
Prof. Dr. **Ostertag.**

Nach dem Erscheinen des letzten Tuberkulose-Erlasses für das Königreich Preussen habe ich, der Wichtigkeit der Sache gemäss, Veranlassung genommen (s. Maiheft ds. Zeitschrift), die Tragweite dieses Erlasses für die Praxis der Fleischbeschau zu besprechen. In der Besprechung habe ich hervorgehoben, welch' bedeutende Vorzüge den Erlass vom 26. März 1892 vor seinen Vorgängern auszeichnen, wenn auch nicht alle Hoffnungen Erfüllung gefunden hätten, welche aus den Kreisen der Fleischbeschau ausübenden Thierärzte an das Erscheinen des Erlasses geknüpft worden seien.

Unlängst nun unterzog auch Herr Prof. Dr. Schmaltz den beregten Erlass einem Vergleiche mit den früheren Erlassen und kam zu dem Schlusse, dass der neue Erlass allen berechtigten Ansprüchen Rechnung trage. Meine Besprechung ist nach Schmaltz der Bedeutung des Erlasses nicht ganz gerecht geworden; von mehr nebensächlichen Bemerkungen abgesehen thut sie dem Erlasse in zwei Punkten positiv Unrecht, in einem Punkte scheint sie von irrthümlicher Auffassung ausgegangen zu sein und endlich trägt die Besprechung — nach Ansicht von Schmaltz — in eine klare Bestimmung Zweifel hinein.

Mit Rücksicht auf diese Gegenkritik möchte ich zunächst hervorheben, dass ich die rückhaltlose Besprechung eines Erlasses von der weittragenden Bedeutung des vorliegenden für die Wirkung des Erlasses nur für nützlich erachte. Hierbei ist von einer Verquickung mit Personen, welche mit der Entstehung des Erlasses im Zusammenhang standen oder stehen konnten, völlig abzusehen und das Schriftstück rein sachlich zu behandeln. Auch die bedeutendsten Vorzüge eines solchen Schriftstückes können n. m. A. die objektive Kritik nicht veranlassen, Mängel zu verschweigen, welche nach der Ueberzeugung des Referenten dem Erlasse anhaften. Allerdings muss das Wichtige von dem weniger Wichtigen, vielleicht nur Formellen, grundsätzlich geschieden werden. Sonst wird die Kritik zur Bekrittelung. Im Uebrigen ist aber freie, sachliche, öffentliche Besprechung wichtiger Verfügungen nur dazu angethan, auch in den nicht ganz klaren Punkten derselben eine einheitliche Auffassung herbeizuführen. Denn die knappe Form der Erlasse bringt es mit sich, dass nicht alle Punkte in völlig erschöpfender Weise behandelt werden.

Schmaltz kann nun nicht zugeben, dass der neue Erlass irgend etwas Lückenhaftes — mit Ausnahme der von mir hervorgehobenen fehlenden Einbeziehung der Schweinetuberkulose in den Erlass — oder etwas Missverständliches enthalte.

Obwohl ich annehme und einigen Grund zu der Annahme habe, dass die Ausführungen von Schmaltz nicht allseitig getheilt werden, will ich doch meine Besprechung im Maihefte dieser Zeitschrift durch einige nachträgliche Bemerkungen ergänzen. Diese ergänzenden Bemerkungen habe ich aus allgemeinen und speziellen, in der Natur der Sache liegenden Gründen ursprünglich nicht für nothwendig gehalten, wie ich sie auch heute noch für den mit der Materie durch die Praxis Vertrauten für überflüssig halte. Ich folge der Kritik des Herrn Prof. Dr. Schmaltz und bemerke zu den einzelnen Punkten dieses:

1. Schm. kann keine Enttäuschung darin erblicken, wenn auch der jüngste Erlass von Perlsucht und perlsüchtiger Erkrankung der Muskeln spricht. Perlsucht und Rindertuberkulose seien identische Begriffe. Diese Anschauung dürfte nur von Wenigen getheilt werden. Denn im Gegensatz zur Perlsucht unterscheidet man, z. B. auch in Währschaftsgesetzen, eine zweite Form der Rindertuberkulose, die sog. Lungensucht (vgl. Gerlach). In der Medizin gebraucht man das Wort „perlsuchtähnlich" für Serosentuberkulose. So demonstrirte vor etlichen Jahren Jürgens, Virchows Assistent, einen Fall von Bauchfelltuberkulose beim Menschen als „perlsuchtähnliche" Erkrankung. Es würde daher der Begründung nicht völlig entbehren, wenn Jemand unter „Perlsucht" nur Serosentuberkulose verstände.

Wenn eingewendet würde — und dieses ist der einzig mögliche Grund für die Beibehaltung des in der Thierheilkunde veralteten Wortes, nicht der von Schmaltz angegebene — das Wort „Perlsucht" sei beibehalten worden, um den Erlass auch für empirische Fleischbeschauer verständlich zu machen, so hätte wenigstens die Bezeichnung Tuberkulose beigefügt werden müssen, ebenso wie das Wort „geniessbar" in dem neuen Erlass durch die korrektere Bezeichnung „nichtgesundheitsschädlich" erläutert wurde. Doch dieses ist, wie schon bei meiner ersten Besprechung gesagt, ein durchaus nebensächlicher Punkt. Der Erlass will „Perlsucht" als identisch mit Tuberkulose betrachtet wissen, und hiernach ist zu handeln.

2. Von Schmaltz wird zwar zugegeben, dass der Erlass auch die Tuberkulose der Schweine hätte in seinen Bereich ziehen können. Allein die Beobachtungen über das Vorkommen der Schweinetuberkulose seien noch nicht so ausgiebig, wie bei der Rindertuberkulose, und vielleicht sei es besser, wenn der Erlass nicht darauf einging.

Hierauf ist zu erwidern, dass nach zuverlässigen Beobachtungen die Häufigkeit der Tuberkulose der Schweine in Norddeutschland etwas über 1 pCt. beträgt. Dieses ist bei der grossen Zahl überhaupt geschlachteter Schweine eine ganz respektable Zahl. Man vergleiche beispielsweise nur die Tuberkuloseziffern bei Schweinen in Berlin.

Es wurden festgestellt:

1883/84 Tuberkul. 1313, Finnen 1621, Trichinen 216 unter 244 343 geschlachteten Schweinen.
1884/85 Tuberkul. 2304, Finnen 1468, Trichinen 199 unter 264 727 geschlachteten Schweinen.
1885/86 Tuberkul. 2438, Finnen 2587, Trichinen 143 unter 285 882 geschlachteten Schweinen.
1886/87 Tuberkul. 3298, Finnen 1507, Trichinen 207 unter 310 840 geschlachteten Schweinen.
1887/88 Tuberkul. 6393, Finnen 1925, Trichinen 311 unter 419 848 geschlachteten Schweinen.
1888/89 Tuberkul. 8698, Finnen 1804, Trichinen 342 unter 479 124 geschlachteten Schweinen.
1889/90 Tuberkul. 8437, Finnen 1570, Trichinen 292 unter 442 115 geschlachteten Schweinen.
1890/91 Tuberkul. 8513, Finnen 1133, Trichinen 170 unter 472 859 geschlachteten Schweinen.

Diese Zahlen beweisen gleichzeitig, dass es nicht besser war, wenn der Erlass auf die Schweinetuberkulose nicht einging, sondern dass es besser gewesen wäre, wenn der Erlass dieselbe ausdrücklich erwähnt hätte. Denn die Tuberkulose ist nachgerade häufiger geworden, als die Finnen- und Trichinen-Krankheit der Schweine.

Die Trichinenschauer aber kümmern sich z. Z. bei der Probeentnahme lediglich um die Finnen. Hätte der neue Tuberkulose-Erlass auch der Schweinetuberkulose gedacht, so wäre dieses meines Erachtens eine mittelbare Handhabe gewesen, die Trichinenschauer zu verpflichten, bei der Probeentnahme neben den Finnen auch auf Tuberkulose zu achten. Es ist gewiss kein unbilliges Verlangen, dass bis zur allgemeinen Regelung der Fleischbeschau wenigstens das Möglichste geschehe und dass speziell bis zur Erreichung dieses Zieles wenigstens die tuberkulösen Organe und die mit der so häufigen Knochentuberkulose behafteten Schweine dem Verkehr entzogen würden.

Hierbei ist ausdrücklich hervorzuheben, dass der Erlass auch empirische Fleischbeschauer im Auge hat, wenn er sagt: „In zweifelhaften Fällen wird die Entscheidung eines approbirten Thierarztes einzuholen sein".

3. Schmaltz kann nicht einsehen, dass es einen Mangel bedeutet, wenn der neue Erlass nur die beiden Extreme der Ausbreitung des tuberkulösen Prozesses in Betracht zieht. Instruktion für alle Fälle zu geben, sei unmöglich. Wozu seien schliesslich auch die Sachverständigen da!

Eine völlig erschöpfende Behandlung aller möglichen Fälle verlangt Niemand. Dazu ist weder die etwas unbeugsame Materie noch, wie bereits angeführt, die knappe Form der Erlasse geeignet. Aber eine Andeutung, dass es noch Mittelfälle gebe, und dass diese je nach ihrer besonderen Beschaffenheit zu beurtheilen seien, hätte den Erlass nicht beschwert. Durch diese Andeutung wäre allen und jeden Zweifeln über die Beurtheilung der Mittelfälle, welche thatsächlich bestehen, die Spitze abgebrochen worden. Es wäre dadurch verhindert worden, dass etliche Sachverständige in den Mittelfällen grundsätzlich das Fleisch für nicht bankwürdig halten, trotzdem unter denselben eine beträchtliche Zahl sich befindet, bei welchen das Fleisch nach dem Grundgedanken des neuen Erlasses in den freien Verkehr gegeben werden darf, so z. B. bei den häufigen Fällen von Pleura- und Peritonealtuberkulose, bei Lungen- und Mesenterialdrüsentuberkulose u. s. w.

4. Der neue Erlass sagt bekanntlich Eingangs: „Eine gesundheitsschädliche Beschaffenheit . . . ist der Regel nach anzunehmen, wenn das Fleisch Perlknoten enthält..."; weiter unten aber: „somit eine Uebertragbarkeit der Tuberkulose durch den Genuss selbst mit Perlknoten behafteten Fleisches nicht erwiesen ist." Dieses habe ich als Widerspruch be-

zeichnet. Schmaltz fragt: „Wo ist hier der Widerspruch?"

Obwohl hier Gelegenheit gegeben wäre, mehr zu bemerken, will ich nur eines hervorheben. Ich habe bereits in meiner ersten Besprechung gesagt: „Dieser Widerspruch ist übrigens weniger für die Praxis der Fleischbeschau, als für die Beurtheilung pro foro von Belang." Vor Gericht kann ein auf Grund des § 12 des Nahrungsmittelgesetzes wegen Verkaufs mit „Perlknoten" durchsetzten Fleisches Angeklagter freigesprochen werden, wenn er sich auf Passus 2 beruft, während er nach Passus 1 des neuen Erlasses, wenn nicht Fahrlässigkeit vorliegt, zu einer Gefängnissstrafe verurtheilt werden muss[1]). Denn die Gesundheitsgefährlichkeit ist eine objective Eigenschaft, welche dem Gegenstand anhaften muss. Nach den Ergebnissen der Experimentalforschung ist aber mit „Perlknoten" behaftetes Fleisch als geeignet anzusehen, die menschliche Gesundheit zu beschädigen.

5. Zu dem Schlusssatz des letzten Erlasses:

„Ob das Fleisch von perlsüchtigem Vieh für verdorben zu erachten ist und der Verkauf desselben gegen die Vorschrift des § 367 Ziffer 7 des Strafgesetzbuchs oder gegen die Bestimmungen des Nahrungsmittelgesetzes vom 14. Mai 1879 (R.-G.-Bl. S. 145) verstösst, fällt der richterlichen Entscheidung anheim."

hatte ich u. a. ausgeführt, der Hinweis dürfte in seiner Form nicht ganz korrekt sein, denn der Richter fälle zwar das Urtheil, aber erst auf Grund des sachverständigen Urtheils.

Diese Thatsache besonders hervorzuheben, habe ich für nothwendig erachtet, um den Schlusspassus des neuen Erlasses auf seinen wahren Werth zurückzuführen und namentlich das Gefühl der Unsicherheit als unbegründet hinzustellen, welches den Sachverständigen überkommen könnte,

---

*) Aus Ratibor meldet bereits die „Allgem. Fleisch.-Ztg.", ein Schlächter, welcher mit tuberkulösen Drüsen durchsetzten Rindertalg feilgehalten hatte, sei wegen Vergehens gegen § 12 des N.-M.-G's. freigesprochen worden. Drei Sachverständige hätten erklärt, solcher Talg sei, auch roh genossen, nicht gesundheitsschädlich.

wenn er seine gegenwärtige Thätigkeit in die zukünftige Beurtheilung des Richters gestellt glaubte. Ich habe den Hinweis als formell nicht korrekt erklärt, weil ich den Sachverständigen darauf aufmerksam machen wollte, dass sein Verfahren, wenn es wissenschaftlich begründet ist, die Entscheidung des Richters massgebend beeinflusst. Der oben wiedergegebene Schlusspassus des neuen Erlasses ist lediglich eine verschlechterte Auflage des Schlusspassus in dem Erlasse vom 25. Juni 1885, welcher besagt:

„Die Frage, ob das Fleisch von perlsüchtigem Vieh als verdorben zu erachten, beziehungsweise der Verkauf desselben gegen die Vorschrift des § 367 des Strafgesetzbuches oder gegen die Bestimmungen des Nahrungsmittelgesetzes vom 14. Mai 1879 verstosse, fällt übrigens der richterlichen Entscheidung anheim und wird in jedem konkreten Falle von Sachverständigen zu prüfen sein."

Hier ist die Rolle, welche dem Sachverständigen in der beregten Frage zukommt, ausdrücklich hervorgehoben. Gleichwohl nahm der Niederrheinische Verein für öffentliche Gesundheitspflege Veranlassung, in seiner Eingabe vom 8. Mai 1886 an Seine Excellenz den Staatsminister Herrn von Gossler folgendes nachdrücklich zu betonen:

„Vor Allem aber: Da Euer Excellenz Erlass vom 25. Juni vorigen Jahres die Frage, ob im einzelnen Falle das Fleisch eines tuberkulösen Rindes als verdorben anzusehen, der Entscheidung der Gerichte vorbehält, so entbehren die sanitätspolizeilichen Organe für ihre pflichtgetreue, vorbeugende Thätigkeit, welche schleunig und energisch eingreifen muss, auch fernerhin der bisher vermissten sicheren Direktive."

Höchstwahrscheinlich in Folge dieser Vorstellung blieb in dem darauffolgenden Erlasse vom 15. September 1887 der erwähnte Schlusspassus weg. An seine Stelle trat die Bestimmung, dass es dem Ermessen der Sachverständigen im Einzelfalle überlassen bleibe, die verdorbene, oder, wie der Erlass sagt, die minderwerthige Beschaffenheit des Fleisches tuberkulöser Thiere . festzustellen. Dieser Schlusspassus hätte, mit einer kleinen

Abänderung und einem kleinen Zusatze versehen, allen Anforderungen der ausübenden Fleischbeschau genügt.

Durch vorstehende Angaben dürfte die Ansicht von Schmaltz, ich hätte den Schlusspassus des Erlasses nicht richtig verstanden, in das rechte Licht gestellt sein, ebenso wie die höchst eigenthümliche Zumuthung, welche Schmaltz an Nichtjuristen stellt: „Die Korrektheit des Ausdrucks in Reskripten, welche in einem Ministerium von Juristen bearbeitet sind, überhaupt nicht anzuzweifeln", eine Zumuthung, welche von den Juristen selbst nicht gestellt wird. Ist es denn nicht weiterhin in dem besprochenen Erlasse ein formaler Fehler, wenn von „minderwerthigem" Fleische die Rede ist? Der ausübende Richter kennt kein minderwerthiges Fleisch, er kennt nur tadelloses, ferner gesundheitsschädliches, und endlich verdorbenes im Sinne des Nahrungsmittelgesetzes und des Strafgesetzbuches.

Der letzte Absatz der Antikritik des Herrn Professor Dr. Schmaltz erklärt sich daraus, dass er „minderwerthig" in Gegensatz zu „verdorben" stellt, während ich „verdorben im Sinne des Nahrungsmittelgesetzes" nach Massgabe der einschlägigen Reichsgerichtsentscheidungen als in der Wirkung gleichbedeutend mit „minderwerthig" betrachte.

Vielleicht tragen diese nachträglichen Bemerkungen — nur in dieser Absicht wurden sie gemacht — zur möglichst einheitlichen Auffassung und Ausführung des letzten Erlasses bei, welcher, wie bereits mehrfach betont, als ein bedeutender Fortschritt in der gleichmässigen Regelung des Verkehres mit dem Fleische tuberkulöser Thiere bezeichnet werden muss.

Nochmals die Fleischbeschau auf dem Lande und praktische Vorschläge zu deren Verbesserung.

Von
Ad. Maier—Neckarbischofsheim
prakt. Thierarzt.

Herr Distriktsthierarzt Lebrecht in Weissmain hat in einem sehr beachtenswerthen Artikel in No. 9 dieser Zeitschrift unter obiger Spitzmarke mit Recht darauf hingewiesen, dass die in Bayern eingeführte Fleischbeschau als eine der vorzüglichsten hygienischen Einrichtungen zu betrachten sei, besonders deshalb, weil sie sich nicht allein auf die Städte beschränke, sondern auch auf das platte Land ausgedehnt sei.

„Allerdings" setzt er dann hinzu, „haften der Fleischbeschau auf dem Lande nun leider trotz der im allgemeinen guten Vorschriften erhebliche Mängel an." Er schiebt die Hauptschuld daran hauptsächlich auf die unvermeidliche Verwendung empirischer Fleischbeschauer, deren schlechte Bezahlung, schlechte Ausbildung und Fortbildung. Lebrecht bringt anerkennenswerthe Massregeln zur Besserung in Vorschlag.

Wenn ich nun nachstehend an dieser Stelle auf die bezüglichen Verhältnisse Badens zurückzukommen mir erlaube, so geschieht dies nicht, wie Manche vielleicht glauben könnten, aus Lokalpatriotismus, sondern weil auch wir uns schon längere Zeit der allgemeinen obligatorischen Fleischbeschau in Stadt und Land erfreuen und weil gerade die vom Kollegen Lebrecht empfohlenen Besserungsvorschläge im Grossherzogthum Baden eingeführt sind und sich als äusserst praktisch bewährt haben. Ich thue es ferner auch nicht mit Hinsicht auf Bayern allein, sondern mit Rücksicht auf die wünschenswerthe gleichmässige Regelung der Fleischbeschau in ganz Deutschland. Hier muss jeder praktisch bewährte Vorschlag willkommen sein.

Zur Sache! Darüber, dass selbst in Bayern verschiedene Fleischschauverordnungen, verschieden nach den einzelnen Kreisen, bestehen, will ich gar nicht weiter reden. Jedenfalls wäre hier eine einheitliche Regelung noch empfehlenswerther.

Mit Lebrecht bin ich vollständig einverstanden, dass die empirischen Fleischbeschauer auf dem Lande unvermeidlich seien, wenn die allgemeine obligatorische Fleischbeschau einmal überall durchgeführt werde.

Aber das Institut der Fleischbeschauer, dieser gleichsam staatlich anerkannten Empiriker auf dem Lande, welchen ein gewisses Vertrauen von Seiten des Staates und der Gemeinden entgegengebracht wird, zu heben und zu fördern, das ist eine nicht unwichtige Aufgabe der Behörden sowohl wie der wissenschaftlichen Sachverständigen, der Thierärzte. Als Mittel zur Hebung und Verbesserung dieser Organe weise ich auf folgende bewährte Massnahmen hin, die gleichsam die Lebrecht'schen Massregeln ergänzen, und deren praktische Ausführbarkeit sich in Baden, wie erwähnt, schon bewährt hat.

1. Sorgfältige Auswahl von Personen. Nur tüchtige und moralisch rein dastehende Männer können sich zu einem solchen Amte eignen, das von seinem Inhaber nicht allein Intelligenz und eine gewisse Summe von Kenntnissen, sondern auch Charakterfestigkeit erheischt. Wer die Winkelzüge und Kniffe der Händler und Metzger kennt, wird diese Bedingungen begreifen können.

2. Angemessene Bezahlung. Dieselbe hat, wie bei uns in Baden schon lange üblich (lt. § 3, Abs. 1 der Fleischschauordnung vom 26. November 1878) aus der Gemeindekasse zu erfolgen und nicht, wie anderswo, von dem Schlachtenden selbst. Der Fleischbeschauer muss Gemeindebeamter werden. Dann können nicht mehr solche Aussprüche vorkommen, wie in dem Lebrecht'schen Falle, wo der Betreffende sagte: „Freiwillig geben mir die Leute nichts und wegen 12 Pfg. mag ich nicht fordern".

Dies hat der Fleischbeschauer glücklicher Weise bei uns nicht nöthig. Dafür bleibt es nach § 3, Abs. 2 obiger Verordnung der Gemeinde als solcher überlassen, für jedes der Beschau unterstellte Schlachtthier von dessen Besitzer eine Gebühr zu erheben, deren Höhe die bezirksamtliche Genehmigung haben muss. Auch etwaigen Bestechungsversuchen von Seiten der Interessenten dürfte — Ausnahmen sind natürlich möglich — auf diese Weise vorgebeugt werden. Ausserdem hat bei uns das Publikum so viel Interesse an der Fleischbeschau als einer öffentlichen Einrichtung und an den Bestrebungen, nur gute gesunde Waare in den Verkehr kommen zu lassen, dass es gleichsam selbst eine Kontrolle ausübt und allenfalls Ueberschreitungen zur Anzeige bringt. In Baden hat der Fleischbeschauer auf dem Lande durch die Anfertigung von Gesundheitszeugnissen für Handelsvieh ausser den Fleischschaugebühren mitunter noch eine hübsche Nebeneinnahme.

3. Auch die Klage Lebrechts, dass die Fleischbeschauer trotz ihrer Verpflichtung ihr Amt oft sehr leicht nehmen, besonders bei Nothschlachtungen, dürfte bald verstummen, wenn das badische Verfahren eingeführt wird.

Wie in Bayern, so darf auch bei uns die zweite Beschau bei Nothschlachtungen — einige besonders namhaft gemachte Fälle ausgenommen — nur von approbirten Thierärzten vorgenommen werden. Hier haben wir nun seit Mai 1886 einen Ministerialerlass, wonach die Gemeinden angewiesen sind, mit einem Thierarzt einen Vertrag wegen der Vornahme dieser Funktion abzuschliessen. Dieser Vertrag geht entweder dahin, dass der Sachverständige ohne Rücksicht auf die Zahl der Nothschlachtungen je nach Grösse und Entfernung des Ortes ein bestimmtes festes Gehalt aus der Gemeindekasse bezieht, oder dass der thierärztliche Techniker für den einzelnen Fall aus der Gemeindekasse honorirt wird.

Auf diese Weise wird der Besitzer, welcher schon Schaden genug hat, entlastet und dem Fleischbeschauer jede Verantwortung abgenommen. (Es giebt ausserdem ein noch weiter unten zu erwähnendes Mittel, um etwaige Uebertretungen des letzteren zu erkennen.

Dazu kommt noch in Baden, dass für jedes Stück Grossvieh eine Schlachtsteuer entrichtet werden muss, welche nur bei Nothschlachtungen wegfällt. In letzterem Falle wird aber von dem Steuereinnehmer ein thierärztliches Zeugniss eingeholt.

4. Mit Lebrecht bin ich vollständig einverstanden, dass alle empirischen Fleischbeschauer einen Vorbereitungskursus von mindestens vierwöchentlicher Dauer an einem öffentlichen, unter thierärztlicher Leitung stehenden Schlachthause durchmachen sollen. Jede längere Dauer wäre besser. Vorläufig würde aber schon ein vierwöchentlicher Kursus einen grossen Fortschritt den jetzigen Verhältnissen gegenüber bedeuten. Wenn auch bei uns im Allgemeinen sich das Institut der Fleischbeschauer bewährt hat, weil wir im Durchschnitt pflichtgetreue Männer haben, so dürfte die theorethische Prüfung vor dem Bezirksthierarzte doch nicht ausreichend sein. Dazu kommt, dass von dem Fleischbeschauer, der zu veterinärpolizeilichen Funktionen durch Ausstellung von Gesundheitszeugnissen u. s. w. herangezogen wird, auch Kenntniss von Seuchen u. s. w. verlangt werden. Die Frage des vierwöchentlichen Schlachthauskursus ist wohl noch nicht öffentlich erörtert worden, dürfte aber besonders bei Zunahme der Schlachthäuser auch in kleineren Städten diskutabel werden. Es frägt sich dann nur, wer die Kosten der Ausbildung tragen soll.

5. Was die Litteratur anbelangt, die Lebrecht vermisst, so haben wir in Baden schon seit 1878 in dem Lydtin'schen Werk: „Anleitung zur Ausübung der Fleischbeschau für bad. Fleischbeschauer" (2. Auflage 1890) ein leichtverständliches Handbuch, das auf Gemeindekosten bezogen, den Empirikern zugestellt wird. Dasselbe hat sich sehr gut bewährt und dürfte auch für ausserbadische Fleischbeschauer (ebenso für die Hand der Thierärzte) sehr empfehlenswerth sein.

6. Wenn endlich Lebrecht als weiteren Uebelstand den Mangel der Kontrolle der Fleischbeschauer bezw. der Ueberwachung der Tagebücher hervorhebt, so ist auch diesem Uebel bei uns auf einfache Weise abgeholfen. Nicht allein jeder Fleischbeschauer, sondern auch der die

Fleischbeschau ausübende praktische Thierarzt müssen vierteljährliche Berichte dem Bezirksthierarzt einreichen. Die Berichte gelangen als statistisches Material an das Ministerium. Derselbe Vierteljahrsbericht muss auch für Nothschlachtungen und für Perlsucht ausgefertigt werden. In den Nothschlachtungsfällen hat der die Beschau ausübende Thierarzt durch Unterschrift seine Thätigkeit zu beglaubigen.

Nicht der Bürgermeister, der doch nur Laie ist, hat zu kontrolliren, sondern der Thierarzt und dieser kommt der Forderung auf die bezeichnete Weise am besten nach.

Ueber Fleischvergiftungen.*)

Von

Prof. Dr. Ostertag.

Es ist eine der merkwürdigsten Thatsachen in der Pathologie, dass gerade die verheerendsten Hausthierkrankheiten auf den Menschen nicht übertragbar sind. Rinderpest, Lungenseuche, Rauschbrand, Schweinerothlauf gehen in gar keiner Form auf den Menschen über. Der Organismus des Menschen verhält sich gegen diese seuchenartigen Erkrankungen absolut immun oder refraktär. Bei einem anderen Theile der für die Hausthiere äusserst verderblichen Infektionskrankheiten besteht zwar keine absolute Immunität, aber doch eine mehr oder weniger vollkommene Unempfänglichkeit bei dem Genusse des Fleisches von Thieren, welche mit jenen Krankheiten behaftet waren.

So wissen wir aus einer ganzen Anzahl einwandsfreier Beobachtungen, dass der Milzbrand, welchem die Hausthiere rasch erliegen, auf den Menschen durch den Genuss des Fleisches nur äusserst schwer übertragen werden kann. Ich habe überhaupt in der nachkoch'schen Zeit, in welcher erst der Nachweis einer Milzbrandinfektion sicher möglich wurde, keinen einzigen Fall von Milzbrand nach Fleischgenuss finden können, während

*) Rede, gehalten anlässlich der Feier des Geburtstages Sr. Majestät des Königs Wilhelm II von Württemberg, am 25. Februar 1892.

zahlreiche Beobachtungen dafür vorliegen, dass das Fleisch milzbrandkranker Thiere ohne jeglichen Nachtheil genossen worden ist. Lediglich beim operativen Eingriff und beim Schlachten milzbrandkranker Thiere ereignen sich Milzbrandinfektionen beim Menschen unter der Voraussetzung, dass wunde Körperstellen als Eintrittspforten für das spezifische Gift, die Milzbrandbazillen, gegeben sind.

Aehnlich, wie mit dem Milzbrand verhält es sich mit der Tollwuth. Es ist noch kein sicherer Fall von Uebertragung der Tollwuth durch den Genuss des Fleisches wüthender Thiere, z. B. wüthender Rinder, Schafe oder Schweine, beobachtet worden, und selbst gegen das Rotzgift, welches durch Fütterung auf Raubthiere leicht übertragbar ist, bekundet der Verdauungskanal des Menschen eine natürliche Immunität. Wahrscheinlich das Verhalten des Menschen gegen die übrigen spezifischen Infektionskrankheiten der Hausthiere: Brustseuche der Pferde, Schweineseuche, Schweinepest, Rinder- und Wildseuche, Hühnercholera u. s. w. ein ähnliches. Wenigstens wissen wir über entsprechende Erkrankungen der Menschen nichts, während zahlreiche Erfahrungen für die Nichtübertragbarkeit der zuletzt genannten Krankheiten sprechen. So ist beispielsweise das Fleisch bei Schweineseuche, welche früher als eine einfache, durch Erkältung entstehende Lungenentzündung angesehen worden ist, ausnahmslos genossen worden, ohne dass sich jemals ein Nachtheil nach dem Genusse geltend gemacht hätte. Eine Sonderstellung nimmt lediglich die Tuberkulose ein. Es muss als erwiesen betrachtet werden, dass durch das Verspeisen tuberkulöser Organe — und diese kommen bei unsorgfältiger Untersuchung leider nur zu häufig in den Konsum — in seltenen Fällen aber auch durch den Genuss des Fleisches tuberkulöser Thiere diese chronische Infektionskrankheit dem Menschen eingeimpft werden kann.

Vergeblich suchen wir nach einer befriedigenden Erklärung dieses höchstmerkwürdigen Verhaltens des Menschen gegenüber der Mehrzahl der Infektionskrankheiten der Hausthiere. Der Forscher steht hier vor einem jener vollkommenen Räthsel der Natur, zu deren Lösung selbst das tiefentwickeltste Wissen des menschlichen Geistes sich als gänzlich unzulänglich erweist. Wir müssen uns mit der Feststellung der Thatsache bescheiden, dass der menschliche Organismus die meisten der für Thiere hochpathogenen Keime entweder absolut oder wenigstens bei der Aufnahme durch den Verdauungsschlauch als Saprophyten, d. h. als unschädliche Spaltpilze, als harmlose Pflänzchen behandelt.

Nichtsdestoweniger bedrohen beim Genuss von Fleisch — aber wie ich gleich betonen will, zumeist nur bei mangelhafter Organisation der Fleischbeschau — die mannigfaltigsten Gefahren die Gesundheit des Menschen. Und wenn wir von der Uebertragung der Tuberkulose, der Trichinen und Finnen absehen, so sind es namentlich die sogenannten Fleischvergiftungen, welche in der Pathologie des Menschen eine überaus wichtige Rolle spielen. Die Fleischvergiftungen beanspruchen aber nicht blos das höchste Interesse des Arztes; in gleichem Grade besitzen sie Wichtigkeit für den Thierarzt, weil dieser dazu berufen ist, durch Ausübung der Fleischbeschau die Fleischvergiftungen zu verhüten. Es gehört zu den vornehmsten und wichtigsten Aufgaben der Thiermedizin, den Menschen vor Gesundheitsschädigungen durch Fleischgenuss zu bewahren. Krankheiten verhüten ist aber wichtiger als Krankheiten heilen. Deshalb ist der Thierarzt, welcher durch gewissenhafte und korrekte Ausübung der Fleischbeschau Gesundheitsschädigungen durch Fleischgenuss vom Menschen fernhält, ein wichtigerer Faktor in der Medizin, ein thatsächlich grösserer Wohlthäter der menschlichen Gesellschaft, als der behandelnde Arzt.

Meine Herren!

Eine feierliche Gelegenheit, wie die heutige, schien mir die rechte Veranlassung,

diese hohe Bedeutung der Thiermedizin im Dienste der öffentlichen Gesundheitspflege an dem Beispiele der Fleischvergiftungen zu beleuchten, aus zwei Gründen: Erstlich kann der heranwachsende Thierarzt nicht früh genug an die hohen Pflichten erinnert werden, welche seiner beim Eintritt in das öffentliche Leben harren, er kann nicht früh genug daran gemahnt werden, die Zeit zu nützen, wenn er später den hohen Anforderungen, welche an ihn gestellt werden, voll und ganz gewachsen sein will. Dann aber dürften vielleicht Thatsachen, welche Jedem den hohen Beruf des Thierarztes auch ausserhalb des Rahmens der Thierheilkunst in beredter Weise kundthun, dazu beitragen, dass der Thiermedizin im Allgemeinen eine grössere Gerechtigkeit widerfährt, als dieses zum Theil noch heute geschieht.

Vergiftungen durch Fleischgenuss ereignen sich hauptsächlich unter 2 Bedingungen

1. wenn das Fleisch von Thieren stammt, welche an gewissen, zum Theil noch nicht genau studirten Krankheiten gelitten haben,

2. wenn das Fleisch von gesunden Thieren durch unzweckmässige Aufbewahrung oder Verarbeitung, durch „hygienische Misshandlung" verdirbt, d. h. in Fäulniss übergeht.

Letztere Vergiftungen sind die historisch älteren. Sie sollen aus diesem Grunde zuerst besprochen werden, ferner auch deshalb, weil sie sich nicht selten mit den erstgenannten zu kombiniren scheinen und die vorgängige Besprechung dieser Fleischvergiftungen das Verständniss eines Theils der unter die erste Gruppe gehörigen Erkrankungen erleichtert.

Das Hauptkontingent zu den Erkrankungen der Gruppe 2 stellen die unter dem Namen „Wurstvergiftung", Botulismus, Allantiasis, bekannten Schädigungen der menschlichen Gesundheit. Die Wurstvergiftungen haben ein bedeutendes lokales Interesse. Denn Württemberg ist das Land der Wurstvergiftungen, es hat die meisten Vergiftungen dieser Art aufzuweisen, und die erste Nachricht über die heimtückische Krankheit erhalten wir durch einen Schwäbischen Arzt, unseren Dichter Justinus Kerner. Nach Senkpiehl, welcher eine sehr sorgfältige Zusammenstellung der gesammten Litteratur über Botulismus bis zum Jahre 1887 gegeben hat, scheinen Justinus Kerner's „Neue Beobachtungen über die in Württemberg so häufig vorfallenden tödlichen Vergiftungen durch den Genuss geräucherter Würste, Tübingen 1820" und dessen weitere Abhandlung „Das Fettgift oder die Fettsäure und deren Wirkung auf den thierischen Organismus Tübingen 1822" die ersten hierher gehörigen Veröffentlichungen zu enthalten. Kerner beschreibt als ersten einen Fall aus dem Jahre 1793 zu Kleinenzheim bei Wildbad und führt ausserdem noch Epidemien an aus Moosberg, Breitenberg, Reichenbach, Stammheim und aus dem Sulzer Oberamt, zusammen 76 Erkrankungen mit 37 Todesfällen. In der 2. Abhandlung verzeichnet der Verf. 98 weitere Fälle, wovon 34 mit dem Tod endigten. Zweimal waren Massenerkrankungen aufgetreten, und zwar erkrankten 13 Personen nach dem Genusse eines schon sauren, sog. Blunzen, von welchen 6 starben, ferner 15 Personen nach zersetzter Wurst, von welchen 5 erlagen. Kurze Zeit nach Justinus Kerner (1824) berichtet Weiss über 29 Erkrankungen mit 3 Todesfällen nach dem Genusse verdorbener Wurst in und um Murhardt. Zahlreiche Erkrankungen nach schlechter Wurst werden aus den fünfziger Jahren von den Württembergischen Aerzten Bach, Faber, Schütz, Berg und Reuss gemeldet. Später stellt Müller 62 Fälle im Württembergischen Korrespondenzblatt (1863) zusammen. In demselben Blatte, welches überhaupt als wahre Fundgrube für Litteratur über Wurstvergiftung betrachtet werden muss, berichtet Josenhans und Baumann (1869) über 2 Epidemien nach dem Genuss von 6 Wochen alter Hirnleberwurst und

gewöhnlicher Leberwurst. Hedinger notirt im Württembergischen Korrespondenzblatt die Vergiftung mehrerer Personen durch Leberwurst. Die jüngsten Nachrichten über Botulismus in Württemberg stammen von dem früheren Tübinger Privatdozenten und jetzigen Professor in Königsberg, Nauwerck. Sie betreffen 10 Personen aus Gamertingen, welche nach dem Genuss von Schwartenmagen erkrankten. Zwei der erkrankten starben.

Die übrigen Länder weisen im Vergleiche zu unserer engeren Heimath auffallend wenige Erkrankungen auf. Namentlich ist Norddeutschland verhältnissmässig selten von Vergiftungen durch Würste heimgesucht worden, während aus Bayern und Baden mehrere, wenn auch nicht annähernd so viele Vergiftungsfälle bekannt geworden sind, wie aus Württemberg. Dass aber die Krankheit auch in Norddeutschland, früher bekannt war beweist ein Publikandum der K. Regierung zu Arnsberg v. 18. Juni 1822, in welchem unter Bezugnahme auf eine vorgekommene Wurstvergiftung vor dem Genusse breiiger, saurer und übelriechender Würste gewarnt wurde.

Eine mit der Vergiftung durch Würste vollkommen übereinstimmende Erkrankung wurde nach dem Genusse anderweitig zubereiteten oder unverarbeiteten Fleisches mehrfach beobachtet. So nach dem Genusse zersetzten Fleisches, sowie der davon gewonnenen Fleischbrühe, nach der Verspeisung gekochten, aufgewärmten und wieder gebratenen Fleisches, ferner nach dem Genusse des Fleisches aus einer Konservenbüchse, welche 8 Tage lang geöffnet stehen geblieben war, nach dem Genusse schlecht eingekochter Krickenten, nach einer 3 Monate unter Fett aufbewahrten Hasenpastete, nach dem Verzehren eines todt aufgefundenem Rebhuhns, nach Hammelbratensauce, welche vom vergangenen Tage herrührte, nach dem Genusse von eingepökeltem Fleische, welches aus dem Fasse herausgährte, nach dem Genusse verdorbener Spickgans und namentlich oft nach dem Genusse ver-

dorbenen Schinkens, wobei hervorzuheben ist, dass häufig nicht der ganze
Schinken, sondern nur gewisse Theile
schädlich wirkten. Wiedener berichtet
in der Zeitschrift für Medizinalbeamte
über eine Massenerkrankung nach Genuss
von Gänsebraten. Von 180 Personen
erkrankten etwa die Hälfte an krampf-
artigem Schmerz, Erbrechen und Durchfall. Die Gänse, 30 an der Zahl, hatte man
1 Tag unausgeweidet im Keller hängen
lassen. (Fortsetzung folgt.)

Referate.

Kastner, Ein weiterer Beitrag zur Lehre von der Infektiosität des Fleisches perlsüchtiger Rinder.

(S. A. aus der Münch. Mediz. Wochenschr. No. 20,1892.)

Verfasser hat im Jahre 1889 über Versuche berichtet, welche er unter der Leitung
Bollinger's über die Wirkung des Fleisch-
saftes tuberkulöser Rinder angestellt hatte.
Das Ergebniss war bekanntlich in
den 16 untersuchten Fällen ein
durchaus negatives. „Ich gebrauchte
damals", sagt Verfasser, „nur Fleisch von
solchen Thieren, bei denen die Perlsucht
die charakteristische Verkalkung der
Knoten zeigte und wo nicht der seltene
Fall der Verkäsung eingetreten war.
Steinheil gelangte, wie ebenfalls allgemein bekannt ist, bei seinen Versuchen mit
dem Fleischsafte an Phthisis gestorbener
Menschen zu dem entgegengesetzten Resultat: er fand den Fleischsaft in der
Regel infektiös.

Kastner stellte zur Aufklärung des
Gegensatzes zwischen seinen und den Versuchen Steinheil's weitere Untersuchungen
an. Zu diesen benutzte er, mit Ausnahme eines einzigen Falles, nur
solches Fleisch, welches wegen hoch-
gradigster Perlsucht fast in allen Organen von der Fleischbeschau konfiszirt worden war. Bei den fraglichen
Thieren waren die Tuberkel in den
Lungen und den übrigen Organen in
Verkäsung, wie beim Menschen und
nicht in Verkalkung, wie beim Rinde
üblich, übergegangen.

Im Ganzen wurden 12 Versuche mit
dem Fleische von 7 Thieren, angestellt.
Nur zweimal war das Resultat ein
negatives (bei dem schon als Ausnahme

genannten leichteren Fall); in allen
übrigen Fällen erwies sich der
Fleischsaft bei intraperitonealer Meerschweinchenimpfung virulent.

Nach dieser neuen Versuchsreihe, sagt
Verfasser, sei bei der Beurtheilung der
Infektionsgefahr das Hauptaugenmerk
auf die pathologisch-anatomischen
Verhältnisse zu richten. „Eine völlige
Verkalkung der tuberkulösen Prozesse
dürfte, wie aus der ersten Versuchsreihe
hervorgehend, eine Infektionsgefahr
gering erscheinen lassen; finden sich dagegen verkäste Massen, wo dem Virus
Thür und Thor geöffnet sind, so ist
die Infektionsgefahr anzuerkennen.
Sache der Fleischbeschau ist es demnach, darüber das Urtheil zu fällen,
und dass dieses bei gewissenhafter Pflicht-
erfüllung möglich ist, dafür dürfte wohl
das Vorgehen der Sanitätsbehörde
des Münchener Schlacht- und Viehhofs ein glänzendes Zeugniss ablegen, denn mit keinem einzigen zum
Genusse zugelassenen Fleische
konnte ich ein positives Resultat
gewinnen, wohl aber erwies sich kon-
fiszirtes Fleisch bis auf einen einzigen Fall als infektiös."*)

---

*) Dass es gänzlich verkehrt wäre, aus den
hochinteressanten Versuchen Kastner's die
Notwendigkeit eines rigorösen Vorgehens der
Sanitätspolizei gegen die Tuberkulose der Rinder
herzuleiten, beweisen die Beanstandungs-
ziffern der von Kastner als Vorbild bezeichneten Fleischbeschau in München.
Kastner hat seine Versuche im Jahre 1890 mit
Material angestellt, welches seitens der Münchener
Fleischbeschau beschlagnahmt worden war. 1890
wurden daselbst wegen Tuberkulose dem Genusse gänzlich entzogen: 2 Ochsen, 27 Kühe

Zu weit sei der Tuberkulose-Kongress mit seiner Forderung der unbedingten Beschlagnahme des Fleisches tuberkulöser Thiere gegangen. Von Fall zu Fall müsse entschieden werden, ob Infektionsgefahr vorliege, und hierzu dürfte die gegebene Andeutung über die pathologisch-anatomischen Verhältnisse den richtigen Weg weisen. Werde das so untersuchte Fleisch gekocht genossen, so sei mit Bestimmtheit die Möglichkeit einer Gesundheitsschädigung ausgeschlossen. Kastner giebt zum Schlusse den Ausspruch Bollinger's zur Beherzigung:

„Wenn wir mit Zahlen nachweisen könnten, wie viele Menschen indirekt in Folge ungenügender Ernährung, insbesondere an mangelnder Fleischnahrung, zu Grunde gehen, so würden wir ein viel höheres Prozentverhältniss bekommen, als es in Folge des Fleisches kranker Thiere der Fall ist."

Bollinger selbst bemerkt mit Hinsicht auf den jüngsten Tuberkulose-Erlass für das Königreich Preussen zu der referirten Abhandlung, dass durch die neuen Versuche von Kastner in Uebereinstimmung mit denjenigen, welche Forster durch Impfung mit dem gehackten Fleische tuberkulöser Rinder erzielt hatte, die Infektiosität des

und 2 Jungrinder von 23 390 geschlachteten Ochsen, 21 540 geschlachteten Kühen, 7 511 geschlachteten Stieren und 5296 Jungrindern. Von den geschlachteten Rindern waren überhaupt tuberkulös 394 Ochsen, 1352 Kühe, 67 Stiere und 41 Jungrinder, zusammen 1854 Thiere, von welchen nur 41 dem Konsume entzogen werden mussten. Dieses ist eine ganz minimale Verhältnisszahl, besonders wenn man in Betracht zieht, dass der Prozentsatz der tuberkulösen Thiere in München nur sehr niedrig, nämlich auf 3 pCt. der geschlachteten angegeben wird; denn in diesen 3 pCt. können die zahlreichen Fälle von primärer Lymphdrüsentuberkulose nicht mit eingerechnet sein.

Was die path.-anatomischen Veränderungen anbelangt, auf welche nach Kastner die Fleischbeschau besonders zu achten hat, so besass Herr Obermedizinalrath Dr. Bollinger — Herrn

Fleisches hochgradig tuberkulöser Thiere ausser Zweifel gestellt sei. Forster hatte in 7 Versuchsreihen 3 Mal positive Resultate erzielt; in den betreffenden Fällen war auch die Tuberkulose meist so weit entwickelt, dass das Fleisch nicht zum Verkaufe zugelassen, sondern nach dem amtlichen Einsalzen an die Eigenthümer zurückgegeben wurde.

Jahnssen, Fütterungsversuche mit aus Amerika eingeführtem, hier trichinös befundenem gesalzenem Schweinefleisch (Schinken.)

(Berl. Thierärztl. Wochenschr. 1892, Nr. 20.)

J. fütterte 7 Ratten, 3 Mäuse, 1 Katze und 1 Meerschweinchen täglich mit amerikanischem trichinösem Fleische. Das Ergebniss war folgendes:

Ratte 1 wird 2 Tage gefüttert, stirbt; Befund negativ. Ratte 2, 3 und 4 wurden 11 Tage gefüttert, Ratte 5 7 Tage und Ratte 6 8 Tage; Befund bei sämmtlichen negativ. Ebenso bei den 3 Mäusen, welche 10 bezw. 6 und 7 Tage gefüttert worden waren und bei dem Meerschweinchen und der Katze, welche vom 30. Dezember 1891 bis 21. Februar 1892 bezw. vom 2. März bis 16. April 1892 trichinöses Material erhalten haben und hierauf getödtet wurden.

Lediglich bei Ratte 7, welche vom 7. März bis 29. April gefüttert und hierauf getödtet worden war, fanden sich bei der Obduktion

Dr. Kastners Adresse kannte ich nicht — die Freundlichkeit, auf eine Anfrage Folgendes mir mitzutheilen: „Unter Verkalkung verstand Herr Dr. Kastner die trockene, käsig-kalkige, vielfach mörtelartige Metamorphose; unter Verkäsung, die das Fleisch offenbar gefährlicher macht, verstand er die eitrig-käsige Einschmelzung."

Diese Unterschiede sind wohl zu beachten· Trockene Verkäsung mit grosser Neigung zur Verkalkung ist bei der Tuberkulose der Hausthiere ungemein häufig. Sie ist die Regel bei Fütterungstuberkulose und wird daher bei weitaus den meisten tuberkulösen Kälbern und Schweinen angetroffen. Eitrige Einschmelzung bildet die Ausnahme, sie greift vorwiegend bei primärer Bronchopneumonie der Rinder und zwar der Kühe und alten Ochsen Platz, bei welchen sie unter Umständen erhebliche Ausdehnung erlangen kann.   D. R.

3 vollständig ausgebildete geschlechtsreife Darmtrichinen, und zwar 2 weibliche und 1 männliche vor. Embryonen waren in den Weibchen nicht zu erkennen, dagegen sehr zahlreiche Eier.

Hieraus geht hervor, dass fast alle in dem trichinösen Fleische amerikanischer Herkunft enthaltenen Trichinen abgestorben waren. Ein kleiner Theil aber erwies sich noch soweit lebenskräftig, dass er sich zu Darmtrichinen zu entwickeln vermochte.

Jensen, die Aetiologie des Nesselfiebers und der diffusen Hautnekrose des Schweines.

(Deutsche Zeitschr. f. Thiermedizin, XVIII. Bd., 4/5. Heft.)

Verschiedene klinische Beobachtungen, sagt Verf., haben darauf hingewiesen, dass das Nesselfieber möglicher Weise zu dem Rothlauf in einem gewissen ätiologischen Verhältnisse stehe. Namentlich schien die Mittheilung des dänischen Thierarztes Jeppen, welcher nach Nesselfieber öfters Endocarditis entstehen sah, in Zusammenhang mit der von Bang ermittelten Thatsache, dass nach Rothlauf nicht selten Endocarditis auftritt, für eine Verwandtschaft beider Krankheiten zu sprechen.

J. hatte ein reiches Material (21 Fälle) zu seinen sorgfältigen Untersuchungen. In sämmtlichen Fällen konnte er in Schnittpräparaten durch die Quaddeln Rothlauf-Bazillen nachweisen. Während dieselben aber beim Rothlauf in den Kapillaren gelagert sind, liegen sie beim Nesselfieber in den Lymphräumen der Lederhaut, besonders reichlich unmittelbar unter der Epidermis. Von Eingeweiden konnte nur die Milz in einem Falle untersucht werden; in derselben wurden Bazillen spärlich nachgewiesen. Die Reinkulturen vom Nesselfieber tödteten Mäuse und Meerschweinchen; Ferkel dagegen konnten weder durch Fütterung, noch durch subkutane Injektion infizirt werden.

Verf. liefert nach diesen bakteriologischen Details eine eingehende Schilderung des Nesselfiebers, welche, wie die Arbeit überhaupt im Original

nachgelesen zu werden verdient, auf Grund einer Enquête bei 85 Thierärzten des Landes. Hier soll nur hervorgehoben werden, dass der Verlauf als „beinahe immer gut" angegeben wird, indem höchstens ein paar Prozent der Fälle mit dem Tode endigen. Wie bereits angedeutet, wurde in den letzten Jahren auch Endocarditis bei Schweinen gesehen, bei welchen überstandener Rothlauf nicht nachweisbar war. Ferner betont J., dass Nesselfieber und Rothlauf öfters in einem und demselben Bestande zugleich oder hintereinander auftreten. Ausserdem seien in manchen Gegenden beide Krankheiten ungefähr gleichzeitig eingeschleppt worden, ebenso wie das Nesselfieber in den meisten Gegenden an Häufigkeit zugenommen habe, wo auch der Rothlauf häufiger als früher, aufgetreten sei. Alles dieses spreche für verwandte Beziehungen zwischen beiden Krankheiten. Später bemerkt aber Verf., dass es in Dänemark viele Gegenden giebt, wo das Nesselfieber allgemein ist, während der Rothlauf zu den Seltenheiten gehört oder gar nicht vorkommt.

Der zweite Theil der Abhandlung befasst sich mit dem trockenen, ausgebreiteten Hautbrand bei Schweinen, welchen Berg vor Kurzem beschrieb und als eine Form des Rothlaufs betrachtete. Auch bei dieser Krankheit, von welcher ein Präparat in der Sammlung der Kopenhagener Hochschule aufbewahrt ist (in der Sammlung des Berliner Schlachthofes befinden sich auch derartige Präparate D. R.), fanden sich, und zwar in den Kapillaren, zahlreiche Haufen von gut färbbaren Bazillen, welche in Allem den Rothlaufbazillen glichen.

Verf. kommt zu dem Schlusse, dass der Stäbchenrothlauf der Schweine nicht mehr als einheitlicher Prozess aufgefasst werden dürfe. Der Rothlauf trete nach allem, was wir nunmehr darüber wissen, in mehreren verschiedenen, wohlcharakterisirten Formen auf, zwischen welchen jedoch ab und zu Uebergangsformen vorkommen können. Folgende klinische Formen seien zu unterscheieen:

1. „Rouget blanc“,
2. Rothlauf im engeren Sinne,
3. Diffuse, nekrotisirende Hautentzündung (trockener Hautbrand).
4. Nesselfieber (Urticaria),
5. Endocarditis verrucosa bacillosa.

Zu dem „Rouget blanc“ der Franzosen bemerkt J., derselbe komme nicht oft vor, verlaufe sehr schnell und zwar ohne Rothfärbung der Haut. Selbst die Hautfarbe des Kadavers sei normal.

Im Uebrigen müsse angenommen werden, dass ein verschiedener Grad der Virulenz der Bacillen in Verbindung mit einer grösseren oder geringeren Empfänglichkeit der Thiere den Charakter der Krankheit oder den guten oder bösartigen Verlauf derselben bedingen.

In Bezug auf die von Lorenz mitgetheilten Wachsthumsverschiedenheiten zwischen den Bazillen der „Backsteinblattern“ und der Rothlaufstäbchen (siehe S. 155 ds. Jahrg. d. Zeitschr) ist J. mangels hierauf gerichteter Untersuchungen nicht in der Lage, ein entscheidendes Urtheil darüber abzugeben, wie sich die dänischen Kulturen verhalten. In 12 proz. Gelatine wuchsen beide Bazillenformen, diejenige der Urticaria und des Rothlaufs gleich.

W. Eber, Ueber toxigene Substanzen.
(Monatshefte f. prakt. Thierheilkunde, III, 5).

In einem sehr interessanten Vortrage, welchen Verf. im Vereine praktischer Thierärzte zu Berlin hielt, verbreitete sich derselbe über die von ihm so benannten toxigenen Substanzen. Der Sammelname „Toxigen“ oder „toxigene Substanz“ soll alle diejenigen chemischen Körper umfassen, welche erst durch die Lebensthätigkeit des thierischen Organismus selbst giftige Eigenschaften annehmen. Diese eigenthümliche Wechselwirkung zwischen Toxigen und Thierkörper schildert Verf. an Beispielen aus der Pharmakologie, an der Jodsäure, dem Jodnatrium und Jodjodnatrium. Die Intoxikationen durch diese Stoffe zeichnen sich dadurch aus, dass dem Eintritte der Vergiftungserscheinungen ein Inkubationsstadium vorausgeht. Die vergifteten Thiere lassen mehrere, bei der intravenösen Jodnatriuminjektion z. B. 6—8 Stunden lang nichts besonders Krankhaftes erkennen. Erst nach dieser Zeit stellt sich das ausgesprochene Bild der Vergiftung ein.

Ein ähnliches Verhältniss, sagt Verf., bemerkt man auch bei etlichen Krankheiten, nämlich bei der Hämoglobinämie, der Gebärparese und gewissen Formen der Vergiftung durch animalische Nahrungsmittel. Ueber letztere sagt Eber: „Die natürliche Fleischvergiftung (Darmsepsis nicht berücksichtigt), auch die Miesmuschelvergiftung zeichnen sich durch gewisse Eigenthümlichkeiten aus, welche von den Forschern wohl registrirt, aber ohne Kommentar gelassen sind. Die meisten Erkrankungen treten erst 6—8 Stunden nach der Aufnahme ein. Das mit den Miesmuscheln genossene Gift wirkt sogar oft erst nach 10—12, manchmal aber schon nach 1—2 Stunden. Also in beiden Fällen tritt uns das bei der Jodsäure, besonders aber beim Jodnatrium konstatirte Inkubationsstadium chemischer Körper entgegen.“

Ja noch auffälliger sei die Thatsache, dass das Miesmuschelextrakt per os selbst bei gefülltem Magen schneller wirke als subkutan (Schmidtmann) und dass bei zahlreichen Fleischvergiftungen gerade die robusten Personen am schwersten erkranken und sterben, während Kinder und Frauen am Leben bleiben. Dieses seien Beweise dafür, dass der Körper selbst aktiv an der Vergiftung theilnehme.

Willach, 1. Distomenbrut im Muskelfleische eines Bullen, 2. Ueber die Natur der Coccidien, 3. Aetiologie der „kalkigfibrösen“ Knötchen der Pferdeleber.
(Archiv f. wiss. u. prakt. Thierheilkunde, XVIII. Bd., 3. H.)

Die Bakteriologie hat die pathologischen Anatomen von den übrigen Forschungsgebieten, namentlich von den pathologisch-

histologischen und zooparasitären Untersuchungen etwas abgedrängt. Die glück-
lichen Erfolge des Verf. beweisen, dass
auf den zuletzt genannten Gebieten noch
Manches brach liegt, was des Forscher-
fleisses werth ist.

1. Verf. fand in der Muskulatur eines
Bullen, welche von zahllosen grünlich-
gelben, stecknadelkopf- bis haferkorn-
grossen, etwas länglich gestalteten Herden
durchsetzt war, Distomenbrut in verschiedenen Entwicklungsstadien. Die
Herde bestanden aus einem zartwandigen
Säckchen, welches wenig Flüssigkeit und
eine grüngelbe, festweiche Masse um-
schloss. Der festweiche Inhalt der Säckchen liess ausser Eiterkörperchen mit
Deck'el versehene Parasiteneier
(0,08 Mm lang, 0,04 Mm breit) von schwach
gelblichem Aussehen und ausserdem
„noch offenbar verschiedene Ent-
wickelungsstadien eines Distoma"
erkennen. Die am weitesten vorgeschrittenen Formen waren birnförmige, aber
flache und durchsichtige Gebilde von
0,275 mm Länge und 0,135 mm Breite;
an der Spitze des schmäleren Endes besassen sie einen Mundsaugnapf, etwa in
der Körpermitte einen Bauchsaugnapf.
Ausser der Differenzirung des Digestions-
apparates konnte eine Anlage anderer
Organe nicht nachgewiesen werden. (Woher
stammen dann die Eier? D. R.) Neben
den beschriebenen Gebilden fanden sich
in den grüngelben Herden noch
weniger entwickelte und abgestorbene
Individuen.

Verf. hebt hervor, dass die angeführten Veränderungen, nach einem zweiten
Befunde in den käsigen Knötchen einge-
sandter Fleischstücke des Rindes zu
schliessen, nicht selten durch Distomenbrut erzeugt werden. Sie seien differential-
diagnostisch wichtig, weil sie mit Finnen,
tuberkulösen Bildungen, Psorospermien-
schläuchen u. s. w. verwechselt werden
könnten. Die grösste Uebereinstimmung
aber zeige der geschilderte Befund mit
den „grünlichen, theils rundlichen, linsen-
grossen, theils länglichen, reiskorngrossen

Knoten", welche Wolff-Berlin im Fleische
eines Rindes beobachtet hat.

Referent möchte bezüglich der Häufigkeit des Vorkommens bemerken, dass er
mindestens 100 Fälle von „grünlich-gelben"
Einlagerungen in der Muskulatur des
Rindes mikroskopisch untersucht und niemals etwas anderes als Bandwurmbrut
(Cysticercus inermis) in denselben gefunden hat.

2. Ueber die Natur der Coccidien.
W. hegte längst die Vermuthung, dass die
in der Leber des Kaninchens so häufigen
Coccidien (Coccidium oviforme) nichts anderes seien, als Parasiteneier. Dasselbe wurde früher schon von Küchen-
meister, Vogel, Brown-Scquard,
Kölliker u. s. w. angenommen. Noch niemals gelang aber der exakte Beweis für die
Richtigkeit dieser Annahme. Verfasser nun
vermochte aus Lebercoccidien auf Kanin-
chenmist Würmchen zu züchten, welche bis
zu 1,5 mm lang waren und Bewegungen
ausführten. Die kleinsten Würmer waren
Rhabditisformen, die grösseren getrennten
Geschlechts. Sie hatten eine auffallende
Aehnlichkeit mit den von Schneider als
Pelodera charakterisirten Arten, und
Verfasser belegte die aus den Leber-
coccidien gezüchteten Würmer mit den
Namen „Pelodera Oxyuridis", weil es
ihm durch Verfütterung derselben bei zwei
Kaninchen gelang, Weibchen der bei Hasen
und Kaninchen so häufig vorkommenden
Oxyuridenart (Oxyuris ambigua) zu er-
zeugen.

Die Ablagerung der früher für Coccidien gehaltenen Eier in der Leber denkt
sich W. durch Verirrung der Oxyuriden
in die Gallengänge zustande kommend.
Hierauf weise ausser anderem auch eine
Beobachtung von Prof. Lüpke (Stuttgart)
hin. Derselbe habe in der Leber eines
jungen Kaninchens Coccidium oviforme
gefunden und einen 1,2 cm langen Rundwurm in einem der verlegten und erweiter-
ten Gallengänge. Im Innern des Rund-
wurms sei eine kleine Gruppe ovaler
Körper sichtbar gewesen, welche den ver-
meintlichen Coccidien auf ein Haar glichen.

Der Züchtungsversuch mit „Lebercoccidien" ist W. nur einmal (im Oktober) gelungen. Verf. hält trotzdem das Experiment für bewiesen. „Die übrigen Experimente fanden im Dezember und später statt, wo die Eier wahrscheinlich zu alt und für die Entwickelung nicht mehr tauglich waren." Wenn dem so ist, so fehlt ja nicht die Gelegenheit, die Annahme des Verf. durch weitere Versuche einwandsfrei zu erhärten.

W. streift kurz die Frage, wie es sich mit den gewöhnlich als Psorospermien bezeichneten Gebilden verhalte. W. bezweifelt auch deren Protozoennatur, anerkennt aber, dass der Inhalt der Psorospermienschläuche wesentlich von demjenigen der Coccidien verschieden sei. Verf. resümirt:

„Meine Untersuchungen berechtigen mithin zu der Annahme, dass die Coccidien beim Kaninchen (Leber) häufig Eier der Oxyuris ambigua sind, dass Oxyuris ambigua sich wahrscheinlich aus Pelodera Oxyuridis entwickelt. Es ist wahrscheinlich, dass die bei anderen Thieren und beim Menschen beobachteten ähnlichen Gebilde ebenfalls nichts anderes sind, als Oxyurideneier oder wenigstens Eier von Parasiten."

3. In der Leber des Pferdes sieht man verhältnissmässig häufig die von Kitt als kalkig-fibröse Knötchen bezeichneten, stecknadelkopf-hirsekorngrossen, gelben bis gelbbraunen Bildungen. Kitt hält dieselben für „uralte, abgeheilte nekrotische Herde, wie sie bei der Omphalophlebitis der Fohlen zustande kommen können (embolische Infarkte kleinsten Kalibers)", Dieckerhoff hält sie für das Produkt pflanzlicher Parasiten.

Nach Willach scheinen die Knötchen in der Regel zooparasitärer Natur zu sein. Er fand zweimal in solchen Knötchen eiförmige Gebilde, welche er für Eier einer der beim Pferde vorkommenden Oxyuriden zu halten keinen Anstand nimmt. Obwohl Oxyuriden bei den Sektionen in Berlin nicht häufig sind, fand Verf. öfters diese Parasiten im Kolon und Rektum derselben Pferde, welche „kalkig-fibröse Knötchen" in der Leber beherbergten. In einem dritten Falle gelang es W., in den fraglichen Knötchen mit Deckelchen versehene Parasiteneier und in einem vierten Entwicklungsformen eines Distoma festzustellen, wie sie in den Lungen vorkommen.

Hersillet, Veränderung des Fleisches durch Medikamente.
(Le progrès vét. V, No. 7.)

Eine Kuh, welche innerhalb 12 Stunden 42 g Campher erhalten hatte und Tags darauf geschlachtet worden war, zeigte folgende Veränderung des Fleisches: In der vorderen Bauchgegend zeigte sich leichter Geruch nach Campher, im übrigen besass das rohe Fleisch beim Genusse ausgesprochenen Camphergeschmack. Beim Kochen verriethen sich sowohl die aufsteigenden Dämpfe, wie die Fleischbrühe durch ihren Geruch bezw. Geschmack nach Campher.

Morot, Mehrere Fälle von Melanose beim Rinde.
(Le progrès vétérinaire, V, 4.)

M. sagt, die Melanose des Rindes habe aufgehört, als pathologische Rarität betrachtet zu werden. Er hat vor 4 Jahren bereits über mehrere Fälle berichtet und ist nun in der Lage, fünf neuerdings beobachtete Fälle dieser Krankheit mitzutheilen. Besonderes Interesse gewährt ein Fall, welcher eine 2½jährige weisse Kuh betraf. Die Schwarzfärbung fand sich bei dem im übrigen ganz gesunden und wohlgenährten Thiere an der Pleura parietalis, am Perioste der letzten sieben Rippen und im Gewebe der Lunge.

Dittrich, Primäre Milzbrandinfektion des Magendarmkanales.
(Wiener klin Wochenschrift 1891, No. 47.)

D. beschreibt einen Fall von primärem Intestinalmilzbrand beim Menschen. Solche Fälle sind äusserst selten. Für uns besitzt der Fall von D. besonderes ätiologisches Interesse, weil bei demselben der Genuss milzbrandigen Fleisches als Ursache mit Bestimmtheit ausgeschlossen werden konnte. Verf. nimmt vielmehr an, dass der Erkrankte, welcher auf dem Wiener Zentralviehhofe als Desinfektor angestellt war und in der letzten Zeit nachweislich mit Milzbrandkadavern zu thun gehabt hatte, seine Speisen mit den blutbesudelten Händen berührt und sich auf diese Weise Milzbrandsporen einverleibt hat.

Schweineschmalz - Verfälschung durch Borax und Aetznatron.
Referat von Dr. Bujard.

Klinger und Bujard theilen in der Zeitschrift für angew. Chemie 1892 Folgendes mit: Von einer Colonialwaarenhandlung wurde ihnen eine Probe Schweineschmalz zur Untersuchung übersandt, welches von einer auswärtigen Firma als „garantirt rein" geliefert worden war. In dem Schmalze waren schneeweisse Streifen zu bemerken, die sich sehr deutlich von der übrigen weissgelben Masse abhoben. Beim Schmelzen der Probe setzte sich eine dickflüssige, milchige, stark alkalisch reagirende Masse ab. Durch die weitere Untersuchung wurde festgestellt, dass die Probe 12,25 Prozent Wasser enthielt, ferner, dass sie mit einem Borsäurepräparat und überdies mit Aetznatron vermischt war. Gegen alkoholische Silberlösung verhielt sich das Schmalz indifferent, und die Jodzahl wurde zu 57,4 gefunden. In der Kolonialwaarenhandlung wurden mehrere Kübel solchen Schmalzes vorgefunden.

Borax wird in der Absicht dem Schmalze zugesetzt, dasselbe reiner weiss zu machen, ausserdem aber, um demselben eine grössere Wassermenge beimischen zu können.

Dass ein auf diese Weise „raffinirtes" Schweineschmalz zur Zubereitung von Speisen vollkommen unbrauchbar ist, und dass es die damit hergestellten Speisen geradezu verdirbt, ist keine Frage

Leopold Schulz, Ueber den Schmutzgehalt der Würzburger Marktmilch und die Herkunft der Milchbakterien.
(Archiv f. Hygiene, XIV. Bd., 3 Heft.)

Verf. untersuchte unter der Leitung von Lehmann den Schmutzgehalt der Würzburger Marktmilch und theilt als Ergebniss seiner Untersuchungen Folgendes mit:

„1. Zum Ruhme Würzburg's sei es gesagt: An Reinheit übertrifft die hiesige Milch mit einem Durchschnitt von etwa 3,0 mg Trockengewicht des Schmutzes pro Liter die von Leipzig (3,8 mg), München (9,0 mg), Berlin (10,3 mg) und Halle 14,92 mg!).

2. Ideal sind indessen auch hier die Verhältnisse noch nicht, indem keine einzige Probe ohne allen Bodensatz nach zweistündigem Stehen gefunden wurde, und es wird eine dieser Forderung entsprechende Milch nur erhalten werden können, wenn die peinlichste Sauberkeit beim Melken und Transportiren herrscht und ein (natürlich frisch gewaschenes) Seihtuch an Stelle des Siebes tritt.

3. Der Genuss von kuhwarmer, in's Glas gemolkener Milch ist ausser wegen verschiedener anderer Gründe, auch wegen ihres relativ hohen Schmutzgehaltes (selbst bei grösster Reinlichkeit 10—15 mg frischer Kuhkoth) nicht empfehlenswerth."

Zur Frage der Herkunft der Milchbakterien sagt Verfasser:

„1. Der überraschende Pilzreichthum der Milch ist nicht, wie man bisher meinte, lediglich durch Verunreinigungen allein bedingt, sondern es dringen bestimmte Keime in die Ausführungsgänge des Euters ein, vermehren sich dort bei der Bruttemperatur des Thierkörpers auf zurückgebliebenen kleinen Milchresten als gutem Nährboden während der 6—12 Stunden, die zwischen den einzelnen Melkakten liegen, entsprechend, und werden dann mit den nächsten Milchstrahlen mehr oder weniger vollständig herausgeschwemmt. Es ist deshalb die erste, das Euter verlassende Milch relativ sehr pilzreich.

2. Dieser Pilzreichthum nimmt bei weiterem Fortschreiten des Melkens allmählich ab und es kann unter günstigen Verhältnissen nach einer gewissen Zeit sterile Milch entleert werden. Es braucht dieser Fall jedoch keineswegs immer ein-

zutreten, da in einem Versuch auch die letzte Milch noch ca. 500 Keime pro 1 ccm enthielt."

Amtliches.

— **Königreich Preussen.** Untersuchung des aus Amerika eingeführten Schweinefleisches (Schinken, Speckseiten, Pöckelfleisches, Würsten betr.). Runderlass der Minister des Innern (gez.: Herrfurth), für Landwirthschaft, Domänen und Forsten (gez.: von Heyden) und der u. s w. Medizinalangelegenheiten (gez.: im Auftrage Bartsch) — M. d. J. II, Nr. 3478 II. Ang; M. f. L. I. Nr. 10486, M. d. g. A. M. Nr. 4320 — an sämmtliche Königliche Regierungspräsidenten.

Durch die Kaiserliche Verordnung vom 3. Dezember 1891 — R.-G.-Bl. S. 385 — ist das Verbot der Einfuhr von Schweinen, Schweinefleisch und Würsten amerikanischen Ursprungs für lebende Schweine unbedingt, für Schweinefleisch und Würste insoweit ausser Kraft gesetzt worden, als diese Erzeugnisse mit einer amtlichen Bescheinigung darüber versehen sind, dass man sie im Ursprungslande nach Massgabe der dort geltenden Bestimmungen untersucht und frei von gesundheitsschädlichen Eigenschaften befunden hat.

Bald nach dem Erlasse der Verordnung wurden von verschiedenen Seiten Zweifel aufgeworfen, ob sich nicht unter den aus Amerika eingehenden Sendungen von Schweinefleisch, wenn sie auch von vorschriftsmässigen Bescheinigungen begleitet seien, dennoch manche nicht untersuchte Stücke befinden möchten, und ob ausserdem die amerikanischen Zeugnisse stets auf volle Zuverlässigkeit Anspruch machen könnten. Die in Folge dessen an manchen Orten ausgeführten Nachuntersuchungen haben diese Zweifel als begründet erwiesen, in zahlreichen Fällen hat man hierbei amerikanische Speckseiten und Schinken mit Trichinen durchsetzt gefunden, die zum grossen Theile noch lebensfähig waren.

Unter diesen Umständen haben wir im Interesse der Gesundheitspolizei Ermittelungen über die Durchführbarkeit einer Nachuntersuchung des aus Amerika eingeführten Schweinefleisches u. s. w. angeordnet und sind dadurch zu folgenden Ergebnissen gelangt:

Von der Nachuntersuchung amerikanischer Würste wird abzusehen sein; sie ist mit mancherlei Schwierigkeiten verknüpft und hat überdies, selbst wenn sie mit der grössten Sorgfalt erfolgt, nur geringen Werth zu beanspruchen. Ferner wird man von der Nachuntersuchung der etwa von den Seehäfen unmittelbar an die Konsumenten vertriebenen amerikanischen Fleischwaaren, und zwar schon aus dem Grunde Abstand zu nehmen haben, weil hiermit eine zu grosse Belästigung des Publikums verknüpft sein würde. Endlich könnte man allenfalls auch auf die Nachuntersuchung des aus Amerika der Regel nach in Fässern eingehenden Schweinepökelfleisches und der gepökelten Schweinezungen verzichten, da diese Waaren nur in abgekochtem Zustande verzehrt zu werden pflegen. — Dagegen erscheint es allgemein durchführbar und empfiehlt sich dringend, die in den einheimischen Gross- und Kleinhandel gelangenden amerikanischen Schinken und Speckseiten ohne Ausnahme der Nachuntersuchung zu unterwerfen, bevor sie an die Konsumenten verkauft werden. Zu diesem Zwecke werden dort, wo die Untersuchung des Schweinefleisches durch Polizeiverordnungen geregelt ist, deren Bestimmungen auf die in Rede stehenden amerikanischen Erzeugnisse anzuwenden, oder desswegen in geeigneter Weise zu ergänzen sein. In denjenigen Regierungsbezirken, wo es an solchen Polizeiverordnungen fehlt, wird man zu erwägen haben, ob es für angezeigt zu erachten ist, sie demnächst, vielleicht in der Beschränkung auf amerikanische Schinken und Speckseiten zu erlassen, oder ob die Nachuntersuchung dieser Gegenstände auf anderem Wege gesichert werden kann.

Ew. Hochwohlgeboren wollen das hiernach Erforderliche, wenn und soweit es noch nicht geschehen sein sollte, gefälligst veranlassen.

— **Königreich Preussen.** Gesetz, betreffend die Aufhebung älterer in der Provinz Hessen-Nassau geltender gesetzlicher Bestimmungen über die Untersuchung des Schlachtviehes und die Ausstellung von Vieh-Gesundheitsscheinen. Vom 9. Mai 1892. (Ges.-Samml. S. 94.)

Wir Wilhelm, von Gottes Gnaden König von Preussen etc. verordnen, mit Zustimmung der beiden Häuser des Landtages der Monarchie, was folgt:

§ 1. 1. Der § 97, Ziffer 2 der Kurhessischen Medizinalordnung vom 10. Juli 1830 — Sammlung von Gesetzen u. s. w. für Kurhessen, Jahr 1830, S. 29 —,

2. die Herzoglich Nassauische Verordnung vom 5. April 1809, die Beschau des geschlachteten Viehes betreffend — Sammlung der landesherrlichen Edikte und anderer Verordnungen, Bd. I, S. 158 —,

3. die Artikel 313 bis 319 des Grossherzoglich Hessischen Polizeistrafgesetzes vom 30. Oktober 1855 — Grossherzoglich Hessisches Regierungsblatt auf das Jahr 1855, S. 449 —,

4. die Grossherzoglich Hessische Verordnung vom 6. Juni 1865, die Verhütung des Schlachtens und des Genusses von ungesundem Schlachtvieh betreffend — Grossherzoglich Hessisches Regie-

rungsblatt auf das Jahr 1865, S. 597 —, nebst der zugehörigen Instruktion für die Schlachtvieh- und Fleischbeschauer vom 6. Juni 1865 — ebendaselbst S. 599 —,

5. die Landgräflich Hessische Verordnung vom 31. Mai 1843, die Verhütung des Schlachtens und des Genusses von ungesundem Schlachtvieh betreffend — Archiv der Landgräflich Hessischen Gesetze und Verordnungen (1816 bis 1866) S. 892 —, nebst der zugehörigen Instruktion für die Schlachtvieh- und Fleischbeschauer vom 13. Juni 1843 — ebendaselbst S. 394 —,

6. der § 4 der Fürstlich Nassauischen Verordnung vom 24. Oktober 1791 über die Eingehung der Viehhändel u. s. w. — Sammlung der landesherrlichen Edikte und anderer Verordnungen, Bd. I, S. 65 — werden aufgehoben.

§ 2. Dieses Gesetz tritt am 1. Oktober 1892 in Kraft.

Urkundlich unter Unserer Höchsteigenhändigen Unterschrift und beigedrucktem Königl. Insiegel.

Gegeben Hohen-Finow, don 9. Mai 1892.

(L.S.) Wilhelm.

Gr. zu Eulenburg. v. Boetticher. Herrfurth. v. Schelling. Frhr. v. Berlepsch. Miquel. v. Kaltenborn. v. Heyden. Thielen. Bosse.

Bücherschau.

Zur Besprechung, welche in den nächsten Heften erfolgen wird, sind eingegangen:

1. Martin, Handbuch der Anatomie der Hausthiere mit besonderer Berücksichtigung des Pferdes von Dr. Ludwig Frank, III. Aufl., Lieferung 2—5. Stuttgart 1891 bei Schickhardt u. Ebner (Konrad Wittwer).

2. Hoffmann, Thierärztliche Chirurgie für praktische Thierärzte u. Studirende, Lief. 8—10 (Schluss). Stuttgart 1891 bei Schickhardt u. Ebner (Konrad Wittwer).

3. Dewitz, Die Eingeweidewürmer der Haussäugethiere, Berlin 1892 bei Paul Parey.

4. Friedberger u. Fröhner, Lehrbuch der speziellen Pathologie u. Therapie der Hausthiere, III. Auflage, 2. Band. Stuttgart bei Ferdinand Enke.

5. Bauer, die Reichsgesetze, betr. den Verkehr mit Nahrungsmitteln, Genussmitteln und Gebrauchsgegenständen. Leipzig 1890. Verlags-Magazin.

6. Bericht über den II. Oesterreichischen Thierärztetag. Wien 1892. Verlag des Vereins der Thierärzte in Oesterreich.

7. Schlampp, Die Fleischbeschau-Gesetzgebung in den sämmtlichen Bundesstaaten des Deutschen Reichs. Stuttgart 1892 bei Ferdinand Enke.

Kleine Mittheilungen.

— Nach der Kriminalstatistik für das Jahr 1889 (Statistik des Deutschen Reichs N. F. Bd. 52) wurden von deutschen Gerichten verurtheilt:

1. wegen Verfälschung von Nahrungs- und Genussmitteln, Feilhaltens verfälschter oder verdorbener Nahrungs- und Genussmittel und wegen wiederholter Zuwiderhandlungen gegen das Gesetz, betr. den Verkehr mit Ersatzmitteln für Butter: 883 Personen (gegen 610 im Vorjahre), darunter 561 evangelische, 305 katholische Christen, 16 Juden und 1 Person unbekannter Religion. Die meisten Verurtheilungen entfielen nach dem Orte der That auf Bayern, nämlich 187 (im Vorjahre 117), und hier wieder auf den Regierungsbezirk Oberbayern: 59 (44), ferner auf Berlin: 121 (35), Württemberg: 105 (142) und auf den Regierungsbezirk Schleswig 60 (26). In Württemberg entfielen wiederum die meisten Verurtheilungen auf den Neckarkreis: 60 (98), darunter 13 Fälle wegen zwei oder mehrerer Strafthaten.

2. Wegen Herstellung und Feilhalten gesundheitsschädlicher Nahrungs-, Genussmittel und Gebrauchsgegenstände wurden 343 Personen (gegen 359 im Vorjahre) verurtheilt. Es waren dies 156 evangelische, 165 katholische Christen und 22 Juden. Am stärksten betheiligt nach dem Thatorte war der Regierungsbezirk Oppeln mit 97 (68) Verurtheilungen, einschliesslich 10 wegen wiederholter Strafhandlungen und Bayern mit 68 (59), besonders die Regierungsbezirke Ober- und Niederbayern mit je 18 (9 bezw. 4). Im Regierungsbezirk Stettin waren 15 (17), in Berlin 8 (7) Fälle verzeichnet.

— Gegen Tänia saginata, welche bekanntlich durch die üblichen Medikamente schwer zu beseitigen ist, empfiehlt Stock-Kopenhagen den italienischen Kürbissamen als ein sehr gutes Mittel.

— Ueber die Wirkung des Magensaftes auf das Virus der Tollwuth stellte der russische Thierarzt Wyrsykowski sorgfältige Untersuchungen an. Von der Thatsache ausgehend, dass nach dem Genusse des Fleisches und sogar des Gehirnes der der Tollwuth erlegenen Thiere Erkrankungen nicht aufzutreten pflegen, prüfte W. die Einwirkung künstlichen Magensaftes auf die Medulla oblongata eines mit Tollwuthvirus geimpften Kaninchens im Thermostaten. Von 21 Kaninchen, welche mit künstlich verdautem Tollwuthvirus geimpft waren, erkrankte kein einziges an der Tollwuth, während 17 zur Kontrolle mit nicht verdautem Virus geimpfte Thiere ausnahmslos der Wuth erlagen. Hiernach scheint der Magensaft die Wirksamkeit des Tollwutherregers vollkommen zu vernichten.

— Ueber die Lebensfähigkeit der Trichinen bei niederen Temperaturen. Gibier hatte 1882 bereits festgestellt, dass Trichinen in einem mit Salz und Salpeter behandelten Schinken abstarben, wenn sie einige Zeit bei einer Temperatur von etlichen Graden unter Null aufbewahrt wurden. Neuerdings setzte er frisches Fleisch, welches stark mit Trichinen durchsetzt war, 2 Stunden einer Temperatur von 25° unter Null aus. Die Trichinen hatten hierdurch nicht gelitten, sondern zeigten sich (beim Erwärmen) lebhafter als solche in gesalzenem Schinken.

— **Hämorrhagische Osteomyelitis** war die Ursache zur Beanstandung und Zurückweisung einer Kuh auf dem Zentral-Schlachthofe Berlin. Die am meisten auffallende Erscheinung dieser Erkrankung war die dunkelviolette bis schwarze Färbung der Knochen und der Zähne. Das Knochenmark war schwarzroth und so flüssig, dass es aus den geöffneten Knochen herausfloss. Die Hirn- und Rückenmarkshäute waren ebenfalls dunkelroth gefärbt. (Hertwig, Jahresbericht 1890/91.)

— **Bei Harninfiltration mit Gangrän**, welche auf Schlachthöfen bei Schafen verhältnissmässig oft zur Beobachtung kommt, fanden Guyon und Albarran den Staphylococcus pyogenes, einen Bacillus fluorescens non liquefaciens mit pathogenen Eigenschaften, nicht pathogene Kokken, und den Bacillus pyogenes urinae, welchem sie hauptsächlich offensive Eigenschaften zuschreiben (Ziegler-Kahlden's Zentralblatt).

— **Zur Altersbestimmung der Rinder.** Mit Recht hebt Lehnert in der „Deutschen landwirthschaftl. Presse" hervor, dass es in hohem Grade beschämend gewesen sei, wenn man bei Gutachten über Altersbestimmung sich auf die Normen des Smithfield Club in Ermangelung deutscher Festsetzungen habe berufen müssen. Die deutsche Landwirthschaftsgesellschaft hat nunmehr Normen für die Altersbestimmung der deutschen Rinderrassen herausgegeben; dieselben haben folgende Fassung:

Der 1. Zahnwechsel tritt in der Regel mit 1½ Jahren ein, die Milchzangen fallen aus, die Ersatzzähne treten hervor und sind mit 2 Jahren voll in die Höhe gewachsen.

Mit 2½ Jahren fallen in der Regel die inneren Mittelzähne aus; die entsprechenden Ersatzzähne sind gegen Ablauf des dritten Jahres voll in die Höhe gewachsen und in Reibung.

Mit 3½—3½ Jahren fallen in der Regel die äusseren Milchmittelzähne aus; die Ersatzzähne sind gegen Ablauf des vierten Jahres in Reibung.

Nach 4¼—4½ Jahren fallen auch die Milcheckzähne aus und sind deren Ersatzzähne gegen Ablauf des fünften Jahres in Reibung.

Die Ausnahmen, die vorkommen, lassen erkennen, dass bei allen Gebirgs- und Höhenrassen, wie auch bei den Marsch-Rassen, wenn die Thiere nicht zu sehr getrieben sind, der Zahnwechsel, wenn nicht regelmässig, viel häufiger später, sehr selten früher eintritt. Bei Thieren, die schon vor Ablauf des 20. Lebensmonats greifbar trächtig

sind, wird durch die zu frühe Trächtigkeit der rechtzeitige Austritt der Ersatzzähne verhindert. Dagegen kommt bei recht frühreifen Thieren, besonders bei Shorthorn, ein früherer Zahnwechsel, als die Regel ihn angiebt, öfter vor.

— **Werth des badischen Rindviehbestandes.** Ueber das Kapital, an dessen Wahrung und Vermehrung die Thierärzte betheiligt sind, geben nachstehende Zahlen Aufschluss, welche Freiherr v. Hornstein in der Badischen Kammer zur Begründung eines erhöhten Zuschusses für die Farrenhaltung anführte. Der Berichterstatter hob hervor, dass der Rindviehbestand des Grossherzogthums bei einer Stückzahl von 641307 im Jahr 1887 und 612892 im Jahr 1890 einen Werth von 132,3 Millionen darstellt; an Zuchtvieh allein wurde auf den badischen Stationen im Jahre 1889 ein Werth von 1½ Millionen zur Ausfuhr verladen. Der Rindviehbestand des Landes liefert 237016 Gespanne und ergab 480 Millionen Liter Milch im Werthe von 28 Millionen Mk., ferner 209158 Stück Schlachtvieh, nieder geschätzt im Werth von 37 Millionen, in die badischen Schlächtereien.

— **Vieheinfuhr nach Deutschland.** Im Jahre 1890 sind an Vieh und anderen lebenden Thieren eingeführt worden für 229,6 Millionen Mark, ausgeführt für 29,8 Millionen Mark Die Einfuhr betrug also fast 200 Millionen Mark mehr als die Ausfuhr. Bei der Einfuhr der Jahre 1888-1890 ist

	Schlachtvieh	Fleisch, Schmalz etc.
betheiligt 1888 mit	80,4	142,3 Millionen Mark
1889 „	103,5	199,5 „ „
1890 „	155,4	245,1 „ „

Danach hat sich die Einfuhr von Schlachtvieh um 48 Prozent, die Einfuhr von Fleisch, Schmalz etc. um 72 Prozent gehoben.

— **Die Verluste bei der überseeischen Zufuhr von Schlachtvieh nach England** beziffern sich nach dem Jahresbericht des Veterinary Department entnommenen Notiz der „Deutsch. Molkereizeitung" für das Jahr 1890 auf 7943 Stück Rindvieh, 1713 Schweine und 15 Schafe, welche über Bord gingen, auf 602 Stück Rindvieh und 121 Schafe, welche todt gelandet wurden und auf 214 Stück Rindvieh und 190 Schafe, welche auf der Fahrt so gelitten hatten, dass sie unmittelbar nach der Ankunft geschlachtet werden mussten.

— **Ausfuhr von gefrorenem Fleisch aus Australien.** Nach dem „Live Stock Journal" hat die Ausfuhr gefrorenen Fleisches vom 30. Juni 1890 bis 1891 betragen: 500000 Schafe, 300000 Lämmer und 10 Millionen Pfund Rindfleisch. Das Gesammtgewicht des exportirten Fleisches betrug 113 Millionen Pfund, mithin 12 Millionen mehr, als im vergangenen Jahre.

— **Gefrorenes Fleisch als Kriegsvorrath.** Frankreich plant, nach dem „Militär. Wochenbl.", die Errichtung umfangreicher Kühlanlagen in Paris und an sechs Grenzplätzen, um grosse Mengen Fleisches für den Kriegsfall aufstapeln zu können. Das Fleisch soll nicht, wie gewöhnlich in den Kühlhäusern, bei einer Temperatur von ca. 4° über Null, sondern wie beim überseeischen Transport durch und durch gefroren bei —4° aufbewahrt werden.

Tagesgeschichte.

— **Oeffentliche Schlachthäuser.** Eröffnet wurde das Schlachthaus in Pasewalk. Die Eröffnung steht bevor in Zschopau und in Guben (1. Oktober.) In Magdeburg wird die Einführung des Schlachtzwanges am 1. April 1898 in Kraft treten. Der Bau öffentlicher Schlachthäuser wurde beschlossen in Potsdam, Mittweida und Nicolai.

— **Freibänke.** In Labiau (O.-Pr.) wurde mit dem neuerrichteten Schlachthofe eine Freibank verbunden. In Cassel hat die Königliche Regierung verfügt, dass alles zum Verkaufe auf der Freibank bestimmte minderwerthige Fleisch nur abgekocht zum Verkaufe gebracht werden darf.

— **Kafilldesinfektoren.** In Karlsruhe und in Spandau wurden im vergangenen Monate Kafilldesinfektoren von Rietschel & Henneberg versuchsweise in Betrieb gesetzt. In Karlsruhe ging die erste Inbetriebsetzung des Apparates am 7. Juni unter Leitung des Oberregierungsrathes Dr. Lydtin und des Schlachthofverwalters Bayersdörfer vor geladenen Gästen in Szene. Der Versuch gelang vollkommen. Näheres darüber wird von Herrn Bayersdörfer in dieser Zeitschr. mitgetheilt werden.

— **Schlachtviehversicherungswesen.** Die neu gegründete Schlachtviehversicherungsgesellschaft zu Neisse erhebt für Rinder den Betrag von 5 bezw. 6 und 8 M., — für Schweine von 1 M. Die Prämien werden hälftig vom Verkäufer und Schlächter bezahlt.

— **Der XV. deutsche Fleischerverbandstag** hat u. a. folgende Punkte auf seine Tagesordnung gesetzt: Errichtung einer allgemeinen staatlichen Reichsviehversicherung, Eingabe an den Bundesrath wegen Einführung des Deklarationszwanges für amerikanisches Fleisch und Fett, Einführung einer obligatorischen Fleischbeschau im Deutschen Reich auf Staatskosten, gesetzliche Regelung der Superrevision bei Beschlagnahmen von Schlachtvieh, Herbeiführung eines Gesetzes, welches das Füttern der Schweine mit Fischen und Abfällen aus den Abdeckereien und anderen ekelerregenden Futterstoffen verbietet.

— **Eine Abänderung der hessischen Bestimmungen über die Verwerthung des Fleisches tuberkulöser Thiere** ist nach einer im landwirthschaftlichen Verein der Provinz Rheinhessen von autoritativer Seite abgegebenen Erklärung demnächst zu erwarten.

— **Praktische Verwerthung des Tuberkulins als diagnostisches Hilfsmittel der Rindertuberkulose.** Die „Allg. Fleisch.-Ztg." berichtet, in einigen Staaten Amerikas dürfe nur Milch von Kühen, welche auf Grund der Untersuchung mit Tuberkulin als frei von Tuberkulose erklärt sind, in den Handel gebracht werden. — In Bremen wird auf Vorschlag des Polizei-Thierarztes Sosna und in Uebereinstimmung mit dem Hauptthierarzte des Schlachthofes, Heile, laut Verordnung des Medizinalamtes, der gesammte Rinderbestand eines Stalles, sobald aus demselben ein Thier auf dem Schlachthofe geschlachtet und tuberkulös befunden wird, durch den Polizeithierarzt untersucht. Wird ein verdächtiges Individuum vorgefunden, so erfolgt hiervon behufs weiterer Veranlassung Anzeige an das Medizinalamt.

— **Codex alimentarius Austriacus.** Am 2. Juni fand nach der „Zeitschr. f. Nahrungsmittel-Untersuchung, Hygiene u. Warenkunde" unter dem Vorsitze des Herrn Hofrathes E. Ludwig eine Sitzung der Kommission zur Ausarbeitung des „Codex alimentarius Austriacus" statt. Als ordentliche Mitglieder der Kommission wurden u. a. gewählt in die Gruppe VI (Molkereiprodukte) die Herren Prof. Adametz-Krakau, Dr. Mansfeld-Wien, Direktor Dr. Meissl-Wien, in die Gruppe VIII (Fleisch und Fische) die Herren Univ.-Dozent Prof. Dr. Csokor-Wien, Univ.-Prof. Dr. Max Gruber-Wien, Thierarzt Postolka-Wien und Thierarzt Toscano-Wien.

Personalien.

Rossarzt Sage von Pless zum Schlachthaus-Thierarzt in Kattowitz, Thierarzt Rissling zum Inspektor des städt. Schlacht- und Viehhofes in Bernburg, Thierarzt Ehrle in Mannheim zum Schlachthof-Thierarzt daselbst und Thierarzt Frick von Punitz zum Schlachthaus-Inspektor in Pleschen ernannt. Dem Kommiss.-Kreisthierarzt Augstein wurde die Aufsicht über den Schlachthof in Labiau übertragen.

Vakanzen.

Schmalkalden, Magdeburg, Schwelm, Neustettin, Menden, Lüneburg, Elbing, Münster (siehe Heft 6—9 der Zeitschrift). — Guben: Schlachthaus-Inspektor zum 1. Oktober (2700 M. Gehalt neben freier Wohnung und Heizung). Bewerbungen beim Magistrat. — Ragnit: Schlachthaus-Thierarzt schleunigst (1500 M. bei freier Wohnung und Feuerung). Bewerbungen beim Magistrat.

Besetzt.

Schlachthaus-Thierarzt-Stellen in Kattowitz, Mannheim, Bernburg, Labiau und Pleschen.

Verantwortlicher Redakteur (excl. Inseratentheil): Dr. Ostertag. — Verlag und Eigenthum von Richard Schoetz in Berlin. Druck von W. Büxenstein, Berlin.

Zeitschrift

für

Fleisch- und Milchhygiene.

| Zweiter Jahrgang. | August 1892. | Heft 11. |

Original-Abhandlungen.

(Nachdruck verboten.)

Die hygienische Seite des Kurpfuscherthums.

Von

Ad. Maier-Neckarbischofsheim,

Thierarzt.

Unsere deutsche Gewerbeordnung, die man charakteristischer „Gewerbefreiheit" nennen könnte, treibt dank ihrer unerklärlichen Milde wundersame Blüthen. Ignorantenthum, Marktschreierei und Kurpfuscherthum, und wie alle diese netten Sumpfpflanzen heissen mögen, machen sich auf allen Gebieten des wirthschaftlichen Lebens und nicht zuletzt auf dem wissenschaftlichen oft in der widerwärtigsten Weise breit.

Welche Ausdehnung hat unter Anderem z. B. nicht das „thierärztliche Kurpfuscherthum" oder besser gesagt die „Kurpfuscherei in die Thierheilkunde" gewonnen, besonders auf dem Lande? Von Zeitungsreklamen oder sog. brieflichen Heilungen gar nicht zu reden.

So lange nun die Kurpfuscher — bekanntlich meistens Elemente zweifelhafter Natur — sich mit der Behandlung von Thieren befassen, die wenig oder gar keinen Schlachtwerth haben, wie z. B. Pferde, kann man dagegen, wenn das Ganze vom volkswirthschaftlichen Standpunkte aus auch tief bedauerlich ist, weiter nichts einwenden. Einem jedem Besitzer steht das Verfügungsrecht über sein Eigenthum, in diesem Falle also auch über seine Thiere, zu; er kann sie in Krankheitsfällen behandeln lassen, von wem er will. Die Folgen hat er ja selbst zu tragen. Ein Zwang hier wäre ein Eingriff in die persönliche Freiheit, wäre einfach ungesetzlich.

Etwas ganz anderes ist es aber, wenn das allgemeine Interesse des Nationalvermögens, und ganz besonders, wenn Leben und Gesundheit von Menschen ins Spiel kommen. Da dürfte doch ein ernstes Wort zu sprechen sein; da hat der Staat die Pflicht, für seine Bürger einzutreten und deren Gesundheit zu schützen.

Ich habe hier die oft geradezu verderbliche Thätigkeit der sog. Quacksalber in Bezug auf Schlachtthiere im Auge, also auf Thiere, deren Fleisch als menschliche Nahrung verwendet werden soll.

Auf verschiedene Weise kann sich da das gemeingefährliche Treiben dieser Leute äussern:

1. Durch Behandeln der erkrankten Thiere mit Arzneien, die geeignet sind, dem Fleische eine verdorbene Beschaffenheit zu verleihen. Es sind dies namentlich Arzneimittel flüchtiger Natur. Ich erinnere in dieser Hinsicht nur an die beliebte Methode der Quacksalber, Blähungen des Rindviehs mit Petroleum zu bekämpfen. Auch Kampher, Terpentinöl, das (veraltete) Asa foetida, Aether u. s. w. spielen in den Händen dieser Leute eine grosse Rolle. Solche Mittel dürften besonders dann das Fleisch ekelerregend und zur menschlichen Nahrung ungeeignet machen, wenn sie — wie es oft der Fall ist — kurz vor der Schlachtung angewendet werden.

Von anderen noch ekelhafteren Mitteln, die sowohl innerlich wie äusserlich gebraucht werden, will ich gar nicht reden. Auch die Beschaffenheit der etwa noch vorhandenen und verwendeten Milch in solchen Fällen will ich übergehen.

2. Durch verzögerte oder gar verspätete Schlachtung. Dieses trifft besonders bei Krankheiten zu, die zu Beginn keinen bösartigen Charakter zeigen, und deren wichtige diagnostische und prognostische Erkennung manchmal sogar dem Sachverständigen einige Schwierigkeiten bereitet.

Ich will hier nur erwähnen die häufig vorkommenden Fälle von Gebärmutterentzündung in Folge von Schwergeburt oder zurückgebliebener Nachgeburt; die traumatische Lungen-, Brustfell- oder Herzbeutelentzündung, Magen-Darmentzündungen, die unheilbaren Verstopfungen in Folge von mechanischen Hindernissen wie Geschwülsten, Achsendrehungen, Verschlingungen; ferner chronische allgemeine Eiterungen bei Decubitus, welch' letzterer ja meistens eine primäre Ursache hat, u. s. w., u. s. w. Ich gebe zu, dass auch bei rechtzeitig angeordneter Schlachtung in manchen dieser Fälle eine Verwerthung des Fleisches ausgeschlossen ist; in weitaus den meisten derartigen Erkrankungen dürfte aber doch das Gegentheil der Fall sein.

Unter dieselbe Rubrik gehören auch die verspäteten Schlachtungen, also während der Agonie oder gar die „Schlachtungen nach dem Tode". Wer die Gerichtsverhandlungen nach dieser Hinsicht verfolgt, wird mir zugeben müssen, dass ich nicht übertreibe, wenn ich sage, dass in diesen Fällen meistens Elemente, wie gewissenlose Kurpfuscher, Metzger oder Händler ihr Unwesen dabei treiben.

3. Sind unter die hygienischen Missstände des Kurpfuscherthums auch die Missgriffe bei Seuchenkrankheiten zu rechnen, besonders bei denjenigen, welche einen raschen, tödtlichen Verlauf nehmen, wie bei Milzbrand, Rauschbrand u. s. w. Diese Seuchen werden von den Pfuschern oft irrthümlicher Weise für andere Krankheiten gehalten, und es wird entgegen den gesetzlichen Vorschriften, die ein Abschlachten verbieten und die Anzeigepflicht anordnen, zur Abschlachtung geschritten. Nicht allein, dass dadurch die Seuche weitere Verbreitung gewinnen kann, es kommt auch durch dieses sträfliche Treiben gesundheitsschädliches Fleisch in den Verkehr, ja Leben und Gesundheit des Metzgers selbst schweben bei derartigen Schlachtungen in höchster Gefahr (wie z. B. bei Milzbrand).

4. Sind es meistens die Kurpfuscher, die dem Schmuggel mit erkranktem Schlachtvieh in Verbindung mit Schlächtern, Handelsleuten, besonders in der Nähe von Grossstädten, Vorschub leisten. Diese Leute werden natürlich für ihr Treiben bezahlt; andrerseits mag sie vielleicht die Scheu vor etwaiger Blossstellung bei der Schlachtung zu diesem Vorgehen veranlassen.

Wie ist nun diesem Uebelstande auf dem so ungemein wichtigen Gebiete der öffentlichen Gesundheitspflege, auf dem des Fleischverkehrs, am wirksamsten abzuhelfen?

Ein direktes Verbot der Kurpfuscherei auf gesetzlichem Wege ist aus den oben erwähnten Gründen wohl kaum möglich. Auch über die straf- und civilrechtliche Verantwortung der Kurpfuscher dürften die Ansichten der Juristen auseinandergehen. (Vor mir liegt allerdings die Antwort eines Juristen, der mir über diese Frage folgendes mitgetheilt hat:

„Der Kurpfuscher kann wegen fahrlässiger Körperverletzung — d. i. bei Erkrankung in Folge Genusses gesundheitsschädlich gewordenen Fleisches — strafrechtlich belangt werden. Auch haben die Erkrankten in solchen Fällen eventuell Anspruch im Civilwege auf Erstattung der Kosten zu klagen.

Der Eigenthümer des Thieres kann bei ungeniessbar bezw. schädlich gewordenem Fleische eventuell auf Schadenersatz klagen.")

Aber wo kein Kläger ist, da ist auch kein Richter; der Beschädigte schweigt in den meisten derartigen Fällen beschämt still. Weiter dürfte hier ein Sicherheitsbeweis schwer zu führen sein, da das

Beweismaterial gewöhnlich schon verschwunden oder jedenfalls nicht mehr in der ursprünglichen Form vorhanden ist. Und endlich: was nützt die Sühne, wenn das Vergehen, das so leicht hätte verhütet werden können, schon begangen ist, wenn der Bürger an Leben und Gesundheit geschädigt ist?

Hier giebt es nur ein Mittel, das gründlich Abhülfe schafft, und dieses ist die Einführung der allgemeinen obligatorischen Fleischbeschau in Stadt und Land, wie sie bekanntlich in Süddeutschland schon lange üblich ist. Die Beschau ist weiter dahin zu ergänzen, dass in den Fällen der sog. Nothschlachtungen die 2. Fleischbeschau nur durch einen approbirten Thierarzt vorgenommen werden darf, eine Einrichtung, die sich in Baden ausgezeichnet bewährt hat.

Ich will nun durchaus nicht behaupten, dass hierdurch das Quacksalberthum zu wirken aufhören werde. Aber soviel wird erreicht, dass dem konsumirenden Publikum, das sich in derartigen Fällen meistens aus wirthschaftlich schwachen Käufern rekrutirt, ein wirksamerer Schutz gewährt wird. Ferner wird sich wohl mancher Eigenthümer besinnen, sein Thier einem Manne anzuvertrauen, von dem er gewärtig sein muss, dass er ihn in seinem Vermögen, wenn auch unabsichtlich, schädigt. Von etwaigen strafrechtlichen Folgen gar nicht zu reden. Endlich wird wohl auch mancher Kurpfuscher sich hüten, sein unheilvolles Handwerk zu treiben, wenn er weiss, dass in diesem Falle sein Thun und Lassen von einem wissenschaftlichen Sachverständigen gleichsam gesetzlich kontrollirt und an das Licht der Oeffentlichkeit gezogen wird.

Zum Schlusse empfehle ich das vorstehende, bis jetzt noch wenig beachtete Kapitel sowohl der Aufmerksamkeit der Behörden als auch der demnächst wieder zusammentretenden „Deutschen Gesellschaft für öffentliche Gesundheitspflege."

Ein Wort gegenüber der Abhandlung des Herrn Distriktsthierarztes Josef Lebrecht-Weismain über die Fleischbeschau auf dem Lande und Vorschläge zu deren Verbesserung.

Von

G. Zimmerer-Teuschnitz (Oberfranken.)
Bezirksthierarzt.

Bei aufmerksamer Durchsicht der Abhandlung des Herrn Kollegen Lebrecht kommt man zu der Ueberzeugung, dass demselben nur die Verhältnisse in seinem Distrikt, und dass ihm ferner nicht einmal die Vorschriften über Fleischbeschau in Oberfranken resp. die Instruktion hierzu genügend bekannt zu sein scheinen.

Nachdem der Herr Kollege zugestanden hat, dass die empirischen Fleischbeschauer unvermeidlich auf dem Lande sind, gelangt er zu dem Schluss, dass infolge der faktisch geringen Bezahlung intelligente Leute nur ausnahmsweise als Fleischbeschauer sich verwenden liessen. Es ist doch nicht wohl anzunehmen, dass die Gemeindeverwaltungen, welche die empirischen Fleischbeschauer wählen, gerade die wenigst intelligenten Ortseinwohner aussuchen, wenigstens habe ich diese Erfahrung nicht gemacht, umsoweniger, da der § 4 der Instruktion zu der Verordnung der kgl. Kreisregierung von Oberfranken über Vornahme der Fleischbeschau vom 23. Juni 1881 genügend ist, um solche Leute auszuschliessen und zwar durch strenge Prüfung. Es enthält ferner derselbe Paragraph die Bestimmung, dass die Ausstellung eines Befähigungszeugnisses von einer mehrtägigen Praxis bei einem thierärztlichen Fleischbeschauer abhängig gemacht werden kann. In einem solchen Fall tritt nach meiner Erfahrung die Gemeinde für die entstehenden Kosten ein. Vielfach erhalten die Fleischbeschauer bereits ein Fixum aus der Gemeinde, wie auch in den meisten Bezirken die mit Vornahme der ausserordentlichen Fleischbeschau betrauten Thierärzte eine bestimmte Summe für solche Vornahme aus der Distriktskasse erhalten. Ich bemerke hierbei, dass ich

immer nur oberfränkische Verhältnisse im
Auge habe, da ja in anderen Kreisen
meist schon bei besserer Bezahlung diese
Frage im Sinne des Herrn Collegen geregelt ist. — Gerade eigenthümlich zu
nennen ist sein Vorschlag, dass die Bezirksthierärzte beauftragt würden, alljährlich sämmtliche Fleischbeschaubücher
zu kontrolliren. Er sollte und müsste
doch wissen, dass nach § 6 Abs. 2, Ziff. 4
der kgl. Allerhöchsten Verordnung vom
20. Juli 1872 den Bezirksthierärzten die
Ueberwachung der Fleischbeschauer und
der Fleischbeschau obliegt, und dass regelmässig die Fleischbeschaubücher gelegentlich der Vornahme der Hundevisitationen
von den Bezirksthierärzten (ev. auch Dis-
triktsthierärzten) geprüft werden und dass
ferner dasselbe sehr oft bei ausserordentlichen Anlässen der Fall ist. Siehe auch
§ 28 der Instruktion, der bereits zitirten
Verordnung vom 23. Juni 1881.

Im Uebrigen möchte ich noch bemerken, dass auf der im vergangenen
Jahre stattgehabten Delegirtenver-
sammlung der 8 Kreisvereine Bayerns
in Nürnberg der Erlass gleichmässiger
Vorschriften über die Fleischbeschau für
ganz Bayern als dringend wünschenswerth
bezeichnet wurde, für Oberbayern dagegen
in der Generalversammlung der thierärztlichen Kreisvereine vom 26. Juli 1891
die Nothwendigkeit der Abänderung der
Fleischbeschauvorschriften verneint wurde.
Ebenso wurde auch noch in einigen
anderen Kreisvereinen dieser Wunsch erörtert, und es dürfte daraus hervorgehen,
dass sich die thierärztlichen Kreise bereits
vor dem Herrn Kollegen Lebrecht mit
dieser Frage beschäftigt haben.

Ueber Fleischvergiftungen.
Von
Prof. Dr. Ostertag.
(Fortsetzung).

Die Fälle von Botulismus und der entsprechenden Vergiftungen könnten aus
der neueren Litteratur durch zahlreiche
Einzelbeobachtungen wesentlich bereichert
werden. Das Angeführte möge aber zur
Skizzirung dieser Schädigung der menschlichen Gesundheit durch Fleischgenuss genügen. Nur auf Eines möchte ich noch
hinweisen, nämlich auf die Massen-Er-
krankungen, welche nach dem Genuss
von rohem Hackfleisch beobachtet
werden. Sachsen, Königreich und Provinz,
ist der Sitz der für uns südliche Deutsche
nur schwer verständlichen Sitte, das Fleisch
roh zu geniessen. Rohe Bratwürste und
rohes Hackfleisch scheinen dort wahre Deli-
katessen zu sein. Denn selbst die hoch-
traurigen Trichinenepidemien mit ihren
zahlreichen Opfern und die neuerdings
beobachteten Hackfleisch- und Brat-
wurstvergiftungen haben den Genuss
rohen Fleisches nicht zu verdrängen ver-
mocht. Die Hackfleischvergiftungen treten
vorzugsweise bei hoher Aussentemperatur auf, welche Zersetzungsprozesse in
dem rohen, geflissentlich so stark wie
möglich angefeuchteten Fleische ungemein begünstigt. So trat 1879
zu Chemnitz eine Vergiftung nach
Genuss von Mettwurst und rohem
Rindfleisch auf, bei welcher 241 Personen
erkrankten und 2 starben. 7 Jahre später
erkrankten in derselben Stadt 160 Personen
nach Genuss von Hackfleisch (Monat Mai).
Kleinere Epidemien wurden in den letzten
sechs Jahren in Dresden (11 Personen),
in Gerbstadt (mehr als 50 Personen) und
in Gera (30 Personen) nach Genuss von
rohem Hackfleisch beobachtet.

Die klinischen Symptome der
Wurstvergiftung sind höchst eigenthümlicher Art. Zunächst ist zu bemerken, dass
das Krankheitsbild kein durchaus überein-
stimmendes ist. Namentlich bestehen Verschiedenheiten bezüglich der Inkubationszeit und der Dauer der Krankheit. Bei
dem einen Patienten stellen sich sofort
nach dem Wurst- oder Fleischgenusse die
heftigsten Vergiftungserscheinungen ein,
bei dem Anderen später. Bei dem Einen
dauert die Erkrankung 1, 2—3 Tage, um
dann spurlos zu verschwinden, während
bei dem Andern die Rekonvaleszenz eine
recht langwierige ist und sich auf die
Dauer von Wochen erstreckt. Gemein-

schaftliche Erscheinungen bei allen Wurstvergiftungen sind aber: Uebelkeit, Leibschmerzen, hochgradiges Gefühl der Schwäche, Erbrechen, daneben Verstopfung, seltener Durchfall. Dieser tritt erst am zweiten oder dritten Tage ein. Pathognomonisch sind die Sehstörungen. Nur in verschwindend wenigen Fällen sind die Augen nicht erkrankt. Man beobachtet Lähmungen des Opticus (Mydriasis), des Oculomotorius (Ptosis, Schielen, Akkomodationsstörung), ferner des Trochlearis und Abducens. Vom Trigeminus ist namentlich oft der Nervus lacrymalis vom ersten Aste affizirt. Diese Affektion trat bei einer Vergiftung aus dem Jahre 1881 (Kaatzer) in den Vordergrund. Es erkrankte eine ganze Familie an Botulismus. Ein Sohn starb. Als der Vater die Leiche seines Sohnes sah, konnte er, obwohl tief ergriffen, keine Thräne weinen. Seine Drüsen secernirten nicht mehr.

Ausser den genannten Affektionen nervöser Art macht sich in der Regel auch eine Erschwerung des Schlingens geltend, welche sich bis zur kompletten Aphagie steigern kann (Vagusaffektion).

Die Verschiedenheit des Inkubationsstadiums weist, wie Bollinger vor zwölf Jahren hervorgehoben hat, mit Nothwendigkeit darauf hin, dass wir es zum Theil (bei kurzer Inkubation) mit putrider Intoxikation — reiner Vergiftung durch die Stoffwechselprodukte der Fäulnissbakterien, durch Toxine, nicht, wie man zuerst annahm, durch Ptomaine — zum andern Theil mit bakterieller Infektion (bei längerer Inkubation) zu thun haben. In der Regel dürfte es sich um Kombination beider Vorgänge handeln, insbesondere beim Genusse der ungekochten Materialien. Ob allen Fäulnissbakterien die Fähigkeit zukommt, Fleisch und Wurst zu vergiften, oder ob dieses nur bei gewissen der Fall ist, bedarf noch näherer Untersuchung.

Die Wurstvergiftungen sind, wie wir gesehen haben, recht schwere Erkrankungen. Sie sind aber auch höchst verderblicher

Natur. Nach einer Schätzung von Müller erliegt ein Drittel der Patienten der Wurstvergiftung, und Senkpiehl berechnete in ziemlicher Uebereinstimmung mit Müller aus 412 Erkrankungen von 1789 bis 1886 mit 165 Todesfällen die Mortalitätsziffer auf 40 pCt.

Fragen wir, warum gerade in Württemberg der Botulismus so häufig vorkommt und so viele Opfer fordert, so ist diese Frage dahin zu beantworten, dass der Grund in erster Linie in dem grossen Umfange der Wurstfabrikation und des Wurstgenusses, dann in dem mangelnden Verständnisse zu suchen ist, mit welchem gewisse Wurstarten, wie Leber- und Blutwürste als Dauerwürste früher hergestellt wurden. Ich betone früher; denn dass hierin Wandel geschaffen worden ist, beweisen die in den letzten Jahrzehnten immer seltener vorkommenden Fälle von Wurstvergiftung. Im nördlichen Deutschland, jenseits des Mains, pflegt man die aus Eingeweiden hergestellten Würste, wie Leber- und Lungenwürste, nur frisch zu geniessen. Jedenfalls dürften geräucherte Leberwürste in Norddeutschland, mit Ausnahme Thüringens, höchst selten sein. Die sogenannten Dauerwürste Norddeutschlands (Mettwurst und Schlackwurst), welche allein auf die Zeit von Monaten bis zu einem Jahre aufbewahrt werden, bestehen aus Muskulatur, welche bei zweckmässiger Konservirung der Zersetzung viel länger widersteht, als Lunge, Leber und Blut. In der Aetiologie der Wurstvergiftungen Württembergs dagegen spielen geräucherte Eingeweidewürste, Leberwürste, Hirnleberwürste, Schwartenmagen, Presssack, Blunzen, eine grosse Rolle. Diese Würste eignen sich zu längerer Aufbewahrung schlecht, weil sie leicht verderbendes Material enthalten. Ausserdem wird der in Württemberg übliche Art der unterbrochenen Räucherung, bei welcher während der Nacht das Feuer nicht unterhalten wird, ein Theil der Schuld beigemessen. Schliesslich dürfte in vielen Fällen, namentlich, wenn es sich um Vergiftungen durch voluminöse Würste, wie Blunzen und Presssack handelt, die Kochung und damit die Zerstörung der Fäulnisskeime eine nur höchst mangelhafte gewesen sein, in Folge Unkenntniss des äusserst langsamen Eindringens der Wärme in Fleisch und Fleischwaaren. Die Wurstvergiftungen sind verhütbar, und zwar durch hygienische Belehrung des Publikums und durch entsprechende Gesetzgebung. Das Publikum muss vor dem Genuss in Zersetzung begriffenen oder bereits in Zersetzung übergegangenen Fleisches gewarnt werden. Ferner ist durch strenge Strafandrohung darauf hinzuwirken, dass die Wurstmacher nur frisches Fleisch zur Anfertigung von Würsten verwenden, dass

sie die Gedärme gründlich reinigen, womöglich unter Zuhilfenahme von Desinfizentien, dass sie ferner die Würste gründlich kochen, die Dauerwürste rationell räuchern und dieselben nicht künstlich mit Wasser beladen. Ein Wassergehalt von 30—35 pCt. ist nämlich die beste Gewähr für gute Konservirung der Würste.

Schliesslich hat die Sanitätspolizei streng darauf zu halten, dass von nothgeschlachteten Thieren Würste keinerlei Art angefertigt werden, jedenfalls aber dann nicht, wenn eine vollkommene Ausblutung der Thiere nicht stattgefunden hat. Denn die Erfahrung lehrt, dass das Fleisch solcher Thiere abnorm rasch der Fäulniss anheimfällt.

(Fortsetzung folgt.)

Referate.

Hertwig, Ueber die Kochung finniger Thiere in Berlin.[*])
(Bericht über die städtische Fleischschau pro 1890|91.)

Das finnige Rind- und Schweinefleisch wird zunächst unter Aufsicht städtischer Thierärzte in Stücke von 6—10 cm Dicke und beliebiger Breite und Länge zerlegt. Jedes dieser Stücke wird dann auf das Vorhandensein von Finnen besonders untersucht. Stücke, welche sich hierbei als stärker durchsetzt erweisen, werden von der Kochung ausgeschlossen und zum Ausschmelzen überwiesen.

Die Zubereitung des Fleisches geschieht in einem Becker-Ullmann'schen Kochapparat, welcher in vielen Krankenhäusern, Militär-Instituten und sonstigen öffentlichen Anstalten zum Kochen der Speisen benutzt wird. Derselbe besteht aus einem doppelwandigen, mit Kacheln umlegten Holzkasten, in welchem sich drei grössere und drei kleinere Kammern, die sogenannten Töpfe, zum Kochen der Speisen befinden. Die Räume zwischen den Wänden des Kastens sind mit

*) Diese Kochung ist nicht zu verwechseln mit der Sterilisation des Fleisches im Rohrbeck'schen Dampfdesinfektor.

schlechten Wärmeleitern ausgefüllt. Jede Kammer ist mit einem dichtschliessenden, doppelwandigen Deckel versehen. Am Boden jeder Kammer befindet sich ein Dampfzuleitungsrohr, welches durch ein Ventil abgeschlossen werden kann. Nachdem die Kammern nun, soweit es erforderlich ist, mit Wasser gefüllt sind, und letzteres durch Zuleitung von Dampf die Temperatur von etwa 75° C. erhalten hat, wird das Fleisch in die Töpfe gelegt und nach einigen Minuten, während welcher dasselbe in dem Topf mit dem Wasser gut durchgerührt wird, die Temperatur des letzteren gemessen, weil dieselbe in Folge der Kälteabgabe des Fleisches selbstverständlich sinkt. Nachdem der entstandene Wärmeverlust durch Zuleitung von Dampf ersetzt worden ist, werden die Deckel geschlossen und der Kochprozess etwa zwei Stunden hindurch sich selbst überlassen. Diese Zeit ist nämlich auf Grund der amtlichen Versuche erforderlich, um die Fleischstücke in ihrem Innern auf 70° C. zu erwärmen. Diese Temperatur ist eine höhere, als das Fleisch bei dem gewöhnlichen Kochverfahren erhält.

Die Finnen, welche nach den Ver-

suchen Anderer bei 48—50° R. getödtet
waren, (ich fand sie bei meinen Versuchen
erst bei 52° R. getödtet) — sind bei 70°
gewiss unschädlich gemacht. Der geringe
Unterschied der Temperatur, welcher
nach den Versuchen Anderer und nach
meinen Versuchen für das Absterben der
Finnen erforderlich ist, erklärt sich
jedenfalls durch die Art der Beweisführung für das Abgestorbensein derselben.
Die von anderen Seiten zu diesem Zwecke
gemachten Versuche erstrecken sich, soweit
mir bekannt ist, auf die Fütterung mit
Finnen aus gekochten Fleischstücken, deren
Innentemperatur 40—50° R. betragen hatte.
Diese Versuche haben ergeben, dass die
Finnen nicht mehr entwicklungsfähig, also
abgestorben waren. Diese Beweisführung
kann aber zur Prüfung, ob die in dem
gekochten Fleisch befindlichen Finnen getödtet sind, für das vorliegende Verfahren,
wie leicht erklärlich, nicht angewendet
werden, weshalb ich für meine Beurtheilung
eine bei meinen Versuchen gemachte Beobachtung benutzte. Der Körper der
Finne ist nämlich im lebenden Zustande
hart und fest und besitzt eine b e-
deutende Widerstandsfähigkeit gegen angewendeten Druck; dieselbe ist jedoch verschwunden, wenn die
Finnen sich im Fleisch befunden haben,
welches beim Kochen im Innern eine
Temperatur von 52° R. erreicht hat. Alsdann zeigt der Finnenkörper, obgleich er
in seinem Aussehen eine Veränderung
nicht erlitten hat, n u r n o c h d i e
Festigkeit des Rindertalges,
ist also sehr leicht zerdrückbar und bildet
zwischen Deckglas und Objektträger einen
mattgrauen, durchscheinenden Fleck. Diese
Eigenschaft der gekochten Finnen verdient noch aus dem Grunde Erwähnung,
weil in einigen Anleitungen über die
Fleischbeschau behauptet wird, das die
Finnen in gekochtem oder gebratenem
Fleisch hart seien und zwischen den
Zähnen „knacken“. Dies ist unrichtig,
beim Kauen solchen Fleisches merkt
man von den Finnen nichts.
Der Becker'sche Apparat ist zur Zu-

bereitung des betreffenden Fleisches deshalb gewählt worden, weil in ihm dem
Fleisch jeder beliebige Wärmegrad zugeführt werden und das Letztere auf
diese Weise vollständig gar zubereitet
werden kann, ohne dem eigentlichen, mit
Aufbrodeln des Wassers verbundenen
Kochprozess zu unterliegen, bei welchem
das Fleisch sehr häufig ausgekocht wird,
das heisst, einen grossen Theil seiner
werthvollen Extractivbestandtheile verliert.
Dies ist in dem Becker'schen Apparat
nicht der Fall. Das in demselben gekochte
Fleisch ist weicher, saftiger und schmack-
hafter, als das in gewöhnlicher Weise gekochte Fleisch.

In dem Apparate kann das Fleisch von
drei grossen Rindern, beziehungsweise
von zehn Schweinen gleichzeitig gekocht werden.

Wasserfuhr, Trichinose im Königreich Bayern.
(Deutsche med. Wochenschr. 1892, Nr. 7.)

Obligatorische Trichinenschau besteht
nur in einigen Städten und Land-
gemeinden des nördlichen Bayerns,
welche an das Königreich Sachsen und
Thüringen und Hessen angrenzen. In
diesen Theilen des Königreichs (Ober-,
Mittel- und Unterfranken) sind auch ausschliesslich in den letzten 10 Jahren nach
W. Trichinosen beim Menschen beobachtet worden, nämlich 30 Erkrankungen
mit 2 Todesfällen. Die übrigsn Kreise
blieben von der Krankheit völlig verschont.

Diese Thatsache scheint dadurch ihre
Erklärung zu finden, dass in Franken
im Gegensatz zu dem übrigen
Bayern auch rohes und halbgares
Schweinefleisch genossen wird.
Wenigstens konnte, soweit über die
Art der Zubereitung des schädlichen
trichinösen Fleisches in den General-
Sanitätsberichten Angaben enthalten
waren, der Genuss des Fleisches im rohen
oder halbrohen Zustande nachgewiesen
werden.

Provinz Schlesien. Polizei-Verordnung, betreffend die mikroskopische Untersuchung der Schweine in der Provinz Schlesien.

Auf Grund des § 137 des Gesetzes über die allgemeine Landesverwaltung vom 30. Juli 1883 und der §§ 6, 12 und 15 des Gesetzes über die Polizeiverwaltung vom 11. März 1850 verordne ich unter Zustimmung des Provinzial-Rathes f ü r d e n U m f a n g d e r g a n z e n P r o v i n z S c h l e s i e n hierdurch Folgendes:

§ 1. Ein Jeder, der ein Schwein schlachtet oder schlachten lässt, ist verpflichtet, dasselbe von einem der für den betreffenden Bezirk bestallten Fleischbeschauer mikroskopisch untersuchen zu lassen. Erst dann, wenn auf Grund dieser Untersuchung von dem betreffenden Fleischbeschauer das Attest ausgestellt worden, „dass das Schwein trichinenfrei ist", und wenn das letztere mittels eines amtlichen Stempels, welcher den Namen des Fleischschaubezirks und die Buchstaben F. S. resp. Nummer des Beschauers enthalten muss, auf verschiedenen, mit Rücksicht auf die nachfolgende Zerlegung auszuwählenden Körpertheilen mit Abdrücken versehen worden, darf das Fleisch feilgeboten, verkauft oder zum Genuss für Menschen zubereitet werden.

Zum Abstempeln des untersuchten Fleisches darf ein Brennstempel oder ein Metallstempel benützt werden, zur Abstempelung mittels des Letzteren ist entweder Farbe aus chemisch reinem Indigokarmin oder die von C. Krawutschke in Breslau hergestellte Stempelfarbe für Fleischwaaren — Deutsches Reichspatent No. 62046 — zu verwenden.

§ 2. Die amtliche Bestallung als Fleischbeschauer wird auf Ansuchen der Betreffenden von der Ortspolizeibehörde nach dem Bedürfniss für einen bestimmten Bezirk auf Widerruf ertheilt; Personen, welche weder als Arzt noch als

Dem Ansuchen ist ein Führungsattest der zuständigen Ortspolizeibehörde beizufügen.

Amtlich bestallte Fleischbeschauer dürfen nicht Agenten von Versicherungs-Gesellschaften gegen Trichinenschaden sein.

Ausgenommen hiervon sind die Versicherungs-Gesellschaften auf Gegenseitigkeit.

Die Bestallungen sind mit Siegel und Unterschrift der betreffenden Ortspolizeibehörde zu versehen, und, abgesehen von dem Stempel, kostenfrei auszufertigen.

§ 3. Die amtliche Untersuchung eines geschlachteten Schweines wird mit einem eine 200fache Vergrösserung gestattenden Mikroskop von einem Fleischbeschauer in demjenigen Bezirk ausgeführt, für welchen seine Bestallung erfolgt ist.

Der Fleischbeschauer muss die zu untersuchenden Fleischtheile von dem geschlachteten Schwein persönlich entnehmen.

Kein Fleischbeschauer darf an demselben Tage Fleisch von mehr als acht Schweinen mikroskopisch untersuchen.

Ausnahmen hiervon dürfen für öffentliche Schlachthäuser seitens der Königlichen Regierungs-Präsidenten insoweit gestattet werden, dass einzelne besonders tüchtige Fleischbeschauer unter spezieller Kontrolle eines beamteten oder des Schlachthaus-Thierarztes und mit Beobachtung entsprechender Arbeitspausen dann mit der Untersuchung des Fleisches von einer grösseren Anzahl von Schweinen betraut werden, wenn sich aus der Aufschiebung der mikroskopischen Untersuchung bis zum folgenden Tage Unzuträglichkeiten ergeben. Auch in diesen Ausnahmefällen darf kein Fleischbeschauer an demselben Tage Fleisch von mehr als 12 Schweinen mikroskopisch untersuchen.

Jeder Fleischbeschauer hat ein Schaubuch nach folgenden Rubriken selbst zu führen:

1.	2.	3.	4.	5.	6.	7.
.№.	Tag des Schlachtens.	Bezeichnung der geschlachteten Schweine nach Geschlecht und Alter.	Name und Wohnort des auf die Fleischschau Antragenden resp. dessen Auftraggebers.	Tag der mikroskopischen Untersuchung.	Attest des Fleischbeschauers über das Resultat der mikroskopischen Untersuchung.	Bemerkungen.

Thierarzt oder Apotheker vorschriftsmässig approbirt sind, haben dabei durch ein auf Grund erfolgter Prüfung auszustellendes Physikatsattest den Nachweis zu führen, dass sie sich im Besitze eines zur Ausführung der mikroskopischen Fleischschau geeigneten, eine 200fache Vergrösserung gestattenden Mikroskops und der erforderlichen Kenntnisse und Fertigkeiten befinden.

§ 4. Wird ein Schwein trichinenhaltig befunden, so hat der Fleischbeschauer davon sofort der Ortspolizeibehörde Anzeige zu machen. Bei dieser Anzeige hat derselbe der gedachten Behörde das trichinenhaltige Präparat als solches zu bezeichnen und zu übergeben.

Die zulässigen Benutzungsweisen trichinöser Schweine sind folgende:

1. das Thier darf abgehäutet, die Haut und die Borsten dürfen verwerthet werden;
2. das ausgeschmolzene Fett darf zu beliebigen Zwecken verwendet werden;
3. die geeigneten Theile können zur Bereitung von Seife oder Leim Verwendung finden;
4. die chemische Verarbeitung des ganzen Thieres zu Dungstoff ist zulässig.

Die vorerwähnten Verwendungen unterliegen der polizeilichen Aufsicht.

Soweit nicht die Benutzung trichinösen Fleisches [Nr. 1—4] zugelassen ist, hat die Vernichtung unter polizeilicher Aufsicht in der Weise zu erfolgen, dass das Fleisch in kleine Stücke zerschnitten und in 2 Meter tiefen Gruben, nachdem dasselbe zuvor mit ungelöschtem Kalk bedeckt worden, vergraben wird.

§ 5. Gewerbetreibende, wie Fleischer, Schmelzer und dergl. mehr haben ein Fleischbuch nach folgenden Rubriken zu halten:

welche niemals eher als 4 Monate nach der letzten Eintragung ertheilt wird, nicht vernichtet werden.

§ 6. Kaufleute, Händler u. s. w., welche Schweinefleisch oder Präparate desselben feilhalten, ausgenommen diejenigen, welche lediglich Grosshandel mit den genannten Waaren betreiben, haben der Ortspolizeibehörde auf Verlangen den amtlichen Nachweis zu erbringen, dass dieselben mikroskopisch auf Trichinen untersucht und frei davon befunden worden sind.

§ 7. Sie müssen ein Kontrollbuch führen, in welches jeder Bezug solcher Waaren spätestens 24 Stunden nach dem Eingang nach folgenden Rubriken eingetragen wird:

a) Laufende Nummer,
b) Tag des Eingangs,
c) Benennung der bezogenen Waaren,
d) Gewicht,
e) Ort, woher und Firma, von welcher die

1.	2.	3.	4.	5.	6.	7.
№	Tag des Schlachtens.	Bezeichnung des geschlachteten Schweines nach Geschlecht und Alter.	Angabe des Orts, aus welchem das Schwein herstammte und Namen des Verkäufers.	Tag der mikroskopischen Untersuchung.	Attest des Fleischbeschauers über das Resultat der mikroskopischen Untersuchung.	Bemerkungen.
					Muss mit 6 des Schaubuchs (§ 8 am Ende) wörtlich übereinstimmen.	

In diesem Fleischbuch haben sie die ersten vier Rubriken hinsichtlich jedes ausgeschlachteten Schweines am Tage des Schlachtens auszufüllen, dasselbe sodann einem der für den betreffenden Bezirk bestellten Fleischbeschauer, bei der mikroskopischen Untersuchnng mit vorzulegen, welcher sein Attest über das Resultat der Untersuchung unter Beisetzung seines Namens, des Ortes und des Tages der Untersuchung sofort in die 5. und 6. Rubrik einzutragen hat.

Den Nichtgewerbetreibenden, welche ein Schwein schlachten oder schlachten lassen, bleibt es freigestellt, ein gleiches Fleischbuch zu halten. Wollen sie dies nicht, so müssen sie sich von dem Fleischbeschauer über jedes ausgeschlachtete Schwein ein besonderes Attest, welches ebenfalls den Tag des Schlachtens, die Bezeichnung des Schweines nach Geschlecht und Alter, die Angabe des Ortes seiner Herstammung event. des früheren Eigenthümers und den Tag der mikroskopischen Untersuchung enthalten muss, ausstellen lassen.

Das Fleischbuch, sowie die vorbemerkten besonderen Atteste sind der Ortspolizeibehörde zur Kontrolle auf Erfordern jeder Zeit vorzuzeigen und dürfen ohne deren Genehmigung,

Waaren bezogen worden sind,
f) Angabe über Vornahme, event. Ort und Zeit der Untersuchung,
g) Resultat der Untersuchung,
h) Bemerkungen.

Dieses Kontrollbuch muss der Ortspolizeibehörde oder deren Abgeordneten jederzeit, sowie den Käufern auf Verlangen vorgelegt werden.

§ 8. Spätestens 3 Tage nach dem Eingang der Waare muss der Kaufmann etc. im Besitz eines Nachweises darüber sein, dass dieselbe auf Trichinen untersucht und frei davon befunden worden ist.

§ 9. Dieser Nachweis wird erbracht:
a) entweder durch ein Attest der Polizeibehörde des Ursprungsortes dahingehend, dass dort die Untersuchung der geschlachteten Schweine auf Trichinen allgemein eingeführt, oder dass die Schweine, von welchen die Präparate herrühren, auf Trichinen untersucht und trichinenfrei befunden worden sind;
b) oder durch ein amtliches Attest der Polizeibehörde resp. eines bestallten als solchen sich ausweisenden Sachverständigen des

Absendungsorts, dass die Präparate dort auf Trichinen untersucht und frei davon befunden worden sind;

c) oder durch ein gleiches Attest eines bestallten Sachverständigen am Verkaufsort.

§ 10. Die im § 9 erwähnten Atteste sind, soweit sie nicht den einzelnen Stücken angeheftet sind, dem Kontrollbuch [§ 7] als Anlagen beizufügen.

§ 11. Für jede mikroskopische Untersuchung der zu einem Schweine gehörigen Fleischtheile und für die Ausstellung des Attestes hat der Besitzer des ausgeschlachteten Schweines an den amtlichen Fleischbeschauer den Betrag von zusammen Einer Reichsmark zu zahlen.

§ 12. Für die Prüfung derjenigen Personen, welche das Geschäft der amtlichen Fleischschau zu übernehmen wünschen, ist in der Anlage A ein Reglement entworfen.

§ 13. Damit die Fleischschau gründlich, zweckentsprechend und umsichtig vorgenommen werde, ist in der Anlage B eine Instruktion für die amtlichen Fleischbeschauer erlassen.

§ 14. Zuwiderhandlungen gegen vorstehende Bestimmungen werden mit einer Geldstrafe bis zu Sechzig Mark, an deren Stelle im Falle der Unbeitreiblichkeit verhältnissmässige Haft tritt, bestraft.

§ 15. Bestallte Fleischbeschauer, welche sich Zuwiderhandlungen gegen diese Polizei-Verordnung oder gegen die Instruktion [Anlage B] zu Schulden kommen lassen, oder welche sich sonst irgendwie als unzuverlässig zeigen, haben ausser der Bestrafung nach § 14 sofortigen Widerruf der Bestallung zu gewärtigen.

§ 16. Diese Verordnung gilt für jeden Fleischbeschaubezirk, für welchen ein Fleischbeschauer bestallt und die erfolgte Bestallung nebst den Namen der bestallten Fleischbeschauer von der Ortspolizeibehörde publizirt worden ist.

§ 17. Die in der Provinz Schlesien bisher bestandenen, die amtliche Untersuchung der geschlachteten Schweine auf Trichinen betreffenden Polizei-Verordnungen sind aufgehoben.

Breslau, den 21. Mai 1892.
Der Ober-Präsident der Provinz Schlesien.
I. V.: gez. Baurschmidt.

A.
Reglement
für die Prüfung der Fleischbeschauer.

Nach § 2 der vorstehenden Polizei-Verordnung vom heutigen Tage haben diejenigen Personen, welche als amtliche Fleischbeschauer bestallt zu werden beabsichtigen, aber weder als Arzt noch als Thierarzt oder Apotheker vorschriftsmässig approbirt sind, eine Prüfung vor dem Königlichen Kreisphysikus abzulegen.

In Betreff dieser Prüfung wird Folgendes bestimmt:

§ 1. Der Meldung, welche bei dem Königlichen Kreisphysikus selbst einzureichen ist, sind beizulegen:

a) ein von der Orts-Polizeibehörde ausgestelltes Führungsattest, in welchem der Zweck der Ausstellung desselben angegeben sein muss;

b) die Versicherung des zu Prüfenden, dass er sich im Besitze eines zur Untersuchung von Fleisch geeigneten Mikroskops befinde.

§ 2. Die Prüfungen können jederzeit stattfinden. Der jedesmalige Prüfungstermin wird vom Königlichen Kreisphysikus festgesetzt.

An einem Termine dürfen höchstens drei Kandidaten zugleich geprüft werden.

§ 3. Die Prüfung zerfällt in zwei gesonderte Theile: A. den theoretischen Theil und B. den praktischen Theil und wird an einem Termine abgehalten.

§ 4. In dem theoretischen Prüfungs-Abschnitt ist festzustellen, ob der zu Prüfende mit der Genesis, dem Vorkommen und der Entwickelungsweise der Trichinen im Allgemeinen bekannt ist. Er soll daher eine richtige Vorstellung von der Grösse, Beschaffenheit und Form der Trichinen in ihren verschiedenen Entwickelungsstufen besitzen, die Uebertragungsweise der Trichinen auf Menschen und Thiere, den Generationswechsel der Trichinen, deren Einwanderung in die Muskeln, den Einkapselungsprozess, den Unterschied der Darm- von Muskeltrichinen, die weitere Umwandlung derselben in ihrem späteren Verlaufe kennen und anzugeben wissen, an welchen Theilen des geschlachteten Schweines die Trichinen am zahlreichsten angetroffen werden, welche Muskelpartien sich zur Untersuchung vorzugsweise eignen, durch welche Umstände die mikroskopische Untersuchung erschwert werden kann und welche Täuschungen unterlaufen, in dieser Hinsicht aber auch mit dem Aussehen und dem Vorkommen der Finnen, der sogenannten Rainey'schen Körper [Psorospermien-Schläuche] und weiterer im Fleische bisweilen beobachteter Gebilde bekannt sein.

Es empfiehlt sich, bei Abhaltung dieser Prüfung naturgetreue, im vergrösserten Massstabe dargestellte Abbildungen, welche der zu Prüfende zu demonstriren haben wird, zu benutzen.

§ 5. In dem praktischen Abschnitt, welcher sich unmittelbar an den theoretischen anschliesst, ist zunächst zu ermitteln, ob der zu Prüfende mit seinem zur Stelle gebrachten Mikroskop, dessen einzelnen Theilen, Zusammensetzung und Gebrauchsweise hinreichend vertraut ist.

Der zu Prüfende hat hierzu das Mikroskop in Gegenwart des Königlichen Kreisphysikus aufzustellen, eine richtige Beleuchtung einzurichten und verschiedene Objekte aufzulegen.

Nächstdem sind dem zu Prüfenden verschiedene mikroskopische Präparate vorzulegen und ist festzustellen, ob er dieselben richtig zu erkennen im Stande ist.

Hierauf hat der zu Prüfende mindestens acht Präparate und zwar je eines aus trichinenfreiem und je drei aus trichinenhaltigem frischen und trockenem Fleische [Schinken] anzufertigen, unter sein Mikroskop zu bringen und zu demonstriren. Das Fleisch zu den Präparaten wird von dem Königlichen Kreisphysikus geliefert.

§ 6. Den Schluss der Prüfung bildet die Musterung des von dem zu Prüfenden zur Stelle gebrachten Mikroskops. Nur ganz brauchbare, nicht defekte Mikroskope mit mindestens 200facher Vergrösserung sind als bei der Fleischschau verwendbar anzusehen.

§ 7. Diejenigen, welche in der vorgeschriebenen Prüfung bestanden und ihre Befähigung zur Untersuchung des Fleisches in Beziehung auf Trichinengehalt überzeugend nachgewiesen haben, erhalten, wenn sie im Besitze eines eigenen, guten Mikroskops von vorschriftsmässiger Beschaffenheit [§ 6] sind, das im § 2 der vorstehenden Polizei-Verordnung vom heutigen Tage gedachte Physikats-Attest ausgestellt.

§ 8. Für die Prüfung hat der zu Prüfende eine Gebühr von drei Mark zu erlegen. Sollte auf Wunsch desselben die Prüfung ausserhalb des Wohnorts des Königlichen Kreisphysikus erfolgen, so sind an Letzteren ausser der Prüfungsgebühr noch die reglementsmässigen Diäten und Fuhrkosten von dem zu Prüfenden zu entrichten.

Breslau, den 21. Mai 1892.

Der Ober-Präsident der Provinz Schlesien.

I. V.: gez. Baurschmidt.

B.
Instruktion für die amtlich bestallten Fleischbeschauer.

I.

Die amtlich bestallten Fleischbeschauer haben Aufforderungen, welche von Gewerbetreibenden und Nichtgewerbetreibenden zur Vornahme der Fleischschau bis des Abends 6 Uhr an sie gerichtet werden, regelmässig noch an demselben Tage, und zwar sobald als möglich zu entsprechen und event. im Behinderungsfalle die Betreffenden sogleich an einen anderen bestallten Fleischbeschauer des Bezirks zu weisen.

II. Aufstellung des Mikroskops.

Die Mikroskopröhre ist vor dem Gebrauch jedesmal zu kontrolliren, ob etwa ein fremder Körper hineingerathen ist, oder eine der darin angebrachten Blenden sich auf die hohe Kante gestellt hat. Der Auszug des Tubus ist vor dem Gebrauch auszuziehen. Die Gläser der zum Instrument gehörigen Linsenverbindungen, sowie die Beleuchtungsspiegel sind mit einem trockenen Haarpinsel oder mit ganz weichem Waschleder sorgfältig zu reinigen.

Bei Beleuchtung mit Unterlicht ist immer darauf zu achten, dass dieses so horizontal als möglich auf den Spiegel falle; man bringe daher das Mikroskop nicht näher an das Fenster, als unbedingt erforderlich ist. Grelles Sonnenlicht ist unvortheilhaft; Doppelfenster sind beim Untersuchen hinderlich.

Nur ausnahmsweise ist bei Lampenlicht zu untersuchen, und in diesem Falle bediene man sich einer niedrigen Petroleumlampe mit einer Glocke, die unten entweder durch Milchglas oder durch mattes, weisses Glas geschlossen ist.

Wer mit niederen Systemen im Oberlicht untersuchen will, der muss das Mikroskop dem Fenster nahe bringen, um möglichst viel auffallendes Licht zu erhalten.

Man wähle zur Untersuchung die hellen Tagesstunden und arbeite, wenn thunlich, am geöffneten Fenster.

Man verfahre bei Befestigung des gewählten Systems am Tubus mit grösster Sorgfalt und vergewissere sich, dass der Tubus genau zentrirt ist. Eine besondere Beachtung erfordert die Abmessung der Brennweite. Bei niederen Systemen sind die Brennweiten viel grösser, als bei den höheren Objektivlinsenverbindungen und es wird daher ein Tubus einen um so weiteren Abstand vom Präparat erfordern, je niedriger das System ist, mit welchem er armirt ist.

Das zu untersuchende Präparat wird nun, von dem Deckglase bedeckt, so auf den Objektivtisch gebracht, dass dasselbe möglichst über die Mitte der Oeffnung im Tische zu liegen kommt. Darunter ist die grösste Blendöffnung anzubringen und mit dem Spiegel volles, grades Licht in den Tubus zu werfen. Während das Auge möglichst nahe am Okular nach dem Präparate blickt, wird der Tubus behutsam auf- und abwärts bewegt, bis das Bild klar erscheint.

III. Bereitung des Präparats.

Man trägt mit einem ganz scharfen Messer (Rasir- oder Präparirmesser) ein sehr feines kleines Scheibchen von dem zu untersuchenden Fleischstück ab und sehe zu, dass es möglichst reine Muskelfaser ist.

Zellgewebe und Fetttheile sind vorher möglichst auszusondern; das so erhaltene sehr dünne feine Fleischscheibchen breitet man auf einem reinen Glasstücke (Objektträger) vorsichtig aus, bringt einen Tropfen Wasser darauf, legt ein zweites, möglichst dünnes Glas (Deckglas) darüber, drückt dasselbe etwas an und bringt das Ganze, das Deckglas nach oben, unter das Mikroskop.

Eine vollkommen ausgewachsene Muskeltrichine stellt sich bei einer ausreichenden Vergrösserung unter dem Mikroskop als ein in der

Gestalt einem Regenwurm vergleichbaren Rundwurm dar.

Sie besitzt ein vorderes zugespitztes Ende, an welchem sich die Mundöffnung befindet. Von dieser geht im Inneren eine feine Röhre, die Speiseröhre ab, welche in den einfachen Darm sich fortsetzt. Letzterer erstreckt sich bis zum hinteren, etwas dickeren Leibesende, wo er sich nach aussen öffnet.

Die äussere Haut ist soweit durchsichtig, dass die inneren Theile genau erkennbar sind. Je schwächer aber die Vergrösserung ist, desto weniger erscheint die Trichine durchsichtig; man sieht alsdann nur die äussere Gestalt des Wurmes, was jedoch für den Zweck der Fleischschau vollständig genügt.

Man hat sich bei Auffindung der Trichinen und Feststellung des Befundes im Allgemeinen folgendes zu vergegenwärtigen:

Die eingewanderte Trichine liegt Anfangs in den Fasern des Muskels ausgestreckt. Je grösser sie aber wird, um so mehr rollt sie sich ein, indem sie Kopf- und Schwanzende einkrümmt und wie eine Uhrfeder spiralförmig zusammengewickelt liegt. Später bildet sich um das Thier eine Kapsel.

Der mittlere Theil der Kapsel, wo eben das aufgerollte Thier liegt, erscheint bei mässiger Vergrösserung wie eine helle kugelige oder eiförmige Masse, in welcher man das Thier deutlich wahrnimmt.

Nach längerer Zeit geschehen weitere Veränderungen an der Kapsel. Die gewöhnlichste ist, dass sich Kalksalze ablagern und die Kapseln verkreiden. Sie sehen dann unter dem Mikroskop schattig und mehr oder weniger dunkel aus. Nimmt die Kalkmasse noch mehr zu, so überzieht sie endlich das Thier vollständig und man kann die Trichine auch unter dem Mikroskop durch die Kapsel hindurch nicht mehr erkennen.

Hat man die Fleischschnittchen, wie angegeben, mit einem Gläschen (Deckgläschen) bedeckt, so übe man auf das letztere einen mässigen Druck aus; derselbe wird genügen, die Kapseln zu zersprengen und die Trichine aus der Kapsel herauszupressen(!) Im frisch geschlachteten Schweinefleisch werden freie, nicht eingekapselte oder auch eingekapselte Trichinen angetroffen werden, nur eingekapselte vorzugsweise dagegen in längere Zeit aufbewahrtem Fleische (Schinken) zu vermuthen sein.

IV. Die mikroskopische Untersuchung.

Die Untersuchung muss, wenn sie zuverlässig sein soll, mehrere Gegenstände des Schweinekörpers umfassen, namentlich sind bei jedem zur mikroskopischen Untersuchung gestellten Schweine jedesmal:

Theile der Lendenmuskeln,
Muskeltheile des Zwerchfelles,
Muskeltheile des Kehlkopfes,
Theile der Zungenmuskeln und
Theile der Bauchmuskeln

genau zu prüfen, von jeder der bezeichneten Stellen aber mehrere, zum mindesten 3—5 Proben zu entnehmen.

Bei der Entnahme der vorbezeichneten Fleischproben ist auch jedes Schwein, um Verwechselungen zu vermeiden, von dem Fleischbeschauer mit einer Marke zu versehen und das zur Untersuchung von diesem entnommene Fleisch in ein Gefäss mit gleicher Marke zu bringen.

Die Beschaffung derartiger Marken und markirter Gefässe liegt den Fleischbeschauern aut eigene Kosten ob.

Das in Anwendung genommene Mikroskop muss bei hinlänglicher Deutlichkeit und Schärfe eine 200fache Vergrösserung gestatten.

Bei jedem verdächtigen Befunde verdopple man die Aufmerksamkeit und schreite zu einer stärkeren Vergrösserung, um die Sache aufzuhellen.

Man vergegenwärtige sich die bei Untersuchung auf Trichinen beobachteten und möglichen Verwechselungen (Rainey'sche Körper, Psorospermienschläuche).

Bei Prüfung konservirten Fleisches, Schinken und dergl. wähle man mehrere auseinanderliegende Stückchen zur Untersuchung und hole dieselben möglichst aus der Tiefe.

Die Anfertigung der Präparate erfordert bei getrocknetem Fleisch grössere Sorgfalt als bei frischem, weil letzteres um vieles weicher ist und sich unter dem Deckglase mit Leichtigkeit ausbreiten lässt, was bei Schinken und anderen trockenen Fleischtheilen weniger der Fall ist.

Man merke sich, dass die Enden der Muskel, d. h. diejenigen Abschnitte, welche dicht vor ihrem Ansatz an Sehnen oder Knochen liegen, in der Regel mit Trichinen am reichlichsten durchsetzt zu sein pflegen, daher bei Untersuchungen von zweifelhaftem Resultat behufs Aufhellung der Sache niemals übergangen werden sollen.

Würste und alle gemengten Fleischwaaren können bei einer Untersuchung durch das Mikroskop, selbst der sorgfältigsten, nur dann in Bezug auf Trichinengehalt ein vollkommen sicheres Resultat gewähren, wenn mit völliger Sicherheit feststeht, dass die qu. Fleischwaaren ganz allein und ausschliesslich von einem und demselben Schweine herstammen. Auch ist in diesem Falle noch daran zu erinnern, dass der Herzmuskel nach bisherigen Beobachtungen noch nicht trichinenhaltig gefunden worden ist.

Hat der Fleischbeschauer nach sorgfältiger, umfassender und gewissenhafter Prüfung der durch ihn persönlich entnommenen Fleischtheile mittels des Mikroskops in den untersuchten Präparaten Trichinen nicht gefunden, so ist er berechtigt und verpflichtet, über diesen Befund das amtliche Zeugniss auszustellen.

V.

Im Uebrigen ergeben sich die Pflichten des amtlich bestallten Fleischbeschauers aus der vorstehenden Polizei - Verordnung vom heutigen Tage.*)

Breslau, den 21. Mai 1892.

Der Ober-Präsident der Provinz Schlesien.

I. V.: gez. Baurschmidt.

Versammlungs-Berichte.

— **Protokoll der I. Sitzung des Vereins schlesischer Schlachthausthierärzte**, abgehalten zu Breslau am 3. Juli.

Anwesend sind die Herren Kollegen: Joger-Haynau, Bohlen-Bunzlau, Schramm-Gleiwitz,

*) Bereits vor mehreren Jahren hat Hertwig darauf aufmerksam gemacht, dass an dem leider immer noch vorkommenden Uebersehen von Trichinen durch Trichinenschauer nicht in allen Fällen Fahrlässigkeit der letzteren Schuld sei, sondern mitunter auch die unzulänglichen amtlichen Vorschriften über die Ausführung der Untersuchung. Diesem Hinweis ist von mehreren Behörden volle Beachtung geschenkt worden: in mehreren Verordnungen wurden die mangelhaften Bestimmungen durch zweckentsprechendere ersetzt.

Um so mehr muss es überraschen, dass man heute noch einer Verordnung begegnet, welche die Erfahrungen der praktischen Trichinenschau so sehr vernachlässigt und mit der wissenschaftlichen Trichinenkunde zum Theil dermassen in Konflikt geräth, wie die vorstehend abgedruckte. Nach der Verordnung sollen z. B. eingekapselte Trichinen vorzugsweise „in längere Zeit aufbewahrtem Fleische (Schinken) zu vermuthen sein"! Der Verfasser der Verordnung scheint in dem Glauben befangen zu sein, dass die Trichinen noch nach dem Tode ihres Wirthes sich einzukapseln vermögen.

Um nur die gröbsten Fehler des Reglements und der Instruktion hinsichtlich der Ausführung der Trichinenschau hervorzuheben, sei hier darauf hingewiesen, dass zur Herstellung der Präparate nichts unbrauchbarer ist, als ein „ganz scharfes Messer". Man bedient sich hierzu einer kleinen, gekrümmten Scheere. Der Zusatz von Wasser zu den frischen Präparaten ist mindestens entbehrlich. Der Gebrauch eines „möglichst dünnen Glases" als Deckgläschen ist für wissenschaftliche Untersuchungen angezeigt, für die Trichinenschau aber durchaus ungeeignet. Hier hat man sich, um die Proben durch Kompression möglichst durchsichtig zu machen, starker Deckgläser, am besten der sog. Kompressorien, zu bedienen, welche einen grossen Druck aushalten können. Die zweckmässigste Vergrösserung für die Trichinenschau ist nicht, wie die Verordnung vorschreibt, eine mindestens 200-fache, sondern eine etwa 50fache u. s. w.

Es leuchtet ohne weiteren Kommentar ein, dass eine Verordnung mit so groben Mängeln ihrem Zwecke nicht entsprechen kann.

Wiegand-Lissa i. Posen, Runge-Schweidnitz und Warncke-Rybnik.

Um 11 Uhr wurde die Sitzung eröffnet durch den Alterspräsidenten Herrn Kollegen Joger, der nach einer kurzen Begrüssung gleich zu dem Hauptthema der Tagesordnung, nämlich **Umwandlung der bisherigen freien Vereinigung schlesischer Schlachthausthierärzte in einen Verein derselben**, überging. Bald nach Beginn der Verhandlungen beehrte uns Herr Medizinal-Assessor Departementsthierarzt Dr. Ullrich in Breslau mit seinem Besuche, der seinem lebhaften Interesse für den Verein Ausdruck verlieh und demselben ein kräftiges Gedeihen wünschte. Ein gleicher Wunsch ging uns auf schriftlichem Wege von Herrn Departementsthierarzt Leistikow in Liegnitz zu.

Der vorgelegte Entwurf eines Statuts wurde mit nur geringen Abänderungen angenommen und hierauf kam es nach voraufgegangener sehr lebhafter Debatte zur Konstituirung des Vereins, zu dem noch sechs andere Kollegen schriftlich ihren Beitritt erklärt hatten. Bei der nunmehr vorgenommenen Vorstandswahl wurde Herr Kollege Joger-Haynau zum Vorsitzenden gewählt.

Da es inzwischen schon ziemlich spät geworden war, so wurden Fragen wissenschaftlichen Inhalts nur noch kurz berührt und zum Theil bis zur nächsten Sitzung verschoben.

Den Schluss bildete ein gemeinschaftliches Mittagsmahl.

Warncke, Schriftführer.

— **Generalversammlung des Vereins pommerscher Thierärzte.** Auf der letzten Generalversammlung des Vereins pommerscher Thierärzte standen wichtige Fragen der Fleischkunde und Fleischbeschau auf der Tagesordnung. Prof. Grawitz sprach „über die Gewebsveränderungen bei der Mästung" (siehe nächst. Heft), Schlachthausinspektor Rohr „über den jetzigen Standpunkt der Fleischbeschau" (B. T. W. 1892, Nr.29). An den letzteren Vortrag knüpfte sich eine sehr rege Diskussion. Dr. Wolter-Stettin rühmte die Eber'sche Methode zur objektiven Feststellung der Fäulniss. Veterinär-Assessor Müller betonte, nur der Grad der Fäulniss, nicht das Vorhandensein der Fäulniss überhaupt sei für die Beurtheilung wichtig. Nur wirklich stinkendes Fleisch sei dem Verkehre zu entziehen. Richter-Demmin empfiehlt zur Feststellung der Fäulniss tiefes Einschneiden in das Fleisch. Departementsthierarzt Ollmann theilte einen hochinteressanten Fall von Geruchs- und Geschmacksveränderung des Fleisches nach Verfütterung in Gährung übergegangener Wruken und Runkelrüben mit. Ein Landwirth hatte 100 Lämmer mit den Restbeständen, der sog-

Sauce der genannten Futtermittel gemästet. Trotz 2tägigen Transports mit Fütterung anderer Stoffe zeigte das Fleisch der Lämmer ranzigen Geruch und seifigen Geschmack. Prof. Schulz-Greifswald berührte die Thatsache des Verbots der Hippophagie durch die christlichen Priester und erwähnte zum Schlusse einen interessanten Vergiftungsfall durch Krammetsvögel. Die Krammetsvögel hatten für Füchse bestimmtes, stark mit Strychnin behandeltes Fleisch gefressen. Eine ganze Familie vergiftete sich durch den Genuss dieser Vögel, weil bei den Krammetsvögeln der Magen mitgegessen wird.

Fleischschau-Bericht.

Spremberg N -L. Im hiesigen Schlachthofe wurden in der Zeit vom 1. April bis incl. 31. März geschlachtet:

	1890/91	1891,92
Rinder	815	899
Schweine	8379	4098
Kälber	1816	2136
Hammel	1090	882
Ziegen	32	41
Zickel	141	124
Pferde	32	24
	7305	8399 Schlachtthiere.

Von diesen erwiesen sich als mit Tuberkulose behaftet:

	Rinder	Schweine	Kälber	Hammel
1890/91	58 (7,2%)	4	—	3 ·
1891/92	114 (12,7%)	8	1	4

Rothlauf trat auf 1890/91 bei 22 Schweinen, 1891/92 bei 1 Schwein. Finnen und Trichinen wurden in beiden Jahren nur je 1 mal bei Schweinen gefunden. — Pentastomum denticulatum fand sich in der Bauch- und Brusthöhle einer Ziege so massenhaft, dass Beanstandung eintreten musste.

In der Zeit vom 1. April bis 1. Juli 1892 wurden im Spremberger Schlachthofe geschlachtet: 174 Rinder; 1009 Schweine; 713 Kälber; 248 Hammel; 6 Ziegen; 171 Zickel; 4 Pferde. — Von diesen wurden beanstandet und
1. gänzlich vernichtet: 2 Kälber wegen Nabelentzündung und Icterus.
2. der Freibank überwiesen oder dem Vorbesitzer zur eigenen Verwerthung unter polizeilicher Anmeldung übergeben:
11 Rinder wegen Tuberkulose; 1 Rind wegen Pyometra; 7 Schweine wegen Rothlaufanfalls oder gastrischer Störungen.
Einzelne Organe sind beanstandet worden: Wegen Echinokokken 1 Rinderleber, 5 Schweinelebern, 3 Hammel- und 1 Pferdeleber, 6 Hammellungen; ferner wegen Leberegel die Lebern von 30 Rindern, 1 Schwein

und 42 Hammeln; ferner 8 Organe wegen Geschwürsbildungen und anderer Veränderungen; wegen Tuberkulose: 15 Rinderlungen, 3 Hammellebern; in 7 Fällen erwiesen sich nur die Kehlgangsdrüsen und in einem Falle nur das Darmnetz eines Rindes tuberkulös. Insgesammt erwiesen sich demnach von 174 Rindern 34 tuberkulös, das sind 19,5 pCt. — Hinzufügen will ich noch, dass auch im hiesigen Schlachthause ca. 70 pCt. Schweinelungen als mehr oder weniger mit Fadenwürmern behaftet gefunden wurden Die von den Herren Henschel und Falk beobachteten und untersuchten Exkoriationen an der wulstartigen Erhöhung des Zungenrückens bei Rindern sind auch hier häufig gefunden und untersucht worden, und es ergab auch hier der mikroskopische Befund mehrfach Actinomycesherde.

Thierarzt Brade,
Schlachthofinspektor.

Bücherschau.

— **Martin, Handbuch der Anatomie der Hausthiere mit besonderer Berücksichtigung des Pferdes, von Dr. Ludwig Frank, 3. Aufl., I. Theil (Lief. 1—5).** Stuttgart 1891. Verlag von Schickhardt u. Ebner (Konrad Wittwer).

Mit der 5. Lieferung ist der 1. Theil des Werkes abgeschlossen worden, dessen Veranlagung anlässlich des Erscheinens der 1. Lieferung schon besprochen wurde (s. S. 56). Der abgeschlossene 1. Theil umfasst die allgemeine Anatomie, die Knochen und ihre Verbindungen, die Zähne, die Muskeln, das Darmrohr mit den Anhängseln, die Athmungswerkzeuge, endlich die Harn- und Geschlechtswerkzeuge. Soweit der Referent es zu beurtheilen im Stande ist, hat auch bei den Lieferungen 2—5 jene übersichtliche, klare und exakt wissenschaftliche Behandlung des Stoffes Durchführung gefunden, welcher bei der Besprechung der 1. Lieferung gebührendes Lob gespendet worden ist. Nach Vollendung des ganzen Werkes wird Ref. auf dasselbe zurückkommen.

Leider macht Martin in der in der 5. Lieferung beigegebenen Vorrede die hochbetrübende Mittheilung, dass ihm sein, auch in thierärztlichen Kreisen bekannter Bruder Leopold, ein hochbegabter Künstler, durch den Tod entrissen worden ist. Leopold Martin hatte die neue Auflage der Anatomie mit vortrefflich gelungenen neuen Abbildungen bereichert.

— **Friedberger und Fröhner, Lehrbuch der speziellen Pathologie und Therapie der Hausthiere.** 3. verbesserte und vermehrte Auflage. II. Bd. Stuttgart 1892. Verlag von Ferdinand Enke.

Die Vorzüge des Lehrbuches der Pathologie und Therapie von Friedberger und Fröhner und der dadurch bedingte Erfolg des Werkes haben bereits bei der Besprechung des I. Bandes der vorliegenden 3. Auflage im Aprilheft ds. Zeitschr. ihre Würdigung gefunden. Es erübrigt bezüglich des II. Bandes hervorzuheben, dass derselbe ausser den Erkrankungen der Bewegungsorgane, des Nervensystems und des Respirationsapparates auch die konstitutionellen Krankheiten, sowie die Infektionskrankheiten und Seuchen im engeren Sinne umfasst, auf deren mustergiltige Darstellung besonders aufmerksam gemacht sein möge. Bei den wichtigeren der zuletzt genannten Krankheiten sind, als Zugabe der neuen Auflage, die wesentlichsten Gesichtspunkte für die sanitätspolizeiliche Beurtheilung beigefügt worden.

Einer besonderen Empfehlung bedarf ein Werk wie das Friedberger-Fröhner'sche nicht.

— **Schlampp, die Fleischbeschau-Gesetzgebung in den sämmtlichen Bundesstaaten des Deutschen Reichs.** Stuttgart 1892. Verlag von Ferdinand Enke.

In der That dürfte es, wie Verf. in dem Vorworte hervorhebt, bislang nur wenige gegeben haben, welchen eine detaillirte Kenntniss der auf Fleischbeschau bezüglichen Gesetze und Verordnungen in sämmtlichen einzelnen deutschen Bundesstaaten zu eigen war. Die Kenntniss der bestehenden Gesetze ist aber für Neuvorschriften unerlässlich. Deswegen hat der Verf., welcher die Sammlung der zur Zeit in Kraft stehenden Fleischbeschau - Gesetzgebung auf Anregung Lydtin's unternahm, mit dem vorliegenden Werk eine thatsächliche Lücke in unserer Litteratur ausgefüllt. Wir haben uns bei dem Verf. zu bedanken, dass er sich der grossen Mühewaltung unterzogen hat, alle Gesetze, Erlasse und Verfügungen der deutschen Staatsbehörden zusammenzutragen und als Ganzes zusammenzustellen. Wer selbst schon in die Lage versetzt worden ist, nach den gesetzlichen Bestimmungen bei irgend einem Gegenstand der Sanitätspolizei in allen Bundesstaaten zu fahnden, weiss diese Mühe wohl zu schätzen.

Ref. zweifelt nicht daran, dass die Gesetzessammlung von Schlampp sehr nützliche Folgen haben wird. Sie dürfte den Einzelregierungen die Anregung geben, zweckdienliche sanitätspolizeiliche Anordnungen zu treffen, welche von anderen Regierungen bereits mit Erfolg getroffen worden sind. Ausserdem ist das Schlampp'sche Werk eine gute Grundlage für die Neubearbeitung sanitätspolizeilicher Bestimmungen. Das Buch ist daher für die Veterinär- und Medizinalbehörden als unentbehrlich zu bezeichnen.

— **Bauer, die Reichsgesetze, betr. den Verkehr mit Nahrungsmitteln, Genussmitteln und Gebrauchs-Gegenständen.** An der Hand der ergangenen Reichsgerichtsentscheidungen erläutert Leipzig 1890, Verlagsmagazin.

Die vorliegende Bearbeitung verfolgt dieselbe Tendenz, wie die bekannte, vortreffliche Broschüre von Meyer und Finkelnburg. Bauer hat es vorzüglich verstanden, den spröden Stoff leicht verständlich darzustellen. Seine Arbeit ist daher namentlich Laienkreisen, welche Veranlassung haben, sich mit dem Inhalte der im Titel genannten Gesetze näher vertraut zu machen, sehr zu empfehlen.

— **Dewitz, die Eingeweidewürmer der Haussäugethiere.** Berlin 1892, Verlag von Paul Parey.

Verf. legte der Bearbeitung des Themas das Ziel zu Grunde, den Landwirthen und allen denen, welchen Aufzucht und Pflege der Haussäugethiere obliegt, das Wichtigste aus der Helminthologie der Haussäugethiere mit besonderer Betonung der Vorbeuge und Bekämpfung der Schmarotzerkrankheiten darzubieten. Dieses Ziel wird durch das kleine Werk, einen Band der Thaerbibliothek, sicherlich erreicht, besonders da es der Verf. an der Beigabe einer hinreichenden Anzahl von zum grösseren Theil recht instruktiven Abbildungen nicht hat fehlen lassen. Nur wäre es nach des Ref. Ansicht nützlich gewesen, die Grundsätze über die Vorbeuge und Bekämpfung, gewiss das Wichtigste der ganzen Arbeit, in knapper Form zusammenzufassen und in irgend einer Weise, wie durch besondern Druck, hervorzuheben. Verf. lag helminthologischen Studien hauptsächlich auf dem Zentralschlachthofe in Berlin ob. Aus der parasitologischen Sammlung des letzteren sind auch dem Buche mehrere interessante Original-Abbildungen einverleibt worden.

— **Wittmann-Pestolka-Toscano, Bericht über den zweiten Oesterreichischen Thierärzte-Tag.** Wien 1892. Verlag des Vereines der Thierärzte in Oesterreich.

Der zweite Oesterreichische Thierärztetag wurde am 5.—7. Januar dieses Jahres auf Anregung des „Vereins der Thierärzte in Oesterreich" in Wien abgehalten. Die Verhandlungen sind stenographisch protokollirt und in dem vorliegenden, stattlichen Berichte mit anerkennens- und nachahmungswerther Sorgfalt zusammengestellt worden. Da sich unter den Verhandlungsgegenständen des zweiten Oesterreichischen Thierärzte-Tages mehrere befinden, welche unsere speziellen Disziplinen betreffen („Ueber die Tuberkulose der Hausthiere", Ref. Csokor; Das Fleischbeschauwesen in Oesterreich und dessen nothwendige Regelung, Ref. Toscano; Ueber animale Impfung, Ref. Toscano und Dentl; Ueber allgemeine obligatorische Vieh - Versicherung, Ref. Binder), so sei nicht unterlassen, an dieser Stelle auf den Wiener Bericht ausdrücklich hinzuweisen

— **Berichte der Verhandlungen der XX. Plenarversammlung des Deutschen Landwirthschaftsrathes.** Berlin. Verlag des Deutschen Landwirthschaftsrathes (Potsdamerstr. 118).

Im Aprilheft dies. Zeitschrift ist über die Verhandlungen und Beschlüsse der XX. Plenarversammlung des Deutschen Landwirthschaftsrathes in Kürze referirt worden. Die vorliegenden Berichte über

1. Die Herbeiführung einheitlicher und gesunder Gebräuche im Futtermittelhandel und die Gewinnung besserer Kenntniss über den Einfluss der käuflichen Futtermittel, deren Bestandtheile und der zu Fälschungszwecken gemachten Zusätze auf den Gesundheitszustand der Thiere;
2. Zur Bekämpfung der Tuberkulose des Rindviehs;
3. Massnahmen zur Bekämpfung der Maul- und Klauenseuche sowie der Rothlaufseuche

enthalten eine vollkommene Wiedergabe der Referate und eine erschöpfende Darstellung der daran sich anschliessenden Diskussion. Die Referate etc. enthalten äusserst werthvolles Material; namentlich gilt dieses von dem umfassenden und mit gründlicher Tiefe bearbeiteten Referate des Herrn von Langsdorff-Dresden über die Bekämpfung der Tuberkulose des Rindviehs.

Erfreulicherweise sind die Berichte einzeln zu dem mässigen Preise von 75 Pf. von oben genannter Geschäftsstelle zu beziehen.

Kleine Mittheilungen.

— **Standesangelegenheit. Pensionsberechtigte Anstellung der Schlachthausthierärzte.** In sachlich durchaus begründeter Weise weist Knoll (Berl. Thierärztl. Wochenschr. 1892, No. 29) darauf hin, dass der verantwortungsvolle und wichtige Beruf der Schlachthausthierärzte es erheische, dass letztere als Beamte im Sinne des § 56 der Städte-Ordnung zu behandeln und als solche fest und mit dem Anspruche auf Pension angestellt werden. Bei einer grossen Anzahl von Schlachthausthierarztstellen sei dieses bereits der Fall, in anderen dagegen nicht. In letzteren werden die Thierärzte als Angestellte der rein gewerblichen Anlagen betrachtet und mit Remuneration auf Kündigung angestellt.

Knoll weist darauf hin, dass verschiedene Vorgänge vorhanden sind, nach welchen die Königlichen Regierungen den Magistraten die Auflage gemacht haben, die Schlachthausthierärzte fest als Beamte anzustellen. Eine solche Verfügung erliess nach einer Mittheilung von Zell die Königliche Regierung zu Arnsberg (1890) und neuerdings nach Knoll die Königliche Regierung zu Stettin.

— **Verbreitung der Rindertuberkulose im Grossherzogthum Baden.** Es erwiesen sich als tuberkulös 1888 bei den vorgenommenen Schlachtungen 0,51 pCt. der gewerbsmässig und 10,11 pCt. der nothgeschlachteten Rinder (einschliesslich der Kälber und Jungrinder), 1889 0,64 pCt. und 9,36 pCt., 1890 0,66 pCt. und 8,22 pCt., 1891 0,72 und 8,24 pCt.

Im letzten Berichtsjahre 1891 waren tuberkulös erkrankt 0,007 gewerbsmässig bezw. 0,08 pCt. nothgeschlachtete Kälber; Jungrinder 0,5 pCt. 3,88 pCt.; Kühe 4,77 bezw. 11,91 pCt.; Ochsen 1,14 bezw. 5,48 pCt.; Bullen 1,99 bezw. 5,66 pCt. Von diesen Thieren zeigten 58,88 pCt. Erkrankung eines Organs, 12,83 pCt. Erkrankung mehrerer Organe einer Körperhöhle, 20,21 pCt. Erkrankung mehrerer Körperhöhlen, 7,82 pCt. allgemeine Tuberkulose und 0,26 pCt. Erkrankung des Euters, Tuberkel im Fleische 4,43 pCt. Als bankwürdig wurden verkauft 44,41 pCt., als nichtbankwürdig 40,70 pCt.; dem Verkehre gänzlich entzogen wurden 14,89 pCt.

— **Statistik der Fleischbeschau im Grossherzogthum Baden.** 1891 wurden dem Verkehre gänzlich entzogen 191 Stück gewerbsmässig und 598 nothgeschlachtete von 110104 bezw. 5738 überhaupt geschlachteten Rindern, 133 Stück gewerbsmässig und 132 nothgeschlachtete Kleinviehs von 421591 bezw. 2704 Stück überhaupt geschlachteten Kleinviehs, endlich 24 gewerbsmässig und 2 nothgeschlachtete von 1091 bezw. 33 überhaupt geschlachteten Pferden.

— **Rinderfinnen** wurden im Schlachthause zu Winterthur nach dem „Schweiz. Archiv f. Thierheilk." während des Jahres 1891 7 Mal gefunden. Ein Bulle wies die Finnen „in Unmasse" auf; 3 Ochsen und 3 Kälber dagegen zeigten nur vereinzelte Exemplare des Cysticercus inermis.

— **Tödtliche Erkrankung durch Cysticercus tenuicollis-Invasion.** Raillet (Rev. vét. 1891, Nr. 9) erhielt Stücke einer Lunge und Leber zugeschickt, welche bei der Autopsie eines Ferkelchens gefunden wurden. Dieses Thier ist nach dem Befund von R. einer massenhaften Invasion von Cysticercus tenuicollis (im Entwicklungsstadium) erlegen, wie dieses u. a. schon Leisering bei seinen Versuchen beobachtet hat.

— **Die Krebspest** (durch Distomum cirrigerum bedingt) schreitet nach der „Deutschen Landwirthschaftlichen Presse" in Ostpreussen immer weiter fort. In der Beisleide, einem Nebenfluss des Frisching, sind z. B. seit dem Herbst 1890 alle Krebse verschwunden.

— **Uebertragungsversuche mit Sarkom- und Krebsgewebe des Menschen** hat Fischel bei 23 Ratten angestellt, und zwar verwendete er 3 Fälle von Scirrhus mammae, 9 Fälle von anderen Carcinomen, ein kleinzelliges Sarkom des Oberarms und ein Melanosarkom der Drüsen. In sämmtlichen Fällen war das Resultat der Versuche ein negatives.

— **Stoffwechselprodukte des Staphylococcus pyogenes.** Courmont stellte aus Reinkulturen durch Behandlung mit Alkohol zwei verschiedene Körper dar, einen im Alkohol unlöslichen und einen löslichen. Der unlösliche verursacht bei

Hunden und Kaninchen starke Dyspnoe, Erhöhung des arteriellen Blutdrucks heftige Erregbarkeit des Nervensystems. Der unlösliche Körper vermag Hunde zu tödten. Der lösliche Körper dagegen ruft die entgegengesetzten Erscheinungen hervor, Verlangsamung der Athmung und der Herzthätigkeit, Erschlaffung der Muskulatur, Somnolenz bis zum Stupor; Tod wie durch ein Anästhetikum.

— **Micromyces Hoffmanni** nannte Gruber einen neuentdeckten, den Hyphomyceten sich anreihenden Pilz, welcher mit Actinomyces bovis die grösste Aehnlichkeit besitzt. Der Micromyces H. zeigt feine Hyphenäste mit etwas verdickten Enden. Bei Kaninchen erzeugt der neue Pilz, subkutan applizirt, lokale Abscesse, welche spontan aufbrechen.

— **Ueber Heringskuchen als Kraftfutter für Milchkühe** berichtet Alex. Müller-Berlin (Milchztg. 1891, Nr. 85). M. fütterte an die Kühe seines Bestandes Gothenburger Heringskuchen, und zwar 1 kg pro Kopf und Tag, und fand die älteren Angaben bestätigt, dass die Milch durch diese Kraftfutterzugabe sich in ihrer Qualität nicht verschlechterte und namentlich keinen fischigen Geschmack annahm. Im Gegensatz hierzu warnt die „Deutsche Molkereizeitung" (1891, Nr. 41) vor der Verfütterung von Fischkuchen an Milchkühe, da eine nachtheilige Beeinflussung der Milch nur bei sehr vorsichtiger Verwendung tadellosen Materials ausbleibe.

— **Einfluss des Futterfetts auf das Milchfett.** An der landw. Versuchsstation zu Rostock wurde von Prof. Heinrich bei Milchkühen der Einfluss geprüft, welchen die Futterstoffe auf die Fettmasse in der Milch ausüben. Die Untersuchung zeigte, dass die Einwirkung des Fetts in dem Futter sich sehr rasch bemerkbar macht. Füttert man nach Erdnusskuchen Kokoskuchen, so nimmt das Fett in der Milch Eigenschaften an, welche mit dem Kokoskuchenfett übereinstimmen. Es unterscheidet sich das Fett der Kokoskuchen von dem Erdnusskuchenfett dadurch, dass ersteres zur Verseifung eine grössere Menge Alkali braucht als letzteres. Sobald man nun mit Kokoskuchen zu füttern anfängt, findet sich bald darauf in der Milch Fett, zu dessen Verseifung eine grössere Menge Alkali gehört. Je länger man mit Kokoskuchen füttert, desto mehr nimmt das Fett der Milch diese Eigenschaft des Kokosfettes an. Hört man mit der Kokoskuchenfütterung auf, so ändert sich auch die Eigenschaft des Fettes der Milch. Es scheint hierdurch der Nachweis erbracht, dass das Futterfett unmittelbar in die Milch übergeht, was man bisher bezweifelte. (Deutsch. Molk. Ztg.)

— **Fütterungsversuche mit amerikanischen Trichinen.** Der Herr Oberbürgermeister der Stadt Crefeld richtet an uns mit Bezugnahme auf den im Maihefte dieser Zeitschrift unter obigem Titel erschienenen Artikel des Herrn Klaphake das Ersuchen, zu vermerken, dass die Anregung zu den mitgetheilten Versuchen von Herrn Schlachthausdirektor Pannertz in Crefeld ausgegangen sei. Wir kommen diesem Ersuchen nach, indem wir gleichzeitig bemerken, dass Herr Klaphake erklärt: 1. Die Initiative zu den Versuchen ist von der städtischen Verwaltung nicht ausgegangen. 2. Eine ausdrückliche Veranlassung seitens des Herrn Pannertz liegt nicht vor.

Tagesgeschichte.

— **Oeffentliche Schlachthäuser.** Die Errichtung öffentlicher Schlachthäuser ist beschlossen in Linden bei Hannover, Achern, Flensburg Schubin, Gnesen. Die Eröffnung fand statt in Stuhm (1. Juli), Guhrau (11. Juli), Rostock (27. Juli); sie steht bevor in Tuchel, Neuruppin (1. Oktober) und Dessau (1. Januar 1893).

— **In Folge des Schächtverbots im Königreich Sachsen** soll die israelitische Gemeinde in Leipzig sich mit dem Plane tragen, in unmittelbarer Nähe Leipzigs auf preussischem Gebiete zwei grosse Koscherschlächtereien zu errichten.

— **Schlachtvieh-Versicherungswesen.** Die vor etwas über zwei Monaten ins Leben gerufene Schlachtvieh-Versicherungsgesellschaft zu Neisse zählt bereits gegen 1000 Mitglieder, und zwar 956 Landwirthe und 44 Fleischer. — Der Zentral-Viehversicherungs-Verein Berlin (Friedrichsstrasse 232) hat im Jahre 1891 an Schlachtvieh versichert 8463 Rinder und hiervon entschädigt 236 Stück (= 2,79 pCt.), ferner 9888 Schweine und von diesen entschädigt 52 Stück (= 0,53 pCt.). Die Versicherung wird für Fleischer in Form von Einzel- oder Dauerversicherungen, für Landwirthe und Händler nur in Form von Dauerversicherungen abgeschlossen. Näheres über die Versicherungsbedingungen siehe aus dem „Geschäftsleitfaden" des Vereins, welcher unentgeltlich und frei versendet wird.

— **Pensionsberechtigte Anstellung der Schlachthausthierärzte.** Zu den von Knoll mitgetheilten Verfügungen (S. 224) kommt eine weitere des Kgl. Regierungspräsidenten in Danzig. Derselbe hat allen Städten mit Schlachthauseinrichtungen mitgetheilt, dass die Anstellung der Schlachthausthierärzte ohne Gewährung eines Ruhegehalts sich auf Grund des § 56 der Städteordnung auf die Dauer kaum durchführen lassen werde. In Folge dessen beschloss die Stadtverordnetensammlung zu Elbing, die Direktorstelle an dem neuerbauten Schlachthofe mit Pensionsberechtigung zu verbinden.

— **Anstellung der Schlachthausthierärzte an Innungsschlachthäusern.** Der Königl. Regierungspräsident zu Breslau hat durch Erlass vom 16. Mai 1892 es nicht nur für dringend wünschenswerth, sondern im sanitätspolizeilichen

Interesse erforderlich erklärt, dass die Anstellung des Schlachthofthierarztes in Münsterberg völlig unabhängig von den Schlachthofbesitzern, lediglich durch den Magistrat der Stadt Münsterberg erfolge.

— **Eine Polizeiverordnung, die Untersuchung der geschlachteten Schweine auf Finnen und Trichinen** betr., ist, wie bereits mitgeteilt, im preuss. Regierungsbezirk Arnsberg unter dem 23. Oktober 1891 erlassen worden. Ihr Wortlaut findet sich in den „Veröffentlichungen des Kaiserl. Gesundheitsamtes" 1892, Nr. 24. — In Charlottenburg ist durch Bekanntmachung vom 22. März 1892 die Trichinenschau ebenfalls auf die Wildschweine ausgedehnt worden.

— **Trichinöse Wildschweine.** Seit Einführung der obligatorischen Trichinenschau für Schwarzwild in Berlin sind bereits zwei ziemlich stark trichinöse Wildschweine ermittelt worden.

— **Bestrafter Leichtsinn.** Ein Schlächtergeselle in Zossen eignete sich von einem trichinösen Schweine Fleisch an und ass dasselbe, um zu zeigen, dass die Trichinen unschädlich seien. Der junge Mann musste seinen Uebermuth mit dem Leben büssen; er starb 8 Tage nach dem Genuss des Fleisches an Trichinosis.

— **Die Fleischvergiftung zu Arfenreuth,** bei welcher bekanntlich nahezu 300 Personen erkrankten und eine starb (s. H. 62), hatte jüngst ihr gerichtliches Nachspiel. Der Gerichtshof verurtheilte den Besitzer der kranken Kuh zu 14 Tagen, den leichtfertigen Fleischbeschauer, welcher ohne Hinzuziehung eines Thierarztes den Genuss des Fleisches erlaubt hatte, zu 21 Tagen Gefängniss.

— **Eine Fleischvergiftung** soll nach Zeitungsnachrichten in Turin ausgebrochen sein. Ueber 300 Personen seien in Folge Fleischgenusses erkrankt.

— **Unterschleif auf der Abdeckerei.** Der Abdecker B. in Cuxhaven verkaufte ein an Tuberkulose leidendes Kalb, welches ihm zur Tödtung und unschädlichen Beseitigung übergeben worden war, für 8 Mark an einen Schlächter S. Den Abdecker traf für diese gewissenlose Handlung eine Gefängnissstrafe von 6 Wochen.

— **Vergehen gegen das Nahrungsmittelgesetz.** Der Fleischermeister Salk und dessen Vater, der Wirth Salk aus Wittmannsdorf, wurden wegen wissentlichen Inverkehrbringens trichinösen Fleisches von dem Schwurgericht Allenstein zu 4 Jahren Gefängniss und Ehrverlust auf gleiche Dauer verurtheilt. — Der Landwirth Zimmermann aus Mobbach wurde von der Strafkammer Eisenach zu 2 Jahren 4 Monaten Gefängniss und Aberkennung der bürgerlichen Ehrenrechte verurtheilt, weil er das

Fleisch einer krepirten Kuh, deren Eingeweide „voller Eiter" waren, verkauft hatte.

— **Amtliche Erhebungen über das Vorkommen der Tuberkulose** unter den Rindern wurden in Oesterreich durch Erlass des k. k. Ministeriums des Innern vom 23. November 1891 veranlasst. Dieselben sollen namentlich zur Klarstellung der Wechselbeziehungen zwischen menschlicher und thierischer Tuberkulose und als Grundlage für geeignete Tilgungsmassregeln der Rindertuberkulose dienen.

Personalien.

Schlachthaus-Verwalter Warncke-Rybnik wurde zum Schlachthofinspektor in Guben, Thierarzt Edel-Lüdenscheid zum Schlachthausverwalter in Menden, Oberrossarzt a. D. Ibscher-Krossen zum Schlachthausinspektor in Guhrau, Thierarzt Storch von Neuehütte zum Schlachthaus-Verwalter in Schmalkalden und Thierarzt Schlieper von Rastenburg zum Schlachthof-Inspektor in Neustettin ernannt.

Der Herausgeber dieser Zeitschrift hat eine Berufung an die Thierärztliche Hochschule in Berlin angenommen und siedelt am 1. October d. J. dorthin über.

Vakanzen.

Magdeburg, Schwelm, Lüneburg, Münster, Ragnit (siehe Heft 7—10 der Zeitschrift.)

Pritzwalk: Schlachthaus-Inspektor zum 1. Oktober (Gehalt bei freier Wohnung und Feuerung 1800 M.) Bewerbungen an den Magistrat.

Neuruppin: Schlachthaus-Inspektor zum 1. Oktober (Gehalt 2000—2400 M. bei freier Wohnung und Heizung.) Bewerbungen beim Magistrat.

Tarnowitz: Schlachthof-Thierarzt (Einkommen 2100—3000 M. bei freier Wohnung und Heizung; vierteljährliche Kündigung.) Bewerbungen an den Magistrat.

Stettin: Zweiter Schlachthaus-Thierarzt zum 1. Oktober (Gehalt 2100 M., steigend von 3 zu 3 Jahren um 300 bis 3000 M.) Bewerbungen bis 5. August an den Magistrat.

Elbing: Nach erfolglosem erstem Ausschreiben wird die Direktorstelle des neuerbauten Schlachthauses wiederholt mit dem Bemerken ausgeschrieben, dass der Stelle neben 3000 M. Gehalt und freier Wohnung nunmehr auch Pensionsberechtigung eingeräumt wird.

Rybnik. Zum 1. Oktober. Näheres durch den Magistrat.

Besetzt: Schlachthaus-Thierarzt-Stellen in Schmalkalden, Neustettin, Guben, Menden, Guhrau.

Verantwortlicher Redakteur (exel. Inseratentheil): Dr. Ostertag. — Verlag und Eigenthum von Richard Schoetz in Berlin.
Druck von W. Büxenstein, Berlin.

Zeitschrift

für

Fleisch- und Milchhygiene.

| Zweiter Jahrgang. | September 1892. | Heft 12. |

Original-Abhandlungen.

(Nachdruck verboten.)

Ueber Fleischvergiftungen.

Von
Prof. Dr. **Ostertag.**

(Schluss).

Ungleich wichtiger als die sogenannten Wurstvergiftungen sind die Vergiftungen durch Genuss des Fleisches von
Thieren, welche an gewissen Krankheiten
gelitten haben, die eigentlichen Fleischvergiftungen, die Fleischvergiftungen
i. e. S., die Sepsis intestinalis Bollingers.

Ungleich wichtiger sind diese

1., weil der Konsument sich gegen
Gesundheits- und Lebensgefährdung durch
solches Fleisch nicht in der Weise zu
schützen vermag, wie gegen den Genuss
zersetzter Würste u. s. w. Denn das
Fleisch zeigt häufig genug keine erkenn-
baren Abweichungen von der Norm;

2., weil diese Vergiftungen stets als
Massenerkrankungen auftreten, nicht
blos etliche Individuen, sondern mindestens
Dutzende, gewöhnlich aber Hunderte von
Personen auf's Krankenlager werfen, und

3., weil diese Massenvergiftungen nicht
durch gesetzliche Vorschriften und durch
sanitäre Belehrung des Publikums aus
der Welt geschafft werden können, sondern
in letzter Instanz einzig und allein
durch vorzüglich durchgebildete Thierärzte auf dem Boden einer geregelten
Fleischbeschau.

Die Fleischvergiftungen im engeren Sinne
haben seit mehreren Jahrzehnten die grösste
Aufmerksamkeit der medizinischen Welt auf
sich gezogen. Der pathologische Anatom
Bollinger an der Universität München,
welcher seine akademische Laufbahn mit
dem Lehrstuhle für pathologische Anatomie
an der früheren Thierarzneischule zu
München begann, dieser hervorragende
Gelehrte hat von Anfang an die eminente
Bedeutung der Fleischbeschau erkannt,
dieser sein höchstes Interesse zugewandt
und bis jetzt erhalten. Ja, wir müssen
mit einer gewissen Beschämung zuge-
stehen, dass Bollinger auch jetzt noch
zur Fundirung der wissenschaftlichen
Fleischbeschau mehr Beiträge liefert,
als die Mehrzahl der thierärztlichen
Hochschulen. Letztere trifft aber an und
für sich keine Schuld. Der Hauptgrund
liegt darin, dass an den meisten thierärztlichen Hochschulen besondere Institute
für Seuchenlehre mit Einschluss der Fleischbeschau fehlen, Institute, in welchen
Fragen beregter Art bearbeitet werden
könnten. So nebenbei aber lässt
sich die Fleischbeschau nicht mehr
behandeln; dazu ist sie bereits eine zu
bedeutende und umfangreiche Disziplin
geworden. Bollinger hat nun zu wiederholten Malen mit eindringlichen Worten
auf die hohe Bedeutung der Fleischvergiftungen hingewiesen. Zuerst in einem
vor der 4. Versammlung des deutschen
Vereins für öffentliche Gesundheitspflege
zu Düsseldorf im Juni 1876 gehaltenen
Vortrage betonte er, dass die Pyämie
und Septicämie unserer Schlachtthiere
für die menschliche Gesundheit wichtiger
und bedeutender seien, als der Milzbrand
und der Rotz, weil erstere viel häufiger
seien als letztere und das Gift durch
Kochen nicht zerstört werde. Und
4 Jahre später konnte er in einem Vortrage im Aerztlichen Verein zu München[*])

*) Ueber Fleischvergiftung, intestinale Sepsis
und Abdominaltyphus. München 1881.

in der That sagen, seine damals aufgestellte Behauptung sei leider nur zu sehr
bestätigt worden, da seit jener Zeit allein
11 grössere Massenvergiftungen
durch Fleisch mit ca. 1600 Erkrankungsfällen zur Beobachtung kamen, die zum
grössten Theile septischer oder pyämischer
Natur waren. Bollinger hat in dem
letztgenannten Vortrage die einschlägige
Litteratur über Fleischvergiftungen unter
kritischer Sichtung der Fälle und geist-
voller Erklärung derselben bis zum Jahre
1880 zusammengestellt. Kurz vorher
hatte Siedamgrotzky (Vorträge für
Thierärzte, III. Serie, Heft 2, 1880) durch
seine Arbeit über Fleischvergiftungen die
erste Grundlage für vergleichende Untersuchungen gegeben. Diese Arbeit aber
ist in Bollingers Vortrag enthalten, so
dass wir letzteren als eine abschliessende
Behandlung der Frage bis zum Jahre 1880
betrachten können. Die beste Vorstellung
von dem Wesen und der Bedeutung der
Fleischvergiftungen verschaffen wir uns,
wenn wir die wichtigsten kurz rezitiren.

Bollinger führt folgende Fälle an:

1. Die Fleischvergiftung in Fluntern
(Schweiz) im Jahre 1867, bei welcher 27 Personen
nach dem Genuss von Kalbfleisch erkrankten.
Das kritische Kalb war 5 Tage alt gewesen und
hatte „gelbes Wasser" in den Gelenken gehabt.
Die Hauptsymptome waren: Erbrechen dünn-
flüssiger, grüner Massen, wässeriger Stuhl und
grosse Hinfälligkeit. Oefters gingen Fröste voraus, später zeigte sich die Temperatur normal
oder vermindert. Ferner zeigte sich Stupor verbunden mit Delirien, in den leichteren Graden
Kopfschmerz und Schwindel. Die Erholung
trat nur langsam ein und dauerte bei 12 Individuen 2 - 4 Wochen. Ein Patient starb, ein
Mann von 52 Jahren, welcher von der nicht gehörig
gekochten, theilweise fast rohen Leber reichliche Quantitäten genossen hatte. Bei der Sektion
dieses Mannes fanden sich nur Petechien unter
der Haut, dem Epikardium, in den Nieren, dem
Darme und den Lungen.

Bollinger nimmt an, dass das Kalb mit an-
geborener Sepsis oder Pyämie behaftet gewesen
sei. Nach meinen Erfahrungen entsprach das
Krankheitsbild der septischen Kälberlähme, welche
sich in wenigen Tagen nach der Geburt ein-
stellen kann.

2. Fleischvergiftung in L. bei Bre-
genz, 1874, nach dem Genusse des Fleisches einer
Kuh, welche wegen Verletzungen der Geburtswege und Retention der Eihüllen mit
fauliger Zersetzung derselben am 5. Tage nach
der Geburt nothgeschlachtet worden war. Es erkrankten nach Genuss des Fleisches oder auch
nur der Fleischbrühe 51 Personen, entweder
sofort oder nach 12—48 Stunden, und zwar am
heftigsten diejenigen, welche zugleich von der
Leber genossen hatten. Wässerige Stühle von
grüner Farbe, Brechreiz, Kopfschmerz Schwindel,
Schwäche in den Gliedern waren die leichteren
Symptome. In den schweren Fällen Erbrechen, Kolikschmerzen und faulig stinkende
Entleerungen, Unfähigkeit zu stehen, Brennen in
der Mundrachenhöhle, Ohrensausen, cholera-
ähnliches Gefühl, welke Haut, schwacher Puls
Die Diarrhoe dauerte 14 Tage. Darüber hinaus
aber noch bestand Schwäche und Hinfälligkeit.
Kein Todesfall.

3. Fleischvergiftung in Griessbecker-
zell (Oberbayern) im Mai 1876. Das schädliche
Fleisch stammte von einer 14 Tage nach dem
Gebären geschlachteten Kuh, welche an Pro
lapsus uteri und jauchiger Metritis gelitten hatte. 22 Personen erkrankten unter
einem der Cholera nostras ähnlichen Bilde mit
schweren Gehirnerscheinungen. Lange Rekonvalescenz, 2—5 Wochen. Auch gekochtes
Fleisch und gekochte Würste wirkten
schädlich. Ein 20jähriges Mädchen, das mit
ihrer Familie von dem gefährlichen Fleische ass,
blieb gesund, während alle übrigen erkrankten.
Das Mädchen hatte vor und nach dem Genusse
der giftigen Würste Branntwein getrunken.

4. Fleischvergiftung zu Sonthofen nach
dem Genuss des Fleisches von einer 2jährigen
Kalbin, welches wegen puerperaler Sepsis in
moribundem Zustande nothgeschlachtet worden
war. Dem Verbote des behandelnden Thierarztes
zuwider, wurde das Fleisch, welches etwas übel
roch, an einen Nachbar verkauft. Von 10 Personen, welche davon assen, erkrankten 7.
Genesung sämmtlicher Personen nach 4 Tagen.

Bemerkenswerth ist, dass das schädliche Fleisch
nach 4 Tagen bereits hochgradige Fäulniss
zeigte.

Bollinger sagt, bei den aufgezählten
Fleischvergiftungen sei der Zusammenhang
mit den Erkrankungen des Schlachtthieres
ohne weiteres klar. Bei anderen sei dieses
nicht der Fall. Bei diesen trete die
virulente Beschaffenheit einzelner Eingeweide derart in den Vordergrund, dass
man eine lokale Erkrankung derselben annehmen müsse. Zu dieser Gruppe rechnet
B. nachfolgende Massenvergiftungen:

1. Fleischvergiftung in Lahr, August 1866.
Veranlassung war das Fleisch einer Kuh, welche
seit Wochen wenig frass, blutig harnte und so

abgemagert und schwach war, dass man sie auf einem Wagen in das Haus des schlachtenden Wirthes fahren musste. Das Kuhfleisch soll gut ausgesehen und keinen üblen Geruch verbreitet haben. Aus dem Kuhfleisch wurde mit nachweislich gutem Schweinefleisch u. A. auch Schwartenmagen angefertigt. Nach dem Genuss desselben erkrankten alle Personen, welche davon assen, ca. 70 an der Zahl, selbst solche, welche nur einige Lothe davon verzehrt hatten. Der Wirth selbst, welcher den Schwartenmagen hergestellt und davon genossen hatte, starb, ausserdem noch 3 andere Personen. Hervorgehoben zu werden verdient, dass der Schwartenmagen in jeder Hinsicht den Eindruck einer guten Waare machte und dass der Genuss des Kuhfleisches in jeder andern Zubereitung unschädlich war.

Krankheitserscheinungen: Brechdurchfall mit zerebralen Erscheinungen, unter welch' letzteren namentlich die Erweiterung der Pupille mit verminderter Erregbarkeit der Iris gegen Lichtreiz in schwereren Fällen hervorgehoben werden muss. Bollinger nimmt an, dass dem Schwartenmagen die spezifische Schädlichkeit durch die allerdings nicht sicher nachgewiesene Mitverarbeitung der Nieren verliehen worden sei.

2. Fleischvergiftung in Garmisch (Oberbayern), Juni 1878. 17 Personen erkrankten nach dem Genusse von Leberknödeln und Kuttelflecken, welche dem Verbote des Fleischbeschauers zuwider aus den Eingeweiden einer nothgeschlachteten Kuh angefertigt worden waren. Die Kuh hatte an „Leberdegeneration und Peritonitis" (nach Bollinger vielleicht jauchiger Peritonitis) gelitten. Nach etlichen — 78 Stunden Kopfschmerz, Schüttelfröste, Brechdurchfall, Sehstörungen u. s. w.

Das eigentliche Fleisch, die Muskulatur des Skeletts, war sehr wenig oder gar nicht giftig.

3. Fleischvergiftung in St. Georgen bei Friedrichshafen nach Genuss des Fleisches einer nothgeschlachteten Kuh. Dieselbe hatte zuerst mangelnden Appetit, hierauf aber einen heftigen dünnflüssigen und übelriechenden Durchfall gezeigt Es erkrankten 18 Personen; die schnellsten und heftigsten Erkrankungen stellten sich auf den Genuss von Leberspatzen ein. Incubationszeit 2 bis 8 Stunden.

Zum Schlusse bespricht Bollinger noch die Fleischvergiftung in Nordhausen, Juni 1876, mit 300—400 Erkrankungen und 1 Todesfall nach dem Genusse des Fleisches einer moribund geschlachteten Kuh. Die Kuh soll 4—5 Tage sehr krank und zuletzt ungemein hinfällig gewesen sein und einen höchst übelriechenden Koth,

abgesetzt haben. Die Patienten hatten zumeist rohes Bratfleisch oder angebratene Fleischklösschen genossen, der Gestorbene nur rohes Bratfleisch; eine grössere Zahl Personen, welche das Fleisch gekocht oder gebraten verzehrt haben, blieb völlig gesund.

Die Nordhäuser Vergiftung wurde von dem Kreisphysikus Dr. Grasenick und von Gerlach — von letzterem allerdings mit Vorbehalt — auf Milzbrand zurückgeführt, eine Annahme, welche von Bollinger mit Recht zurückgewiesen wird. Die Nordhäuser Fleischvergiftung stimmt in ihren Erscheinungen völlig mit den übrigen, durch unbekannte Erreger bedingten Fleischvergiftungen überein.

Mit der Nordhäuser Vergiftung besitzt grosse Aehnlichkeit die Wurzener, Juli 1877. Im Laufe derselben erkrankten 206 Personen an den Genuss des Fleisches einer Kuh, welche 10 Wochen post partum unter intensiven Fiebersymptomen an Euterentzündung und Lähmung der hinteren Extremitäten erkrankte und moribund geschlachtet worden war. Genuss theils roh, theils gekocht, theils als Wurst oder Pökelfleisch in den nächsten 4 Tagen nach der Schlachtung. Das Fleisch sei beim Genusse theilweise übelriechend, graugefärbt und schmierig gewesen. Symptome zum Theil denen der Cholera zum Verwechseln ähnlich. 6 Todesfälle. Die schwersten Erkrankungen stellten sich nach Genuss rohen Fleisches ein. „Der Fäulnissgrad war massgebend für den Grad der Erkrankungen". Bollinger nimmt an, dass das ursprünglich septische Gift theilweise postmortale Steigerung erfahren habe. Ebenso naheliegend ist aber nach meiner Ansicht eine Kombination mit Botulismus.

Die weiteren, von Bollinger im engen Anschlusse an die beiden letzten Epidemien besprochenen Fleischvergiftungen können wir kurz erledigen. Es sind dieses die Fleischvergiftungen von Lockwitz und Niedersedlitz, Juli 1879: 40 Patienten nach dem Genusse des rohen Hackfleisches von einer wegen Torsio uteri nothgeschlachteten Kuh; ferner die Fleischvergiftung in Middelburg (Holland) im März 1874, betreff. 349 Personen mit 6 Todesfällen in Folge Verspeisung frischer Leberwurst unbekannter Herkunft, die von Siedamgrotzky erwähnte Massenvergiftung durch frische Knoblauchswurst in Neubodenbach bei Nossen (Sachsen) mit ebenfalls unerforscht gebliebener Grundursache — Bollinger vermuthet Pyämie des Schlachtthieres — und schliesslich die Erkrankung von 30 Personen im Juni 1879 auf einem Rittergute bei Riesa (Sachsen) nach Genuss des Fleisches einer wegen Euterentzündung und Abmagerung geschlachteten Kuh.

Bezüglich der viel diskutirten, für Abdominaltyphus gehaltenen Fleischvergiftungen in Andelfingen (1841), Kloten (1878) und Birmenstorf (1879) verweise ich auf die Ausführungen Bollingers und hebe nur soviel hervor, dass Bollinger sich gegen die Annahme wendet, es habe sich bei diesen Massenvergiftungen um Typhus gehandelt, indem er hauptsächlich betont, dass Typhus bei den Hausthieren nicht vorkomme. So sehr diesem beigepflichtet werden muss, so hat doch die in neuerer Zeit von anderer Seite aufgeworfene Bemerkung auch eine gewisse Berechtigung, dass es sich bei der Andelfinger Vergiftung um eine nachträgliche Infektion des Fleisches mit Typhuskeimen gehandelt haben könne; denn Fleisch ist, wie wir durch Versuche neueren Datums wissen, ein vorzüglicher Nährboden für die Typhusbazillen.

Bollinger schliesst seine bedeutende Abhandlung mit dem Hinweise, es dürfte keinem Zweifel unterliegen, „dass die pyämischen und septischen Erkrankungen unserer Schlachtthiere alle Charaktere gemeingefährlicher Erkrankungen an sich tragen und demgemäss vom sanitätspolizeilichen und prophylaktischen Standpunkte eine durchaus andere Auffassung verdienen, als ihnen bisher zum Schaden der menschlichen Gesundheit zu Theil wurde."

Die wohlbegründete Mahnung Bollinger's hat aber noch nicht diejenige allgemeine Beachtung gefunden, welche ihr gebührt. Der beste Beweis für diese betrübende Thatsache ist der Umstand, dass die Fleischvergiftungen noch immer verhältnissmässig häufige Erkrankungen vorstellen.

Aus der Litteratur der letzten 12 Jahre vermochte ich ca. 30 Vergiftungen mit über 1500 Erkrankungen zusammenzustellen, von welchen der überwiegende Theil auf Deutschland entfällt. Auch die Geschichte dieser Massenerkrankungen ist für die Aetiologie und Prophylaxe ungemein lehrreich. Sie beweist auf's Neue die besondere Gefährlichkeit des Fleisches von Kälbern, welche im Anschlusse an Nabelinfektion septisch erkrankten, ferner derjenigen Kühe, welche wegen entzündlicher Prozesse nach der Geburt oder wegen eigenthümlicher Darmerkrankungen nothgeschlachtet werden mussten. Ganz besonderes Interesse gewährt aber die Geschichte der Fleischvergiftungen der letzten 12 Jahre noch deshalb, weil sie die ersten exakten Forschungen über Erreger dieser Massenerkrankungen aufweist.

Die Erkrankungen sind, kurz gefasst, folgende:

1. Im Sächsischen Bezirke Bautzen krepirte am 1. September 1881 eine Kuh an septischer Metritis. Dieselbe wurde nachträglich gestochen, um sie als geschlachtet auszugeben. Auf den Genuss des Fleisches, welches der Fleischbeschau hinterzogen wurde, erkrankten über 120 Personen, genasen indessen durchweg bald wieder. Die Erkrankungen traten gewöhnlich 2 bis 3 Tage nach Genuss des Fleisches auf (König).

2. Eine grosse Anzahl Arbeiterfamilien erkrankte 1881 im Sächsischen Bezirke Zittau, nachdem sie das Fleisch eines Pferdes genossen hatten, welches höchstwahrscheinlich wegen Petechialfiebers nothgeschlachtet worden war. Am heftigsten erkrankten die Kinder. Eine Frau, welche das Fleisch vor dem Kochen in Essig gelegt hatte, blieb verschont. Kein Todesfall (Grimm).

3. In Spreitenbach (Schweiz) wurden 1881 30 Personen nach dem Verzehren des Fleisches einer nach dem Kalben nothgeschlachteten Kuh krank (Strebel).

4. Daselbst starben 4 Personen nach Genuss kranken Kuh- bezw. Kalbfleisches, während im Ganzen 15 Familien darniederlagen. Näheres über die Erkrankung wurde nicht ermittelt (Strebel).

5. Fleischvergiftung zu Oberlangen-hard-Zell (Kanton Zürich). Ende Juni 1882 erkrankten 2 Familien von je 4 Personen unter den Erscheinungen einer heftigen Magendarm-entzündung. Alle Patienten lagen 2 bis 3 Wochen krank darnieder. Das jüngste Kind einer Familie, 2 Jahre alt, ist am 8. Tage unter Konvulsionen gestorben. Die amtliche Untersuchung ergab mit Sicherheit, dass die Erkrankungen der beiden Familien auf den Genuss des Fleisches von einem offenbar an Krankheit zu Grunde gegangenen Kalbe herrührte.

6. In Mühlenberg (Schweiz) führte die Verspeisung eines angeblich an allgemeiner Wassersucht leidenden und vor dem Verenden geschlachteten Pferdes zur Erkrankung von 60 Personen (Strebel).

7. Der Sächsische Bezirksthierarzt Wilhelm theilt uns eine Fleischvergiftung mit, welche sich im Jahre 1884 an den Verkauf des Fleisches einer 2 Tage nach einer Schwergeburt nothgeschlachteten Kuh anschloss. Es erkrankten 10 Personen. Dieselben genasen aber schon nach 8 bis 24 Stunden wieder. Der Thierarzt, welcher die Kuh für geniessbar erklärt hatte, wurde wegen fahrlässiger Körperverletzung bestraft.

8. ist anzuführen die Fleischvergiftung zu Lauterbach (Hessen) 1884. Es erkrankte nach dem Genusse des Fleisches einer nothgeschlachteten Kuh eine grössere Anzahl von Personen, wovon 3 starben. Die Kuh hatte angeblich an „ruhrartiger Darmentzündung" gelitten. Der untersuchende Thierarzt wurde zur Verantwortung gezogen, indessen freigesprochen.

9. Fleischvergiftung zu Schönenberg (Schweiz). Am 17. bis 19. Juni 1886 erkrankten ca. 50 Personen nach dem Genusse des Fleisches zweier Kühe, welche am 14. und 15. Juni angeblich wegen „Ruhr" nothgeschlachtet werden mussten. Eine schwächliche Frau erlag den erschöpfenden Durchfällen.

10. Die Fleischvergiftung zu Ludwigshafen-Hemshof. Am 17. bis 25. April 1886 erkrankten 90 Personen, welche Fleisch- und Wurstwaaren von einem und demselben Schlächter entnommen hatten. Die gerichtliche Untersuchung ergab, dass dieser Schlächter nächtlicher Weile eine Kuh geschlachtet hatte, welche wegen retentio placentae und übelriechenden Ausflusses aus der Metra drei Wochen lang thierärztlich behandelt worden war. Der zur Fleischbeschau herbeigezogene Thierarzt hatte leichtfertiger Weise die Gebärmutter nur von aussen angesehen und hierauf das Fleisch der Kuh zum Genusse freigegeben.

Die Erkrankungen begannen bereits 2—3, in keinem Falle aber später als 18—20 Stunden nach der Aufnahme des Fleisches. Zwei Personen starben.

11. Die zweite Fleischvergiftung zu Middelburg (Holland). Auch dieser Massenerkrankung, welche Anfangs September 1887 bei 286 Personen auftrat, lag Zurückhaltung der Eihäute und daran sich anschliessend septische Metritis zu Grunde. Das Thier wurde, nachdem die Fruchthüllen erst am neunten Tage abgegangen waren, dem Verenden nahe, abgestochen. Das Fleisch soll einen ungewöhnlichen Geruch und Geschmack, namentlich beim Kochen, gezeigt haben. Das Kochen zerstörte das Gift nicht; denn auch die Fleischbrühe war gefährlich. Die ersten Erscheinungen zeigten sich nach 12 Stunden oder nach 1—2 Tagen.

12. Die Fleischvergiftung in Frankenhausen Mai 1888 mit 59 Erkrankungsfällen und 1 Todesfall. Die Kuh, deren Fleisch für die Erkrankungen verantwortlich gemacht werden muss, hatte 'an unstillbaren Durchfällen gelitten. Der Patient, welcher der Krankheit erlag, erkrankte bereits 1 Stunde, nachdem er 800 g Fleisch roh verzehrt hatte. Indessen war auch gekochtes Fleisch schädlich.

13. In Reichenau (Sachsen) erkrankten im Mai 1889 über 150 Personen, nachdem sie ungekochte Bratwurst und rohes gehacktes Rindfleisch genossen hatten, welches von einer krank geschlachteten Kuh herrührte. Bei der Obduktion der Kuh soll nur mittelstarke Magenentzündung gefunden und deshalb kein Bedenken getragen worden sein, das Fleisch zum Genusse zuzulassen. In wieweit hier eine nachträgliche, durch die Maiwärme begünstigte Giftbildung stattgehabt hat, ist nicht ermittelt worden. Es verdient aber hervorgehoben zu werden, dass in demselben Stalle ausser der nothgeschlachteten Kuh noch 2 andere Rinder unter den Erscheinungen derselben „mässigen Magendarmentzündung" erkrankten und daran zu Grunde gingen.

14. Fleischvergiftung zu H. in Sachsen, 1889, nach dem Genusse des Fleisches einer nothgeschlachteten Kuh, bei welcher angeblich keine schwerere Erkrankung festgestellt werden konnte, nach deren Zeugenaussage jedoch aus einer Oeffnung am Hinterleib während des Schlachtens sich eine übelriechende Flüssigkeit entleert hatte. Zahlreiche Erkrankungen nach dem Genusse des rohen Fleisches. Der Besitzer der Kuh erlag der Erkrankung.

15. Fleischvergiftung zu Darkehmen (Ostpr.) im November 1889. Zahl der Erkrankten 30. Ursache ein krankheitshalber geschlachtetes und thierärztlich nicht untersuchtes Rind. Merkwürdig bei dieser Vergiftung ist der Umstand, dass nur der Genuss der Fleischbrühe schädlich war, während das

Fleisch im gekochten und gebratenen Zustande Erkrankungen nicht erzeugte.

16. Auf dem X. internationalen mediz. Kongress berichtete de Visscher über eine Vergiftung nach Genuss des Fleisches einer an Arteriophlebitis umbilicalis (sog. Kälberlähme) eingegangenen Kalbes. Die Krankheit betraf 31 Personen und soll einen typhusähnlichen Verlauf gezeigt haben.

17. Die Fleischvergiftung zu Röhrsdorf im Oktober 1885 (Preuss. Kreis Löwenberg) nach Genuss von Rossfleisch, Rossfleischwurst und gekochter Rossleber. Ueber den Gesundheitszustand der Pferde, von welchen das gesundheitsschädliche Fleisch stammte, war nichts sicheres zu ermitteln. Ein Pferd soll an Abscessen gelitten haben. Die Erkrankungen begannen in den meisten Fällen 6 Stunden nach dem Genusse. Zahlreiche Erkrankungen, ein Todesfall.

18. Die Fleischvergiftung zu Cotta (Sachsen) im Juni 1889 nach dem Genusse des Fleisches einer Kuh, welche wegen schwerer Euterentzündung nothgeschlachtet worden war. Es erkrankten 136 Personen und von diesen starben 4. In der Mehrzahl der Fälle war das Fleisch roh verzehrt worden; indessen führte auch gebratenes Fleisch und Fleischbrühe zu Erkrankungen. Der Fleischer und sein Gehilfe, welche nur eine Messerspitze voll von der Appetitwürstchenfülle genossen hatten, erkrankten ebenfalls. Das Fleisch soll gutes Aussehen und guten Geruch besessen haben.

19. Fleischvergiftung zu Kirchlinde und Frohlinde bei Dortmund, Sommer 1891. Nach dem Genusse des Fleisches einer Kuh, welche an einer nicht näher bezeichneten „Hinterleibsentzündung"mit übelriechendem Exsudate gelitten hatte, erkrankten zahlreiche Personen. Das Fleisch war trotz thierärztlichen Verbots in den Verkehr gebracht worden.

20. Mehrere hundert Personen erkrankten in Löbtau bei Dresden Anfang Oktober 1890, nachdem sie Fleisch von einer geschlachteten Kuh roh genossen hatten. Die Kuh soll an „Löserverstopfung" gelitten haben.

21. In Gersdorf (K. Sachsen) sind Anfangs August 1889 bei dem grossen Schiessfeste zahlreiche Besucher nach dem Genusse von Kalbsbraten und Würsten schwer erkrankt Ein Patient ist gestorben. Allem Anscheine nach ist die Massenerkrankung auf gesundheitsschädliches Kalbfleisch zurückzuführen. Ein Wirth hatte nämlich während des Festes 21 Kälber verbraucht. Eines derselben war jedenfalls krank gewesen; denn Bratenfleisch und Würste, welche am 2. Tage von diesem Wirthe bezogen worden waren, führten schnell zu heftiger Erkrankung.

Näheres über die Natur der Erkrankung des Kalbes konnte nicht ermittelt werden.

22. Die Fleischvergiftung von Katrineholm (Dänemark) im Anschlusse an die Verspeisung eines Rindes, welches an „Kalbefieber" gelitten hatte und nothgeschlachtet worden war. Von 115 Gästen, welche an dem Mahle anlässlich eines Familienfestes theilnahmen, erkrankte die Hälfte, und zwar am stärksten diejenigen, welche viel von der Fleischbrühe genossen hatten. Nach allen unseren Erfahrungen kann es sich hier nicht um die sog. Gebärparese, sondern nur um die entzündliche Form des Kalbefiebers, die septische Metritis und deren Folgen, gehandelt haben.

23. Pferdefleischvergiftung in Altena (Westfalen.) November 1891. 20 Personen hatten von einem Pferdeschlächter gehacktes Fleisch bezogen und erkrankten etwa 10 Stunden nach dem Genuss desselben. Ein Patient starb. Der fragliche Pferdeschlächter hatte wenige Tage zuvor 2 Pferde nothgeschlachtet, darunter eines, welches am Tage vorher plötzlich im Stalle liegend gefunden wurde und ausser Stande war, sich zu erheben, dabei stark schwitzte und schwer athmete, aber noch regen Appetit zeigte.

24. Fleischvergiftung zu Arfenreuth (Bayern.) Ueber diese, welche sich ebenfalls im November v. J. ereignete, war nur soviel in Erfahrung zu bringen, dass nach dem Genusse des Fleisches einer nothgeschlachteten Kuh gegen 20 Personen erkrankt und 2 gestorben sind.

25. Fleischvergiftung zu Piesenkam (Bayern). Mitte Juni 1881 erkrankte daselbst eine Reihe von Personen, nachdem sie Blut- und Leberwürste einer nothgeschlachteten Kuh verzehrt hatten. Ein Mann erlag der Vergiftung. Die Nothschlachtung hat ein als Fleischbeschauer (!) angestellter Metzger besorgt; dieser erklärte die Kuh, trotzdem sie an Magen-Darm- und Blasenentzündung gelitten hatte, als geniessbar und fertigte selbst aus den Därmen, dem Blute und Fleische der nothgeschlachteten Kuh jene Würste an, welche sich in so hohem Grade giftig erwiesen; der Metzger und Fleischbeschauer wurde mit 3 Monaten Gefängniss bestraft, weil er trotz der offenkundigen Erkrankung nicht die Entscheidung eines Thierarztes angerufen hatte.

26. Eine ätiologisch nicht ganz geklärte Fleischvergiftung ereignete sich Ende November 1890 zu Friedberg in Hessen. Das ganze Gesinde eines Gutsbesitzers, zusammen 21 Personen, wurde plötzlich krank, nachdem sie in Salz konservirtes Fleisch von einer 10 Tage zuvor wegen Verlust einer Klaue (im Gefolge der Klauenseuche) nothgeschlachteten Kuh genossen hatten.

Ebenso wirkte Mischwurst, welche aus dem Fleisch dieser Kuh und dem Fleische, bezw. den

Eingeweiden zweier gesunder Schweine bereitet worden war, schädlich. Das frische Kuhfleisch war in grösseren Portionen gekocht und gebraten ohne Nachtheil verzehrt worden.

Ob hier eine postmortale Steigerung des dem Fleische bereits vor dem Schlachten innewohnenden Infektionsstoffes vorlag oder lediglich die Wirkung von Kadavertoxinen in Folge unzweckmässiger Konservirung, ist nach den bis jetzt vorliegenden Nachrichten nicht mit Sicherheit zu entscheiden.

Ausser den genannten verdienen noch etliche Massenerkrankungen angeführt zu werden, bei welchen der Zusammenhang mit dem Genusse des Fleisches nothgeschlachteter Thiere zwar nicht bewiesen werden konnte, aber auch nicht unwahrscheinlich ist, so die Vergiftung im Dorfe E. bei St. 1885, bei welcher nach Flinzer 77 Personen erkrankten und ein Kind starb, ferner nach dem Jahresbericht über das Veterinärwesen im Königreich Sachsen die Vergiftung zu Olbersdorf, 1886, nach dem Genuss roher Bratwürste, welche aus Rind- und Schweinefleisch hergestellt worden waren. Ueber 40 Personen erkrankten, und es starb ebenfalls ein Kind. Endlich ist als hierher gehörig zu nennen die Erkrankung von 200 Personen zu Hohenstein-Ernstthal (Sachsen) im Jahre 1890 nach dem Genuss von Bratwürsten, über deren Herstellung wegen der in Sachsen noch nicht geregelten Fleischbeschau ebenso wenig in Erfahrung gebracht werden konnte, wie über die vorletzte Vergiftung. Todesfälle begleiteten die genannte Massenerkrankung nicht. In jüngster Zeit ereignete sich nach privater Mittheilung eine Fleischvergiftung zu Corres bei Maulbronn nach dem Genuss des Fleisches einer Kuh, welche wegen Pyämie (Osteomyelitis), nothgeschlachtet worden war. Indessen sind die Akten über diese Vergiftung noch nicht geschlossen.

Dieses die Massenerkrankungen nach Fleischgenuss in den letzten 12 Jahren. Zweifellos gelangen aber durchaus nicht alle Fälle, selbst wenn sie gehäuft auftreten, zur öffentlichen Kenntniss. Ich glaube ganz bestimmt, dass die meisten ausübenden Thierärzte über Erfahrungen verfügen, wie sie der sächsische Bezirksthierarzt Lehnert (Jahresbericht 1884) mittheilt. Dieser hebt hervor, er habe schon wiederholt die Beobachtung gemacht, dass das Fleisch von Kühen, welche nach der Geburt an Metritis gelitten hatten und bei welchen die Placenta ganz oder theilweise zurückgeblieben sei, nach dem Genuss Vergiftungserscheinungen (Erbrechen und Durchfall) hervorgerufen habe, selbst wenn die Krankheit nur einige Tage bestanden hatte.

Und Bollinger sagt in seinem Vortrage, welchen er auf der vorletzten Versammlung des Vereines für öffentliche Gesundheitspflege gehalten hat, „die Zahl der unbestimmten Infektionen, die Darminfektionskrankheiten, an deren Entstehung die Nahrung hauptsächlich betheiligt ist, ist auch bei den Erwachsenen weit grösser, als man gewöhnlich annimmt. . . . . . Durch Fleisch, welches von kranken, besonders von septischen Schlachtthieren abstammt, entstehen Krankheitsbilder, die sowohl in ihrem Verlaufe, wie auch in Bezug auf die anatomischen Veränderungen mannigfache Abwechselung zeigen. . . . . Von der einfachen Verdauungsstörung, dem Magenkatarrh, dem Brechdurchfalle bis zu schweren febrilen Erkrankungen, die gelegentlich unter dem Bilde des sogenannten Schleimfiebers, des gastrischen Fiebers, des Ileotyphus, der Dysenterie verlaufen, existirt eine förmliche Stufenleiter. . . . Zu dem Gebiete der Fleischvergiftung gehören wahrscheinlich auch manche Erkrankungen, die unter dem Bilde des Petechialtyphus, des fieberhaften Icterus (Weil'sche Krankheit) verlaufen. . . . . . Durch Versuche (Kocher's) an Thieren ist nachgewiesen, dass derartige septische und bazilläre Gifte vom Verdauungskanale aus in den Körper einzudringen und schwere entzündliche Prozesse (z. B. infektiöse Knochenmarkzündung) zu verursachen vermögen, ohne an der Eintrittsstelle Spuren zu hinterlassen."

Meine Herren! Eingangs dieses Vortrages habe ich gesagt, durch nichts könne die hohe Bedeutung der Thiermedizin im Dienste der öffentlichen Gesundheitspflege besser vor Augen geführt werden, als durch die Geschichte der Fleischvergiftungen. Die grosse Zahl solcher Massenerkrankungen in Verbindung mit der Thatsache, dass die meisten derselben sich dann ereigneten, wenn die Fleischbeschau und die Zuziehung thierärztlicher Sachverständiger geflissentlich umgangen worden war, zeigt uns klar, wie viel Elend und Krankheit durch die Sachverständigenthätigkeit der Thierärzte bei Nothschlachtungen verhütet wird.

Bei der Prophylaxe der Fleischvergiftungen im engeren Sinne ist folgendes zu beachten:

1. Ist nothwendig, dass staatlicherseits thierärztliche Entscheidung bei sämmtlichen Nothschlachtungen vorgeschrieben wird und Empiriker, welche durch eigenmächtige Entscheidung hiergegen sich verfehlen, auf das Strengste bestraft werden.

2. Hat der Thierarzt stets sämmtliche Organe einer sorgfältigen und eingehenden Untersuchung zu unterziehen.

3. Darf der Thierarzt nur dann das Fleisch zum Genusse zulassen, wenn er über die Erkrankung des Thieres völlig im Klaren ist und es nach allen unseren Kenntnissen als feststehend betrachtet werden kann, dass der Genuss des Fleisches eine Gesundheitsschädigung nicht bedingt.

4. Ist alles Fleisch von nothgeschlachteten Thieren mit Ausnahme derjenigen, welche wegen Unglücksfälle unmittelbar nach denselben getödtet werden, nur unter Deklaration, und zwar möglichst an Ort und Stelle zum Verkauf zuzulassen, die Ausfuhr nach Städten aber und die Verwurstung grundsätzlich zu verbieten.

Den Heimstätten der thierärztlichen Wissenschaft aber liegt es ob, in gemeinschaftlicher Arbeit mit den praktischen Thierärzten all die vielen Fragen zu lösen, welche hinsichtlich der Fleischvergiftungen noch der Beantwortung harren. Wir müssen insbesondere alle diejenigen Krankheiten zu ermitteln suchen, bei welchen die Möglichkeit einer Gesundheitsschädigung durch Fleischgenuss gegeben ist. Dieses Kapitel gehört auch heute noch zu den „dunkelsten der Pathologie." Wir wissen zwar aus der Geschichte der Fleischvergiftungen, dass bestimmte Erkrankungen der Mutterthiere, sowie der Neugeborenen in erster Linie bei der Aetiologie der Fleischvergiftungen in Betracht zu ziehen sind. Hierzu kommen aber septische und pyämische Erkrankungen kryptogenetischen Charakters, namentlich jene mysteriösen Durchfälle und Eutererkrankungen bei Rindern, welche dringend der exakten Erforschung bedürfen. Ein Anfang hierzu ist gemacht durch die Arbeiten von Johne, Gärtner und Gaffky-Paak anlässlich der Fleischvergiftungen zu Lauterbach, Frankenhausen, Röhrmoos und Cotta.

Wir müssen ferner die klinischen und pathologisch-anatomischen Merkmale zu ermitteln suchen, welche diesen verderblichen Erkrankungen gemeinschaftlich sind. Und es hat den Anschein, als ob dieses möglich wäre; es scheint, als ob die schwere Störung des Allgemeinbefindens, die grosse Hinfälligkeit der Thiere, welche zu der lokalen Erkrankung oft in gar keinem Verhältniss steht, einen bedeutsamen Fingerzeig für die Ermittelung dieser Erkrankungen abgebe. Jedenfalls sind die anatomischen Schädigungen gewisser Eingeweide (trübe Schwellung und fettige Metamorphose der Leber, des Herzens und der Nieren, verbunden mit Blutungen unter den serösen Häuten) für den kundigen, pathologisch-anatomisch geschulten Thierarzt höchst werthvolle Anhaltspunkte bei der Abgabe seines folgenschweren Urtheils.

Gerade, weil dieses Urtheil so folgenschwer ist, müssen wir die uns erwachsene Aufgabe als eine höchst dankbare bezeichnen. Alles Fleisch von nothgeschlachteten Thieren dem Verkehre zu entziehen, hiesse eine nicht zu rechtfertigende Raubwirthschaft mit dem nationalen Vermögen treiben, ebenso wie andererseits zu grosse Milde des Urtheils Gesundheit und Leben Hunderter von Menschen aufs Spiel setzt. Durch die Lösung unserer Aufgabe werden wir das erstrebenswerthe Ziel erreichen, von nothgeschlachteten Thieren nur so viele dem Konsum zu entziehen, als unbedingt nothwendig ist. Gleichzeitig aber werden wir den angehenden Thierarzt aus einer Nothlage befreien, welche nur der recht zu würdigen weiss, welcher nach Begutachtungen bei Nothschlachtungen, trotzdem er sein Gewissen frei wusste, schlaflose Nächte zugebracht hat.

In Zukunft soll der angehende Thierarzt möglichst zuverlässige Anhaltspunkte für seine Thätigkeit bei Nothschlachtungen mit in die Praxis hinausnehmen. Er wird dann als Herr der Situation das Thier genau untersuchen und nach den ihn gelehrten Grundsätzen nach bestem Wissen und Gewissen sein Urtheil ruhig abzugeben in der Lage sein. Ganz werden wahrscheinlich auch dann die Fleischvergiftungen nicht verschwinden. Aber jedenfalls werden sie recht selten werden. Es können trotz grösster Gewissenhaftigkeit und trotz gründlichsten Wissens Irrthümer in der Beurtheilung mit unterlaufen, da eben dem menschlichen Wissen und Können seine Grenzen gesteckt sind. Allein „ultra posse, nemo tenetur."

Berichtigung, eine Besprechung des Rohrbeck'schen Desinfektors betreffend.

Von

H. C. J. Dunker-Berlin.

Gelegentlich einer Besprechung des Rohrbeck'schen Desinfektors in Nr. 8—9 des *„Archiv f. animal. Nahrungsmittelkunde"* sind Dr. A. Sticker einige Irrthümer unterlaufen, die einer Berichti-

gung bedürfen. Wie schon aus meiner früheren Mittheilung in dieser Zeitschrift hervorgeht, war die Veranlassung zu den mit Bewilligung der vorgesetzten Behörden von Hertwig unternommenen Versuchen die Voraussetzung, dass es möglich sein werde, Fleisch, welches noch für Nahrungszwecke Verwendung finden könnte, aber in rohem Zustande nicht in den Verkehr gebracht werden darf und also beanstandet werden muss, weil das im Haushalte übliche Kochen nicht genügt, um die in dem Fleische vorhandenen Parasiten (Tuberkelbazillen etc.) zu vernichten, zuverlässig zu sterilisiren. Es handelte sich hierbei, wie allgemein bekannt ist, um bedeutende Werthe; denn im Falle des Gelingens war die Möglichkeit gegeben, jährlich viele Tausend Zentner Fleisch dem Konsum zu erhalten. Die Lösung der Aufgabe wäre nun minder schwierig gewesen, wenn davon ausgegangen worden wäre, dass es genüge, das Fleisch bis in dessen Innerem auf ca. 80° C. zu erhitzen, um die erwähnten Parasiten zu vernichten. Da die Meinungen der Autoren aber auch hier auseinander gehen und viele derselben eine Temperatur von 100° C. verlangen, es auch von der Einwilligung des Königl. Kultusministeriums abhängig ist, ob das sterilisirte Fleisch in den Verkehr gebracht werden darf, so musste bei den Versuchen von Anfang an darauf hingezielt werden, eine Minimaltemperatur von 100° C. im Innern des Fleisches zu erreichen.

Dies, d. h. Fleischstücke von nicht zu geringer Stärke in möglichst ökonomischer Weise rasch und sicher zu sterilisiren, glaubten „die Berliner Herren" mit dem Rohrbeck'schen Desinfektor vermögen zu können, und dass dies gelang, ist eine bereits vielen Sachverständigen aus eigener Anschauung bekannte Thatsache. Wie es gelang und welche genaueren Resultate erzielt wurden, ist aus einer in der „Deutschen Vierteljahrsschrift für öffentl. Gesundheitspflege" Jahrg. 1892 Heft 3 von Hertwig erschienenen Arbeit: „Ueber Kochverfahren zum Zweck der Erhaltung des Fleisches kranker Thiere als Nahrungsmittel" ersichtlich. Wenn Dr. A. Sticker das angewandte Dämpfungsverfahren als kein neues Prinzip gelten lassen will, andererseits aber zugiebt, dass das bei dem Rohrbeck'schen Apparate in Anwendung kommende Druckdifferenzverfahren neu ist, so wirkt dies einigermassen überraschend. Denn grade nur durch das Druckdifferenzverfahren, also durch Anwendung eines neuen Prinzips, war es möglich zu erreichen, was erreicht worden ist. Uebrigens sind auch andere Methoden der Dämpfung genügend geprüft und mit dem neuen Verfahren verglichen worden. Namentlich wurden auch in Apparaten, wie der von Dr. A. Sticker erwähnte und kurz beschriebene „englische Topf", Sterilisirungsversuche angestellt. Ich muss aber bemerken, dass dieser Topf keine spezifisch englische Kocheinrichtung, sondern ein Apparat ist, welcher mindestens eben so lange wie in England auch in Deutschland und wohl überall anderswo zum Sterilisiren und Desinficiren von Verbandsstoffen etc. verwandt wird. Ebenfalls kann ich dem Herrn Dr. A. Sticker noch mittheilen, dass es auch anderen Firmen gestattet wurde, ihre Apparate auf dem hiesigen Schlachthofe aufzustellen. Zu diesem Zwecke wurde das nöthige Fleisch geliefert, konnten die Interessenten ihre eigenen Sachverständigen mitbringen und brauchten ihre Versuche erst aufzugeben, nachdem sie sich selber von der Leistungsfähigkeit ihrer Apparate überzeugt hatten.

Es dürfte daher jedem Unpartheiischen einleuchtend sein, dass diesseits alles geschehen ist, was im Interesse der Sache geschehen konnte, und dass es wohl kaum gerechtfertigt ist, wenn Dr. A. Sticker sowohl hohen Behörden, wie auch uns Uebereilung in der Empfehlung eines Apparates vorwirft, welcher, wie die hiesigen sorgfältigen Versuche ergeben haben, bezüglich seiner Leistungsfähigkeit von keinem anderen erreicht worden ist.

Ueber ein praktisches Lampenlicht für die Trichinenschau.

Von

Dr. Ströse-Göttingen,

Schlachthausdirektor.

Im hygienischen Institut der Göttinger Universität wird seit einiger Zeit ein Lampenlicht beim Mikroskopiren während der Abendstunden gebraucht, mit welchem ich neuerdings die Trichinenschauer des städtischen Schlachthauses arbeiten lasse. Für diese ist es ganz besonders zweckmässig.

Die Trichinenschauer sind ja oft gezwungen, viele Stunden hintereinander bei Lampenlicht zu untersuchen. Sie bedienen sich zumeist der gewöhnlichen Gas- oder Petroleumflamme. Diese Lichtquellen verunreinigen und überhitzen die Zimmerluft in einer Weise, welche auf den Gesundheitszustand der Untersucher sehr nachtheilig einwirkt. Es war mir deshalb lieb, durch den Direktor des hygienischen Instituts, Herrn Prof. Dr. Wolfhügel, eine Vorrichtung kennen zu lernen, welche die Aufstellung der zahlreichen Lampen unnöthig macht. Zugleich werden durch diese Beleuchtungsweise die Augen des Mikroskopirenden sehr geschont.

Sobald Dunkelheit eintritt, rücken die Trichinenschauer zu je vier bis je acht ihre Tische im Kreise um eine gewöhnliche Petroleumlampe herum, deren Schirm abgenommen ist. Dicht um diese Lichtquelle hängen an einfachen Holzgestellen so viel Schusterkugeln, als Trichinenschauer im Kreise sitzen. Die Kugeln sind an durchlochten Riemen an den Gestellen befestigt, so dass sie hoch und niedrig gehängt werden können. Sie sind mit Kupferoxyd-Ammoniak gefüllt und durch einen versiegelten Kork luftdicht verschlossen. Diese Füllung ist sehr wohlfeil und einfach herzustellen, indem man destillirtes Wasser durch Ammoniakzusatz alkalisch macht und so viel Kupferoxyd zusetzt, bis ein blauer Niederschlag entsteht. Durch Schütteln wird derselbe leicht gelöst, so dass die Flüssigkeit eine mattblaue Färbung erhält.

Der Lichtkegel, welcher durch die als Sammellinse wirkende Kugel auf eine auf dem Mikroskopirtische ausgebreitete weisse Serviette fällt, ist zum Anfertigen der Präparate genügend hell. Damit das Licht in den Tubus gelangt, schiebt man das Mikroskop in den Lichtkegel hinein. Man findet sofort heraus, dass diese Be-leuchtung dem Auge ausserordentlich angenehm und auch vollständig stark genug ist.

Statt der Schusterkugeln kann man übrigens auch Glaskolben verwenden, welche man auf geeigneten Unterlagen vor die Flamme stellt.

Ich glaube wohl, dass die beschriebene Beleuchtungseinrichtung einen kleinen Fortschritt auf dem Gebiete der Hygiene im Mikroskopirsale bedeutet.

Referate.

Hertwig, Ueber Kochverfahren zum Zwecke der Erhaltung des Fleisches kranker Thiere als Nahrungsmittel.
(S.-A. a. d. deutsch. Vierteljahresschr. für öff. Gesundheits-pflege 1892.)

Wie den Lesern dieser Zeitschrift hinreichend bekannt ist, wurden von H. seit mehreren Jahren Versuche über das Eindringen höherer Wärmegrade in das Fleisch angestellt. Den Versuchen lag der leitende Gedanke zu Grunde, durch Anwendung höherer Wärmegrade im Fleische vorkommende Schmarotzer thierischer und pflanzlicher Natur unschädlich zu machen. Das wesentlichste Ergebniss dieser mühevollen Untersuchungen, welche von dem schönsten Erfolge gekrönt waren, ist bereits S. 20 und 212 ds. Zeitschrift wiedergegeben worden. Es möge hier aber nochmals hervorgehoben werden, dass wir in eine neue, volkswirthschaftlich ungemein wichtige Phase der praktischen Fleischhygiene getreten sind, seit Hertwig den Beweis erbracht hat, dass es bei Anwendung geeigneter Apparate gelinge, Fleisch in verhältnissmässig kurzer Zeit auf 100° C. in allen seinen Theilen zu erhitzen. Es ist hierdurch in der That die Möglichkeit gegeben, „grosse Mengen von Fleisch, welche jetzt als beinahe werthlos in die Abdeckereien wandern, als werthvolles Nahrungsmittel für den Konsum zu erhalten."

H. betont in der vorliegenden Arbeit, dass er bei seinen Versuchen vorzugsweise die Erhaltung des Fleisches von tuberkulösen Thieren im Auge gehabt habe, da keine andere Krankheit in ähnlichem Umfange unter den Schlachtthieren verbreitet sei, wie die Tuberkulose. Das der Gesundheitsschädlichkeit verdächtige Fleisch tuberkulöser Thiere kann nach der Behandlung im Dampfdesinfektor mit gutem Gewissen in den Verkehr gegeben werden, weil die Tuberkelbazillen durch 100° C. mit Sicherheit getödtet werden. Um Missverständnissen vorzubeugen, erklärt H. ausdrücklich, dass sein Streben, das Fleisch tuberkulöser Thiere durch Sterilisation dem Konsum zu erhalten, nur auf solches Fleisch sich erstrecke, welches auf Grund der einschlägigen Ministerialverfügung zum Konsum nicht freigegeben werden dürfe. Das Sterilisationsverfahren soll daher nicht an Stelle der Freibänke treten, sondern das Gebiet der Freibänke durch die Ueberweisung solchen Fleisches erweitern, welches roh von jeglichem Verkehr ausgeschlossen werden muss.*)

Hoffen wir, dass die massgebenden Behörden recht bald die praktischen Kon-

---

*) Hertwig nimmt zum wiederholten Male Veranlassung, den Bestrebungen gewisser Kreise gegenüber, welche ihn zum Freibankgegner stempeln wollen, zu erklären, dass Freibänke in kleineren Gemeinden ganz bestimmt zweckmässige Einrichtungen seien. Für grosse Städte dagegen, wo der Verbleib des Fleisches nicht kontrollirt werden könne, sei alles nicht bankwürdige Fleich nur gekocht zu verkaufen.

sequenzen aus den grundlegenden Versuchen Hertwig's ziehen, dass sie ohne Zeitverlust die Nutzbarmachung wenigstens des Fleisches tuberkulöser Thiere gestatten und so einer Fleischvergeudung Einhalt gebieten, welche bei dem heutigen Stand der Lebensmittelpreise kaum gerechtfertigt ist.

Peters, Ueber Fleischschau-Einrichtung.

(Berliner Thierärztliche Wochenschrift 1892, Nr. 28.)

Der um die Regelung der Sanitätspolizei in seinem Bezirk sehr verdiente Verf. macht darauf aufmerksam, dass bis zur endlichen Einführung der obligatorischen Fleischbeschau das preussische Gesetz über die Polizeiverwaltung vom 11 März 1850 eine Handhabe biete, die Fleischbeschau zu verallgemeinern. P. hat hierbei vornehmlich kleine Gemeinden im Auge, in welchen die Erbauung öffentlicher Schlachthäuser unthunlich erscheint. In allen grösseren Gemeinden, namentlich von einer Einwohnerzahl über 5000, sei die Errichtung öffentlicher Schlachthäuser unbedingt nothwendig, und es biete sich für die amtlichen und privaten Vertreter unseres Standes dort, wo man bislang aus Unkenntniss der gesetzlichen Bestimmungen, aus unbegründeter Furcht vor Kosten und in völliger Verkennung der Vortheile einer obligatorischen Fleischbeschau die Erbauung eines öffentlichen Schlachthauses abgelehnt habe, die dankbare Aufgabe, die Bedeutung der Wohlfahrtsgesetze vom $\frac{18.\ \text{März } 1868}{9.\ \text{März } 1881}$ ihren Mitbürgern vor Augen zu führen.

In solchen Gemeinden aber, welche von der Wohlthat der Schlachthausgesetze keinen Gebrauch machen können oder wollen, sei auf Grund des Gesetzes vom 11. März 1850 wenigstens eine obligatorische Beschau sämmtlicher Schlachtthiere einzuführen. Aus derselben Begründung, aus welcher die Trichinen- und Finnenschau bei Schweinen, sowie die Untersuchung der zur menschlichen Nah-

rung bestimmten Pferde hervorgegangen sei, lasse sich die Beschau auf die übrigen Schlachtthiere ausdehnen. Bezüglich des Kostenpunktes verweist P. auf § 36 der Gewerbeordnung vom 21. Juni 1869, nach welcher . . . Güterbestätiger, Schaffner, Wäger, Messer, Bracker, Schauer u. s. w. ihr Gewerbe zwar frei betreiben dürfen, jedoch von Staats- und Kommunalbehörden zu beeidigen und öffentlich anzustellen sind. Nach § 78 u. s. w. haben aber die Staats- und Kommunalbehörden die Befugniss, Taxen für die im § 36 benannten Personen einzuführen, wo dieselben bis dahin noch nicht bestanden haben. *)

Brusaffero, Ueber eine eigenthümliche Veränderung des Schweinefleisches.

(Giornale di med. vet. prat. et di zootechn. 1891.)

Verf., städtischer Thierarzt in Turin, beobachtete bei frisch geschlachteten Schweinen eine Veränderung der Muskulatur, welche seines Wissens noch nicht beschrieben worden ist. Auf Einschnitten in die Brust- und Ellenbogenmuskeln bemerkte er eine intensivere Färbung, zuweilen aber eine Beschaffenheit der Muskelfasern, welche beim Menschen im Gefolge des Typhus auftritt und als „Fischfleisch" bezeichnet wird. Bei mikroskopischer Untersuchung fand B. zwischen

---

*) In einer grösseren Anzahl Gemeinden der Provinz Brandenburg ist bereits vor Jahren unter Bezugnahme auf §§ 5, 6 und 15 des Gesetzes vom 11. März 1850 in Verbindung mit § 143 des Gesetzes über die allgemeine Landesverwaltung vom 30. Juli 1883 obligatorische Fleischbeschau eingeführt worden. Namentlich fand die Fleischschau-Verordnung der Stadt Ketzin vom 13. Februar 1890, wie Herr Kollege Meier mittheilt, vielseitige Nachahmung. Die Ketziner Verordnung musste aber wieder aufgehoben werden, nachdem der K. Regierungspräsident auf eine Beschwerde der betheiligten Schlächter entschieden hatte, dass die Magistrate nicht befugt seien, die Kosten den Gewerbetreibenden aufzuerlegen. Dieselben müssten vielmehr von der Gemeinde selbst getragen werden.

Im Interesse der öffentlichen Gesundheitspflege ist eine höhere Entscheidung zur Klärung der Sachlage dringend zu wünschen.　D. H.

völlig intakten Fasern solche, bei welchen die Querstreifung undeutlich oder gar ganz verschwunden war. Hiernach habe man es mit einem Bilde, wie bei der hyalinen Degeneration zu thun.

Verf. führt die eigenthümlichen Muskelveränderungen auf einen Unfug zurück, welchen die Turiner Schlächtergesellen mit Schweinen treiben, die nach dem Abstechen langsam verenden. Sie tauchen dieselben in den Brühbottich, um sie zu ersticken. Verf. nimmt an, dass die beschriebenen Veränderungen durch die hohe Temperatur des Wassers bedingt werden. Hierfür spreche auch der Umstand, dass die Schweine während des Lebens keine Spur von Erkrankung zeigen. B. giebt aus diesem Grund auch das Fleisch, welches die fraglichen Veränderungen aufweist, unbeanstandet in den Verkehr.

Pfeiffer, L., Ueber einige neue Formen von Miescherschen Schläuchen mit Mikro-, Myxo- und Sarkosporidieninhalt.

(Virchow's Archiv, Bd. CXXII. u. Zentralbl. f. Bakteriol. Bd. Nr. 2-3.)

Der bekannte Protozoenforscher schildert in obiger Arbeit Infektionen der europäischen Sumpfschildkröte durch Mikrosporidienschläuche, Erkrankungen der Barben und Schleie durch Myxosporidien und endlich die bekannten Miescher'schen Schläuche beim Schaf, Pferd und Schwein. Die von Müller, Telohan, Lutz u. a. in den verschiedensten Organen von Fischen — nur nicht in den Muskeln — gefundenen Myxosporidien fand Pf. 1890 in den Muskeln kranker Barben aus dem Mosel-Saar-Rheingebiet, wo seit einigen Jahren ein arges Fischsterben geherrscht hatte. Die hauptsächlichsten Krankheitserscheinungen waren missfarbige Schwellungen der Haut und kraterförmige Geschwüre am Kopf, Rumpf und Schwanz, welche ausser Bakterien zahlreiche Myxosporidien enthielten, deren primärer Sitz die Muskelzellen waren. Die inneren Organe waren bei der Barbe frei, im Gegensatz zu der Schleie, bei welcher die Gallen- und Schwimmblase, Milz und Arterien sich erkrankt zeigten.

Bezüglich der Miescher'schen Schläuche bei Schaf, Ziege, Pferd und Schwein hebt Pf. hervor, dass Fütterungsversuche bei Kaninchen, Schweinen, Schafen und Hunden bisher resultatlos geblieben seien. Beim Menschen habe man auch noch keinen einwandsfreien Fall einer analogen Muskelinfektion beobachtet. Denn in den von Unverricht beschriebenen Fällen von Polymyositis acuta progressiva seien weder Muskelschläuche noch Sichelkeime zu finden gewesen.

Fischer u. Enoch, Ein Beitrag zur Lehre von den Fischgiften.

(Fortschritte d. Medizin 1892/3 u. Deutsch. Med. Zeit. 1892/61.)

Aus dem Herzblute eines Karpfen, welcher angeblich durch Flussverunreinigung zu Grunde gegangen und äusserlich durch das Vorhandensein zahlreicher Blutungen ausgezeichnet war, konnte Verf. einen stäbchenförmigen Mikroorganismus isoliren. Derselbe war hochgradig pathogen für Kalt- und Warmblüter (bei entsprechender Menge auch vom Verdauungskanale aus). Die Stäbchen produziren sowohl in der Kultur als im thierischen Organismus ein Gift (Albumose), welches bei seiner Einverleibung Parese der Extremitäten, Blutungen und Lähmung des Athem- und vasomotorischen Zentrums hervorruft. Durch Kochen wird das Gift zerstört.

E. Voit, Ueber die Fettbildung aus Eiweiss.

(Münch. medis. Wochenschr. 1892, Nr. 26.)

Es ist eine altbekannte und durch Mästungsversuche erwiesene Thatsache, dass mit der Nahrung zugeführtes Fett zur Ablagerung kommen kann. Dagegen war man lange Zeit über die Rolle, welche Eiweiss und Kohlehydrate bei der Fettbildung spielen, im Unklaren. Die fettige Metamorphose der Muskeln, die Bildung des Leichenwachses, die Fettanhäufung in der Leber bei Phosphorvergiftung, die Fettzunahme beim Reifen des Käses, namentlich aber die Respirationsversuche von Pettenkofer und C. Voit wurden als Beweis für die Anschauung, dass Fett aus Eiweiss entstehen könne, angesehen.

Für die Kohlehydrate muss es nach den vorliegenden Versuchen als erwiesen betrachtet werden, dass der Organismus der höheren Thiere Fett aus ihnen zu bilden vermag. Wie steht es aber mit den Beweisen für die Fettbildung aus Eiweiss, fragt der Verf? Die Fütterungsversuche von Pettenkofer und C. Voit leiden an einigen Mängeln. Verf. hat nun im Laufe der letzten 4 Jahre Untersuchungen über das besagte Thema angestellt und theilt vorläufig als Versuchsergebniss die Thatsache mit, dass bei Zufuhr überschüssigen Eiweisses ein Theil des Kohlenstoffes in Form einer stickstofffreien Verbindung im Körper zurückbleibt. Die Fettbildung aus Eiweiss, fährt Verf. fort, ist sicher ein Reduktionsvorgang. Es ist aber noch zweifelhaft, ob diese Fettbildung aus dem Eiweiss sich direkt vollzieht oder erst die Stufe der Kohlenhydrate durchläuft. Weitere Versuche sollen hierüber Aufschluss geben.

Baum, Geht Tartarus stibiatus bei medikamentösen Gaben in so grossen Mengen in die Milch über, dass er der letzeren schädliche Eigenschaften verleiht?

(Monatshefte f. prakt. Thierheilk. III Bd., H. 9.)

Bekanntlich hat Carsten Harms die Milch einer Kuh, welche Tags zuvor zum Zwecke der Behandlung des „Gebärfiebers" 46 g Brechweinstein erhalten hatte, an 3 Ziegenlämmer (je ca. 500 g) und 2 kleine Hunde (je 250 g) verfüttert. Bei allen Versuchsthieren stellte sich Diarrhö ein, und zwar bei den Ziegenlämmern so stark, dass die Exkremente unwillkürlich abgingen. B. konnte von Anfang nicht den Zweifel unterdrücken, dass die erwähnte Wirkung zum grössten Theil eine Kolostralwirkung gewesen sei und prüfte deshalb den Versuch von Harms nach.

B. gab einem Schafe in Zwischenräumen von 8 Tagen zuerst 1, dann 2, 3,

4 und schliesslich 5 g Tartarus stibiatus. BeiletztererDosis zeigten sichdeutlicheVergiftungserscheinungen. Das Thier wurde Morgens und Abends gemolken und gab durchschnittlich 200—250 g Milch, welche an 2 Versuchshunde direkt so verfüttert wurde, dass der eine die Morgen-, der andere die Abendmilch erhielt. Bei keinem der Thiere trat eine Reaktion (Erbrechen oder Durchfall) ein. Einige Male trank auch der Institutsdiener die Milch ohne alle schädliche Folgen. Ebenso negativ fiel ein zweiter Versuch bei einer Ziege mit 1, 2, 3 und 4 g Tart.. stib. aus. Deshalb verneint B. die in der Ueberschrift gestellte Frage und sagt, nach den angeführten Versuchen sei wohl mit Sicherheit anzunehmen, dass die Milch von Thieren, die mit medikamentösen Gaben von Tartarus stibiatus behandelt worden seien, selbst bei Kindern keine brechenerregenden, bezw. gesundheitsschädlichen Eigenschaften äussern werde.

Dubouquet-Laborderie, Einwirkung der Elektrizität auf schädliche Bakterien in der Milch.

(Aus „L'Industrie laitiére" durch Milch-Zeitung 1892, Nr. 28.)

Verf. studirte die Einwirkung der Elektrizität auf Bakterien in der Milch, um festzustellen, ob vielleicht die wenig zuverlässige Methode des Pasteurisirens durch die Anwendung der Elektrizität ersetzt werden könnte. Die Versuche ergaben jedoch ein negatives Resultat. Nur in einem Falle konnte Milch 8 Tage lang durch die Behandlung mittelst des elektrischen Stromes konservirt werden.

Dass Bakterien in der Milch durch den kontinuirlichen elektrischen Strom vernichtet werden, war schon durch Prochownik u. a. festgestellt worden. Indessen ging mit der Bakterienvernichtung eine Zersetzung und damit eine Entwertung der Milch einher. Die Lebensfähigkeit der pathogenen Bakterien (Tuberkulose, Typhus, Erysipel, Eiter) in Milchproben wurde durch die 10 Minuten während Einwirkung eines

300 Milliampères starken elektrischen Stromes in allen Fällen aufgehoben. Die Sterilisirung beruhte aber auf der durch die Elektrizität bedingten E r h i t z u n g der Milch auf 80—100° C., welche in praxi durch direkte Wärmezuleitung bequemer, als durch Elektrizität erzielt, wird.

Sebelien, Aeltere und neuere Versuche über die Haltbarkeit der Milch durch Pasteurisiren.

(Molkereizeitschr. 1892, 18 u. Zentralbl. f. Bakt. Bd. XII. No. 2/3.)

Aus den neuen Versuchen geht folgendes hervor:

1. Die Haltbarkeit der Magermilch wird nur wenig durch das Pasteurisiren vergrössert, wenn demselben eine Abkühlung nicht nachfolgt.

2. Es ist für die Haltbarkeit der pasteurisirten Milch besonders schädlich, wenn dieselbe bei einer Temperatur von 30—50° C verweilt.

3. Das Pasteurisiren der Magermilch bei 70—75° C. und nachfolgendes Abkühlen auf 25° oder noch weniger vergrössern die Haltbarkeit ganz bedeutend.

Liebig, Ueber die Ursachen des raschen Gerinnens der Milch beim Gewitter.

(Molkereizeitung 1891, Nr. 27.)

Henrici beschuldigte als Ursache des raschen Sauerwerdens der Milch bei Gewitterluft das Ozon in Verbindung mit dem bedeutenden Feuchtigkeitsgehalt und der geringen Bewegung der Luft. L. stellte demgegenüber fest, dass ozonisirte Milch viel langsamer sauer werde, als nicht ozonisirte; denn das Ozon hemmt die Entwickelung der Milchsäurebakterien. Hiernach ist es nicht gerechtfertigt, das rasche Gerinnen der Milch bei Gewitter auf den Ozongehalt der Luft zurückzuführen. Dasselbe wird vielmehr durch die W ä r m e der Gewitterluft bedingt, welche eine üppige Entwicklung der Milchbakterien unmittelbar im Gefolge hat.

Amtliches.

Reg. - Bezirk Düsseldorf. P o l i z e i v e r o r d - n u n g vom 14. Juli 1892, betr. die Unter-suchung des S c h w e i n e f l e i s c h e s auf Tri-chinen und Finnen.

Unter Hinweis auf die Bemerkungen, welche an das Erscheinen der fehlerhaften und unzweck-mässigen Trichinenschauverordnung für die Pro-vinz Schlesien angeknüpft werden mussten, soll nur betont werden, dass die Düsseldorfer Verordnung sich durch korrekte und zweckentsprechende Bestimmungen aus-zeichnet. Sie schreibt zwar zuviele und u. a. auch Proben aus dem Herzen vor, obwohl das Herz be-kanntlich keine Heimstätte der Trichinen ist. Im Uebrigen kann aber nicht dringend genug im sanitären Interesse der Wunsch geltend gemacht werden, dass die Schle-sische Verordnung sobald als möglich nach dem Muster der Düsseldorfer abgeändert werde.

Folgende Paragraphen der Düsseldorfer Polizei-Verordnung, bezw. der hierzu erlassenen Dienstanweisung verdienen besondere Hervor-hebung:

§ 4. Aus den entnommenen Fleischproben sind bei der Untersuchung eines ganzen Schweines drei Q u e t s c h p r ä p a r a t e von 36 bis 40 Qu.-Centimeter Glasfläche, von denen ein jedes Präparat aus jeder Fleischprobe entsprechend grosse Abschnitte enthalten muss, bei der Unter-suchung eines Schinkens, einer Speckseite oder einer sonstigen Fleischwaare ein Quetschpräparat von gleichfalls 30 bis 40 Qu.-Centimeter Glas-fläche sauber, klar und so völlig durch-sichtig anzufertigen, dass man durch die-selben Druckschrift deutlich lesen kann.

§ 5. Die Untersuchung selbst geschieht in der Weise, dass jedes Präparat langsam, gründ-lich und vorsichtig methodisch von rechts nach links und von oben nach unten durchgemustert wird, so dass der Fleischbeschauer die volle Sicherheit, bei der Untersuchung in den Präpa-raten nichts übersehen zu haben, gewonnen haben muss.

Bei zweifelhaftem Befunde sind aus den sämmtlichen im § 3 bezeichneten neun Muskeln Fleischproben zu entnehmen und müssen so viele Präparate gefertigt und untersucht werden, als zur völligen Aufklärung erforderlich sind.

Die mikroskopische Untersuchung jedes der drei Präparate aus den Fleischproben eines un-zerlegten Schweines muss in jedem Falle, sofern nicht schon früher Trichinen oder Finnen ge-funden wurden, ohne Vorpräpariren min-destens zehn, im Ganzen also mindestens 30 Minuten in Anspruch nehmen. Desgleichen die des vorgeschriebenen Präparats eines Fleisch-stückes (Schinkens oder Speckseite) mindestens zehn Minuten.

Mehr als zehn Schweine bezw. dreissig Fleischstücke dürfen von einem Fleisch-

beschauer an einem Tage nicht untersucht werden.

Nur bei besonderer Geschicklichkeit und Zuverlässigkeit kann den Fleichbeschauern seitens
der Ortspolizeibehörde mit Zustimmung des zuständigen Kreisphysikus die Vornahme einer
grösseren, genau anzugebenden Zahl täglicher
Untersuchungen gestattet werden.

Die Untersuchungszeit für jedes einzelne
Präparat muss in diesem Falle ohne Vorpräpariren mindestens acht Minuten betragen.

§ 10. Findet der Fleischbeschauer
an den zu untersuchenden Schweinen
eine andere Krankheit als Trichinosis und
Finnen, insbesondere Strahlenpilze, Rothlauf, Gelbsucht,(Tuberkulose d. R.)und dergl.,
so hat er hiervon sofort der Ortspolizeibehörde
bezw. dem Fleischschauamte oder der Schlachthofverwaltung zur weiteren Veranlassung Anzeige
zu machen.

Versammlungs-Berichte.

Protokoll. Die vierte ordentliche Versammlung des Vereines der Schlachthausthierärzte des Regierungsbezirkes Arnsberg fand am 3. Juli im Hotel Hemmer „Zum
Römer" in Hagen statt.

Anwesend waren die Mitglieder: Koch, Kredewahn, Albert, Bullmann, Clausnitzer, Ewald, Goldstein, Hertz, Oberschulte, Schieferdecker und
Wysocki und als Gäste die Schlachthausthierärzte
Janssen aus Elberfeld, Bockelmann aus Rem-
scheid und Vilmar aus Lennep.

In Vertretung des am rechtzeitigen Erscheinen
verhinderten ersten Vorsitzenden eröffnete der
zweite Vorsitzende Kollege Koch, um 11½ Uhr die
Sitzung mit geschäftlichen Mittheilungen, hiess
die Anwesenden, Gäste und Mitglieder, herzlich
willkommen und ertheilte dem Kollegen Oberschulte das Wort zu dem Vortrage:
„Ueber Schlachtreife der Kälber."

Redner betonte einleitend die Wichtigkeit
der Schlachtreifefrage für den Schlachthausthierarzt im Allgemeinen und speziell bei Beurtheilung
der Kälber und machte auf die Schwierigkeit bei
Feststellung der Grenzen aufmerksam Die Meinungen darüber seien sehr verschieden und
spreche in manchen Gegenden die herkömmliche
Anschauungsweise der Bevölkerung das entscheidende Wort. Allgemein bekannt sei, dass
die Holsteiner und Mecklenburger das nüchterne
Kalbfleisch delikat fänden (Fritz Reuter auf der
Festung Spiegelberg empfand Gaumenkitzel über
dem Anblick eines nüchternen Kalbes), während
in Süddeutschland das Gegentheil der Fall sei.

Redner fährt etwa folgendermassen fort:
Die Frage der Schlachtreife in der Fleischschau ist sehr alt. Historisch stehen obenan die
vermuthlich von den Aegyptern entlehnten, mosaischen Speisegesetze, welche heute, nach Jahr-

tausenden, noch grosse Bedeutung haben und
von den Juden streng befolgt werden. Wir lesen
im zweiten Buche Mosis, Kapitel 22, eine Bestimmung, welche lautet: „Sieben Tage lasse es (das
Kalb) bei seiner Mutter sein, am achten sollst Du
es essen." Als Zeichen für das erforderliche Alter
giebt der Gesetzgeber an, dass der Nabel trocken
oder vernarbt sei, die Klauen hart und die Horn-
ansätze nicht mehr weich seien.

Der Talmud, älteren Ursprungs, enthält ähnliche Vorschriften. Auch die alten Römer hatten
über die Genusstauglichkeit junger Thiere bestimmte Vorschriften. So erwähnt Plinius im
V. Buche, Kapitel 29, und im VIII. Buche, Kapitel 49, dass reif und zum Opfer tauglich das
Opferkalb mit dem 30. Tage seines Lebens sei. Von
Schafen verlangte man ein Alter von nur 6 Tagen.

Jüngere Thiere galten auch in Griechenland
und Italien für unreif. — Aus der deutschen Geschichte sind mir ältere Bestimmungen nicht bekannt geworden. Vom Jahre 1582 existirt eine
Verordnung aus der Kurpfalz, wonach als zu-
lässiges Alter für die Schlachtreife der Kälber
3 Wochen bei einem Schlachtgewicht von mindestens 24 Pfund angeordnet wurde.

Aus dem Gesagten geht hervor, dass unsere
heutigen Anschauungen über die Schlachtreife
der Kälber sich mit denen des Alterthums, speziell mit der mosaischen Fleischpolizei decken.
— Bekanntlich ist die Altersbestimmung nach den
Zähnen nicht besonders zuverlässig. Nach Gerlach
(Fleischkost, Seite 154) werden die Kälber mit
6 Schneidezähnen geboren, innerhalb der ersten
5 Tage sollen die Eckschneidezähne durchbrechen,
das Zahnfleisch soll den Zähnen platt anliegen
und dieselben theilweise bedecken und bis zu
10 Tagen sich soweit zurückgezogen haben, dass
die Zahnkronen davon frei sind.

Die Praxis lehrt, dass letzteres schon oft mit
7 Tagen der Fall ist.

Für die Beurtheilung ist das Verhalten des
Nabelstranges werthvoller. Derselbe trocknet mit
3—4 Tagen ein und fällt in der Regel mit 8 bis
12 Tagen ab. Die mit einem Schorfe bedeckte
Narbe ist mit 4 Wochen verheilt. Krankhafte
Zustände am Nabel modifiziren entsprechend den
Verlauf.

Ebenso wichtig für die Beurtheilung sind die
Klauen, dieselben — bei Neugeborenen mit einem
hervorstehenden weichen Polster versehen —
werden mit jedem Tage härter, es zeigt sich nach
einigen Tagen geringe Abnutzung an den Zehen
und bis zu 8 Tagen ist eine normale Festigkeit
vorhanden.

Die Ausbildung der übrigen Gewebe des
Körpers, des Fleisches und des Fettes, erfolgt
naturgemäss nach der Fütterung verschieden
schnell. Unter normalen Verhältnissen ist bis zu
10 Tagen die Ausbildung des Fettes und der
Muskulatur soweit vorgeschritten, dass das Fleisch

als genusstaugliche Marktwaare anerkannt werden kann. Bei Thieren jüngeren Alters ist die Muskulatur bleich und feucht, stark leimhaltig, das Fett hat einen schmierigen Glanz, wie er dem embryonalen Fettgewebe eigenthümlich ist; derartiges Kalbfleisch unterliegt leicht der Fäulnis. Mit jedem Tage, den die Kälber bei guter Ernährung älter werden, gehen diese Erscheinungen zurück und sind, den Erfahrungen nach, mit 8 Tagen verschwunden; das Fleisch hat seine normale Farbe und Trockenheit und durch die Einlagerung von Fett zwischen den Muskelfasern die erwünschte feste Konsistenz erlangt.

Diese Verhältnisse bei einem 8 Tage alten Kalbe sind natürlich noch erheblicher Verbesserung fähig, es soll jedoch nach Schmidt-Mülheim über die vierte Lebenswoche hinaus eine Besserung der Qualität des Mastkalbfleisches nicht mehr stattfinden. Zwischen den Fleischfasern soll sich kein Fett mehr ablagern können, die eigentliche Kernmast sei beendet. Es erfolgen nun die oft grossartigen Fettaufspeicherungen unter der Haut, am Gekröse und in den Nierenkapseln.

Anlangend das Verhältniss des Alters zum Genusse der Kälber, so muss bei guter Ernährung eine tägliche Gewichtszunahme stattfinden. In den einzelnen Schlachthäusern unseres engeren Bezirkes sind nun für das Lebensgewicht Minimalgrenzen festgesetzt worden, z. B. in Lüdenscheid zuerst 80 Pfund, dann 70, jetzt nur noch 60 Pfund. Der Rückgang in der Gewichtsfestsetzung liegt darin, dass es den Metzgern nicht möglich war, genug Kälber mit dem vorgeschriebenen Minimalgewicht aufzutreiben, umso weniger, als es den benachbarten Altenaer Metzgern nach der dortigen Schlachthausordnung gestattet war, Kälber von nur 50 Pfund Lebensgewicht zu schlachten.

Die Durchführbarkeit der Gewichtsbestimmung ist nicht schwierig, die Zweckmässigkeit derselben muss jedoch verneint werden; denn was hat die Güte des Fleisches mit der Menge desselben gemein? Bekanntlich ist das Lebendgewicht der Kälber nach der Rasse und dem Schlage der Mutterthiere ein sehr verschiedenes und schwankt zwischen 20 bis über 120 Pfund, demnach kann die Festsetzung eines Minimalgewichtes keine Sicherheit für die Schlachtreife bieten. Wird dagegen ein Alter von mindestens 8 Tagen als zur Schlachtreife erforderlich verlangt, so kann auch der Umstand nichts daran ändern, wenn zwar 8 Tage alte, aber krank gewesene oder schlecht genährte Kälber zur Schlachtung kommen. Letztere Thiere müssen eben nach jeweiligen speziellen Gesichtspunkten beurtheilt werden. „Kälber unter 8 Tagen möchte ich unter keinen Umständen zur Schlachtung zugelassen sehen."

Ist man auch nicht im Stande, dem unreifen Fleische eine gesundheitsschädliche Wirkung nachzuweisen, umsomehr kann man dieses aber von der, aus der zu frühzeitigen Schlachtung des Kalbes resultirenden, zu frühen Verwendung der Kuhmilch behaupten. Es ist erwiesen, dass derartige Milch, welche innerhalb der ersten 7 Tage nach dem Gebären verabreicht wird, einen schädlichen Einfluss auf den Magen und Darmtractus ausübt. Nach 6--7 Tagen kann die Milch erst als normal angesehen werden.

M. H., wollen wir festsetzen, dass zur Schlachtreife der Kälber ein Alter von mindestens 8 Tagen erforderlich ist, so wollen wir uns nicht verhehlen, dass der Durchführung einer solchen Bestimmung grosse Schwierigkeiten entgegenstehen.

Die Besitzer von Melkvieh in der Nähe der Städte können die Milch als solche viel vortheilhafter verwerthen, als wenn sie dieselbe zur Kälbermast verwenden, daher suchen sie die Kälber so schnell als möglich zu verkaufen. Nur ein unumgänglicher Zwang könnte solche Besitzer veranlassen, ihren Kälbern eine Milchmast angedeihen zu lassen.

Worin dieser Zwang bestehen soll, überlasse ich den geehrten Herren Kollegen zur Beurtheilung."

Nachdem dem Vortragenden seitens des Vorsitzenden für den eben gehörten anregenden Vortrag Dank ausgesprochen, wurde in die Diskussion eingetreten.

Albert berichtete unter Vorlegung der bezüglichen Akten, dass auf eine Anfrage bei der Königl. Regierung zu Arnsberg letztere unter dem 25. Januar 1891 für das Schlachthaus zu Iserlohn bei Feststellung der Polizei-Verordnung über die Schlachtreife der Kälber als Richtschnur angegeben habe, die Kälber sollen ein Lebendgewicht von mindestens 60 Pfund und ein Alter von 14 Tagen haben. Der betreffende Passus lautet wörtlich: „Beim Schlachten von Kälbern kommt es für die öffentliche Gesundheitspflege hauptsächlich auf das Alter der Kälber an. Thiere unter 14 Tagen alt, sollten zum Schlachten nicht zugelassen werden. Einen gewissen Anhalt zur Beurtheilung des Alters bietet die Beschaffenheit des Nabels, daher haben verschiedene Schlachthaus-Verwaltungen die zweckmässige Bestimmung getroffen, dass Kälber, deren Nabel noch nicht fest vernarbt ist, nicht geschlachtet werden dürfen.

Da das Gewicht neugeborener Kälber je nach der Rasse der Mutterthiere und den sonstigen Einflüssen sehr verschieden ist, so wird man bezüglich des zulässigen Mindestgewichtes nicht zu hohe Anforderungen stellen dürfen. Es wird für das dortige Schlachthaus sich vielleicht die Festsetzung des Mindestgewichts auf 30 Kilogramm des lebenden Thieres empfehlen."

Koch möchte zunächst (aus Lokalpatriotismus) berichtend bemerken, dass in Holstein und Mecklenburg nur schwere und gemästete Kälber von mindestens 8 Tagen zur Schlachtung kämen, möge dieses auch zu Fritz Reuters Zeiten anders gewesen sein; er betont dann ferner, dass am geschlachteten Kalbe die Färbung und Konsistenz des Fettes, besonders das der Nierenkapseln, einen Anhalt für die Beurtheilung böte, dieses sei beim neugeborenen Kalbe mehr dunkel, schmutzigroth und sulzig und würde mit jedem Tage heller und konsistenter.

Vilmar erwähnt eine in Schwarzburg-Rudolstadt seit 1886 bestehende Verordnung, wonach kein Kalb unter 10 Tagen zum Schlachten verkauft werden dürfe und findet dieses, ausser allgemeinen Gründen, noch besonders zweckmässig, weil die meisten, mit dem Kalben zusammenhängenden Infektionskrankheiten bei Kühen und Kälbern in den ersten 10 Tagen sich entwickeln und ablaufen.

Oberschulte glaubt, dass auf Grund einer derartigen Verordnung im Uebertretungsfalle kaum eine gerichtliche Verurtheilung erfolgen würde.

Janssen: Bei den heutigen grossartigen Handelsverhältnissen ist eine derartige Verordnung undurchführbar, weil nach den grossen Handelsplätzen die Kälber von weither zusammen gebracht werden. Das etwaige geringe Gewicht eines Kalbes kann die Zurückweisung nicht bedingen, da die Erfahrung lehrt, dass gerade leichte, gut genährte Kälber das schmackhafteste Fleisch liefern. Nährzustand und Alter muss über die Schlachtreife entscheiden und es muss dem Sachverständigen überlassen bleiben, von Fall zu Fall Bestimmung zu treffen.

Koch: Die Qualität leidet sehr bei mangelhafter Ernährung; übrigens ist es gegen das Vortäuschen einer besseren Qualität gut, dass das Verbot des Aufblasens erfolgt ist.

Ewald macht auf die geringe Qualität der Kälber aufmerksam, welche mit der, von den Molkereien zurückgegebenen Magermilch ernährt werden, selbst wenn diese mit einem Zusatz von pflanzlichem Fett gereicht wird.

Kredewahn: Ganz junge Kälber haben unsicheren tappenden Gang, während 8 Tage alte und ältere sich durch lebhafte Bewegungen und Munterkeit auszeichnen. Es muss die Lebenduntersuchung jedenfalls über die Schlachtreife entscheiden lassen.

Nach Schluss der Debatte nahm die Versammlung einstimmig folgende Resolution an:

„Die anwesenden Schlachthausthierärzte äussern sich dahin, dass im Allgemeinen das Alter von 8 Tagen bei Kälbern als Schlachtreife gelten kann, es sei denn, dass ein schlechter Ernährungszustand die Schlachtung verbiete; letztere Bedingung findet auch auf ältere Kälber Anwendung."

Der für Punkt 2 der Tagesordnung angesetzte Vortrag: „Ueber Untersuchung der Schweine auf

Trichinen" fiel wegen Abwesenheit des Referenten Blome aus.

Es fand dann Punkt 3: „Besprechung der auf dem Fragebogen eingegangenen Fragen" zum Theil sofortige Erledigung, zum Theil werden dieselben durch angemeldete Vorträge in den nächsten Versammlungen erledigt werden.

Die 1. Frage lautete: Wie ist das Fleisch von Kryptorchiden zu beurtheilen?

Janssen: Bei sämmtlichen Binnenebern hat das Fleisch von mindestens 90 Prozent einen starken urinösen Geruch und widerlichen Geschmack, es ist zweifellos minderwerthig. Ich war daher sehr erstaunt, als auf einer Versammlung rheinischer Thierärzte Kollege Brebeck die entgegengesetzte Ansicht vertrat. Ich habe nicht verfehlt, bei erster Gelegenheit dem Kollegen ein Stück stark urinös riechenden Fleisches vom Binneneber einzusenden und hoffe, ihn von seiner Ansicht bekehrt zu haben.

Bullmann fragt: Ob der widerliche Geruch durch Pökeln und Räuchern sich verliere?

Koch: Aeltere erfahrene Metzger behaupten, die Pökellake verdürbe, wenn Fleisch von Binnenebern hineinkomme, andere bestreiten es. Janssen hält auch das gepökelte Fleisch für anrüchig.

Bullmann hat ein gerichtliches Gutachten abgegeben über das Verdorbensein von Schweinefleisch, welches in einer nicht heizbaren Schlafstube im Dezember v. J. eingepökelt war. Er fand Speck und Schinken von normalem Ansehen, bei vorgenommener Kochprobe aber von äusserst urinösem Geruch und hat in seinem Gutachten das Fleisch für verdächtig erklärt, dass es sich wie das von Kryptorchiden verhielte.

Die Frage: ob das Fleisch von allen Theilen des Thieres gleich stark riecht, wurde dahin beantwortet, dass die hintere Körperhälfte den Geruch stärker entwickele.

Goldstein gab eine Erklärung über das Verbot, weshalb die Juden das Fleisch von Hintervierteln nur bedingungsweise geniessen dürften und zwar, wenn es geporcht, d. h. wenn sämmtliche Blutgefässe daraus entfernt würden und will dieses in einem demnächst zu haltenden Vortrage „Ueber das Schächten" des Näheren ausführen.

Koch zur Kryptorchidenfrage: Der Geruch tritt penetranter hervor, je höher die Entwickelung der Testikel ist, es sind dann auch die Verdickungen der Haut an den Schultern und der geringere Fettansatz im Allgemeinen mehr ausgeprägt. Die Nebenfrage: Wie ist Eberfleisch zu beurtheilen, wurde dahin beantwortet, dass dieses genau so wie das von Binnenebern zu behandeln sei.

Clausnitzer: In Dortmund kommt jeder Binneneber auf die Freibank, d. h., wird unter Deklarationszwang verkauft. Schluss: Die Ansicht der Kollegen ging dahin, dass sämmtliches Fleisch von Binneneebern als minderwerthig zu erklären sei und nicht zum Verkauf im Fleischerladen zugelassen werden dürfe.

2. Frage: Wie ist die septische Infektion des Nabelstranges beim Kalbe in jedem Falle mit Sicherheit zu diagnostiziren?

Koch beantragt diese Frage in einer der nächsten Versammlungen eingehend zu behandeln, da Fragesteller nicht anwesend ist.

3. Frage: Welches Verfahren bewährt sich am besten bei Untersuchung der Rinder auf Finnen?

Diese Frage ist durch den, vom Kollegen Schieferdecker in der vorigen Versammlung gehaltenen Vortrag, welcher demnächst in einer Berliner thierärztlichen Fachschrift noch veröffentlicht werden wird, als erledigt zu betrachten.

4. Frage: Auf welchen Standpunkt stellt sich der Verein bezüglich des Schächtens?

Diese Frage wird Kollege Goldstein in einem Vortrage nach allen Richtungen wissenschaftlich beleuchten.

5. Frage: Hat die vorgesetzte Behörde der Schlachthausthierärzte die Berechtigung, die Trichinenschaugebühren nach Belieben festzusetzen?

Durch Nachfragen bei den Anwesenden ergab sich das überraschende Resultat, dass fast gar keine Uebereinstimmung über die Höhe der Gebühren in den einzelnen Städten existirt. Die Grundtaxe von 1 Mk. für mikroskopische Untersuchung eines Schweines wird voll nur in einigen kleineren Städten gezahlt, in welchen den Schlachthausthierärzten persönlich die Verpflichtung zur Vornahme dieser Untersuchungen obliegt. In anderen Städten aber wird denselben Untersuchern nur die Hälfte, also 50 Pfg. vergütet, während die andere Hälfte in die Schlachthauskasse fliesst. Noch andere Städte, welche mehrere Fleischbeschauer beschäftigen, kürzen die Grundtaxe um etwa 20—25 Prozent für Gestellung eines Untersuchungszimmers, Reinigen, Licht, Heizung und eventl. Mikroskope. Bochum zahlt 5 Fleischbeschauern ein Monatsgehalt von je 110 Mk. und 3 Reservefleischbeschauern einen Tagelohn von je 3 Mk. und hat bei dieser Einrichtung erhebliche Ueberschüsse resp. Ersparnisse erzielt.

Es wurde folgende Resolution angenommen: „Nach Ansicht der versammelten Kollegen ist anzustreben, dass die von der Königl. Regierung zu Arnsberg festgesetzten Gebühren für mikroskopische Fleischbeschau zu mindestens 75 Prozent dem Untersuchern gewährt werden und nur etwa 20—25 Prozent für Gestellung von Räumen, Heizung, Licht und eventl. Instrumenten in die betr. Verwaltungskasse fliessen.

Ferner ist im Allgemeinen dahin zu streben,

die Schlachthausthierärzte von der regelmässigen persönlichen Ausübung der Trichinenschau zu entbinden.“

Bezüglich des letzteren Punktes wurde auf das betrübende Vorkommniss in Altena darauf verwiesen, dass ein Schlachthausthierarzt, welcher die ganze Leitung, Kassengeschäfte, Buchführung, Aufsicht in den Schlachthallen, Verwiegen, die Lebend- und Fleischuntersuchungen, kurzum alles zu besorgen hat, unmöglich zu gleicher Zeit mikroskopische Untersuchungen vornehmen könne. Er ist vielmehr an den Hauptschlachttagen durch obige Beschäftigungen vollauf in Anspruch genommen.

6. Frage: Welche Wege sind einzuleiten, um den Schlachthausthierärzten die Pensionsberechtigung zu sichern?

Diese Frage wird Kollege Wysocki in einem Vortrage demnächst ausführlich behandeln.

7. Frage: Welches sind die Ansichten über die Beurtheilung der Tuberkulose nach dem neuesten Ministerialerlass vom 26. März 1892?

Koch weist auf die 1malige Publikation von Schmaltz und die 2maligen von Ostertag hin und hofft, dass weitere Aufklärungen noch folgen werden.

Clausnitzer, Janssen, Ewald u. A. betonen, dass der neueste Tuberkulose-Erlass Aenderungen in der bisherigen Praxis nicht hervorgerufen habe, da schon seit Jahren in den Schlachthäusern des hiesigen Bezirkes die mildere Beurtheilung Platz gegriffen habe.

Kredewahn wirft die Frage auf: Wie hat der Schlachthausthierarzt sich zu verhalten, wenn ein Metzger ein, im Uebrigen vollwerthiges Schlachtstück wegen Erkrankung eines Organs, z. B. bei Lungentuberkulose, zurückweist und die Annahme weigert?

Clausnitzer berichtet über eine, in Dortmund gefällte, richterliche Entscheidung, wonach der Metzger verurtheilt wurde, das geschlachtete Thier zu übernehmen.

Wysocki hat durch polizeiliche Massregeln es durchgesetzt, dass ein Metzger ein Schlachtthier, welches einen partiellen Mangel hatte und welches der Metzger nicht nehmen wollte, 24 Stunden nach der Schlachtung aus dem Schlachthause entfernen musste.

Von anderer Seite wurde die Ansicht vertreten, dass ein Metzger wohl berechtigt sei, bei einem partiellen Mangel eines Schlachtthieres, wodurch ein geringerer oder grösserer Minderwerth bedingt wird (Tuberkulose, Leberegelseuche, Leberhypertrophie infolge chronischer Erkrankung, andere Organerkrankungen, nicht erkennbare oder verborgene vorgeschrittene Trächtigkeit bei Kühen und Schweinen, erhebliche blutige Transportbeschädigungen u. A.) den

Kauf rückgängig zu machen, bezw. den Minderwerth zurückerstattet zu verlangen.

Es wurde beantragt und beschlossen:

Da die Ansichten der Kollegen in Bezug auf Redhibition der Schlachtthiere, welche mit Tuberkulose oder einer anderen Organerkrankung behaftet sind, auseinander gehen, so wird beschlossen, bei der Redaktion der Berliner thierärztlichen Wochenschrift vorstellig zu werden und um Aufklärung zu bitten darüber:

„Ob ein Metzger berechtigt ist, ein nach dem Schlachten mit einem kranken Organ befundenes, im Uebrigen vollwerthiges Thier dem Verkäufer zurückzuweisen."

Kollege Koch wird das Weitere veranlassen. (Seitens der „Berl. Thierärztl. Wochenschrift" wurde diese Frage verneint. Selbst, wenn irgend ein Körpertheil von der Verwerthung wegen krankhafter Veränderung ausgeschlossen werden müsse, würde hierfür Ersatz nur beansprucht werden können, wenn der Werth dieses Theiles im Vergleich zum Gesammtwerth e r h e b l i c h wäre.)

Wegen der vorgeschrittenen Zeit wurde die Besprechung der weiteren eingegangenen Fragen für die nächste Sitzung vertagt.

Die nächste Versammlung soll am 16. Oktober in Hagen stattfinden.

Die Sitzung wurde um 2½ Uhr von dem Vorsitzenden geschlossen. Albert.

Fleischschau-Berichte.

Fleischschau-Bericht.] — Im städtischen Schlachthause zu Rathenow a. d. H. wurden während der Zeit vom 1. April bis 31. März folgende Thiere geschlachtet:

	1891/92	1890/91
1. Rindvieh . . .	903 Stück	877 Stück
2. Pferde	48 „	33 „
3. Schweine . . .	4753 „	4011 „
4. Kälber	2188 „	2170 „
5. Schafe	1897 „	2219 „
	9789 Stück	9310 Stück

(Also 479 Stück Vieh mehr wie 1890/91.)

Von den 1891/92 geschlachteten 9789 Thieren wurden 19 Stück beanstandet und dem freien Verkehr entzogen, und zwar:

1. Wegen generalisirter Tuberkulose 5 Rinder und 1 Schwein.

Diese 6 Thiere wurden der A b d e c k e r e i überwiesen.

2. Wegen lokaler Tuberkulose 5 Rinder, 2 Schweine.
3. „ Finnenkrankheit 2 Schweine.
4. Als alte Zuchtthiere 3 Eber.
5. Wegen Rothlaufs 1 Schwein.

Diese 13 Thiere gelangten auf der F r e i b a n k zum Verkaufe.

Ausserdem wurden folgende O r g a n e beanstandet und der Abdeckerei überwiesen:

1. Wegen lokaler Tuberkulose 9 Lebern, 67 Lungen, 1 Uterus, 2 Milzen, 1 Euter.
2. Wegen Echinokokken-Krankheit 46 Lebern, 72 Lungen.
3. Wegen Egel-Krankheit 170 Lebern.
4. „ Behaftung mit Filarien 38 Lungen
5. „ Entzündung 3 Lungen, 8 Euter.
6. „ Trächtigkeit 50 Uteri mit Frucht.
7. „ Induration 28 Lebern, 1 Milz.
8. „ Inkrustationen 19 Lebern.
9. „ multipl. Abscesse 10 Lebern, 1 Lunge, 1 Milz, 1 Darmkanal, 2 Euter.
10. Wegen Metastasen 4 Lebern.
11. „ Verwachsungen 1 Lunge, 1 Milz.
12. „ Aktinomykosis 1 Zunge.

Zusammen 286 Lebern, 182 Lungen, 51 Uteri, 5 Milzen, 11 Euter, 1 Zunge, 1 Darmkanal. Im Ganzen fanden also 556 Beanstandungen statt. —

Rathenow, im August 1892.

Simon,
Thierarzt und Schlachthof-Inspektor.

Jahresbericht des städtischen Schlachthauses in Mülhausen i. E. pro 1891/92. Im Jahre 1891/92 wurden folgende Thiere geschlachtet:

Ochsen	2141	Stück
Stiere	452	„
Kühe	1993	„
Rinder (Färsen)	1219	„
Kälber	6706	„
Schweine	19061	„
Hammel und Ziegen	3971	„
Pferde	528	„
Total	36071	„

Gegen im vorigen Jahre 34249 „

Trotzdem das Vieh so theuer war, demnach ein Mehr von 1822 Stück zu Gunsten 1891/92.

Von Auswärts kamen 589581 Kilo verschiedenen Fleisches zur Kontrolle nach dem Schlachthause. Hiervon sind etwa 500 Kilo dem Abdecker als ungeniessbar und 2081 Kilo als minderwerthig der Freibank überwiesen worden.

Auf unserem Viehhofe hatten wir 19728 Schweine, 4244 Kälber und 5009 Schafe. (Der Grossviehmarkt soll erst eröffnet werden).

Auf der Freibank wurden seit Eröffnung derselben (1. Oktober 1891), 190 Stück Vieh mit einem Gesammtgewichte von 12520 Kilo Fleisch zu dem Preise von 20—50 Pf. pro Pfd. ausgehauen. Der Grund der Minderwerthigkeit war:

Bei Kühen, 20mal Tuberculosis; 5mal zu alt und mager; 1mal schwere Geburt; 1mal Kalbefieber; 1mal Beinbruch.

Bei Schweinen: 5mal Rothlauf; 88 Schweine freiwillig; 4½ weil ohne Stempel von auswärts eingeführt; 2 Eber; 6mal Beschädigung auf der Eisenbahn; 1mal Finnen (nur der Speck wurde verkauft, das Magerfleisch erhielt der Abdecker); 1 Schwein Icterus und 2 weil zu mager.

Alle Kälber kamen weil zu jung und zu gering zur Freibank. Die Hammel weil zu gering und wässerig und die Ziegen, weil Ziegen- und Bockfleisch.

Folgende Krankheiten, welche zum Verweigern des ganzen Thieres oder von Theilen desselben Anlass geben, kamen vor:

Beim Rinde

408 mal Tuberculosis. Hiervon wurden 12 St. gänzlich dem Abdecker überwiesen. Von 67 wurden alle Eingeweide vernichtet, und von den übrigen wurden die resp. Lungen und Lebern vernichtet. Zur Orientirung sei hier angegeben, dass alles Fleisch, welches dem Abdecker übergeben wird, zuerst im Schlachthause mit tiefen Schnitten der Länge und Quere nach versehen wird, hierauf wird dasselbe behufs Ungeniessbarmachung mit roher Carbolsäure überschüttet und dann erst dem Abdecker übergeben. Die hier im Schlachthause vernichteten Theile, wie Lunge, Leber etc. werden zuerst mit Carbolsäure durchtränkt und dann vergraben.

Wegen Septikämie wurden 6 Kühe dem Abdecker übergeben. 2 Kühe und 2 Vorderviertel Fleisch, welches von auswärts kam, wurde weil marklos (Verflüssigung des Knochenmarkes) dem Abdecker überwiesen. Wegen brandiger Bauchfell- und Darmentzündung wurden 2 Kühe dem Abdecker übergeben.

123 Lebern wurden wegen Leberegel und 76 Lebern wegen Gallensteine vernichtet.

Wegen Echinokokken wurden 70 Lungen und Lebern vernichtet. 7 Lebern, 6 Lungen, 2 Nieren, 17 Euter, 1 Kopf, 1 Magen und 4 Kilo Fleisch wegen Vereiterung, wegen Hepatisation 1 Lunge, wegen Congestion 1 Milz und wegen Oedem 1 Lunge, wegen Induration wurden 5 Euter, wegen Entzündung 1 Lunge, circa 100 Kilo Fleisch wurden wegen Blutinfiltration vernichtet.

Beim Kalbe.

Wegen Tuberculosis wurde 1 Kalb dem Abdecker übergeben; 1 Lunge und 1 Leber wurden vernichtet.

112 Kälber wurden, weil zu jung, zum Schlachten nicht zugelassen.

Weil „marklos" und wegen Icterus wurden je 1 Kalb dem Abdecker übergeben.

8 Kälber, welche auf dem Transporte hierher erstickten, erhielt der Abdecker ebenfalls.

Beim Schweine.

Tuberculosis kam 12 mal vor. 1 Schwein wurde vollständig dem Abdecker überwiesen, von den übrigen wurden die infizirten Theile vernichtet. Vom Rothlauf hatten wir 39 Fälle; hierzu zählen jedoch schon 16 Fälle von Schweinen, welche auf dem Transporte hierher verendeten; 13 Stück verendeten in unseren Stallungen; diese 29 Stück wurden dem Abdecker übergeben. Von den übrigen 10 wurden die

Lungen und Lebern, dann 2 Nieren und 1 Ohr vernichtet.

Wegen Finnen wurden 4 Schweine, nachdem der Speck zum Auslassen des Fettes verwerthet worden war, dem Abdecker übergeben.

Wegen Cysticercus tenuicollis wurden 13 Lebern vernichtet, 56 Lungen und Lebern wegen Echinokokken, wegen Vereiterung 1 Leber und von 1 Schwein sämmtliche Eingeweide, 24 Lebern wegen Kalkkonkremente; wegen Gebärmutterentzündung wurden von einem Schweine sämmtliche Eingeweide und 1 Euter vernichtet.

Wegen Kachexie und wegen Icterus wurde je 1 Schwein dem Abdecker übergeben.

Wegen Congestion wurden 4 Lungen, 4 Lebern und von 4 Schweinen sämmtliche Eingeweide vernichtet.

Ein in der Agonie geschlachtetes Schwein wurde dem Besitzer zum eigenen Gebrauche überlassen.

Sieben auf der Reise erdrückte Schweine wurden dem Abdecker überwiesen.

Beim Schafe.

Wegen Tuberculosis wurde 1 Schaf dem Abdecker übergeben 1 Lunge und 1 Leber vernichtet.

Wegen Cachexie und wegen allgemeiner Wassersucht wurden je 2 Schafe dem Abdecker übergeben.

Wegen Tympanitis, brandiger Bauchfellentzündung, Septicämie, Kongestion wurde je 1 Schaf dem Abdecker übergeben.

1283 Lebern wurden wegen Leberegel vernichtet.

Desgleichen wurden 704 Lungen wegen Fadenwürmer, 29 Lungen und Lebern wegen Cysticercus tenuicollis, wegen Coenurus cerebralis 1 Kopf, wegen Vereiterung 1 Leber und 1 Vorderviertel Fleisch vernichtet.

Bei der Ziege.

1 Lunge und 1 Leber wurden wegen Tuberculosis vernichtet.

2 Ziegen erhielt der Abdecker weil „marklos".

Wegen Congestion wurde 1 Lunge und 1 Leber vernichtet.

Beim Pferde.

Wegen verkalkter Knoten von der Grösse eines Hirsekornes bis zu derjenigen einer Erbse, wahrscheinlich von früheren Parasiten herrührend, wurden 12 Lungen, 11 Lebern und 5 Milzen vernichtet.

Ueber die Entstehung dieser Knötchen herrscht zur Zeit noch geheimnissvolles Dunkel; ich habe mich schon mit Proben an verschiedene Pathologen gewendet, erhielt jedoch von keiner Seite Aufklärung.

40 Lungen wurden wegen Emphysem vernichtet.

Wegen Tetanus, Lungenentzündung, Influenza und Strahlkrebs wurde je 1 Pferd lebend dem Abdecker überwiesen.

Wegen Septicämie, brandiger Blinddarmentzündung und Melanosis erhielt der Abdecker je 1 Pferd.

16 Stück wurden, weil „marklos", dem Abdecker übergeben.

Wegen Eiterherde wurden 11 Lungen und 3 Lebern vernichtet.

Wegen Druse wurden 4 Pferde, weil zu mager 25 Stück nicht zum Schlachten zugelassen.

Unser Schlachtvieh kam auch dieses Jahr wie in den vorhergehenden, hauptsächlich aus Baden, Italien, der Schweiz, Frankreich und nächster Umgegend. Während des Jahres erhielten wir 3 Transporte amerikanischer Ochsen über Frankreich gesandt. Keine Stadt ist so wie Mülhausen auf das Ausland angewiesen, da in der Umgegend die Viehzucht, hauptsächlich aber die Viehmast, sehr unbedeutend ist.

Die Qualität des im Schlachthause getödteten Viehes hat sich seit Eröffnung der Freibank bedeutend verbessert. Die Freibank ist ein segensreiches Institut, und kann die Errichtung von Freibänken nicht genug empfohlen werden. Die Folgen der Freibank sind bei uns durchschlagend gewesen; nicht ein Metzger getraut sich mehr jene elenden, bis auf die Knochen abgemagerten Kühen zu bringen, und der Ankauf von nothgeschlachteten Thieren hat vollständig aufgehört. Der Gesundheitszustand des geschlachteten Viehes war im Allgemeinen ein zufriedenstellender. Von Seuchen und ansteckenden Krankheiten hatten wir 6 mal Maul- und Klauenseuche, und zwar 5 mal beim Rinde und 1 mal beim Schweine. Dann hatten wir 39 Fälle von Rothlauf beim Schweine. Die Maul- und Klauenseuche wurde 2 mal aus Italien, 3 mal aus Frankreich, worunter durch 1 Transport amerikanischer Ochsen, und 1 mal aus nächster Umgegend eingeschleppt. Die Rothlauffälle kamen hauptsächlich bei badischen Schweinen vor.

Die Fleischpreise bewegten sich im Laufe des Jahres in folgenden Grenzen:

Rindfleisch . . . . . . 0,80—1,60 M. pro kg.
Kalbfleisch . . . . : . 1,72—2,40 M. pro kg.
Schweinefleisch . . . . 1—2 M. pro kg.
Hammelfleisch . . . . 1,80—2,40 M. pro kg.

Pferdefleisch, dessen Verbrauch in stetem Steigen begriffen ist, wurde zu 0,40—0,60 M. pro Kilo verkauft.

Jungers,
Thierarzt und Schlachthausverwalter.

Kleine Mittheilungen.

— **Ein seltener Fall von versuchtem Betrug (imitirte Tuberkulose).** Ende Juni d. Js. kaufte der Fleischermstr. K. aus L, von dem Landwirth J. in D. einen 1½ jährigen Bullen. Einige Tage darauf machte selbiger dem Verkäufer die Mittheilung, dass er das Thier geschlachtet habe; dasselbe sei jedoch „venerisch" und könne er es diesetwegen nicht gebrauchen. Verkäufer möge mitkommen und es noch zu verwerthen suchen.

Selbiger reiste demzufolge am nächsten Tage mit dem Unterzeichneten nach L., wo, als letzterer erklärt hatte, dass eine Fälschung vorliege, auch noch der dortige Thierarzt Kauffmann zur Untersuchung des geschlachteten Bullen zu Rathe gezogen wurde.

Der im K.'schen Schlachthause hängende und noch an der Haut kenntliche Bulle zeigte nämlich in der That das Bild einer flächenartig verbreiteten scheinbaren Bauchfell-Tuberkulose, wovon auch die hintere Fläche des Zwerchfells, der Leber und der Milz ergriffen erschien. Nur fiel es auf, dass sich an den in Betracht kommenden Lymphdrüsen und an den übrigen Organen nichts wahrnehmen liess, was auf Tuberkulose irgendwie hätte hindeuten können. Um festzustellen, ob nicht etwa eine „Pseudo-Tuberkulose" vorhanden sei, wie solche bisweilen bei chronisch entzündlichen Prozessen vorkommt, wurde die Untersuchung nach allen Richtungen mit besonderer Aufmerksamkeit weiter vollführt. Hierbei stellte sich nun folgendes heraus:

Die auf der Bauchhaut, dem Zwerchfell, der Leber und der Milz haftenden, angetrockneten und an Serosen-Tuberkulose erinnernden Massen waren nicht aus dem Gewebe herausentstanden, sondern waren — aufgeklebt und liessen sich entfernen, ohne die geringste Veränderung an der Serosa zu hinterlassen. Nachdem eine Befeuchtung mit Wasser stattgefunden hatte, konnte selbige überall durch Waschen entfernt werden. Zugleich bemerkte man, dass dieselben aus hirsekorn- bis fingernagelgrossen meist unregelmässig gestalteten, eckigen, länglichen und platten thierischen Gewebsmassen bestanden, von denen viele braunröthliche Fleischtheilchen erkennen liessen. Nach stattgefundenem Abwaschen war die Serosenfläche der benannten Organe glatt, und frei von jedwedem Anhang krankhafter Gebilde. Bemerkt sei dabei noch, dass das Bauchfell (Perit. parietal.) zu beiden Seiten der weissen Linie auf reichlich Handbreite solche angeklebte Massen nicht zeigte; auch in den beim Hängen geschlachteter, gutgenährter Thiere sich bildenden seitlichen Einsenkungen zwischen Nieren und Wirbelsäure war am Bauchfell nichts zu bemerken.

Die zum Zwecke mikroskopischer Prüfung in Wasser gelegten abgelösten Massen (welche aufgeklebt waren) wurden darin an ihrer Oberfläche rasch und auffällig weiss. Bei der mikroskopischen Prüfung liessen sich Fettzellen, Muskelschläuche, Bindegewebsfasern und Zerfallsprodukte nachweisen.

Diesem Befunde nach blieb nur der Schluss übrig, dass das Bauchfell, die hintere Fläche des Zwerchfells, die Leber und die Milz mit einer zuvor präparirten, 'Fett, Fleisch und Bindegewebe haltigen Masse künstlich beklebt bezw. bespritzt, bestreut oder beworfen worden sind, was nur an den schlechter zugänglichen Stellen (Einsenkung zwischen Nieren und Wirbelsäure und in der Nähe der weissen Linie) unterblieben war. Durch die Einwirkung der Luft sind diese mit irgend einem Klebstoffe versetzten Massen dann angetrocknet.

Zum Schlusse sei bemerkt, dass die beabsichtigte Täuschung in einem Grade gelungen war, dass man selbst als Fachmann bei oberflächlicher Betrachtung den Generaleindruck von Serosen-Tuberkulose erhielt, zumal der Gedanke an eine derartige Fälschung ziemlich fern lag. Im Uebrigen geht aus dem Falle wiederum hervor, dass sich Viehbesitzer nicht mit der einseitigen Erklärung eines Fleischers, dass ein von ihnen gekauftes Rind tuberkulös sei, begnügen sollen, sondern dass sie darüber einen Thierarzt entscheiden lassen.

Pirl-Wittenberg.

— **Ueber die Haltbarkeit des Fleisches im Hochsommer** sind im Kühlhause des Schlachthofes zu Leipzig hochinteressante Versuche angestellt worden. Die Versuche betrafen eine Rinds-, Kalbs-, Hammel- und Schweinekeule. Zunächst wurde nach der „Allg. Fl.-Ztg." konstatirt, dass das Gewicht der Rindskeule um 1,8 kg, der Kalbskeule um 0,5 kg, der Hammelkeule um -0,3 kg und der Schweinskeule um 0,5 kg abgenommen hatte. Ein weiterer Gewichtsverlust trat bis zum Ende des Versuchs (bei der Kalbs- und der Schweinskeule nach zwei Wochen, bei der Rinds- und der Hammelkeule nach vier Wochen) nicht ein. Betreffs der Haltbarkeit des Fleisches ergab sich, dass die Kalbs- und die Schweinskeule nach etwa 14 Tagen und die Rindskeule in ungefähr 24 Tagen Zersetzungserscheinungen zu zeigen begannen. An der Hammelkeule dagegen konnten selbst nach vier Wochen keine derartigen Erscheinungen nachgewiesen werden. Die Zersetzungsvorgänge an den Querschnitten der Rindsmuskulatur waren in der Hauptsache durch stäbchenförmige Mikroorganismen veranlasst. Die Zersetzungsprodukte waren fast geruchlos und nur auf den Oberflächen wahrzunehmen, während die darunter sich befindlichen Fleischschnitten vollkommen normales Aussehen und den gesunden Fleischgeruch hatten. Durch die Aufbewahrung im Kühlhause hatte das Fleisch an seiner Schmack-

haftigkeit nichts eingebüsst (weder im rohen, noch im gekochten und im gebratenen Zustande). Diese schien sich sogar eher verbessert zu haben.

Aus den Versuchen geht demnach hervor, dass bei dem im Kühlhause aufbewahrten Fleisch 1. die Haltbarkeit wesentlich gefördert wird und 2. die Schmackhaftigkeit und Saftigkeit des Fleisches sich eher erhöht als vermindert. Was aber die Gewichtsverluste betrifft, welche das Fleisch in den ersten Tagen im Kühlhause erleidet, so sind dieselben kaum grösser als die durch die Einwirkung der Luft unter den gewöhnlichen Verhältnissen veranlassten Verluste.

— **Zahlreiche Verurtheilungen Nichtschuldiger wegen Milchverfälschung** sind in Potsdam, wie sich dies in einer Verhandlung vor dem dortigen Schöffengericht herausstellte, seit Jahren vorgekommen, und zwar weil das von der Potsdamer Polizei bis zum 1. Oktober v. J. zu den Untersuchungen der Milch verwendete Galaktometer eine unrichtige Skala hatte. Der gerichtliche Sachverständige Chemiker Dr. Bischoff aus Berlin nahm an Gerichtsstelle eine Prüfung des Milchmessers vor und es stellte sich heraus, dass die Skala ½ Grad weniger zeigte, wie sie eigentlich zeigen sollte.

Tagesgeschichte.

— **Oeffentliche Schlachthäuser.** Die Erbauung eines öffentlichen Schlachthauses ist geplant in Durlach, eines Innungsschlachthofes in Burgstädt. Der Vollendung schreiten entgegen die Schlachthöfe in Goslar und in Sommerfeld. Das neue Schlachthaus in Hamburg wird voraussichtlich am 1. Oktober d. J., zunächst ohne Schlachtzwang, eröffnet werden.

— **Ueber das Verfahren bei n Schlachten** ist seitens der K. Regierung zu Kiel eine Verordnung erlassen worden, welche am 1. Oktober in Kraft tritt. Der Wortlaut der Verordnung stimmt mit demjenigen des Meiningen'schen Ausschreibens (s. S. 32 d. Z) fast vollkommen überein.

— **Transportverluste in Folge der grossen Hitze.** Bei einem für den Markt La Villette bei Paris angelangten Viehtransporte sind am 19. August 100 Rinder und 300 Schweine am „Hitzschlag" verendet. Ueber ähnliche Verluste wird aus Berlin und Frankfurt a. M. berichtet.

— **Amtliche Warnung vor dem Genuss roher Milch.** Der Regierungspräsident von Osnabrück erlässt nach der „Deutschen Molkerei - Zeitung" in den Tageszeitungen seines Bezirks folgende Warnung vor dem Genuss ungekochter Milch:

„Wissenschaftlichen Erfahrungen zufolge ist rohe Milch geeignet, den Ansteckungsstoff von menschlichen Krankheiten, wie namentlich Typhus, Cholera, Scharlach aufzunehmen und, wenn sie in ungekochtem Zustande genossen wird, auf den Menschen zu übertragen.

Auch ist nicht zu bezweifeln, dass durch den Genuss der Milch von Kühen, welche an Tuberkulose (Perlsucht) erkrankt sind, der Ansteckungsstoff dieser Krankheit in Form der Tuberkulose, bezw. Skrophulose auf den Menschen, namentlich auf die Kinderwelt, öfter übertragen wird. Milch von mit Maul- und Klauenseuche behaftetem Rindvieh kann bei Kindern fieberhafte Verdauungsstörungen mit Bläschenausschlag im Munde erzeugen.

Es wird daher dringend empfohlen, die Milch, namentlich solche, welche nicht aus durchaus zuverlässiger, unverdächtiger Quelle stammt, nicht roh, sondern nur in ausgiebig gekochtem Zustande zu geniessen.

Osnabrück, 12. Juli 1892. Der Regierungs-Präsident. In Vertretung: Herr."

— **Der Cholera-Erlass des K. preussischen Kultusministeriums** warnt u. a. vor dem Genuss von Nahrungsmitteln, welche aus einem Hause stammen, in welchem Cholera herrscht. Obst, Gemüse, Milch, Butter, frischer Käse seien zu vermeiden oder nur in gekochtem Zustande zu geniessen. Insbesondere wird vor dem Gebrauch ungekochter Milch gewarnt.

— **Vergiftung durch zersetzten Käse.** Nach der „Deutschen Molkerei-Zeitung" sind in Stadthagen (Westfalen) 14 Personen nach Genuss von zersetztem Käse erkrankt.

— **Wurstvergiftung.** Ein Soldat des in Tübingen garnisonirenden Infanteriebataillons starb in Folge Genusses einer zersetzten Wurst, welche er in der Kantine gekauft hatte.

— **Eine Trichinenepidemie** ist in K ö t h e n ausgebrochen. Glücklicherweise sind nur ca. 40 Personen und diese durchweg leicht erkrankt.

— **Ein Fleischbeschaukursus für Militärtierärzte** fand im Schlachthofe zu M ü n c h e n unter der Leitung des städtischen Oberthierarztes M ö l t e r statt. Die zu dem Kursus kommandirten Militärtierärzte sollen späterhin mit der Abhaltung von Instruktionskursen für die Intendanturbeamten betraut werden.

— **Spezialprogramm der Sektion für Veterinärmedizin der 65. Versammlung der Gesellschaft deutscher Naturforscher und Aerzte.** Nürnberg, 12. bis 16. September 1892. Sonntag, den 11. September: Empfangsabend im „Museum". Montag, Mittwoch und Freitag früh 9 Uhr: Allgemeine Sitzungen in der Turnhalle des Turnvereins. — Montag Nachmittag 3 Uhr, Dienstag und Donnerstag: Abtheilungssitzungen. Montag Abend: Gartenfest der Stadt im Stadtpark. Dienstag: Ausflüge nach Erlangen, Hersbruck u. s. w. Mittwoch: Festmahl im Hotel Strauss. Donnerstag: Festball im Hotel Strauss. Freitag: Gartenfest in der „Rosenau". Samstag: Ausflug nach Rothenburg

a. T.; „historisches Festspiel" daselbst. 28. Abtheilung: Veterinärmedizin; Sitzungslokal: Bahnhof No. 2 (alte Realschule) 2. Stock. — Vorträge: 1. Professor Dr. med. F r ö h n e r (Berlin): Toxikologische und therapeutische Mittheilungen über Coffein. — 2. Professor H o f f m a n n (Stuttgart): Ueber die Abstammung des Pferdes. — 3. Bezirksthierarzt I m m i n g e r (Donauwörth): Die Heilung des sogen Strahlkrebses beim Pferde. — 4. Professor Dr. O s t e r t a g (Berlin): Ueber die Methoden zur Feststellung der Gesundheitsschädlichkeit des Fleisches von Thieren, welche mit entzündlichen Krankheiten behaftet waren. Anregung zu einer Sammelforschung hierüber. — 5. Schlachthofdirektor R o g n e r (Nürnberg): Thema vorbehalten. — 7. Dr. med. A. S t i c k e r, pr. Thierarzt (Köln): Die Beinbrüche bei Pferden und deren Heilung. — Gemeinschaftlicher Mittagstisch: Weinrestaurant Segitz, Brunnengasse 43. — Abendzusammenkünfte: Montag im Stadtpark, Dienstag, Mittwoch und Donnerstag im kleinen Gartensaal (reservirt) des Wittelsbacher Hofes (Pfannenschmiedegasse), Freitag in der Rosenau. Vorausbestellungen von Wohnungen in Gasthöfen, sowie von Privatwohnungen — ohne oder gegen Bezahlung — nimmt Herr Kaufmann J. G a l l i n g e r, Burgstrasse No. 8, entgegen. — Ausführliche Programme mit Angabe sämmtlicher Vorträge stehen auf Wunsch zur Verfügung. — Alle Herren Kollegen beehren sich ergebenst einzuladen und sind zu jeder Auskunft gern bereit: Schlachthofdirektor Rogner, einführender Vorsitzender, Zentralschlachthof, Bezirksthierarzt Dr. V o g e l, Schriftführer, Schonhoverstr. No. 7.

Personalien.

Thierarzt S p r i n g von Hannover ist zum Schlachthausinspector in Lüneburg, Thierarzt F r a n z k e von Guhrau zum 2. Schlachthofthierarzt in Münster (Westf.) und Thierarzt F r a n z von Lübeck zum Schlachthausinspector in Neuruppin ernannt worden.

Vakanzen.

Magdeburg, Schwelm, Elbing, Ragnit Pritzwalk, Tarnowitz, Stettin, Rybnik (siehe Heft 7—11 der Zeitschrift).

P l e s c h e n : Schlachthausinspector zum 1. October (Gehalt 1500 M !! bei freier Wohnung, Heizung und Beleuchtung). Bewerbungen beim Magistrat.

G a r d e l e g e n : Schlachthausthierarzt zum November (Einkommen 1800 M ! freie Wohnung und Heizung). Bewerbungen bis 15. September an den Magistrat.

B e s e t z t : Schlachthausthierarztstellen in Lüneburg, Münster und Neuruppin.

Verantwortlicher Redakteur (exel. Inseratentheil): Dr. Ostertag. — Verlag und Eigenthum von Richard Schoetz in Berlin. Druck von W. Büxenstein, Berlin.

Lightning Source UK Ltd.
Milton Keynes UK
UKHW021457030219
336610UK00006B/210/P